JN084687

「子育て支援後進国」からの脱却 II

幼児教育・保育の真の「無償化」と「公定価格」改善課題

安全な保育・増える重大事故根絶を目指して

村山祐一

新読書社

序文　本書の刊行にあたって

本書では現代日本の保育・幼児教育政策で最も重要な幼児教育・保育無償化と公定価格改善問題について検討する。この２つの課題は今後の日本の保育・幼児教育の在り方を大きく左右し、「子育て支援後進国からの脱却」への歩みを踏み出すかどうかと言うことにも連動する。実施されている無償化政策では「子育て支援後進国からの脱却」につながらない。２つの課題について歴史的経過や保育の現状をふまえてどのような改善が必要かを検討することが極めて大切である。このことは、こども家庭庁創設問題をめぐって岸田総理自ら語っている「こども関連予算倍増」と密接に関連してくる。その意味でも今後の保育・幼児教育政策を進める上で重要である。

この２つの課題は戦後の保育・幼児教育の歴史的変遷と深く関連してくる。そのため序文において、制度の異なる保育所と幼稚園の政策の歴史的変遷を簡単に振り返り、なぜ本書を刊行するに至ったかについて、これまでの私の単著も位置づけつつ、まとめてみた。

（1）保育・教育は共通だが　幼稚園と保育所の制度の異なり

日本の戦後の保育制度・政策の歩みをみると、幼稚園は戦前の歩みを踏まえ学校教育法（1947（昭 23）年３月）に基づく学校教育機関として新たに発足、保育所は戦後新たに児童福祉法制定（1947 年 12 月）に伴い児童福祉施設としてスタートした。保育・教育の対象年齢や保育時間は異なるが、保育的内容の基本は共通といえる。

実際幼稚園の目的は「幼児を保育し、幼児の健やかな成長のために適当な環境を与えて、その心身の発達を助長する」（学校教育法第 22 条）と定められている。保育所は「保育を必要とする乳児、幼児を日々保護者の下から通わせ保育を行うことを目的とする」（児童福祉法第 39 条）と定めている。つまり幼稚園も保育所も共通に「保育を行う」施設となっている。

保育所制度の基本は、児童福祉法24条の市町村の保育実施責任が定められ、公私立とも市町村の責任で運営するという仕組みとなっている。この市町村の保育実施責任は「施設と利用者とが直接向き合う関係」を市町村が支えるといったトライアングルの関係でありきわめて重要である。この視点を踏まえ、公私立の保育所運営の財政的基礎となる保育所保育単価制度は1958（昭33）度から実施された。その基本は現在も変わっていない。これに対して、幼稚園は国、地方公共団体や学校法人の設置者責任で運営するとされ、保育所制度とは異なる。しかし、現実の施策では幼稚園行政の場合も「市町村が支える」といった営みは極めて重要になる。

保育単価制度では、国が運営費基準額として保育単価額（園児１人当たりの月単価額）を示し、市町村に支給するという仕組みとなつている。その保育単価額の負担については、国及び地方自治体、さらに保護者が負担する仕組みになっている。公私立とも保育所保育料は市町村が徴収するシステムとなっている。保育所に支給される運営費基準額には保護者の保育料負担分も含められている。運営費基準総額から保育料総額を控除した額について、国・自治体が負担するとされている。つまり、国の補助額の基準である保育単価額には保育料が含まれているため、運営費にかかわる保育料を園で徴収することは行わないことが原則となっている。そのため私立保育所の場合は保育単価額の総額が園運営の基本的財政基盤となる。

これに対して、幼稚園の場合は、設置者責任を前提としているため各園での保育料・入園金などの徴収が前提となっている。そのため、私立の幼稚園では保育料・入園料＋私学助成等の経常費補助額が園運営の財政基盤となる。

現在の子ども・子育て支援新制度（公定価格制度）は保育所の保育単価制度の仕組みが取り入れられ、幼稚園、認定こども園にも適用されている。制度は異なるが、それぞれの良さを生かしつつ、保育所、幼稚園、認定こども園の子どもの保育条件が保育時間・日数の長さ等を考慮して等しく保障され、質向上が図られなければならない。

(2) 1970年後半〜1980年代の保育所・幼稚園

1970年代には、各地の保育所づくり運動を背景に政府は初めて保育所整備計画の推進を打ち出して、施設整備国庫補助制度の拡充をすすめ、保育所2万ヵ所、入所児童190万人を超える保育環境の整備がすすみ、今日の基礎（約2万3千ヵ所台、約220万人）が作られたと言える。幼稚園の場合も、1972年度から私立幼稚園の4・5歳児を対象にした入園料・保育料減免のための幼稚園就園奨励費補助金制度が創設され、1975年度には私立幼稚園経常費助成の国庫補助制度（私学助成制度）が創設された。保育所、幼稚園ともその後の発展の基礎が築かれたと言える。

しかし、1980年代には「家庭の相互扶助と自助努力」を基本にした「日本型福祉社会」論が強調され、幼稚園と保育所の経費比較や公費助成縮小等が強調され、乳児保育無用論も台頭し、「3歳児神話」が強調され、幼児は幼稚園、3歳以下は保育所という「一元化論」等も主張された[(1)]。　さらに政府は1983年の第二次臨時行政調査会の答申に基づく行政改革の一環として社会福祉関連補助金一括削減を実施し、保育所運営費の国負担率10分8を10分5（2分1）に削減した（1986（昭61）年度）。国の保育所運営費の全国平均保護者負担率は1975年頃35％であったが、1982年度には50％程度まで引上げられた。そのうえ、1986年度以降国庫負担率2分1となったことで、保育所運営費総額に占める国の平均負担率は1970年代の約50％程度から25％程度に削減された（現在でも3歳未満児の負担率は保護者約40％程度、国、自治体各約30％程度）。

こうした状況を背景に、「保育所制度の縮小・廃止の方針」等が公然と主張され、「保育所の役割は終わった」等の論調（1985年2月18日付日本経済新聞）も展開された。保育所政策は1970年代とは真逆の政策が進められ、保育所と

---

(1)　著書「現代の保育所・幼稚園」（青木書店刊1983（昭58）年5月（41歳））において1980年前後の保育所・幼稚園の状況や乳児保育無用論や自民党の「乳幼児保育基本法案」、「保育所保育見直し論」等保育所抑制政策に関する批判的検討、地域にひらかれた保育所・幼稚園のあり方などについて論究している。

幼稚園を分断するような論調もみられた。1980年代後半から1990年代前半は保育所入所児は170万人程度に減少し、保育環境の整備は大きく後退した。

幼稚園政策においては、1975年頃から始まる出生児人口の減少の影響を受けて、園児数は1979年頃からの減少がはじまり、1980年240万7千人（3歳児17万4千人、4歳・5歳児223万3千人）であり、4歳・5歳児が約9割を占め、4・5歳児中心の保育であった。1980年代私立幼稚園を中心に3歳児保育の実施が進み、1990年には3歳児は約10万人増の27万5千人となったが、全園児数の約14％弱であり、全体としては4・5歳児中心の保育に変わりはないし、園児数は約40万人減の200万7千人に減少した。

こうした状況を背景に、文部省は、3歳児からの3年保育の役割の重要性を指摘、1991年（平成3）年度から3歳児を就園奨励費補助の対象として、3年保育の推進が進められた。1990年当時3歳児は幼稚園在園児の約1割強程度であったが、2000年には約2割、2010年には約3割と増えている。

（3）国の保育政策の転換と保育制度改変の第一波

保育所政策については1980年代後半から徐々に変化が見られ始めた。

国連の「女子差別撤廃条約」の採択（1979（昭54）年12月）を背景に「女性の社会参加」の主張が高まり、1985（昭60）年5月「男女雇用機会均等法」が成立、同年7月「女子差別撤廃条約」の公布、1991（平3）年5月すべての男女を対象とした「新育児休業法」の公布などがされて、男女共同参画社会の実現が政策目標に掲げられる状況が見られ始めた。この政策の変化を背景に、女性の社会参加が当然視されるようになり、1980年代後半から1990年代にかけて、「利用しにくい保育所」問題が社会問題化し、従来の保育所抑制政策では対応できなくなり、保育所活用政策への転換が図られはじめた。

厚生省は乳児保育や延長保育など「保育ニーズの多様化」に対応した「利用しやすい保育所」を目指した制度の見直しを強調した。「利用しにくい」状況は1980年代の保育所抑制政策の推進により保育政策で乳児保育や保育時間延長の抑制や高い保育料等が大きな要因であるのに、保育所制度の運用上の改善策は示されない。むしろ「利用しにくい」のは「制度疲労した児童福祉法」、「保育所措置制度や補助制度」の弊害であり、一定の所得水準以上は「市町村を介さないで、保護者が希望する保育所との契約により入所できる直接入所制度を導入すべき」との考えを示してきた。つまり、「保育所と利用者都が直接向き合う関係」を市町村がささえるというトライアングルの関係を縮小する制度案が提案された(2)。

厚生省は1993（平5）年2月に保育問題検討会を設置し、一定の所得水準以上の世帯の保育所入所は市町村を介さないで希望する保育所との契約による直接入所制度の導入が提起されたが、反対意見が多く、報告書は予定の11月にまとめることができず翌年に繰り越された。93年12月の各紙は毎日新聞「保育所制度見直し高まる不安」(2日)、読売新聞「保育制度改革案に反発の声」(8日)、朝日新聞「保育の規制緩和で論議沸騰」(11日)、産経新聞「難航する保育所改革」等と報じた。

検討会は94年1月19日に報告書を公表、制度改革については異例の両論併記となり、厚生省の直接入所導入の改革案は少数意見、現行制度の拡充による改革案が多数となり、厚生省改革案は見送られた。2月7日付朝日新聞社説「エンゼルは2種類いない」では、「利用しにくい措置制度を改善しようとせず」、「多様なサービスは自由契約でなければ不可能と決めこみ」、「親の収入でエンゼルを二種類に分類するのは願い下げだ」と指摘している（保育問題日誌・保育ジャーナル1993年12月分～94年2月分『ちいさいなかま』1994年4月号～6月号)。これは、保育制度改変の第一波と言える。

こうした状況を背景に、1994年12月に文部・厚生・労働・建設4大臣合意のエンゼルプラン政策が公表され、現行保育所制度の拡充をふまえた「緊急保育対策等5カ年事業」が1995年度から実施された。その後2000年度からは新エンゼルプランとして低年齢児受入の拡大、延長保育の推進等新たな保育対策

(2)　著書「保育園はどう変わるべきか―公的保障の拡充改革への展望」（ひとなる書房1993（平5）年9月（51歳））において、保育所制度の見直し論の動向、全国調査に見る保育所への入所希望の状況、当時の保育政策と保育所運営の実情、保育所制度の拡充・改革の課題について論究

5カ年事業が実施された。

この間、規制緩和推進計画（1995年3月）が進められ、保育所政策にも「定員の弾力化」等規制緩和政策での対応が見られ始めた。特に、規制緩和政策は「小泉構造改革」路線の下で進められ、保育分野でも、2001年5月「待機児童ゼロの推進」が打ち出され、「最少のコストで最良・最大のサービス」という規制緩和政策を基調にして進められた。2000年3月には保育所設置主体を社会福祉法人に限定していた規制を撤廃、企業・団体等の参入の容認・推進をすすめ、2001年度には、園庭設置条件や乳児保育の面積基準等の緩和、定員の弾力化、2002年度には正規保育士のパート化等の規制緩和施策が進められた(3)。さらに2003年度には障害児保育事業の国庫補助金制度の廃止、2004年度には公立保育所の運営費国庫補助負担金制度の廃止、さらに2006年度公立保育所の施設整備国庫負担金制度の廃止など補助金制度の見直しもされた。

このように待機児童施策は規制緩和による保育条件関係予算の抑制と公立保育所への国庫負担金制度の廃止等予算の削減が進められる中で進められたといえる。なお、幼稚園行政には保育所行政のような規制緩和策は採られず、私立幼稚園の設置主体は学校法人に限定され続けている。

（4）規制緩和政策の推進と保育制度改変第二波の動向

政府の総合規制改革会議などは「幼稚園・保育所制度の一元化」、保育所国庫負担金制度の見直しや利用者の直接入所契約方式の導入等の保育所制度再編成が主張された。「幼保一体化」については、小泉総理のトップダウン方式で、2003年6月の骨太方針で「認定こども園」の設置が示され、幼稚園、保育所の制度はそのままにして、「両者の機能を統合した総合施設」として認定こども園制度が2006年10月に施行された。

---

(3)　著書「もっと考えて‼ 子どもの保育条件―保育所最低基準の歩みと改善課題」（新読書社刊、2001（平13）年8月（59歳）、2003年5月日本保育学会保育学文献賞受賞）、では、保育所最低基準の歩みを振り返りつつ、規制緩和政策の下での1998年の最低基準改訂の問題点を指摘し、「最低基準の形骸化」、「保育の危機」を指摘し、最低基準の抜本的改善の基本的視点と改善課題を検討している。

こうした動向の中で、厚労省は当初の頃、直接入所契約制度は児童福祉施設である保育所にはなじまない等の理由で導入には反対していた。しかし 政府の少子化社会対策会議（会長内閣総理大臣）は2007年2月「子どもと家族を応援する日本」重点戦略会議（議長内閣官房長官）を設置、同年12月に重点戦略（会議とりまとめ）を公表、「包括的な次世代育成支援を図る制度設計の検討について直ちに着手し、速やかに進めるべき」との方針を示した。これを受けて厚労省は2007年12月26日に社会保障審議会に少子化対策特別部会（大日向雅美会長）を設置し、2008年5月には保育制度について「『準市場メカニズム』を基本に新しい仕組みを検討」という方針を示し、2009年2月に第一次報告をまとめ「新たな保育の仕組み」（新制度案）の検討が示され重大な方針転換が行われた。新制度案の主な意図は戦後の保育制度を支えてきた「児童福祉法24条の市町村の保育実施責任」を廃止することであり、戦後築いてきた保育所制度を根底から変質させることであり極めて重大な岐路に直面することになった。保育制度改変の大きな第二波を迎えることになった[(4)]。

この制度改変は民主党政権（2009年9月～2012年12月）に引き継がれ、「子ども・子育て新システム検討会議」を設置し、児福法24条の廃止だけでなく保育所、幼稚園、認定こども園を「総合こども園」に一体化し、補助金制度を廃止し「給付制度」の導入、企業参入の推進のための指定制度導入等の方針を示し「幼保一体化」を強調するようになった[(5)]。

政府は2012年3月に総合こども園法を柱にした新システム関連法案を決定し、法案を国会に提出した。しかし、この法案については、保育界や関係者か

---

(4) 著書「『子育て支援後進国』からの脱却Ⅰ—子育て環境格差と幼保一元化・子育て支援のゆくえ」（新読書社2008（平20）年9月（66歳））では、規制緩和政策がこどもの視点を無視し、品格が問われ内容と批判的検討を行い、戦後の幼保一元化論議の経緯と課題、認定こども園制度の問題点等について検討、「保育・子育て全国3万人調査（村山科研）」を手がかりにした子育て環境格差と子育て支援の課題について検討した。「子育て後進国」といわれる日本の保育政策がそこからの脱却の方向性と課題を検討している。

(5) 著書「たのしい保育園に入りたい—子どもの視点を生かした保育制度改革への提言」（新日本出版社刊、2011（平23）年5月（69歳））では、待機児童解消対策の実情、児童福祉法24条と「保育サービスを受ける権利」の保障、国が進めている「新制度案」や新システム制度案への批判的検討、子どもの視点から保育制度のあり方などについて検討している。

ら疑問や反対意見が相次いで出されていた。新システムの基本制度案要綱が決定された2010年6月頃から各地の地方自治体において新システムの反対や撤回、現行制度の堅持・拡充などの意見書が可決されはじめ、2012年3月末までに42都道府県の302地方議会で意見書可決がされた。3月31日読賣新聞には研究者・保育関係者等の有志による意見広告「問題だらけの新システムはいりません」が掲載された。

5月10日から衆議院で審議入りしたが、11日付朝日新聞「子育て法案厳しい船出、総合こども園に批判集中」、毎日新聞「複雑な制度必要ない、野党側強く批判」、12日東京新聞「子育て将来語らぬ政府」、26日毎日新聞「幼保一体不安残す民営、政府答弁あいまい、衆院特別委」等が報道された。日本保育学会保育政策研究委員会は5日に「新システム関連法案8つの疑問」を公表(21日日本教育新聞)、日本弁護士連合会は9日新システムに反対する意見書を内閣府に提出(21日福祉新聞)した。

2012年6月15日民主党・自民党・公明党の3党協議で新システム法案の修正協議を行い、児童福祉法24条の市町村の保育実施責任を復活させ、総合こども園法を撤回し、保育所制度は堅持された。認定こども園については「認定こども園法」の一部が修正され、認定こども園の定員の枠に3歳以上の「保育を必要とする児童」(2号認定こども)を設けることが義務付けられた。これは、そもそも厚労省は保育所制度を廃止して、総合こども園に移行させることを意図した経過から、保育所が認定こども園に移行しやすくする手法を残したとも言える。

新システム関連3法案は8月10日に消費税増税法案とともにに成立した。消費税は2014年に8%、新制度施行の2015年に10%引上げを決定、2015年度の新制度施行に伴う財源の一部に充てると予定されていた。

内閣府は子ども・子育て新制度施行(2015年4月)にむけて2013年4月26日に子ども・子育て会議(無藤隆会長)を設置し、基本指針、各種基準、公定価格の体系等の具体的な制度設計の審議が開始された。

しかも、厚労省は保育所制度再編成の混乱の中、突然2012年度から民間児童館補助金等の廃止を実施した。さらに新システム関連法案が成立した翌月の9月28日、全国各地の児童館等児童健全育成事業施設の中核的施設としての国立総合児童センター「こどもの城」を2015年3月末で閉館すると公表した。

こどもの城は国際児童年（1979年）を祈念して1985年に開館した唯一国立児童施設であり、重要な役割を担っていた。2012年10月10日毎日新聞「国立総合児童センター・こどもの城存続願う声」、10月15日週刊誌「アエラ」は「青山『こどもの城』閉館―『子育て小国の証しか』」等が報じられたが、2015年3月末日に国立こどもの城が閉館された。さらに厚労省はすべての子どもを対象にした児童館事業について、国庫補助金を廃止し、実質的に撤退することになった。こうして少子化対策とは矛盾する施策が次々と実施される状況で、2015年4月子ども・子育て新制度がスタートした[(6)]。

子ども・子育て新制度では、保育所の保育単価制度がそのまま適用され、公定価格と呼ばれるようになった。新制度の実施で、幼稚園にも適用されるようになり、幼稚園は大きく改善された。保育所については消費税率10%への引上げでの財源で保育士配置基準等処遇改善をすすめるとの方針が確認されていた。しかし、安倍総理は2014（平26）年11月に2015（平27）10月に予定していた消費税率10%引上げを2017（平29）年4月に1年半延期を表明、更に2016（平28）年6月に2年半先の2019（令1）年10月に延期を表明、新制度の実施で約束された保育士処遇改善の取り組みは先送りにされていた。

(5) 幼稚園児の減少下での幼稚園条件整備の改善の推進

幼稚園行政は少子化に伴い幼児人口の減少と女性の社会進出に伴い、利用者のニーズの変化や幼稚園利用者の減少が進み、幼稚園児数は1980年度240万7千人、1990年度200万7千人、2010年度160万5千人、2020年度107万8千人となっている。こうした状況の下で、幼稚園政策にも1990年代から2000

(6) 拙稿「子どもの城の閉館、民間児童館補助金廃止問題と子ども・子育て支援新制度」（保育研究所編「保育の研究」25号 2013年11月刊所収）参照年代にかけて変化が見られるが、保育所施策とはやや異なっている。

文部省は、1991年度から3歳児を就園奨励費補助の対象として、3年保育の推進を進めた。さらに、通常の教育・保育時間前後及び長期休業期間中に行われる「預り保育」が実施されるようになり、1997（平9）年度から、私立幼稚園に対して「預かり保育推進事業」の補助金が支給されるようになった。さらに2000年度から幼稚園就園奨励費補助金の対象を拡大し、「満3歳児に達した時点で随時入園する園児」（満3歳児入園）も対象となった。また幼稚園では2002年度から完全学校5日制が実施され、土曜日は休日となり、土曜日の保育は「預かり保育」の対象となった。

こうした状況をふまえ、2001年3月文科省策定の「幼児教育振興プログラム」においては、「満3歳児入園の条件整備」、「『預かり保育』の推進」さらに「ティーム保育の導入」を掲げた。「満3歳児入園」については「希望するすべての満3歳児の就園を目標に条件整備を促進する」方針を示し、推進した。

「預かり保育」については2002（平14）年6月に「『預かり保育』の参考資料」を作成し、希望する全ての園で預かり保育を実施することを目標に推進するとした。2002（平14）年度から「預かり保育推進事業」については市町村に対して地方交付税措置がとられた。

「ティーム保育の導入」は、各幼稚園の実情に応じて「幼稚園全体の協力体制を高め、きめ細かな指導の工夫を図るため」という目的で基準より多い教員加配を実施する施策と言える。2002（平14）年度から私立幼稚園に「ティーム保育の推進経費」補助金が私立学校経常費補助金（一般補助）として実施された。

さらに、2007（平19）年6月の学校教育法改正で「地域における幼児期の教育支援」（24条）が明記され、「預かり保育が法律上位置づけられた」とされた。2008（平20）年度から「子育て支援としての2歳児の受け入れ」が位置づけられた。

幼稚園行政では、規制緩和政策を背景に、就園奨励費補助金の増額や幼稚園事業の対象の拡大と同時にその実施のための一定の予算措置がなされた。特に

「ティーム保育」等教員加配等が私学助成経常費補助金に予算措置されて、基準を超える教員配置、保育の条件整備の拡充、質向上につながる対応も進められた。実際、幼稚園の場合は園児数は2000年177万人（私立140万、国公立37万人）であったが、新制度実施直前の2014年には155万（私立128万、国公立27万人）と約22万人（私立12万人、国公立10万人）減少した。園児数の減少の中、2014年度の私学助成経常費補助金は2000年度の約1.4倍に増額、就園奨励費補助金は約2倍に増額され、保育条件整備の拡充と保護者負担の軽減が進められた。この点は保育所の規制緩和による予算抑制施策とは大きく異なる。こうして進められた施策は2015年度に始まる新制度において、幼稚園の公定価格に位置づけられ、拡充されてきている。

(6) 幼児教育・保育の無償化政策について

幼稚園の一連の施策がすすめられ一定の方向性が定着した状況が見られる中で、幼児教育・保育無償化問題が政治の舞台に登場してきた。幼稚園団体等関係者は幼稚園就園奨励費事業の充実で保護者負担の軽減を進めてきたが、さらなる軽減のために「幼児教育の無償化」を求めはじめていた。

小泉内閣が推し進めていた「認定こども園」創設の法案が2006年6月9日成立、10月施行が決められた翌7月、「骨太の方針2006」において「幼児教育の将来の無償化について歳入改革にあわせて、財源、制度等の問題を総合的に検討」が示された。その後文科省は中教審での審議を諮問、2008（平20）年4月18日中教審は答申「教育振興基本計画について―“教育立国”の実現に向けて」では「幼稚園就園奨励費、幼児教育無償化の歳入改革にあわせた総合的検討」という方針がしめされた。文科省は同年5月に「今後の幼児教育の振興方策に関する研究会」を設置し、2009（平21）年5月18日「幼児教育の無償化について（中間報告）」を公表、財源などが示された。

しかし、2009年9月民主党政権の誕生で、「総合こども園」を柱とする「新システム関連法案」の検討が中心となり、無償化の論議は立ち消えとなる。その後2012（平24）年8月の子ども子育て新制度法案採決の際付帯決議で「幼児教育・保育の無償化」の検討が明示される。

2012年12月自民党政権に交代、政府・与党は2013（平25）年3月「幼児教育無償化に関する関係閣僚・与党実務者会議」を設置、2014（平26）年度から「『段階的』に取り組む」との基本方針を決め、生活保護世帯の保育料無償化、低所得世帯や多子世帯等の保護者負担の軽減等が段階的に進められた。

ところが、2017年7月31日第6回「幼児教育無償化に関する関係閣僚・与党実務者連絡会議」は「骨太方針2017」の方針を受けて、幼児教育・保育の無償化について「安定的な財源確保の進め方を検討し、年内に結論を得る」についての検討を開始するとした。自民党は2017年10月の衆院選で公約に「2020年までに…幼稚園や保育所などの費用を無償化します」を掲げ、選挙に勝利し2017年11月1日発足した第4次安倍内閣は12月8日に「新しい経済政策パッケージ」において「幼児教育の無償化については、消費税率引き上げの時期との関係で増収額に合わせて、…2020年4月から全面的に実施する」との方針を示し、財源は2019（令1）年10月1日実施予定の消費税率10%の一部を充てるした。2018年1月官邸主導で「保育園、幼稚園、認定こども園以外の無償化措置の対象範囲等に関する検討会」を設置、5月31日報告書を公表、実施時期を消費税率10%引上げに合わせて2019年10月1日として実施された。この無償化政策は内容的にも幼稚園行政を踏まえる手法で進められた。

その結果、新制度実施の際約束された保育士増員等は、予定されていた財源を幼児教育・保育の無償化に充てられることになり、財源の補充もされずに、現在に至るまで何らの対応もされず、放置されたままである。新制度の創設と幼児教育・保育の「無償化」とは次元が異なる課題だが、いずれも重要な課題である。しかも財源問題をめぐり複雑に関連し、それぞれの施策のあり方を揺るがしかねない問題をはらんでいる。特に、「幼児教育・保育の無償化」は制度の異なる保育所と幼稚園にかかわる問題であり、きわめて重要な課題であるにもかかわらず、「高所得者に恩恵」（毎日新聞2018. 12. 25）、「政策の優先度見極めを」（朝日新聞社説2019. 3. 24）、「子どもたちが置き去りだ」（東京新聞社説

2019.5.9)、「待機児童解消と質向上を急げ」(読売新聞社説 2019. 5. 17) 等なぜ急ぐのかといった指摘が渦巻く中で、実施されている。その後も混乱が続いている。

そこで、本書ではまず第一部で「幼児教育・保育の無償化」についてどのような状況で進められてきたか、官邸主導で進められた問題点を検証し、「真の無償化」のあり方や課題を検討する。「子育て支援後進国」からの脱却を目指すうえで、幼児教育・保育の「無償化」の拡充が極めて重要である

(7) 保育所運営費抑制政策4半世紀の歩みが生み出した深刻な状況

1990年代後半～新制度直前の2014年頃にかけての保育所政策の大きな特徴は、待機児童対策の推進が叫ばれる中、児福法24条の市町村の保育の実施責任を廃止し、直接入所契約制度の導入し保育所運営費国庫補助制度の廃止を目的とした保育所制度再編成の波が第一波、第二波とおしよせ、約四半世紀、保育関係者はその波を防ぐのに翻弄したと言える。そのため、児福法24条の市町村の保育実施責任が遵守でき新制度がスタートしたことで、新制度への一定の期待が寄せられたとも言える。

この間、保育現場では乳児保育、延長保育等保育ニーズの多様化への対応が求められ、2014年の3歳未満児は2000年の約1.6倍に増え、在園児の比率は約3割弱（約29%）から4割弱（約38%）を占めるまでに増え、保育時間の長時間化が進行した[(7)]。しかし保育士処遇については、常勤保育士の短時間保育士化、無資格者の活用など規制緩和政策がすすめられ、保育所運営費抑制政策により保育環境の悪化が進んだ。

この点は幼稚園の施策では、前述したように園児減が進む中チーム保育の拡充など経常費補助金の増額、完全週休2日制の実施等の改善が進み、保育所施策とは大きく異なる点といえる。

---

(7) 拙稿「乳児保育の政策の変遷と課題」(大阪保育研究所編「テキスト乳児保育改訂新版」所収・2014年3月刊) 参照

実際、この間の保育所保育単価の人件費の基準額は、国家公務員給与表の3年程度の給与月額に固定的に貼り付けられていて、昇給財源も保障されていない。そのため、人事院給与勧告において2002～05年、2009～2011年に減額されたことが、ストレートに影響し、人件費基準額は減額の各年度において大幅に減額された。そのため2000年当時より安い額が続き、20年後の2020年度にやっと保育士・調理員等の給与基準額は2000年当時とほぼ同額、園長や医主任保育士はまだやや低い水準にとどまっている（第2部第3章1-(1) 図表3-1-1、p189～参照）。

さらに国の保育士等職員基準は実態を踏まえた配置人数ではなく、ほぼ1970年代の基準のままであり、基準外の加算保育士の配置も何ら行われていない。こうした影響を受けて全国の保育所運営の財政基盤である保育単価額は抑制され続けてきた。

例えば、4・5歳児及び1・2歳児の公定価格（保育単価）基本分平均単価額の推移をみると2000年度か以降約3％程度の減額が続き新制度開始の2015年度にやっと2000年度の水準に回復したに過ぎない。ただし、4・5歳児単価額は無償化により、副食材料費が保護者負担となったため、7.5％減となっている。それ以降わずか伸びて2022年度の1・2歳児単価額は2000年度より約6％程度の増に過ぎず、ほぼ22年前の単価額の水準のままである（第2部第3章-1-(1)、図表3-1-3、p85参照）。

ところで、2000年以前の労働時間48時間及び40時間への移行期の時代（1981～1996年）では、平日は保育時間8時間が基本であったため、保育は8時～16時で終了し、時間外保育の利用者は少なく、多くの職員は4時～5時の1時間を事務処理や保育準備や打ち合わせに充てることが可能であった。また土曜日も半ドンであり、午後は全員そろって職員会議や保育準備を行うことが可能であった。その後週40時間制に移行してからは（1997年度以降）、全員参加の会議を持つことが難しくなっていたが、土曜日保育の柔軟な対応でなんとか実施することも可能であった。

しかし、新制度になり、土曜日開所が予算増も職員増もないまま、通常保育と同様な保育時間開所することが実質義務化となり、利用者がいないなど閉所の場合は公定価格基本分の減算措置が執られるようになった。そのため職員が交代で土曜日出勤となり、完全週休2日制も保障されない状況が常態化している。ギリギリの職員配置のため、欠勤が生じたりすると、予定外の土曜出勤になったり、平日休暇が取れなかったりするケースも生まれている。しかも、土曜日を含め毎日長時間保育を実施しているため、職員相互の打ち合わせもなかなか難しく、職員全員での職員会議はほとんど実施することができない状況に置かれている（第2部第2章-5、p167〜参照）。

このことは、保育士の専門性にとって最も重要な保育士相互で園児について話し合い、保育のあり方を語り合う営みを奪い去っている状況と言える。また完全週休2日制社会で育ってきた新任保育士が「なぜ保育所は土曜日休めないの」という素朴な疑問を持ち、この疑問が保育所を辞める大きな理由にもなっている。

(8) 幼稚園は１クラス２名配置可能な基準に改善、保育所は１名のままという基準

保育所等の8時間以上の長時間保育の利用児童の割合は2020年度は3歳以上は約55%余、3歳未満の低年齢児は約40%に達し、今後更に増える傾向にある。地域社会において、保育所は必要不可欠な施設であり、そこで1日の大半を生活する子どもの安心・安全の保育を保障するためには保育士の処遇改善等保育の質の確保が極めて重要課題となっている。

幼児教育・保育の「無償化」政策で保護者負担の軽減は一定改善されたが、低年齢児保育の拡大、保育時間の延長など保育ニーズの多様化が進んでいるのに、国の保育士配置基準は実質的には1970年代のままである。保育所の施策には幼稚園行政で進められていたチーム保育加配加算等の加算補助を取り入れることもなく、ゼロ対応で進められてきている。

その結果、新制度の公定価格の下で、保育士の基本分配置基準に加算配置を含めた保育士等配置数基準をみると、幼稚園は基本配置基準数の2倍強の配置が可能になり、幼児15〜20名程度の1クラスを2名で担当する体制が可能と

なっている。しかし、保育所は基本分配置基準数の10%増でしかないため、1クラス15名～20名程度であっても1人担当にとどまっている（詳細は第Ⅱ部第2章-3、p143～参照）。つまり保育所の公定価格の加算配置を含めた保育士配置数基準は、保育時間・日数の短い幼稚園の約2分の1程度に過ぎない。幼稚園児（1号認定こども）と保育所児童（2号認定こども）の保育条件に格差が作られていることになる。

そのため国の設備運営基準に示されている保育士等職員配置基準では安心した保育所運営が困難となっている。このことについては会計検査院の報告書（2021年12月）でも指摘されている[(8)]。そのため保育現場では基準以上の職員配置で対応せざるを得なくなり、基準人数分の人件費を基準以上の職員に分配し、さらなる低賃金構造が作られている。踏んだり蹴ったりの状況が公然と続けられているといえる。また、会計検査院の報告でも指摘されているように、保育士配置基準の職員を確保していても、安全・安心の保育が保障できないため「定員割れ」の状況も見られる。

保育士等職員を基準より多く園独自で配置している施設への保育士加配の補助金（加算システム）を位置づける検討も一向にされていない。保育関係者が保育士配置基準の改善を要望すると厚労省・内閣府の担当者が「保育士不足だから保育士配置基準を改善しても、現場も困るでしょう」等と問題をごまかすような発言をするなどと言う話も聞いている。基準を変えなくとも、加算システムを段階的に拡充すれば、各施設の状況に応じて保育士を増やしていくことが可能となる。加算システムを活用する施設が増えることで、基準を改善できる土台が作られていく。それなのに改善に取り組もうとする施設への支援さえ

---

(8)　2019（令1）年12月公表の「会計検査院報告書―待機児童解消、子どもの貧困対策等の子ども・子育て支援施策に関する会計検査の結果について」で「利用定員数まで児童を受け入れられていない空き定員」の理由について次のように指摘している。

「各施設において施設運営基準を満たす保育士は確保されているものの、保育士の勤務状況や個別の児童の状況等を踏まえた安定的な運営を実施していく上で必要な保育士が十分に確保できていない状況を示している」。「こうした状況は特定の地域に限られたものではなく、全国的に見受けられるのとなっていた。」（p131）

行っていないのが現在の内閣府・厚労省の子育て支援策である。

(9) 保育所等の重大事故急増、幼稚園の約9〜12倍―第2部の検討課題について

このように保育士処遇改善が進まない状況の下で保育所等2号・3号認定保育の子どもの重大事故(30日以上の治療を要する重篤事故、死亡事故・内閣府調査)は増え続けている。保育所等の重大事故発生率は2020年に幼稚園の8〜9倍、2021年9〜12倍と異常な状況が生じている。保育士処遇改善が進まないことでの、最大の犠牲者は園児であるといっても過言ではない。こうした状況を見過ごすことは許されない(第2部第4章-1、図表4-1、p260参照)。

厚労省・内閣府は、保育所保育指針や検討会報告等で、保育士相互に「共通理解や協働性を高める」、「日頃から職員間の対話が大事」、重大事故防止でプールについては監視担当保育士の必置等と強調されるが、そうした対応が実現できる保育士配置基準ではない状況については全く論議されない。保育士処遇の改善策を示さずに、あるべき姿だけを強調し、現場にその責任のすべてを強いて、改善に取り組んでいるかのようなポースをとり続けている。これは閣議決定したこども政策の新たな推進体制基本方針「こどもまんなか社会を目指すこども家庭庁の創設」(2021年12月21日)の基本理念に相反する施策と言える。

2000年頃から少子化対策、待機児童解消が叫ばれる中で進められた約四半世紀のこのような国の保育行政への姿勢は「子育て後進国」からの脱却を目指しているとはとても言えない。「子育て後進国」からの脱却を目指すためには、保育士処遇の改善は極めて重要な課題である。

そこで、第Ⅱ部では、新制度の下で、保育所運営の土台となっている公定価格(保育単価)の仕組みがどのようになっているのか、その内容の基準は保育所の実態や社会の変化に応じて検討されてきているのかどうか、保育時間や保育日数は幼稚園より遙かに長いが、短い幼稚園と比較してどうなのか、保育時間の長短に関わりなく子どもの保育条件が等しく保障されているのか、保育所

の重大事故発生率は幼稚園の約９倍と急増しているのはなぜかなどについて、保育士・教諭等職員の処遇を中心に具体的に検討する。なおその際、制度や施策のしくみが複雑なため重複した説明もあることはお許し下さい。

この検討を踏まえて、子どもの命と安全を守り、保育の質向上をすすめるためには保育所の安定した運営の確保と保育士処遇改善策について、幼稚園の改善策に学びつつ、長時間保育の実態を踏まえた具体的改善策を検討する。その際一般的基準のみにとどまるのではなく、平均的保育所の保育士配置状況が具体的にどのように改善されていくのか、保育士等職員の加算システムの拡充など具体的に検討する。

保育士処遇の劣悪さが続くことは、将来を担う子どもの育ちを歪めることであり、極めて重要な社会問題といえる。保育関係団体や園長等保育関係者にあっては日本の保育の担い手として、ぜひ保育現場の実情をいろいろな形で社会に訴え続けることが極めて大切である。

保育にかかわる研究者は保育を保育者個人の資質としてだけでの問題にとどめるのではなく、保育士等職員の実情に寄り添い、保育者相互の関係、子どもとの関係を含めた面として、日常の保育全体の営みとして捉えて、保育士がどのような保育環境で保育を営んでいるのか、保育士を含む保育環境の矛盾の状況を踏まえた論議を深めていただきたい。その上で、保育士処遇改善の課題は何かを具体的検証や改善課題の提案などを行い、活発な論議の推進者としての役割をぜひ果たしていただきたいと念願する。本書で提案した改善策は私の提案であり、これを手がかりにぜひ活発な論議を希望する。

（10）刊行に際しての留意した事項について

ところで、新制度への移行を積極的に推進したのは厚労省側にあった。厚労省は、1990 年代末から保育所制度改変の動きを示し始めたが厚労省側の大きな理由について、関係者からは「保育所は一般施設化して、もはや児童福祉の対象ではない」という認識にあるとの指摘も聞かされた。新制度に移行してからも、保育所の保育士配置等条件改善には積極的姿勢は示されず、うわべをつくろうだけの対応に終始、5年後の見直しでも何らの改善はされずじまいと言える。財務省など財政当局や官邸サイドから暗黙の圧力、気遣いではないかという指摘もある。

更に、審議会で現場からいろいろと発言が出されるようなテーマについては、前もって役所の側が団体等の関係者と予備会議をもち、対応を協議したり、暗に発言を抑制するかのようなこともあると聞く。また、団体の幹部を通じて、団体選出の審議委員に発言の抑制を進言したり、審議委員の交代などもある等を耳にする。

こうした状況をいろいろと聞かされてきたこともあり、今回は幼児教育・保育の無償化や公定価格にかかわる重要な課題について子ども子育て会議の議事録等を参考にどのような論議がされたのかも含めて検討することにした。また、社会においてどのように認識されていたかのバロメーターとして新聞などでどのように扱われていたかも検証してみた。それは、私が1974年2月から保育専門月刊誌『ちいさいなかま』連載している「保育問題日誌・保育ジャーナル」にもとづき記述した。「保育問題日誌・保育ジャーナル」は全国紙3紙、地方紙2紙を基本に新聞記事で保育問題がどのように扱われているか毎月まとめ連載を続けて、2022年2月号で48年目を迎え現在も続けている。

なお、「『子育て支援後進国』からの脱却Ⅰ」でも「保育政策・制度問題関連年表」(1979年〜2008年3月)を掲載したが、今回は「付録・保育政策・制度問題関連年表Ⅱ(2008年〜2021年)」を掲載したが、国や自治体の政策動向だけでなく、その時々の保育問題にかかわる新聞記事や社説なども掲載し、総合的に検討できる内容に改善した。その際、保育政策の動向をふまえて刊行した私の論稿等も位置づけておいた。参考にしていただければ幸いである。

(11) こども家庭庁創設及び「幼保一元化」に関連して

本書の最終原稿を入稿し始めた頃、2022年6月にこども家庭庁設置関連法案、こども基本法案が国会で可決成立し、こども家庭庁が2023年4月からスタートすることになった。その際長年の課題である「幼・保一元化」は見送られ、幼稚園は文科省、保育所・認定こども園は内閣府といった新たな二元化行政が進められることになる。

「幼保一元化」の基本は行政管轄の一元化、基準の一元化である[(9)]。しかし、二元化の下でも、施設の管轄に違いがあっても、子どもの最善の利益最優先の視点からすべてのこどもを等しく保育するという平等の観点から、子どもの保育条件・保育環境及び保育士等職員配置や処遇に関する基準については一元的に対応することは可能である。これは制度の変更ではなく、現在制度の運用上の改善であり各省庁の努力で進めることができる。ぜひ子ども家庭庁が中心になって基準の一元的対応、「子ども予算の倍増」実現の議論と施策を進めていただきたい。

ところで政府は内閣府の外局としてこども家庭庁を設置し、専任閣僚としてこども家庭庁長官を置き、全省庁への勧告権を持たせ縦割り行政を排すると主張している。また、こども家庭審議会を設置し、内閣府及び厚労省の関係審議会は移管される。さらに「特別の機関」として内閣総理大臣を会長とするこども政策推進会議が設置され、他省庁等関係行政機関に「必要な協力を求めることができる」としている（こども基本法19条)。しかし、行政から独立して調査・勧告する第三者機関の設置は否定されている。内閣・官邸主導で進めやすい体制になりやすい危険性を内包している。

前述したが、企業主導型保育事業や幼児教育・保育無償化でとられた官邸主導では、これまでの保育政策の積み上げを無視し、政治的意図と結論ありきで、短時間ですすめた手法といえる（第1部第2章-3、p41～及び第3章-4、p56～参照)。その結果、企業主導型事業では不正疑惑事件が発覚や会計検査院勧告、さらに無償化をめぐっても、その推進の中心的役割を担っていた全日本私立幼稚園連合会での6億円にも上る不正疑惑問題が発覚している[(10)]。再び繰り

(9) 拙稿「戦後の『一元化論』・『一元化・一体化政策』の動向と課題」(日本保育学会編「保育学講座2—保育を支えるしくみ、制度と行政」所収・2016年7月刊、東大出版界参照)

(10) 2021年3月12日に全日本私立幼稚園連合会は2017年～2020年度の4年間で計約4億円超の使途不明金問題で香川敬前会長と事務局長の2人の捜査を求める告訴状が警視庁に受理された(2021年3月13日毎日新聞等)。この4年間は幼児教育無償化問題が政治課題として急浮上し実

返される危険性があるので注意しなければならない。

こども家庭庁創設の国会審議では、こども関連予算増額の財源論議が一つの重大問題として提起され、各紙の論調でも今後の課題であると指摘されている。

現在子ども関連予算は約9兆円、対国内総生産（GDP）比で1.73％（19年度）、OECD加盟国平均2.12％にも達していないし、3％を超える欧州主要国には遠く及ばない。岸田首相は国会答弁で、子ども関連予算を「将来的に倍増」という曖昧な言い方だが、その必要性を認めている（2022年5月18日読売、14日朝日）。こども家庭庁創設に際して政府は、こども政策で大事にすることは、「全ての子どもを権利主体」として「子どもの最善の利益を尊重する」、「こどもが自立した個人としてひとしく健やかに成長することができる社会の実現」、「すべてのこどもが心も身体も健康に育ち，幸せになること」、「だれひとり取り残さないこと」等を強調している。この理念と岸田首相の「こども予算倍増」の必要性の指摘をふまえるなら、前述した公定価格の職員配置基準（加算を含む）の幼稚園と保育所の格差は速やかに是正されて当然であり、保育所も配置基準の2倍の配置が可能なように早急な改善が求められている。

本書では保育施設の基準の一元的対応を基調に検討し第Ⅱ部第5章で改善案をまとめたが、結果として現行の公定価格を約2倍程度の予算増の提案となっている。岸田首相の「こども予算倍増」を積極的に受け止めて、活発な論議をすることが、大人、社会の責任といえる。本書での提案を含めてぜひ活発な論議を期待している。「こども予算倍増」、「保育所運営費倍増」が進められれば、「子育て後進国からの脱却」が大きく前進することになる。

施になった時期であり、いろいろと疑問・疑惑が語られていた。その後1年4カ月後の2022年7月13日警視庁は2人を逮捕。14日各紙は「幼稚園連前会長ら横領容疑、警視庁逮捕、使途不明金6億円、政界に人脈派手な出費も」（読賣新聞）、「『長期政権』政治家とパイプ」（毎日）等と報道。さらに16日各紙は「文科省不適切飲食調査へ、幼稚園連前会長ら逮捕で、官房審議官ら数十人規模」（東京新聞）等文科大臣が調査の実施と結果の公表を表明。その後、文科省は8月26日幼稚園連合会からの高額接待で幼児教育課長経験者等の幹部6人を処分（8月27日各紙）

◆もくじ

第1部
「幼児教育・保育の無償化」政策の動向と課題
真の幼保無償化をめざして

幼児教育・保育の無償化及び関連政策の変せんを検証

2019 年 10 月からいわゆる「幼児教育・保育の無償化」はスタートしたが、認可外保育施設等の扱い、保育所の副食費問題、3 歳未満児の保育料問題、幼保格差等の問題、2019 年度補正予算に 493 億円追加計上等財源問題、自治体の事務の煩雑化、保育士処遇改善や待機児童解消施策への財源がどうなるのかなど様々な問題があり、新聞等でも取り上げられている。

ところで「幼児教育・保育の無償化」は一般的には、ここ数年突然出てきたと思われているが、2000 年頃から浮上してきている。この「無償化」について、どのような論議がなされ、この政策の基本理念がどのように考えられ、どのような経緯で実施に至ったのかを検証する。

第 1 章では無償化の検討が私立幼稚園団体等からの要望もあり自民党の政権公約や政府の政策で掲げられるなどして浮上しはじめ、文科省の審議会で「幼児教育の無償化」中間報告（2009 年 5 月）が公表されるなどの動向について検討する。

第 2 章では無償化の段階的実施へと歩みはじめ、子ども・子育て会議での論議の状況やその後の政府の「無償化政策」と深く関連する企業主導型保育事業の唐突な実施等について検討する。

第３章では政治のレベルで無償化を唐突に「段階的推進」から「可及的速やかに」の方針転換が、官邸主導で進められ、実施に至った状況を検討、無償化と関連する保育所の給食の取扱い、認可外保育所問題などがどのように扱われたかなどについて検討する。

第４章では国会審議の状況、法案内容の問題点、法案決定後実施までの混乱や自治体関係者の動向、新聞社説の論調等について検討する。特に幼児教育・保育の「無償化」はすべての乳幼児に「質の高い保育」保障することであり、包括的な取り組みが必要不可欠であり極めて重要である。そのため保育の質向上のための条件整備や待機児童解消をどのよに進め、保育所や幼稚園のあり方、乳幼児政策のあり方や進め方、政策の優先順位などと深く関わってくる。こうした課題がどのように検討され、今回の「無償化」政策の問題点を明らかにし、「真の無償化」に向けての取り組みの課題について検討する。

第１章
幼児教育・保育の無償化の検討開始と規制緩和政策

1. 私立幼稚園団体は「幼児教育の無償化」を要望

幼児教育の無償化については2000年当初頃から私立幼稚園団体等が3歳児からの就園児を増やすうえで、保育料の軽減を進めつつ、「幼児教育の無償化」の要望を強く主張しはじめていた。こうした要望を受けて、自民党は2005（平17）年9月の衆院解散選挙で「政権公約2005」において、「幼児教育の無償化を目指す」ことを掲げた。自民党政務調査会は2006年6月14日「国家戦略としての教育改革」を公表し、「幼稚園、保育所を通じた幼児教育の無償化について、税制の抜本改革に合わせ必要な財源を確保しつつ、その実現を目指す」と提言している。

「無償化の政策理念」については「全ての3〜5歳児に、保護者の所得状況にかかわらず、質の高い幼児教育を受ける機会を実質的に保障」し、「幼稚園及び保育所に通う全ての3〜5歳児を対象とする」とした。

こうした動向を背景に政府は、2006年7月7日閣議決定「経済財政運営と構造改革に関する基本方針2006」（骨太の方針2006）では、「幼児教育の将来の無償化について歳入改革にあわせて、財源、制度等の問題を総合的に検討しつつ、当面就学前教育についての保護者負担の軽減策を充実するなど幼児教育の振興を図る」と強調し、幼児教育の無償化の検討が初めて提起された。

2. 文科省審議会は「幼児教育の無償化」中間報告公表

この方針を受けて、文科省は2008年7月1日第1次教育振興基本計画（閣議決定）において「5年間に取り組むべき主な施策」として「幼児教育の無償化の検討」を掲げた。それに先立ち、文科省は2008年5月に「今後の幼児教育の振興方策に関する研究会」を開催し、2009年5月18日に「幼児教育の無償化について（中間報告）」を公表し、次のように指摘している。

まず、「今や幼児教育の無償化への取組は世界の趨勢である」として「幼児教育無償化の意義及び必要性・重要性」について、「幼児期は人間の発達にとって重要な時期」であり、「全ての幼児が質の高い幼児教育を享受できる環境づくりの必要性についての認識が高まっている」と指摘。しかし「幼児の教育・保育に係る費用は過重な負担」であり、「幼児教育の無償化は、少子化対策の一環としても重要性の高い施策」となっている。そのため「持続可能な社会保障構築とその安定財源確保に向けた『中期プログラム』」（2008年12月24日閣議決定）の「少子化対策」として位置づけて、安定財源を確保し、実施することを求めている。

次に「無償化の対象」については、「全ての子どもに質の高い幼児教育を提供するという視点」から、幼稚園、保育所、認定こども園の全ての3〜5歳児を対象とする方向で検討するとした。その際、「認可外保育施設の取扱い」については、保育制度改革を検討している「社会保障審議会少子化対策特別部会」での論議に委ねるとした。

「無償化の仕組み」については、「機関補助と個人給付の二本立て」を前提とし、財源について「無償化に要する追加公費（平成21年度ベース）」では幼稚園3,500億（公立200億、私立3,300億）、保育所4,400億（公立2,000億、私立2,300億）計約7,900億円と試算している。

なお「制度化の時期」については「消費税を含む税制の抜本改革を行うため

の法政上の措置を講ずる時期及び保育制度改革の時期の動向を勘案しながら検討すべき」とし、「無償化が実現するまでの間は、幼稚園就園奨励費補助制度の拡充など」で進めるとした。6月23日の閣議決定「経済財政改革の基本方針2009」では、「安心社会実現の道筋」の中期プログラムを示し、「2009年度〜2011年度頃」の期間に「財源確保方策とあわせた幼児教育の無償化について総合的に検討する」とした。

すでに、厚労省の社会保障審議会少子化対策特別部会では、2007（平19）年保育所制度改変の検討を進め、09年2月24日「第1次報告―次世代育成支援のための新たな制度体系の設計に向けて」を公表し、「新たな保育の仕組み」を提案した。そこでは児福法24条の市町村の保育実施責任を廃止し、給付制度の導入の考えを示し、保育料については「軽減（緩和）すべき」を検討すべきとした。その際、認可外保育施設については、「最低基準を満たした施設を給付対象（費用の支払いの対象）とすることを基本」とするが、「最低基準への到達に向け、一定水準以上の施設に対して、一定期間の経過的な財政支援（最低基準到達支援）が必要である」とした。つまり、最低基準に達していなくとも、「一定水準以上」であれば、給付対象にするという規制緩和の考えを示していたといえる。

前述の文科省の「中間報告」での「認可外保育施設の取扱い」は「社会保障審議会少子化対策特別部会」での論議に委ねるという指摘も、中間報告前に公表されている「第1次報告」で示されていることから、規制緩和の視点から認可外施設を位置づけるということは折り込み済みであったとも読み取れる。

少子化対策特別部会「第一次報告」での認可外保育所の取扱いの考えはその後の「子ども・子育て新システム検討会議」での審議、国会での修正協議で生まれた子ども・子育て支援法（2012年8月成立）、子ども・子育て会議（2013.4〜）での子育て支援法新制度の地域型保育事業等の審議等にも引き継がれていく。その結果、小規模保育事業の保育士配置は最低基準の2分の1等の規制緩和政策を推進し、保育の質の低下を作り出している（第Ⅰ部第2章-3-(2)p44参照）。

こうして、無償化の検討は幼児教育・保育の質の向上を掲げながら、同時に規制緩和政策を受け入れ、推進する方向で進められていくことになる。

3. 厚労省・社会保障審議会少子化対策部会等ではほとんど論議されない

前述の文科省審議会の「幼児教育の無償化について（中間報告）」ではその対象として厚労省管轄の保育所が位置づけられ、さらに「認可外保育施設」については保育制度改革を検討している厚労省・社会福祉審議会少子化対策部会の検討に委ねるとしたことから、少子化対策部会等厚労省サイドの審議会でどのように審議されたかについて検証してみる。

厚労省の社会保障審議会少子化対策特別部会第23回会議は2009年5月19日開催され、その会議で、文科省幼児教育課長は前日公表した「幼児教育の無償化について（中間報告）」を説明している。

そこでは、「保育所あるいは認可外の保育施設等につきましては保育制度改革と密接に関連いたしますので」、「まずは保育制度改革の論議の中で検討されることが適当」という趣旨の説明をしている。さらに「制度化の時期」については「安定財源確保」と「保育制度改革との整合性の確保が必要である」として「税制の抜本改革の時期や保育制度改革の時期の動向等を勘案しながら検討すべき」と結んでいる（議事録p10〜11）。

質疑では、少子化対策としての位置づけの在り方と意義についての論議の中で、幼児教育課長はこの幼児教育の無償化政策は「子育て家庭に係わる経済負担の軽減を実現するもの」であり、「少子化対策として位置づけて、安定財源を確保することが適当であるという提言」と指摘した。または0〜2歳児から子どもを預ける世帯の問題の取扱い、国と自治体の財政負担割合問題、「幼児教育や就学前教育などの無償化という言葉」で定着させてよいのか、幼稚園の方が中心で保育所は「従属的な位置に」なっていないか等の疑問や課題が出されている。

さらに庄司委員は「特に保育所の子どもは非常に長い時間一日中保育園で暮らしていくときに、そこでの健全な生活部分が教育そのものになっているという要素があるので…これからも十分配慮しながら論議した方がよいのではないか」(p14) と指摘している。

これらの意見を受けて、大日向部会長は「幼児教育の無償化の問題につきましても当特別部会に託されいる面もございます。…少子化対策という観点から当部会では論議を深めて、国民に合意いただけるような方向で模索を続けていければと考え…今後の検討課題」であるとまとめている(議事録 p15)。無償化政策は少子化対策として重要な課題であり、保育所保育の視点から十分な検討が必要であるとされながら、その後、無償化問題について審議された形跡は見られない。

2009年9月に民主党政権となり、少子化対策特別部会は12月9日の第30回部会で「これまでの議論のポイント」をまとめて審議は閉じられた。この「議論のポイント」にも無償化については何らふれられていない。無償化政策が少子化対策の中でも重要性の高い施策として提起されながら、厚労省サイドでは「利用者負担のあり方」でも「現行の保育料徴収の仕組みを維持する」などのまとめにとどまり、本格的論議はされていない。

第2章
無償化の検討から段階的取り組みへ

1. 政権交代で無償化問題陰を潜め、子育て支援新制度法案が成立

2009年8月の総選挙では、自民党は「幼稚園、保育所等を通じた幼児教育費の負担を段階的に軽減し、3年目から無償化します」とした。民主党は「年額31万2,000円の『子ども手当』を創設する」を掲げた。民主党の大躍進で政権交代した。

民主党政権下の保育・子ども政策では、子ども手当の創設や包括的・一元的な保育制度（子ども・子育て新システム）の構築の推進が進められ、無償化問題は陰を潜めた。

2009年12月8日閣議決定「明日の安心と成長のための緊急経済対策」や12月30日「新成長無戦略〈基本方針〉」において示された「幼保一体化を含めた保育分野の制度・規制改革」や「幼保一体化を含めた保育分野の制度・規制の見直しによる多様な事業主体の参入促進」の方針に基づき、2010年1月29日「子ども・子育てビジョン」を閣議決定し、「幼保一体化を含む新たな次世代育成支援のための包括的・一元的な制度の構築」、「子ども手当の創設」の方針が示された。「子ども・子育て新システム」の構築のために、「子ども・子育て新システム検討会議」が4月27日に設置された。この検討会議は少子化対策特別部会の「新たな保育の仕組み」を引き継ぎ、利用者と事業者の直接契約制度を基本とし、幼稚園・保育所を「こども園」に一体化するという「子ども・子育て新システム」の構築を審議し、2012（平24）年3月に改革案をまとめ、3

月に「子ども・子育て新システム関連法案」を国会に提出した。

この法案について各地の保育所関係者や自治体関係者からの懸念や反対意見もあり、民主・自民・公明の3党合意で児福法24条復活など法案の修正がされて、「子ども・子育て支援新制度法案」(以下子育て支援新制度)が8月10日可決成立した。その際の付帯決議に「幼児教育・保育の無償化についての検討」が明示された。また、子育て支援新制度については2013(平25)年4月子ども・子育て会議が設置され、2015(平27)年4月のスタートに向けて、新制度の骨格・内容の具体的検討が開始された。

2. 政府と与党の無償化関係閣僚・与党実務者会議の設置

2012年(平24)12月4日衆院解散総選挙が行われ、自民党は選挙公約で「全ての子どもに質の高い幼児教育を保障するとともに、国公私立の幼稚園・保育所・認定こども園を通じ、全ての3歳から小学校就学までの幼児教育の無償化に取り組みます」と主張。民主党は敗北、再び自民・公明政権となり、2012年12月第2次安倍内閣が誕生した。

2013(平25)年3月には政府と与党が「幼児教育無償化に関する関係閣僚・与党実務者会議」第1回(25日)を開催し、6月6日第2回会議で「幼児教育無償化について」のレポートを公表、「幼児教育無償化に関する今後の取組の基本方向」をとりまとめた。そこでは「幼児教育無償化は『すべての子どもに質の高い幼児教育を保障する』を目指すとして、「まずは5歳児を対象として無償化を実現することを視野において、2014(平26)年度から『段階的』に取り組むものとする。」との方針を示した。

この関係閣僚・与党実務者会議の方針がその後の『第2期教育振興基本計画』閣議決定(6月14日)や翌2014年の「経済財政運営と改革の基本方針2014」(6月24日)に位置づけられ、無償化への取組は「総合的な検討」から「財源を確保しながら段階的に進める」という方向に舵が切られたといえる。

2014（平26）年度予算から、幼稚園就園奨励費補助金の拡充がすすめられた。なおこの実務者会議はそれ以降毎年とりまとめを公表している。

こうした動向を背景に、全日本私立幼稚園連合会（会長香川敬）は2013年1月30日に臨時理事会を開催し、「幼児教育の無償化について協議」がされ、「現在の状況を窺えば、今こそ無償化に取り組まなければ時機を逸する」等が確認されている（私幼時報2013年4月）。同年4月には「無償化実現の動きが加速度的に展開し、実現が現実味を帯びてきた…積年の願いを実現する絶好のチャンス」として、「幼児教育の無償化」実現のための署名を呼びかけた。

自民党・幼児教育議員連盟総会が5月24日自民党本部で開催され、全日私幼連香川敬会長、田中雅道全日私幼研究機構理事長らが出席、行政からは内閣府、文科省、厚労省の担当者が出席、文科省初等中等局長から「幼児教育無償化に関する関係閣僚・与党実務者会議」の検討状況の報告がされ、「幼児教育の無償化の実現等に関する決議書」を採択した（「私幼時報」2013年7月号）。さらに、私立幼稚園PTA連合会（会長河村建夫衆議院議員）は7月2日第28回全国大会を開催。この大会に安倍総理大臣、下村文科大臣等自民党衆参議員50名超が出席、河村PTA連合会会長と香川連合会会長は431万9千名の「幼児教育無償化実現を求める署名」を安倍総理大臣に手渡して、「幼児教育の無償化を求める決議文」を採択した（全日本私立幼稚園連合会「私幼時報」2013年5月号及び9月号）。

3. 新制度スタートまでの子ども子育て会議の論議と無償化関連施策について

子ども・子育て支援法に基づく子ども・子育て会議（以下子育て会議）が2013年4月26日から開催され、新制度の施行に向けて、基本指針、各種基準、公定価格の体系などの具体的な制度設計について検討が開始された。この子育て会議において、2015年度新制度がスタートするまでの、審議の中で幼児教育の無償化政策やそれと関連する認可外施設の基準等あり方がどのように質疑されたかについて簡単に考察してみる。

(1) 子ども・子育て会議での幼児教育無償化の議論

第 3 回子育て会議会議（2013 年 6 月 21 日）において、前掲の「幼児教育無償化に関する関係閣僚・与党実務者会議」がまとめた「幼児教育無償化について」（2013 年 6 月）は、事務局（長田参事官）から参考資料として提出され、会議の最後に報告されている。

報告では、この幼児教育の無償化について「認定こども園、幼稚園、保育所を視野に置き」、「全ての子どもの質の高い幼児教育を保障するということを目指し…当面の方針がまとめられたもの」であり、「ポイントは環境整備と財源確保を考えながら、段階的にすすめていくということである。」と指摘。環境整備の内容については「新制度のもとで幼稚園と保育所の給付が共通化」されることを視野において、「未就園児の対応」と「幼稚園と保育所の利用負担の平準化」という視点から、2014 年度から「低所得世帯・多子世帯の負担軽減や等を図ること」とともに「待機児童解消加速化プラン」を推進することと説明している。

第 6 回子育て会議（2013 年 9 月 13 日）では「平成 26 年度関連予算概算要求」の説明において「幼稚園、保育所それぞれで保護者負担のルールが異なっている部分」を「できるだけ平準化」するということで「幼稚園就園奨励費の補助の金額を大幅に増額」、幼稚園の「低所得世帯や多子世帯の保護者負担」については「保育所のルールにできる限り合わせていくこと」として増額要求を行ったと説明した。

第 16 回子育て会議（2014 年 6 月 30 日）では、事務局（長田参事官）から同年 6 月 24 日閣議決定された「骨太方針 2014」（「経済財政運営と改革の基本方針 2014」）において、幼児教育無償化、少子化対策に取り組むことがとりあげられているとの紹介がされた。

「骨太方針 2014」では、「教育再生」の項目で「『第 2 期教育振興基本計画』等に基づき、幼児教育の無償化に向けた取組を財源を確保しながら進める」こと、「少子化対策」については「新たな少子化対策の大綱を平成26年度中に策定するとともに、子ども・子育て支援制度を平成27年度4月に施行する方針の下、取り組む」等が明記されている。

第18回子育て会議（2014.9.17）では資料4「平成27年度関連予算概算要求の概要」の説明において、文科省予算では、「すべての子供に質の高い幼児教育を補償するため…保護者負担軽減し、無償化に段階的に取り組む」として26年度同様に幼稚園就園奨励費補助を要求しているとの説明がされた。

いずれも、資料説明だけであり、無償化政策への意見やそのあり方についての質疑は何ら行われていない。

次に2012年8月成立した子ども・子育て支援法第60条で作成が義務付けられている基本指針について考えてみる。この基本指針は、教育・保育及び地域子ども・子育て支援事業の提供体制の整備、子育て支援給付及び地域子育て支援事業の確保など子育て支援施策を総合的に推進するための基本的な指針を定めることにある。この基本指針は六章から構成され、第一章は「子ども子育て支援の意義に関する事項」というタイトルで子育てに関する理念や子育て支援の意義など理念的な事柄が示されている。

「幼児教育の無償化」の理念で掲げられている「全ての子どもに質の高い幼児教育を保障すること」や「保護者負担の軽減」は子育て支援の推進や少子化対策にとって極めて重要であると指摘されてきている。この無償化の理念は、基本指針の理念的事項に位置づけられて当然であり、基本指針の作成において検討されるべき課題と言えよう。

この基本指針の作成については子育て会議第1回に提案され、第5回まで集中的に論議され、第3回会議で幼児教育の無償化についての動向などが紹介されている。基本指針の第1章の「3子育てに関する理念と子ども・子育て支援の意義」において「発達段階に応じた質の高い教育・保育及び子育て支援が提供されることが重要である」と指摘されているが、全ての施設で等しく保障する視点や保護者の経済負担軽減についての記述は見られない。

(2) 小規模保育事業B型
―保育士配置は最低基準の1/2、基準の緩和へ

前述の文科省「幼児教育の無償化について（中間報告）」で指摘された「認可外保育施設の取扱い」は保育制度改革検討の審議に委ねるとされた事項が子育て支援新制度の2015年4月施行に向けて、各施設基準作成の審議においてどのように検討されたかをみてみる。

子ども・子育て支援法に基づく子ども・子育て会議が2013年4月26日から開催され、新制度の施行に向けて、基本指針、各種基準、公定価格の体系などの具体的な制度設計について検討が開始され、特に各種基準や公定価格の体系などについて集中的に検討するために子ども・子育て会議基準検討部会が同年5月から開催された。小規模保育事業の基準等が決められた。

子ども・子育て会議基準検討部会の第2回会議（2013年6月28日）に提出された資料「小規模保育事業について」では、まず、「小規模保育事業のコンセプト」を示し、基本的考え方を示している。そこでは「大都市部の待機児童対策、児童人口減少地域の保育基盤維持など地域の実情に応じた多様な目的に活用できること」、「多様な主体が、多様なスペースを活用して質の高い保育を提供できること」等を掲げ、「規模の特性を活かした多様性と柔軟性＝"使い勝手の良さ"」、「質が確保された保育を提供＝"安心して預けられる保育"」といった考え方が示されている。「質の確保」という言葉は使われているが、どちらかというと"大人の都合だけの良さ"という側面が強く示され、保育を受ける主体の子どもの視点からの検討は曖昧にされている。

さらに、小規模保育事業の形態と基準を示し、小規模保育事業A型は保育所と同様の基準だが、B型では、保育者の配置については「保育士＋保育従事者」と定め、「基本的に2分の1以上を保育士とする」と保育士配置1/2に限定している。保育従事者とは無資格の保育者を意味する。なぜ「基準の2分の1」なのかの理由は説明されていない。

小規模保育事業については第3回（同年7月25日）、第4回（同年8月29日）

の会議で集中して質疑が行われた。そこで小規模保育事業Ｂ型の保育士配置1/2基準の緩和についていくつかの疑問が出された。

日本保育協会坂崎委員は「保育所の規制緩和や基準緩和につながっていくようなことがないように」（第３回会議）と危惧した意見を表明している。

この意見について橋本保育課長は小規模保育事業は「家庭的保育に類似した性格を有する事業」であり、保育所や認定こども園とは「基本的な性格」が異なり、「保育所の規制緩和に直ちにつながるもの」ではないと回答している。しかし、新制度の家庭的保育事業は３人〜5人の乳幼児を預かる事業だが、小規模保育事業（Ａ型、Ｂ型）は20人以下の小集団の乳幼児を保育する施設であり、家庭的保育事業とは異なることは明白である。それなのに、保育所とは「基本的な性格」が異なるという説明は子どもの視点や基本指針の「発達段階に応じた質の高い教育・保育」の提供という視点が考慮されているとは言えない。

榊原委員（讀賣新聞東京本社）は第３回会議で小規模保育事業は「新制度で新たに開拓される保育の分野ということで大変大事」であり、「あるべき高い基準に流れて移行していっていただくというゴールを見えるような形にして、…数年の移行期間を置いた上で、あるべき基準に引き上げていってもらうというような経過措置」を取り入れてはどうか等を提案している（第３回議事録p14）。第４回会議においても「恒久化するのはいかがなものか」「当面５年とか10年というように時限を限って、時限の措置」として、「将来的には全てＡ型なりＣ型なりと修練させていくような方向性」（第４回p14）を示すべきではないかといった意見を述べている。

これについて橋本保育課長は「制度を新たに創設するという現段階の状況」であり「今後、この制度が継続していく中で…全体としての制度見直しの機会も来るわけで…その時点において…御論議いただければ」と「恒久化」を前提とした方向を打ち出している（子ども・子育て会議基準検討部会第４回2013.8.29議事録p14〜15、p22〜23）。つまり、各委員の積極的提案は巧みに退けられている。

しかも小規模保育事業、事業所内保育事業、家庭的保育事業など地域型保育事業の基準は、「地域型保育事業基準」という名称は使わずに、「家庭的保育事業等の設備及び運営に関する基準」という名称で厚労省省令で定められている。そのため、「家庭的保育に類似した性格を有する事業」であるという考えが強調されると、A型も規制緩和で1/2になりかねない危険性があると言える。

子どもにとっての保育環境のあり方、保育の質の確保という視点の位置づけがないため、質疑の中でも、不安や危惧が指摘されても、「保育士不足が深刻である」、「保育士不足の状況下では対応困難」等を理由に、"使い勝手の良さ"等が優先され進められていたと言える。また、基本指針で示されている「発達段階に応じた質の高い教育・保育」の提供という視点が無視された内容となっている。この基準の緩和は次に指摘する無認可施設の企業主導型保育事業を生み出すことにも連動していく。

このように見てくると、無償化の政策枠組みは文科省が厚労省の意向を忖度してすすめ、認可外施設等の取扱いについては、「質の高い幼児教育を提供」という視点からの論議はせずに、厚労省の規制緩和政策に基づく見解に委ねるという手法で進められたのではないかと思われる。文科省と厚労省の縦割り行政の暗黙の役割分担、忖度といった手法で進められ、「全ての子どもに質の高い幼児教育を保障」という幼児教育の無償化の理念や基本指針の「発達段階に応じた質の高い教育・保育」の提供という視点からの制度設計の方向性については無視して進められた施策と言える。

(3) 官邸主導・国主導で突然の認可外保育事業の創設

① 官邸主導でわずか数ヶ月で企業主導型保育事業の制度化

子ども・子育て新制度は約4年程度の審議会での審議を経て、法案が2012年3月に国会提出、一部修正されて、同年8月に成立した。その後その内容について子ども・子育て会議で検討され、2015年4月にスタートした。

その年の10月に第3次安倍内閣（第1次改造）が発足し、「一億総活躍という旗を高く掲げ、内閣が一丸となって、長年の懸案であった少子高齢化といった構造的課題に立ち向かう」との方針を示した。11月26日には総理の指示で進めてきた「一億総活躍社会の実現に向けて緊急に実施すべき対策」（15年11月26日）を公表した。

この緊急対策では、幼児教育の無償化について「財源を確保したうえで段階的に進める」とした。待機児童対策については、「『希望出生率1.8』に直結する緊急対策」として、2017（平29）年度末までの目標値を10万人上積みし「40万人から50万人に拡大」し、「『待機児童解消加速化プラン』（2013～2017年度）に基づく認可保育所等の整備の前倒しを図る」と同時に、「企業主導型の保育所の整備・運営」の推進といった現行制度にはない施設名が唐突に提起され、次のように述べている。

「子育て支援への事業拠出金制度の拡充により、事業所内保育所など企業主導型の保育所の整備・運営等を推進することについて、平成28年度予算編成において検討する」。

その後の予算折衝において、2015（平27）年12月21日内閣府、厚労省の平成28年度予算大臣折衝で国主導の認可外保育事業として「企業主導型保育事業」の創設が決められた。政府は待機児童解消の促進を理由に官邸主導で突然のように、2月6日に子育て支援法改正案を閣議決定、国会に法案を提出し2016年3月31日に子ども・子育て支援法を改正し、地方自治体の関与抜きの国主導で認可外保育施設の企業主導型保育事業を2016年度からスタートさせ、厚生年金事業主拠出金を財源に3年間で3,800億円を予算化した。しかも「加速化プラン」の10万に上積み分の5万人分を企業主導型保育事業で対応するとした。企業主導型保育事業は提案されわずか3ヶ月で実施に移された。

ところで、2015年度実施の新制度では市町村による認可事業として地域型保育事業が開始され、その中に、事業所内保育事業として事業所内保育所は位置づけられている。その基準は定員19人以下（3歳未満児）は小規模保育事業A型、B型と同様な基準、定員20人以上は、認可保育所と同様な基準であり、国の保育士配置基準の保育従事者はすべて資格のある保育士配置になっている。さらに市町村による認可事業として位置づけ、都道府県に設置・助成金申請書を提出し認定を受けなければならないとなっている。利用する児童も市町村の保育認定を受けることを原則としている。参議院の付帯決議でも小規模保育事業等と同様に「事業所内保育の普及に努めること」とされている。本来ならば、この事業所内保育事業をどのように拡充するかということがまず論じられなければならない。こうした取り組みや歩みを全く無視して、官邸主導の上から目線で創設されたのが企業主導型保育事業といえる。

企業主導型保育事業は事業所内保育事業よりも低い基準で、保育士配置基準の半数は資格のない職員で良いとされ、0歳児〜5歳児の乳幼児の保育を定員規模の制約もなく実施できる。また市町村や都道府県の認可等の手続きもなしに国だけで進めることができるといった内容である。

通常の場合、現行制度にない施設の創設は、子ども・子育て会議や社会保障審議会など関係審議会で企業主導型保育事業のあり方、特に事業所内保育事業との関連を慎重に検討して、国会での法案審議を経て、予算化するという手続きで進めるのが当然である。それを全く行わず、官邸主導でわずか数ヶ月の超スピードで、予算措置も含めて実施するという極めて乱暴な手法で進めた。

この認可外保育施設の企業主導型は現行制度に企業内保育事業があるのに、それとは別な類似事業で地方自治体に関与をさせず、しかも、国の施設基準より低い基準・質の低い事業であり、保育の質向上に逆行する施策を、財源も権限も国主導ですすめるといった従来の手法とは大きく異なるやり方ですすめられた。こうした手法は保育政策にかかわる民主主義の手続きが形骸化されたのに等しいと言える。

②　企業主導型保育事業の相次ぐ不正疑惑の発覚で会計検査院勧告

こうした手法で進めたことが影響したのか、企業主導型保育事業の不正疑惑問題が多発し、2018年12月に内閣府に「企業主導型保育事業の円滑な実施に向けた検討委員会」を設置し、2019（平31）年3月18日に「とりまとめ」を公表、実施体制の再構築、指導監査の充実、国の適切な指導監督などの改善を提言した。

また会計検査院は2019（平31）年４月に「利用定員の設定等についての改善の処置」を勧告さらに同年12月に調査・検査に基づく改善措置を求める勧告を公表した。

４月の改善要求文書では、助成金交付額は2016（平28）年度、2017（平29）年度計703億余円が投入されているのに、具体的な利用状況や定員設定の策定状況、助成の審査状況が明らかにされていないとして、適切な審査と指導等を求めた改善措置を行うことを求めている。

2019年12月会計検査院は報告書「待機児童解消、子どもの貧困対策等の子ども・子育て支援施策に関する会計検査の結果について」を公表、ここでも企業主導型保育事業に関する勧告が出されている。厚労省の加速化プランの実績のデータでは、実際の利用定員より2017（平29）年４月10,361人、2018（平30）年18,271人分が過大に報告されていると指摘し、「実態に即した確保量等の把握に努める必要がある」と改善を求めている（p125～126）。

さらに会計検査院は「企業主導型保育事業については、昨今、一部の企業主導型保育において、整備費助成金の不適正な受給が相次いで発覚しており、また、開設後短期間で廃止又は休止となったり、企業主導型利用児童数が利用定員を大幅に下回ったりするなどの事態が発生している」と指摘。内閣府は見直し等を行っているが、「今後の見直しに当たっては、会計検査検査院の2019年４月の改善勧告や「会計検査院の検査結果も踏まえながら、企業主導型保育助成事業の審査機能の充実・強化等を適切に実施していくこと」と勧告している。

企業主導型保育事業については2016（平28）、17（平29）年度で計７万人、2018年（平30）３万人程度として、予算額の推移は　平成28年度約800億円、平成29年度約1,300億円、　平成30年度約1,700億円と当初の２倍強となっている（内閣府参考資料「企業主導型保育事業（概要）平成30年12月17日」）。しかし、ずさんな審査ですすめられ、相次ぐ不適正な受給、不正疑惑問題を生み出し、定員充足率が平均50％程度と低く、さらには利用定員の過大報告などデータの偽装といわれても致し方ない状況を作り出すなど保育行政への混乱と税金の無駄遣いを生み出している。1年で2回の勧告が出される等極めて異常な状況となっている。

前述（p38）したが、社会保障審議会少子化対策部会の第1次報告（2009年2月）の保育士配置の最低基準以下施設への財政支援の容認、それを継承した子ども・子育て会議では小規模保育事業B型の保育士配置最低基準の2分の1基準を新制度に導入し制度化した（詳細は第1部第2章-3-(2) p44参照）。このことが認可外保育事業を新制度に安易に位置づけるということの引き金になったと言えよう。こうした状況を背景に保育の質向上の視点は無視され、「待機児童解消加速化プラン」（2013年度～17年度）の受け皿目標値達成のためということだけで企業主導型保育事業が官邸主導で進められたと言える。

このような状況を振り返ると、あらためて社会保障審議会や子ども・子育て会議等審議会での審議のあり方が問われている。本来ならば、審議会には保育の質向上を無視した施策に歯止めをかける役割があるのに、その機能が果たされていない。子どもの最善の利益の保障、子どもの視点の尊重、保育の質向上ということを強調しているのに、それと逆行する施策に注意喚起や歯止めをかけることも行わないというのはなぜなのか。何のため審議会なのか社会的責任が問われていると言える。

幼児教育の無償化政策の実施に際しても、後述するが、この官邸主導の強引な手法が取られていくことになる。そこで、2015（平27）年4月からの子ども・子育て支援法に基づく新制度がスタートしたことに伴い、無償化の政策がどのように進められたかを次章で考察してみる。

第３章
子ども・子育て新制度のスタートと無償化の推進

1. 少子化社会対策大綱と教育再生会議提言で「段階的に進める」と明記

2015（平 27）年４月新制度のスタートに先立ち３月 20 日に少子化社会対策基本法に基づく「少子化社会対策大綱」（第３次）が閣議決定され、さらに７月８日安倍内閣の私的諮問機関教育再生会議（2013 年１月発足）は第八次提言を公表している。そのいずれにおいても「経済財政運営と改革の基本方針 2014」（6 月 24 日）で明記された「幼児教育の無償化に向けた取組を財源を確保しながら段階的に進める」との方針が次のように位置づけられた。

第３次の「少子化社会対策大綱」の本文では、まず「Ⅲ重点課題」の「⑴子育て支援施策を一層充実させる」では「子ども・子育て支援制度の円滑な実施」、「待機児童の解消」（待機児童の解消、保育士確保の取組）、「『小１の壁』の打破」（放課後子ども総合プランの推進）の３つの課題を掲げている。さらに「Ⅳきめ細かな少子化対策の推進」では、「子育て」の項目で「教育を含む子育ての経済的負担を緩和させる」との記述はあるが、保育料の軽減や幼児教育の無償化等といった記述は見られない。

「別添 1- 施策の具体的内容」の「1. 重点課題」では ⑶ の①「子育て、保育、教育、住居など様々な面での負担軽減」において「幼稚園、保育所等の第３子以降の保育料無料化の対象拡大等に向けた検討」が掲げられた。さらに「2. きめ細かな少子化対策の推進」では ⑴ の③「子育て―子育ての経済的負担の緩和・教育費負担の軽減」の項で「幼児教育の無償化の段階的実施」として「全ての子供に質の高い幼児教育を受ける機会を保障するために、幼稚園、保育所、認定こども園を通じた無償化に向けた取組を、財源を確保しながら段階的に進める」と明記された。

教育再生実行会議の「教育立国実現のための教育投資・教育財源の在り方について」（第八次提言）では、「2.　これからの時代に必要な教育投資」の前文で「我が国にとっての喫緊の課題である少子化の克服や世代を超えた貧困の連鎖の解消に大きく貢献する『幼児教育の段階的無償化及び質の向上』、『高等教育段階における教育費負担軽減』については、優先して取り組む必要がある」と強調している。その上で「⑴ 全ての子供に挑戦の機会が与えられる社会を実現する」では「幼児期の教育は、生涯にわたる学びと資質・能力の向上に大きく寄与するものです。質の高い幼児教育を受ける機会が保障されることにより、全ての子供達が共通のスタートラインに立つことができるようにする必要があります」と指摘している。そして「〈具体的な施策と試算の例〉」として「幼児教育の段階的無償化及び子ども・子育て支援制度に基づく幼児教育の質の向上　約１兆円」、内訳として「３歳から５歳児の幼児教育の無償化（0.7兆円）」と「子育て支援制度に基づく、幼児教育・保育・子育て支援の更なる「質の向上」（質の配置や処遇の改善）（0.3兆円）」が明記されている。

2.　無償化の取組は「段階的推進」から「可及的速やかに」に変化

こうした状況を背景に、自民党文部科学部幼児教育小委員会・幼児教育議員連盟新制度検討会チーム合同会議は2015（平27）年５月26日に開かれ、「幼児教育の振興について」の報告を了承し、幼児教育の段階的無償化の推進、幼児教育振興法（仮称）の制定などを重要課題として積極に取り組むことを確認している（全日私幼連「情報特急便」第61号、2015.5.28）。全日本私立幼稚園連合会（全日私幼連）は９月17日に「幼児教育振興法（仮称）の早期制定を求める全国集会」を開催し、文科大臣、自民党幼児教育議員連盟会長や関係者も参加した（全日私幼連「情報特急便」第67号、2015.9.30）。

2015年10月7日に第3次安倍内閣（第1次改造）が発足、安倍首相はアベノミクスの「新三本の矢」を実現するための1億総活躍担当大臣（初代加藤勝信）を新設し、その下に1億総活躍国民会議を設け、総理の指示で「担当大臣と甘利経済財政担当大臣を中心に」進められた。11月26日の第3回会議では「一億総活躍社会の実現に向けて緊急に実施すべき対策」を決定した。そこでは、前述したが「企業主導型保育事業」が官邸主導で進められたが、「幼児教育の無償化」については「財源を確保したうえで段階的にすすめる」と従来の方針にとどまった表現になっている。

無償化の段階的取組みとして、幼稚園就園奨励費の拡充が2014年度予算から取り組まれてきて三年目をむかえた2016（平28）年度の動向やいくつかの提言でも「段階的推進」の方針が示されてきている。

2016年1月26日の第27回子ども・子育て会議では、平成28年度予算関係の説明で、文科省は就園奨励費補助金での保護者負担の軽減について「無償化にむけた取り組みの段階的推進」として説明している。

教育再生実行会議は5月20日第9次提言「全ての子供たちの能力を伸ばし可能性を開花させる教育へ」を公表した。そこでは、第8次提言で提起された「幼児教育の無償化」について「税制の見直しなどによる財源確保についても引き続き真摯に検討する」という内容が示されているが、新たな展開は見られない。また6月2日閣議決定の「経済財政運営と改革の基本方針2016」でも、「第2章成長と分配の好循環の実現、2. 成長戦略の加速等（1）生産性革命に向けた取組の加速②教育の再生」において「幼児教育の無償化に向けた取組を財源を確保しながら段階的に進める」と従来の主張にとどまっている。

だが、自民党は全日私幼連が早期実現を求め、無償化の推進等を掲げた「幼児教育振興法（案）」を2016（平28）年5月24日衆議院に提出した。そこでは、「幼児教育施設（幼稚園、保育所及び認定こども園に限る）」の「振興を図ることを目的」（第1条）とすると定め、「無償化の推進」（第17条）で「幼児教育に係る経済負担を軽減し、幼児教育の機会均等を図るため、幼児教育施設における幼児教育を無償とすることに向けた措置を、…財源を確保しつつ段階的に推進する」と明記している。つまり、これまで政府関係のいくつかの提言など強調されてきた「幼児教育の無償化」は「財源を確保しつつ段階的に進める」という視点をふまえた内容になっている。さらに幼児教育施設を「幼稚園、保育所及び認定こども園に限る」と明確にしている。

「幼児教育振興法（案）」の衆議院への提出は「幼児教育の無償化」の取り組みを政治的に大きく前進させる意図があったと言える。

こうした動向を背景に、2017（平29）年になり教育再生実行会議は6月1日に第10次提言「自己肯定感を高め、自らの手で未来を切り拓く子供を育む教育の実現に向けた、学校、家庭、地域の教育力の向上」を公表、第1章「学校、家庭、地域の役割分担と教育力の向上について」の「⑵ 家庭、地域の教育力の向上」において、「幼児教育の段階的無償化と質の向上」について「無償化の取組を可及的速やかに推進」との表現に変わり、次のように指摘している。

「財源を確保しつつ段階的に行ってきている無償化の取組を可及的速やかに推進するとともに、子ども・子育て支援新制度に基づき、職員の配置や処遇の改善等を通じて、幼児教育・保育・子育て支援の更なる『質の向上』を図る。」

さらに　政府は「経済財政運営と改革の基本方針2017（骨太2017）」（2017（平29）年6月9日）を閣議決定し、「第2章成長と分配の好循環の拡大と中長期の発展に向けた重点課題」「⑵ 人材投資・教育」において、「幼児教育について財源を確保しながら段階的無償化を進める」と指摘しつつ、「幼児教育・保育の早期無償化や待機児童の解消に向け、財政の効率化、税、新たな社会保険方式の活用を含め、安定的な財源確保の進め方を検討し、年内に結論を得…早急に検討を進める」との方針を示した。

「段階的検討」から「幼児教育・保育の早期無償化」に向け「安定的な財源確保の進め方を検討し、年内に結論」と大きく変化しはじめた。2017年8月号「私幼時報」の視点欄で文科省初等中等教育局幼児教育課長は6月の「骨太2017」以降「与党においても、幼児教育無償化のための議論が活発に行われており、取組を加速化させるべきとの報告がまとめられて」いると強調している。

3. 待機児童解消と保育士処遇改善が少子化対策の重要な課題に

こした幼児教育の無償化政策の動きがあるが、子育て支援策の重要な課題として「待機児童解消」問題が重要な課題として進められてきている。特に1995年のエンゼルプラン以降20数年待機児童対策が進められているのに、改善の兆しが見られない。

遅々と進まない待機児童解消策に怒りを覚えた母親たちが2016年２月「保育園落ちた日本死ね」ブログを発信、大きな市民運動となり、マスコミで連日のように報道され、国会でも取り上げられ、待機児童解消問題が重要な国民的課題になり始め、、国の政策に一定の変化が見られはじめた。

2016年６月２日閣議決定の「ニッポン１億活躍プラン」において、少子化対策の重要な柱として「保育の受け皿確保、保育士確保に向けた待遇改善も含めた総合的取組の推進」が位置づけられた。また、厚労省は３月末に「待機児童解消緊急的対応施策」を公表、自治体との協議の場として「待機児童解消に向けた緊急対策会議」を４月に開催し、その後９月、12月、2017年４月と開催、また待機児童数のカウントの仕方等について検討する「保育所等利用待機児童数調査に関する検討会」を2016年９月設置し、５回の会議を開催し2017年３月30日とりまとめを公表し、若干の改善等が行われている。

2017年度は2013年４月策定した「待機児童解消加速化プラン」(2013（平25）年度～2017年（平29）年度）の最終年度となることから、６月２日にまでの５年間の「子育て安心プラン」(2018（平30）年度～2022（令4）年度）が公表され、2020年度末までに待機児童ゼロを掲げた。しかし、保育士処遇改善・保育士確保対策も不十分であったことも影響して、待機児童ゼロも達成できず先送りとなり、国の待機児童解消プランもつまずきはじめている。

実際、会計検査院の調査報告書（2019年12月）において「保育士不足のため生じた空き定員」が「2018年4月1日時点では144施設に係る1219人、10月1日時点では222施設に係る1,502人分」であったことが判明した。しかも、報告書ではこの保育士不足について、「各施設において、設備運営基準を満たす保育士確保されているものの、保育士の勤務状況や個別の児童の状況等を踏まえた安定的な運営を実施していく上で必要な保育士が十分確保できていない状況を示している」と指摘している。つまり、国の設備運営基準（最低基準）の保育士配置数では安定した保育が営めないために、更なる保育士確保をすすめているが、大変困難であると訴えているといえる。

さらに報告書では「こうした状況は、特定の地域に限られたものではなく、全国的に見受けられる」（p131）と指摘、「保育士確保施策の実施」について「厚労省、都道府県、市町村等の関係機関が十分な連携を図りながら、一体的な取組を推進していくように努めること」（p220）と指摘している。

このように保育士確保困難問題が全国的に広がり、待機児童解消の進まない大きな要因となっている。保育士処遇改善・保育士確保対策と待機児童解消は車の両輪のように一体的に推し進めなければならない重要な社会的課題となっている。なお、前述（p48〜49）したが、この会計検査院調査報告書では企業主導型保育事業への二度目の改善勧告を行っている。

4. 官邸の指示？
強引にすすめられた「幼児教育の無償化」

2017年10月に解散総選挙が行われ、自民党は公約で「2020年までに、3歳から5歳まですべての子供たち、低所得世帯の0歳から2歳の幼稚園や保育園などの費用を無償化します」とした。選挙後、安倍総理は、所信表明で無償化については消費税10%への税率アップを財源に公約通り2020年までにすすめ、同時に待機児童解消についても「2020年度までに32万人分の受け皿の整備をすすめる」と述べた。政府は12月8日に「新しい経済政策パッケージ」（以下

「経済政策パッケージ」）を閣議決定し、「幼児教育の無償化」の方針を示した。

(1)「新しい経済政策パッケージ」で「幼児教育の無償化」の全面実施示す

12月8日閣議決定した「新しい経済政策パッケージ」では、「第2章人づくり革命−1幼児教育の無償化」において、費用負担が重いことが少子化問題の一因であり、「重要な少子化対策の一つ」として「平成26年度以降、幼児教育無償化の段階的推進に取り組んできた」ことを説明し、「幼児教育の無償化を一気に加速する」との方針を示した。しかし、なぜ「段階的推進」から「一気に加速」し「全面的実施」なのかについては「社会保障を全世代型へ抜本的に変えるため」というタームで語られているだけで具体的説明は示されていない。

無償化の対象については「3歳から5歳までの全ての子供たちの幼稚園、保育所、認定こども園の費用を無償化する」とするとした。さらに幼稚園、保育所、認定こども園以外の認可外保育施設の「無償化措置の対象については、保育の必要性及び公平性の観点から来年夏までに結論を出す」とした。ところが、官邸主導で創設された認可外施設の企業主導型保育事業については、「経済政策パッケージ」の財源に関する記述において、幼児教育無償化実施後の利用者負担助成額が計上されている。これについては後述する「無償化対象範囲等検討会」の報告書でも「企業主導型保育については『新しい経済政策パッケージ』において無償化することが決定している」と明記されている。つまり、認可外施設を無償化の対象にすることは実質的に閣議決定されていることになる。

実施時期は2019年10月実施の「消費税率引き上げの時期との関係で増収額に合わせて、2019年4月から一部実施をスタートし、2020年4月から全面的に実施する」とした。

さらに、待機児童解消政策との関係について「②. 待機児童の解消」では次のように指摘している。

「幼児教育の無償化よりも待機児童の解消を優先すべきとの声がある。幼児教育の無償化は消費税率引き上げによる増収に合わせて2019年度から段階的に取組を進めていくのに対し、『子育て安心プラン』は2018年度（来年度）から早急に実施していく。」

あえて、こうした指摘を書き込んだと言うことは、政府関係者の中にも「待機児童の解消を優先すべきだ」との意見が強く出されていたことで書き込まざるを得なかったのではないか推測できる。

財源については、2019年10月実施予定の「消費税率の2%引上げにより5兆円強の税収となる」が、その1.7兆円が「経済政策パッケージ」で示されている幼児教育無償化、待機児童の解消、保育士の処遇改善、高等教育の無償化、介護人材の処遇改善に充てると述べている。そのうえで、この「1.7兆円程度については、幼児教育の無償化等を中心に支出する」と明記されている。つまり消費税率引き上げによる財源は幼児教育の無償化に充てることが方針として示されたということになる。

すでに、政府は待機児童解消の促進を理由に官邸主導で、子育て会議等審議会での論議もせずに、突然のように2016年3月末子ども・子育て支援法改正で地方自治体の関与抜きの国主導で認可外保育施設の企業主導型保育事業を2016年度からスタートさせ、厚生年金事業主拠出金を財源に3年間で3,800億円を予算化した（詳細は第1部第2章-3-(3) p46～参照）。この官邸主導の手法でもって、幼児教育・保育の無償化政策も進められたといえる。

(2) 約束されていた「保育の質の改善」は置き去りに

2015（平27）年4月の新制度発足時に公定価格における「子ども・子育て支援の質の改善」として「3歳児の職員配置を改善（20：1→15：1）」（700億円程度）、「1歳児の職員配置を改善（6：1→5：1）」（670億円程度）、「4・5歳児の職員配置を改善（30：1→25：1）」（591億円程度）」の実施が明示され、3歳児の改善は実施されたが、1歳児と4･5歳児の職員配置改善や保育士処遇改善等「幼児教育・保育の質の向上」については新たに0.3兆円財源確保が可能になればということで見送られた（子ども・子育て会議基準検討部会16回会議、平成26年3月12日資料説明）。財源とされた消費税率引き上げは2015年10月予定が、安倍総理の意向で2017年4月、更に2019（令1）年10月と2度延長され、保育士等処遇改善等「質の向上」は先送りされ続けてきた。

「経済政策パッケージ」公表後の12月15日開催された子ども子育て会議（33回）において、その「パッケージ」に示されている「幼児教育・保育の無償化」について資料説明がされた。同時に、当日の資料「公定価格に関する議論の整理（案）」のなかで、今後の方向性として「0.3兆円超の質の向上の実現に向けた必要な財源確保」が明記されていて、これについて事務局の西川参事官からは「いわゆる0.3兆円メニューで、保育の質の向上のためのメニューということが宿題になってございますので、しっかり財源確保をしていくべきではないか」と説明され、確認されている。

子ども・子育て会議では「無償化の財源の話が出ているが、約束いただいている0.3兆円超の質向上も早期に行うべき」、「0.3兆円超の必要な財源の確保……改めて強く要望」等との意見も出されている。また経団連人口問題委員会や東京商工会議所の委員は、0.3兆円の財源については、「税財源で確保すべき」、「税による恒久財源で確保すべき」等の意見を主張している（第33回会議議事録p19、p32）。前述の「経済政策パッケージ」では「幼児教育・保育の質の向上も不可欠である」という一文が示されているだけで、「質の向上」の施策をどう進めるかについては何も語られていない。

本来なら、突然浮上した「幼児教育の無償化」の財源・進め方と新制度制定の検討当初から約束されていた1歳児と4・5歳児の職員配置改善等「保育の質の改善」に関する0.3兆円財源とをどう進めるかの検討がされべきである。「新しい経済政策パッケージ」では子ども・子育て（児童手当）拠出金の拠出金率引き上げで0.3兆円の財源を確保できているのに、職員配置改善等「質の改善」に充てるのではなく、官邸主導で実施した企業主導型事業の無償化財源などに充てられる。

このように「経済政策パッケージ」で示された「幼児教育の無償化」は、子ども・子育て会議等でのこれまでの論議や政策の優先順位の在り方等との関係についての議論もされないまま、強引に進められたと言える。

こうした状況の下で、2018年7月の子ども・子育て会議で「子ども・子育て支援制度施行後の5年の見直し」の論議が開始された。新制度の開始時に国が約束した1歳児と4・5歳児の職員配置改善の財源確保は「安定的な財源確保と併せて引き続き検討すべき」とし、実質的先送りされた。

その後2020（令2）年6月26日の子ども・子育て会議に提出された「『子ども・子育て支援新制度後5年の見直しに係る対応方針について』の対応状況」の「5. 教育・保育の質向上に関する事項」ではこの職員配置改善については記載すらされていない。結局、官邸主導で実施した企業主導型事業や「幼児教育の無償化」が進められてからは、これまで「質の向上・改善」の中心的課題として位置づけられていた1歳児と4・5歳児の職員配置改善は置き去りにされているようだ。新制度発足当時からの緊急課題であった「保育の質改善」は企業主導型事業や「幼児教育の無償化」の犠牲にされたともいえる。

(3) 拙速な検討会の設置とわずか5ヶ月で基本方針決定

「経済政策パッケージ」では「幼児教育の無償化」の対象に認可外保育施設を含めるか否かについては、「専門家の声も反映する検討会」を設置して夏までに結論を出すと方針を示した。2018（平30）年1月22日には、内閣総理大臣決裁の発出で内閣官房の下に「幼稚園、保育所、認定こども園以外の無償化措置の対象範囲等に関する検討会」（以下「無償化対象範囲等検討会」）が開催され、この重要な課題をわずか4人の委員で進めるといった極めて拙速な手法で進められた。しかも前述したように「経済パッケージ」には認可外施設の企業主導型保育事業の無償化の財源まで明記されていて、認可外施設を対象とすることが既に決定されているに等しい状況の下で、内閣官房による検討会が進められることになる。

検討会では1月23日の第1回～6回を保育関係団体や自治体関係者のヒヤリングが行われ、5月31日の第7回は約1時間10分程度という短い時間で取りまとめの議論が行われ報告書が公表された。

しかも、報告書では認可外に関連した関係施設の取扱いだけでなく、いくつかの重要な課題についても決定されている。少し詳しく検討してみる。

①「指導監督基準」を満たさない認可外施設までをも対象に

まず認可外施設については、「認可施設の利用者との公平性の観点」を強調して、「無償化の対象」とすることが適当であり、しかも認可外の「指導監督基準」を満たしていない場合でも５年間の猶予期間を設けることなどを決めている。

認可外保育施設については、2001 年 10 月より「認可外保育施設指導監督指針・基準」の適用が開始されている。指導監督基準では対象は定員６名以上、保育士配置は認可基準の 1/3 以上とされている。しかし、認可外保育施設については、園児の死亡事故等不安が多いことで社会問題化し、指導監督の強化や認可化への移行を進めることが必要になっている。指導監督基準は、「児童の安全確保等の観点から劣悪の施設を排除するため」（指針「総則」）に作成されたものである。指導監督基準はこの基準に不適合な施設はあってはならないことを念頭に定められている。

それにもかかわらず、この検討会では、指導監督基準を無視するかのように、この指導基準を満たしていない認可外施設についても、５年間の猶予期間を適用し、無償化の対象にするとした。無償化の対象とした理由として、「利用者がいる」ことと「公平の原則」を持ち出している。全ての子どもに「質の高い保育を保障する」という視点に立つなら、むしろ認可外施設の認可化を図り、認可施設基準以下の施設をゼロにするなどの施策を進め、全ての子どもに「質の高い保育」を保障できるように環境整備を優先的にすすめるべきではないか。その間、無償化を段階的にすすめるなら、無償化と質の向上の両立が可能である。５年間の猶予期間を設定すること自体が、指導監督基準の趣旨に反することになる。その意味でもきわめて重要な課題をたった４人の検討会で短時間に決められること自体が極めて不合理である。

その後、知事会等地方団体の強い要望もあり、この５年間の適用猶予については、市町村は条例を定めて適用しないようにすることができることになった。また、認可外施設の場合、都道府県への届け出と市町村への確認申請の提出が必要となるため、都道府県と市町村が連携して、指導に当たることが必要となる（内閣府「幼児教育・保育の無償化に関する自治体向けFAQ」【2019年７月31日版】8. 認可外保育施設、9. 施設等利用費の支給の対象とする認可外保育施設の基準を定める条例について等参照）

2019年９月23日朝日新聞社説「幼保無償化―待機の解消こそ本丸だ」では「国の基準を満たしていない認可外の施設の利用に公費を投じることに、自治体側から反対の声が上がった」。しかも「自治体では年１回の監督にも手が回らないのが実情だ」、「認可外から認可施設への移行を促す支援策も強化する必要がある」と強調している。

②　保育所等の食材料費の取扱いや実施時期等基本的方針を決める

この「無償化対象範囲等検討会」は認可外問題だけではなく別の重要な課題を決めている。無償化の対象経費については「食材料費の取扱い」が幼稚園と保育所で異なっている現状を認めつつ、幼稚園行政の基準に合わせて「通園送迎、食材料費、行事費などの経費」は「無償化の対象から除くことを原則とすべき」とした。保育所の食材料費は８時間保育を進める上で極めて重要であり、何らの検討もせずに上から目線で一方的に決めている。この問題は、保育所等の８時間保育にとって極めて重要であることから、子ども・子育て会議で異論が出されたが詳細は次節で検討する。

さらに実施時期については、認可外を対象とすることで、地方自治体では認可外施設等の「利用者に対する保育の必要性の認定に関する事務、無償化の対象となる認可外保育サービスを把握する事務等が新たに生じること」になり、「こうした事務が円滑に行われるためには、制度の具体的内容が決まってから半年程度の準備期間が必要である」と指摘している。その趣旨を尊重するなら、法案成立後６ヶ月後に施行というのが常識的対応と言える。しかし、報告書では実施予定とされている2020年４月を半年早めて「2019年10月から全面的に無償化措置を実施することを検討すべきである」とした。

制度の具体的内容や法案が国会に上程もされていないのに、実施予定2020年４月を６ヶ月も縮めて、実施日を決めるという手法は極めて乱暴である。後述するように、無償化に関わる重大な問題や内容についてきちんと論議させるという、民主主義の基本を踏みにじる手法、官邸の主導で強引に進めようとする姿を促進させたことになった。この検討会の責任は極めて重大と言える。

これらの問題を含め検討会報告の参考資料として「幼児教育無償化の具体的なイメージ（例）」が示されている。認可外の検討といいながら、「幼児教育無償化」の全体像を短時間で決めるという乱暴な手法が取られた。乳幼児の保育・子育ての問題を審議してきている子ども・子育て会議での論議もなく、結論だけが一方的に決められたといえる。検討会の議事概要をみると、５月31日の約１時間10分の会議に報告書案と横浜市長の報告がされ、短時間で報告書がまとめられ、当日公表されている。

③　各紙論調は「優先順位」を見直すべきではないか

この報告書に関する新聞報道では「幼児教育・保育無償化の制度設計を検討する政府の有識者会議」が報告書をまとめ「政府、来年10月実施へ」（2018年５月31日読売）、「幼保無償化全容固まる」（同東京）等、幼児教育・保育の無償化の具体策や全容が決定されたと報道している。さらにこの時期の各紙の社説では、どのように認識しているかをみてみる。

５月31日毎日社説「幼児教育・保育の無償化―質量とも受け皿の拡充を」では「親の所得に応じた負担軽減は現在も実施されている。…利用者全員を無償にするのは、経済的余裕のある人を優遇することに他ならない。」「無償化より保育施設の安全や質の改善を求める人は多い。政策の優先順位は間違っていないだろうか。」と課題を指摘。

６月７日朝日社説「子育て支援―無償化ありきでなく」では「待機児童の解消も進まぬなか、すでに施設を使っている人たちの経済的な負担を軽くすることが最優先の課題だろうか。無償化ありきでなく、政府は政策の優先順位を柔軟に見直すべきだ。」「無償化に多くの財源を使ってしまい、新たな受け皿整備に回す予算がなくなっては、本末転倒である。…保育所の整備が進まない理由の一つに保育所不足もある。人材確保のための賃金引き上げや職員の配置の増加といった取り組みにも財源が必要だ」と強調している。

6月8日読売社説「保育無償化―待機児童解消を遅らせるな」では次のような趣旨を述べている。

「一律無償化は高所得世帯ほど恩恵が大きく、負担軽減策としてバランスを欠く。真に支援が必要な世帯に絞るべきではないか。」「保育所には入れない待機児童は…9万人超に上る。その解消こそが最優先課題である。無償化に財源を取られ、保育所の整備が遅れるようでは、本末転倒だ。保育士確保のために…一層の処遇改善を急ぐ必要もある。認可施設に関しても、無償化の影響で質の向上が置き去りにされかねない、との不安が根強い。」

ほぼ共通しているのは、政策の優先順位を問題にしていて、待機児童解消やそのための職員の配置数の増員や人件費改善など処遇改善の課題に取り組むことを優先にすべきではないかと言った趣旨の主張であったと言える。そのため、無償化の実施で財源をとられ、待機児童解消や処遇改善が遅れ、保育の質の向上が置き去りになるのではないかと言った不安が指摘されている。

⑷ 自民党の政権公約「質の高い幼児教育」も無視した拙速手法 ―

第二次安倍内閣誕生の時の自民党の2012年政権公約では「すべての子どもに質の高い幼児教育を保障するとともに、国公私立の幼稚園・保育所・認定こども園を通じ、すべての3歳児から小学校就学までの幼児教育の無償化に取り組みます」と強調している（J-ファイル2012自民党総合政策集の72）。さらに、「2020年までに無償化します」の政策を打ち出した2017年10月の総選挙の際の総合政策でも次のように訴えている。

「すべての子供に質の高い幼児教育を保障することは極めて重要な意義を有しています。…幼児教育の質の向上に取り組みます。あわせて全ての子供に幼児教育を受ける機会を保障するため幼児教育の無償化を実現します。また『幼児教育振興法』を制定します。」（自由民主党　総合政策集 2017 J- ファイル 321、及び総合政策集 2019J- ファイル 191）

さらに自民党等与党議員が制定を目指し、国会に提出してされている「幼児教育振興法案」（2016 年５月提出）でも、次のように「質の高い幼児教育」と無償化について次のように位置づけている。

法案前文で、「幼児教育は幼稚園、保育所、認定こども園といった幼児教育の機能を有する施設をはじめ、家庭、地域等の多様な場において行われており、それら全ての場を通じて、質の高い幼児教育が行われなければならない」とし、第２条（基本理念）では１項で「幼児教育水準の維持向上が図られなければならない」、第２項で「全ての子供がひとしく幼児教育を受けることができるような環境の整備が図られなければならない」と規定し、そのうえで第 17 条「無償化の推進」では「幼児教育係る経済負担を軽減し、幼児教育の機会均等を図るため、幼児教育施設における幼児教育を無償とすることに向けた措置を、これに要する財源を確保しつつ段階的に推進する」と定めている。

このように「質の高い幼児教育を保障すること」、「幼児教育水準の維持向上」が前提であり、こうした環境の整備や財源確保をふまえつつ、段階的に推進するという考えであったと言える。しかし、実際に進められた「無償化」施策は幼児教育・保育の質は無視され、官邸主導で且つ拙速な手法で進められた。2017 年～2018 年にかけて政策が急激に変わり、自民党の政策公約も歪められ、無視されたと言える。

なぜこうした拙速な手法で、且つ官邸主導で進めるようになったのか。財務省や関係省庁の間での取引なのか、消費費増税をめぐる動きなのか、私立幼稚園団体からの圧力なのかいろいろささやかれるが不透明である。無償化を自民党に働きかけて推進してきた私立幼稚園連合会については 2021 年３月に 2017 年～20 年度にかけて使途不明金問題が発覚、10 日朝日「全日本私立幼稚園連合会前会長関与４億円不正支出」、12 日日刊ゲンダイ「『消えた４億円』問題─私立幼稚園連合会と『幼児教育無償化』実現の関係」、13 日毎日「幼稚園前会長ら捜査へ、警視庁、告訴条受理―４億円使途不明金」、等が報じられた。その後一年４ヶ月後の2022年７月13日には香川連合会前会長らは警視庁逮捕されて、さまざまな疑惑が生まれている。しかも文科省は幼児教育課長経験者等幹部６人を幼稚園連合から高額接待を受けたとして処分を公表（2022年８月26日）した。

5. 子ども・子育て会議と無償化問題の審議 ―副食費問題を中心に

「幼児教育の無償化」問題は子ども・子育て支援策の極めて重要な課題であり、当然子ども・子育て会議ではしっかりとした審議がされなければならない課題である。この子育て会議でどのような審議がされたかを検証してみる。

(1) 子ども・子育て会議事務局は「報告」に終始

2017（平29）年12月15日の子ども・子育て第33回会議では、事務局から12月８日閣議決定した「新しい経済政策パッケージ」で示された前述の「幼児教育の無償化」について説明され、委員からは「3から５歳児…どこにも通っていない子が実に20万人近くいる状況」について何らかの調査を、「無償化というよりも、まず待機児童の解消」「無償化よりもまず保育士や保育施設の確保」、「優先順位の見直し」等の意見も出されたが、回答も質疑もされていない。

約１か月後の2018年１月に開かれた第34回会議（2018（平30）年１月17日）では事務局は、2018年度予算の説明で「幼児教育の段階的無償化」は話されたが、無償化全面実施についての委員から意見について、「具体的な動きがまだありませんので、改めてご報告を申し上げたい」と答弁するだけで、無償化の在り方について論議する姿勢は全く見られない。

前述のように2018年１月に内閣官房の下に「無償化対象範囲等検討会」が開設され、審議が開始されているにもかかわらず、どういうわけかこの間子ども・子育て会議は開催されていない。「無償化対象範囲等検討会」の終了直前の５月 28 日に第 35 回会議が開催されたが、事務局からの報告はされていない。委員からは「次回の会議においては、幼児教育の無償化の現状報告を、できればより具体的にお願いをしたい」（議事録 p20）等の意見が出されている。

第 36 回会議は「無償化対象範囲等検討会」報告書の公表（5 月 30 日）から２ヶ月後の７月 30 日に開催された。その会議に事務局から「新しい経済政策パッケージ」、「無償化対象範囲等検討会」報告書、「骨太の方針 2018 年」等に基づく無償化の概要や食材料費の取扱いなどについてまとめた資料「幼児教育の無償化について」が提出された。第 37 回会議（2018 年 10 月 9 日）には９月末に国から自治体を通じて配布した住民・事業者向け説明資料や食材料費の扱いに関する資料が提出され、説明されている。

子育て支援にとって「幼児教育・保育の無償化」は極めて重要な課題であるにも関わらず、子ども・子育て会議では論議されずに、「幼児教育無償化実施」を前提とする動きの紹介・解説という姿勢に終始したといえる。

とりわけ、「無償化対象範囲等検討会」報告書で無償化の対象から保育所の給食材料費が除外されたことについて、保育所保育のあり方に大きく影響することから、子ども・子育て会議で多く意見が出された。特に、第 36 回、37 回、第 38 回会議（2018 年 11 月 6 日）において、２号認定子どもの副食費の取扱いについて意見がだされ、事務局では、「子ども・子育て会議での主な意見」としてまとめ、39 回会議資料として提出している。

それを見ると、「実費徴収を支持する意見」は、「義務教育や医療・介護における給食費の扱いを踏まえ、基本的には自己負担で」、１号認定の幼稚園等との「公平性・イコールフッテイングから負担方法の違いは統一する必要」といった一般論的見解であり、学校や幼稚園等の基準に合わせるという視点だけであり、保育所保育の独自性や保育所保育指針に基づく保育所保育のあり方、保育を受けている子どもの視点、公定価格の仕組みのあり方などに踏み込んだ視点は見られない。

反対や慎重な検討の意見は、「社会的養護関係の施設では、〈食材費〉は措置費の中に入っており、必ずしも子供と高齢者・障害者が同じ扱いでなくても構わない」、「食育は保育の重要な中身であり、実費徴収化の論議は理解できない」、「食育は保育所保育指針等に記載されており重要」、実費徴収になると「事務負担が増加」など具体的視点からの意見が出されていた。特に、第37回会議では柏女委員（淑徳大学）からは「乳幼児の食は教育・保育の一環であって、…無償化の対象として含まれていいのではないか」、「食材料費の無償化を対象から除外した場合、その副作用として生ずるデメリットが大きすぎはしないか」、「2号認定子供と1号認定子供との公平性の観点をどう考えるかということですが…教育課程に食がしっかりと位置づけられているか否かで分けると言うこともあり得るのではないか」、「それぞれの利用者の特性によって必要があれば、必ずしも他制度との並びや公平性の観点に縛られる必要はないのではないか」等論点も示され、それに賛同する意見も出されている（議事録p14～15及び意見書）。37回会議の最後に、事務局の西川参事官は「食材料費の検討事項につきまして、…食育の大切さをしっかり受け止めた上で、多方面から検討を深めてまいりたい」（議事録38）と結んでいる。

(2)　食は教育・保育の一環であり無償化の対象ではないか？ ――

このような子ども・子育て会議での各委員からの意見をうけて、2018年11月22日の第39回同会議において、事務局から「幼児教育無償化に伴う食材料費の見直し」が示された。

「食材料費の取扱いは、これまで基本的に実費徴収または保育料の一部として、どちらかの方法によって保護者が負担してきたことから、幼児教育の無償化に当たりましても、この考え方を維持、継続することを基本としてはどうか」と指摘し、2号認定の子どもについては「生活保護世帯やひとり親世帯については、引き続き引き続き公定価格の中で加算ということで副食費の免除を継続」を決めたとした。それ以外の一般家庭の食材費の負担方法は、公定価格から除外し、1号認定子どもの幼稚園に「そろえる」として、保護者が保育園に直接支払う「実費徴収」にするとした。この説明自体保育所の食材料費は

「保護者が負担してきた」のであり、実費徴収であったかのような説明となっている。しかしその説明は正確ではない。そこで、現行制度において保育所の食事（給食）がどのように位置付いているかを検討してみる。

①　厚労省「保育所保育指針」の食育推進とは

保育所の食事（給食）について、厚労省は2008年5月刊行の「保育所保育指針（平成20年版）」において「食育」の推進と位置づけている。それを踏まえ2012年3月「保育所における食事をより豊かなものにしていく」ための参考となるよう「保育所における食事の提供ガイドライン」（平成24年3月30日雇児保発0330第1号A4版80ページ）を刊行している。

厚労省「保育所保育指針（平成30年版）」において、「食育の推進」について、「子どもが生活と遊びの中で、意欲をもって関わる体験を積み重ね、食べることを楽しみ、食事を楽しみ合う子どもに成長していくことを期待する」と明記され、「食事の提供を含む計画を全体的な計画に基づいて作成」するとされている。この規定について厚労省「保育所保育指針解説書」では「各保育所は、保育の内容の一環として食育を位置づけ、…食育を推進していくことが求められる」（平成30年版310頁）と定めている。

保育所保育指針「第2章保育の内容」でも「3歳以上児の保育に関するねらい及び内容」の「⑵ ねらい及び内容」において、内容の項目で「⑤保育士等や友達と食べることを楽しみ、食べ物への興味や関心をもつ」と示されている。「食事の提供を含む食育計画を全体的な計画に基づいて作成」するとし（「第3章健康及び安全」の「2. 食育の推進」）、「3. 保育の計画及び評価」において「指導計画、保健計画、食育計画等を通じて、各保育所が創意工夫し保育できるよう」にするとしている。

「保育所における食事の提供ガイドライン」では、「保育所における食事の提供の意義」、「乳幼児期の子どもの発育・発達を保障するための食事の重要性」、「食事を通じた教育的役割」等について強調し、「保育所における食事の提供の具体的な在り方」を説明している。また「自治体の役割としては、とりわけ、子どもの最善の利益の観点から、子どもに悪い影響が及ばないようにしなければならない」（p35）と指摘している。「保育所保育は、本来、保育士、調理員、栄養士、用務員などによる「チーム保育」である。保育の一部である『食育』も専門性の異なる職種が協働することで、質を高めることができる」（p42）と定めている。

このように、保育所における食事（給食）は子どもが友達と一緒に楽しく食事をとり、食事のことを楽しく語り合え、食事づくりや準備に関われる子どもに育てていくことを目標に取り組んできている。保育所の食事・給食は、保育内容の一環として位置づけられ、実践されてきている。こうした保育所での給食（食事）のあり方（食育）は、戦後の保育所の歩みの中で築いてきた大事な視点で有り、保育関係者だけでなく、自治体関係者等を含め共有化し、社会全体で支えていくことが必要である。

厚労省は保育所の食事を「保育の内容の一環」であり、教育的役割を担っていることから、保育にとって必要不可欠な営みとして位置づけていたと言える。

全ての保育所で保育時間が８時間以上で子どもの毎日の生活において食事やおやつは必要不可欠であり、安心・安全な食が義務付けられているため、保育所保育での食事・給食は保育所保育指針で「保育の一環」と位置づけられている。その費用は公定価格の中に一般生活費（給食費・保育材料費等）として扱われている。公定価格には人件費、給食費・管理費（事務費）や保育材料費等事業費等が含まれ、給食材料費や給食に関連した費用は「保育に通常必要な経費」となる。そのため、保育所保育の原則からすれば副食材料費は当然無償化の対象として位置づけ検討されるべきである。

さらに「保育に通常必要な経費」の約４割程度を保護者が応能負担原則に基づき所得に応じて保育料を負担するという応能負担原則にもとづく仕組みで対応している。給食費を実費として支払うというシステムではない。内閣府・厚労省が食材料費については「これまで基本的には実費徴収または保育料の一部として」保護者が負担していたという説明は極めて不正確である。

幼稚園の場合は、保育・教育時間が「4時間標準」であり、土曜日は休日、学期末・夏休み等長期休暇もあり年間の保育時間は保育所の約２分の１程度と短く、保育の形態が大きく異なる。給食が義務付けられているわけでなく、それぞれの幼稚園でも対応が多様である。保育所のように週６日間毎日昼食とおやつを提供するという対応とは大きく異なる。それ故、幼稚園の場合は、給食費の対応もそれぞれの園の状況に応じて給食費を徴収したり、お弁当持参であったりしている。

このように、幼稚園と保育所との給食のあり方は大きく異なり、そのため費用の額も徴収方式も異なっている。保育所の「食は保育の一環」という実情や応能負担での保護者負担のあり方等についてあらためて論議し、無償化の場合どのように位置づけていくかの検討がなされるべきだ。また幼稚園も預かり保育が広がり８時間保育が増える中で、長年取り組んできている保育所の８時間保育の食の取り組みの利点をどう生かすのかという視点からの検討もされて当然と言える。

②　保育の一環としての食育と応能負担原則への「御理解を」と要望

全国保育協議会副会長佐藤秀樹氏は第39回会議において、次のような理由で、「無償化を理由に実費徴収へと位置づけるべきではなく」、「改めて反対を表明したい」と次のように述べている。

「『子どもの最善の利益』のために、２号認定子どもの副食費について、現状でも公定価格の設定上、基本額の事業費として積算されており、これを維持すべき」。「これまで副食費は、保護者負担であっても基本負担分の保育料の一部として位置づけられている」。「この食材料費を…無償化の対象から外すということについては、あらため反対」と主張（議事録p10及び意見書)。さらに、第41回の会議（2019年１月28日）では「無償化に係る食材料費のところで公定価格の議論はほとんどしていない…そもそも公定価格とはどういう位置づけなのか」「きちんと説明していただきたい」（議事録p22）等を主張している。また全私保連塚本委員も39回会議で「私たちが保育の一環として行っております食育につきましてね、無償化の対象外とされたことを…とても残念」、「保育現場では、給食というのは単なる食事の提供ではなくて、保育の一環として位置づけていることをぜひ御理解いただきたいと改めて申し上げたい」と強調している。

さらに第40回会議（2018年11月30日）では、全私保連副会長長田氏が、1号と2号認定子どもの公平性について次のように指摘している。

「子ども・子育て支援法施行以前の子ども・子育て会議では、幼稚園と保育園の質の高いほうに基準を合わせるという前提でとりまとめが行われました。そうであるならば、日本の乳幼児の重要な食育を国がきちんと担保する意味で、…1号から3号までの全ての乳幼児が同等に食育を含めた給食が受けられ、保育料は保護者の所得に応じた応能負担とすることが、質の高い幼児教育・保育を公平に国民に提供できるものと考えています。ぜひ質の高い幼児教育・保育が提供される制度の構築を」（議事録p16）と要望している。

しかし、「保育の一環としての食育」をどのように考え、公定価格において食育をどのように位置づけ、保護者の負担のあり方などについて、実情を踏まえた説明も論議もされないまま進められた。しかも強引に「幼稚園にそろえる」ことがあたかも公平であるかのような手法で進められたと言える。きちんとした比較検討がされないまま「幼稚園にそろえる」ことだけですすめる手法こそ公平・平等の原則に背くことになる。

こうした経過を見ると、最初から幼児教育・保育の無償化の実施に伴って、保育所の食材料費の徴収方法は幼稚園の手法に合わせ「実費徴収」するということで強引に進めるという考えが政治的・政策的に決められていたように思える。そのため、子どもの視点や保育所保育の基本，応能負担原則のあり方が置き去りにされたといえる。

(3)　食材料費（給食費）と保護者の応能負担

①　食材料費（給食費）の保護者負担の軽減を—幼稚園、保育所の委員共通に

さらに、食材料費の保護者の負担が多くなることと、その負担軽減を進める

ことの必要性が、幼稚園、保育所関係団体から共通に指摘されている。

全国私立保育園連盟の塚本委員は資料「幼児教育無償化に係る食材料費の取扱いについて」において「食材料費に係る月額保育料の内訳は、主食費 3,000 円、副食費 4,500 円」と定められているとしているが、この「食材料費 7,500 円を保護者から徴収するということになると、幼児教育の無償化を実施しても、全くその実感を得られないということになるのではないか」（第 38 回会議議事録 p16）と問題を指摘している。

さらに全日本私立幼稚園連合会の水谷委員からも食材料費の徴収は無償の対象児を除く多くの園児の食材料費の負担軽減について、「1、2、３号の全てがイコールフッティングにすべきというのが基本の考え方で」と述べ次のような要望を主張している。

「食育という観点がありますので、できますれば、食材料費の有償化は一部やむを得ないという理解もございますが、食育の観点から一定の負担軽減を一律に実施することも検討していただければと存じます」（第 38 回会議議事録 p18）。また、知事会の委員も「食料費の取扱いの見直しに当たっては…利用者の実質的な負担がこれまで以上にならないように配慮し…混乱することのないように」と要望している（39 回議事録 p23）。

保育所の給食費は１ヶ月約 25 日程度の昼食とおやつを保障するため、１人当たりの経費も高くなる。国の基準額でも３歳以上児の給食費は約 7,500 円程度（主食費 3,000 円、副食費 4,500 円）となっている。しかも保育所の食は保育の一環であり、公定価格の一般生活費として位置づけられて、全ての子どもに毎日安心して楽しく食事やおやつが提供できるようにすることが必要となる。

保護者の家計や就労状況が子どもの食事に影響するようなことがあってはならない。そのために、保育所にあっては、戦後の制度創設時から人件費等（事務費）の他に給食費や保育材料費等も保育に必要な費用として位置づけ、それらの費用に対する保護者負担は応能負担原則で所得に応じた負担で対応してきている。新制度の公定価格にも、それが継承されてきている。

保育所の場合の応能負担による国基準の階層区分は現在、①生活保護世帯、

②市町村民税非課税世帯、さらに所得割課税額は課税額48,600円未満から課税額397,000円以上が6階層区分に分かれ保育料が設定されている。この区分では実情に合わないことから、所得割課税額階層区分については、自治体において10階層区分、20階層区分、それ以上など独自の階層区分を設定して地域状況をふまえた保育料軽減を実施してきている。

それなのに無償化の方針では「生活保護世帯等を除き保護者の自己負担が原則」として、生活保護世帯等以外は全て一律に一般世帯として国の基準として給食費約7,500円程度（主食費300円、副食費4,500）を保護者負担とした。生活保護世帯等以外の世帯でも保育所保育料の所得階層区分は10階層区分、20階層区分に分かれていて、2号認定の保育料が2〜3千円〜1万円台の階層もある。こうした階層では給食費約7,500円負担は家計に重くのしかかるし、無償化のの実感を得られないし、恩恵が及ばない。つまり、所得の低い世帯の負担感が増えるという逆進性が働き不公平感がうまれる。

今所得の高い階層であっても、両親のどちらかが病気になったり、失業したりすると低い所得階層になることもあり得る。こうした状況を加味して、家計収入が低くなったりしても、保育所での子どもの保育や給食に影響が及ばないような社会的対応が必要である。その手法として応能負担原則を踏まえた保護者負担が必要不可欠であるとして実施されてきている。食材料費を公定価格から除外することは制度の大きな変更であり、公定価格をどのように考えるかのかという問題に連動する。

②　食材費の保護者負担は応能負担で

こうした事実や状況をふまえた論議を行うなら、食材費について保護者負担とする場合でも、徴収方法について、これまでのように応能負担原則に基づき、食材費を所得に応じた額を給食費として市町村が保護者から徴収し、給食費については市町村から保育所に支給するという対応は可能であり、検討の対象にされて当然である。

保育所の場合は、市町村が児童福祉法24条1項及び子育て支援法附則6条に基づき、公定価格に「相当する額（保育費用）」を「保育所に委託費として支払うものとする」と義務付けられている。保育所の食事は「保育内容の一環」であることから、公定価格に位置づけられることで、委託費の中に組み込まれる。３歳以上児の食事の費用としての保育料（給食費）は応能負担に応じて保護者が各市町村に支払うことになる。

食事に関する費用は保護者の負担額に関わりなく、市町村から各保育所に公平・平等に支払われることになる。そのため、家庭の経済状況に影響を受けることなく、子どもの思いを踏まえた楽しい保育が営まれる環境が保障されることになる。どの子にも安心して等しく給食の提供がされ、子どももみんなで楽しく食事ができ、家庭でも保育所の給食について楽しく語られるという環境が保障されることになる。

無償化後も保育所の３歳未満児の食事についてはこうしたシステムで安心できるシステムで提供されている。３歳以上児もこのシステムを復活させることが必要である。幼稚園についても、保育所の取り組みを踏まえて、従来の保育料軽減措置をふまえて対応できるように改善することがされてもよい。

戦後70年余積み上げてきた保育所保育での給食への対応や保護者負担のあり方等の実際の取り組みについて、なんの論議もせずに、「幼稚園にそろえることが」公平かのような言い方で闇雲に変更するというのは言語道断としかいいようがない。

なぜ「幼稚園にそろえる」ことが公平なのかきちんとした説明も論議もない。その結果、子どもの視点からの公平・平等の原則が無視され、家庭の所得格差から生じる矛盾や格差が持ち込まれることになりかねない。この危惧は放置されたままである。

委員から　保護者の所得に応じた応能負担と質の高い幼児教育・保育の提供の公平性のあり方など重要な検討課題が提起されているのに、丁寧な議論を踏まえて意見をまとめるという作業もされないまま、事務局は一方的見解を示すことに終始し、無償化に伴い食材料費の保護者負担あり方についてのきちんとした説明責任も果たされていない。

このように反対や慎重な検討の意見では、保育を受ける子供の視点、保育所保育指針や公定価格の仕組みといった現行制度の基本的在り方という視点から意見が出されている。それにもかかわらず、何らの対応もされていないのは極めて残念である。子ども・子育て会議の論議において子どもの視点をふまえた論議がされないのであれば、そのあり方が問われているとも言える。

きちんとした論議がされていないため、無償化実施の直前・直後になって次のようなトラブルもあり、混乱が生まれた。

(4) 食材料費 4,500 円だけでなく、追加の 680 円問題で突然不可解な説明

第 41 回の子ども・子育て会議（2019 年 1 月 28 日）では、2018 年 12 月 28 日関係閣僚が合意した「幼児教育無償化の制度の具体化に向けた方針の概要」が提出され、教材費・食材料費等保護者からの実費徴収は無償化の対象外、認可外施設の５年間の経過措置は法施行後２年をめどに見直すこと、財源の負担割合等について説明がされた。

さらに「2019（平 31）年度の子ども・子育て支援新制度に関する予算案」の資料が提出され、無償化の実施の 2019 年 10 月から「栄養管理加算の拡充・増額（全施設共通）、チーム保育推進加算の要件を職員平均勤務年数 15 年から 12 年に緩和（保育所）」等の内容が説明された。この時点ではその財源についての説明はされていない。

無償化に伴う子ども・子育て支援法一部改正法案については２月 12 日閣議決定され国会に提出されたとして 2020 年２月 20 日 42 回会議に概要が資料として提出されたが、詳細の説明はされていない。第 43 回会議（2020 年６月 25 日）では、５月に成立した子ども・子育て支援法一部改正法の概要と国会での付帯決議、無償化にかかわる各施設別案内・広報などが説明された。

第 44 回会議（2020 年８月 29 日）では、資料説明と質疑のあと、会議終了前に、「いくつかの自治体等々からのご質問が多数寄せられていること」として２号認定子どもの公定価格について西川参事官は、公定価格から減額する副食

費は4,500円ではなく5,180円であると突然次のように新たな説明がされた。

「副食費の食材料費につきましては、保育料に含まれていた分として月4,500円、それから公費として負担していた680円というものがございまして、今回、5,180円ということで基本分単価から減額する」と。

なぜ680円という数字が浮上してきたかの説明や事業費の一般生活費のなかで食材料費がどう位置づけられているかの説明はされていない。さらに各施設では食材料費について「4,500円を目安として」設定して保護者に負担していただくと説明された。しかし食材料費4,500円と公定価格から各園の園児１人当たり5,180円減額されることとの関係についての説明もされていない。

そのうえ「食育や保育の充実」として「栄養士の加配」、「チーム保育推進加算」、「年収360万未満世帯、第３子の方々」の給食費加算については「加算対応する」という考えを示した。新たな予算措置をするような説明にも聞こえる。これについてはきちんとした説明もされないし、質疑もされていない。この内容が、後述するように新たな混乱を生み出すことになる。

また、「10月から無償化施行前にいろいろな通知文だとか告知文が後れておりまして、自治体の方、市町村の方にご迷惑をかけているところにつきましては、おわびしたいと思います」と謝罪している。2018年５月の「無償化対象範囲等検討会」報告書で突然のように10月実施が求められ、その結果、きちんとした論議もさせないという作用が働き、「無償化」の実施直前さらには実施後も大変な混乱がもたらされたと言える。「無償化対象範囲等検討会」の責任は極めて重大である。

なお、この680円は公定価格の３歳以上の園児一人当たり月額単価額の一部であり、年額8,160円となる。これを国レベルの財源でみると、３歳以上の保育所園児は厚労省資料では約126万５千人（2018年４月）であり、年額8,160円×126.5万人で計算すると推計で年額約103億２千万円となる。つまり680円問題は年額103億２千万円の財源をどのように活用するかという問題であり極めて重大な意味を持っていることになる。680円問題は103億２千万円問題ということになる。

この額について、公定価格での負担額を推計すると約４割を保護者が負担（約41億３千万円程度）、国が３割（約30億９千万円程度）、都道府県と市町村が３割（約30億９千万円程度）ということになる。この680円を無償化の対象にすると、国がその２分の１負担すると約51億６千万円の負担となり、約20億７千円の負担増となる。無償化の対象から除外すれば、国の負担はゼロとなり、すべて保護者負担になる。こうした予算削減の手法が働いていると思われる。

(5) 自治体関係者等の異議で、食材料費4,500円に、不透明な一般生活費の減額

① 副食費相当額5,181円で大混乱で撤回

実際、内閣府・厚労省は2019年10月以降の単価案及び副食費の取扱いについて2019年８月22日都道府県宛に示し、さらに９月４日に内閣府・厚労省は事務連絡を発出して「2号認定子どもの副食費については月額5,181円を減額」し、副食費4,500円との差額分681円を「活用して栄養管理加算とチーム保育推進加算を拡充」するとの方針を示した。

しかし、681円分の減額について保育所や自治体関係者、特に全国市長会等の抗議を受けて約２週間後の９月18日内閣府・厚労省局長通知「令和元年10月以降の公定価格の単価案の見直しについて」を発出し、「副食費相当額5,181円減額を見送り、4,500円にとどめ、加算の拡充措置の実施も見送る」とし、次のように説明した。

「令和２年度における基本分単価や栄養管理加算及びチーム保育推進加算の取扱いについては、あらためて子ども・子育て会議の議論を経て、平年度予算編成の過程で決定してまいります」とした（「保育情報」2019年10月号参照）。

無償化実施の直前の2019年９月27日第45回会議において、事務局から初めて資料「令和元年10月以降の公定価格の副食費の取扱いについて」が示され、前述の事務連絡撤回までの混乱状況等の経過を含めて、次のような主旨の説明がされた。

「当初、保育料の無償化に伴い、副食費が施設による徴収となるため、2号

認定子どもの基本分単価から、副食費相当額として約5,180円を減額するとともに、4,500円との差額約680円を活用し、加算の充実を行うと」して、「2019年10月以降の公定価格の単価案等を8月22日に、自治体の皆様宛に提示した」。ところが自治体関係者から異議も出て、「市町村及び事業者に対する十分な説明・周知が行き届かない状況」を理由にして、「4,500円の減額にとどめるとともに、栄養管理加算及びチーム保育推進加算の充実については実施を見送る」として、「令和２年度の取扱いにつきましては、今後の公定価格の議論の中で改めて検討」すると報告された。

ここではじめて、厚労省等が約680円の削減にこだわっていたのは31年度予算案に計上されていた栄養管理加算の拡充及びチーム保育推進加算の拡充の財源に充てることにあったことが判明した。園児１人680円（年額8,160円）は年額103億２千万円となる財源を２つの加算の人件費に充てたいという意図があったと言える。

この報告について、全国市長会の茂木委員は次のような重要な指摘を提起している。

「今回見送りとなりました栄養管理加算、それから、チーム保育推進加算の拡充につきまして、公定価格における副食費の取り扱いの見直しとは全く性質を異にするものでございまして、これを実施する場合には、国は必要となる予算を別途確保した上で、実施すべき」と指摘している（子ども・子育て会議第45回議事録p18）。

第47回会議において、事務局は資料「公定価格に関する検討事項について」を提出し、チーム保育推進加算の拡充、栄養管理加算の充実については「改めて必要となる財源の確保を含めて予算編成過程においてしっかりと検討」（p20、p22）すると断言している。

約680円については、財務省提出資料（第39回会議資料「公定価格の対応の方向性について」）では物価調整費と呼び、子ども・子育て会議での説明では副食費相当額と位置づけている。680円とは何かが不透明のまま、それどのように扱うかのか、栄養管理加算とチーム保育推進加算拡充の財源をどうするのかということが改めて問題として浮上してきた。

② 680円問題をめぐる混乱―「積み上げ方式」を無視した対応に終始

副食材料費4,500円、副食費相当額680円は公定価格の基本分単価においてどのように位置づけられているかが問われる問題である。

第48回会議（2019年11月12日）において、事務局は資料「公定価格に関する検討事項について」を提出し、「公定価格の額の設定方法について」の「検討の視点」において次のように指摘している。

「公定価格と実際の運営に要した費用が大きく乖離しているような場合には、これを見直す必要があると考えられる。なお、幼児教育・保育の無償化に伴って、２号認定子どもに係る公定価格に存置された旧副食費相当額の一部（約680円）について『積み上げ方式』の考えから再整理することが適当と考えられる」と。さらに「方向性（案）」では「旧副食費相当額の一部については、基本分単価の中で位置づけを整理し直すこととしてはどうか」（p2）と指摘している。

「『積み上げ方式』の考えから再整理する」ということは、一般生活費の内容を実際の運営状況をふまえて、給食材料費、食器や炊具・機器・器具の経費、光熱水費、保育材料費等各項目の単価額がどのように積み上げられているかを再整理するということでもある。その意味では「一般生活費」の内容の吟味がなされるのが当然と言える。

全保協森田委員は第48回会議において意見書を提出し、「公定価格の２号認定子どもに係る旧副食費相当額681円について現状を維持し、引き下げとならないようにすべきです。10月に見送られた栄養管理加算とチーム保育推進加算の拡充について、別途財源を確保した上で実施してください」と要望している。さらに、第49回会議（2019年11月26日）において「旧副食費相当額の一部についてはそのまま維持した上で、予算獲得をお願いしたいと思います。本年10月の改定の折は３歳以上児についてでございましたけれども、ここについて０・１・２歳児についてもこの費用は含まれていると思われますので、公定

価格上の位置づけを明確にお示しいただければと思います」（議事録 p23）

この意見は、まず第1に、旧副食費相当額 681 円について現状の一般生活費としての位置づけを維持し、公定価格の一般生活費においてどのように位置づけられているかを明確に示すことを要望している。もう一つは栄養管理加算とチーム保育推進加算の拡充の財源は別途財源を充てることを求めている。

こうした要望が出されたが、第 49 回会議（2019 年 11 月 26 日）では、事務局は公定価格の算定方法は「積み上げ方式」を維持すべきとして「公定価格の見直しを行う際には、公定価格の算定経費と実際の運営に要した費用が乖離しないよう、経営実態調査の結果を考慮し、人件費、管理費及び事業費の水準の見直しを図ることを基本とすべき」と強調した。そのうえで「本年 10 月の改定により公定価格に残された旧副食費相当額の一部につきまして、経営実態調査につきまして人件費割合が増加し収支差率が悪化している状況に鑑み、その財源分を人件費に上乗せすべきである」と報告がされた（資料2子ども・子育て支援新制度後5年の見直しに係る対応方針について」p5)。

さらに第 51 回会議（2020 年1月 31 日）では　資料「令和2年度当初予算（案）及び令和元年度補正予算における公定価格の対応について」を提出し、旧副食費の取扱いについて「公定価格に残りました副食費相当額の一部 681 円につきましては、令和2年度においても減額をしないと。それから公定価格における経費の位置づけについては、事業費から人件費に変更する」と説明している。

市長会や保育所関係団体が主張した副食費を 4,500 円以上に引き上げないということはその通りになったが、旧副食費相当額約 680 円の扱いは極めて不透明である。約 680 円については、「『積み上げ方式』の考えから再整理する」といいながら、一般生活費（事業費）の経費額を積み上げ方式に基づき再整理することは何らされていない。一般生活費から削除して人件費に移し替えるという手法ですすめられた。

「人件費に上乗せ」と指摘しているが、基本分単価の人件費なのか加算の人件費なのかも明らかにされていない。「栄養管理加算とチーム保育推進加算の拡充は別途財源で」という願いは曖昧のままである。「人件費に上乗せ」が加算の人件費に充てられていれば、内閣府等が最初に主張していた681円を2つの加算拡充の財源に充てるといった通りで進められていることになる。つまり、一般生活費に計上される年額約103億円が削減され、その財源を人件費に充てるという新たな削減手法といえる。

この681円がどう扱われ、公定価格の一般生活費の単価額がどうなったかを具体的に検証してみる。

③ 無償化実施時は食材費4,500円減額、2020年度からさらに681円減額

2号認定の一般生活費は無償化実施前の2019（令1）年4月分は6,918円であったが、無償化実施後の2019（令1）年10月～2020年3月分では2,451円であり、保護者負担の副食費約4,500円だけが減額されたことになる。ここまでは、市長会の要望を一定ふまえたが、2つの加算拡充は先送りされ、加算の拡充について別途財源を充てるべきとの要望は無視されたことになる。

6ヶ月後の2020年4月分の一般生活費は1,809円であり、約681円が減額されている。この681円は全ての保育所の3歳以上児の一般生活費の一部であり、一般生活費（事業費）から人件費に変更するということであれば、全ての保育所に還元できる保育士等職員の人件費として支払われるようでなければなりません。前述の全国市長会委員が指摘したように「栄養管理加算及びチーム保育推進加算の充実」の費用は、その条件を満たした施設への加算補助金であることから「必要となる財源を別途確保」するべきだ。一般生活費から減額した681円が人件費のどの部分に充てられているかは不明確である。

栄養管理加算は幼稚園の1号認定にも保育所とほぼ同様に新設されている。幼稚園の場合は公定価格基本分に給食費は位置づけられていないため、公定価格の減額も変更もありません。保育所の場合については、もし681円が加算の拡充に使われるとしたら極めて不公平となる。幼稚園については別途財源で対応して、幼稚園は公定価格が増額された。しかし保育所は公定価格の一般生活費の681円を減額し、加算の拡充財源にあてて、財源の増額はされていないこ

とになる。これこそ不公平・不平等ではないか。

しかも、2020年度は人事院勧告で公務員の賞与の減額額があり、公定価格の人件費も2020年２月、３月分でまとめて減額されているが、幼稚園は0.5%（園児１人月126円）の減額だが、保育所は1.3%（園児１人月374円）の減額と幼稚園の約３倍弱となっている（詳細は第Ⅱ部３章−1−(2) p192〜参照）。幼稚園も保育所も同じ基準で職員配置しているのに、なぜ保育所の減額が多いのか。しかも園児１人約月681円分の一般生活費の減額分が人件費に充てられていればそうならないのではないか。実質的には保育所の公定価格は減額されているように思えてならない。

そもそも一般生活費で副食費材料費等がどのように積み上げられて価格が決められているかが問われているのに、それを曖昧にして、しかも一般生活費の一部約681円を人件費に回すというのは公定価格は個々の経費を「積み上げ」て決めているという「積み上げ方式」を崩壊させることになりかねない、言語道断な施策と言える。そこで、公定価格での一般生活費の仕組みのあり方についてあらためて検討する。

(6)　不透明な一般生活費の内訳、ほんとうに積み上げ方式なのか…

①「一般生活費」とは

内閣府「公定価格の骨格」では保育所等の２号・３号認定子どもの「基本分単価の内訳」では、事務費（人件費＋管理費）と事業費（一般生活費等）で構成されている。その一般生活費については「給食材料費（3歳以上児：：副食費、3歳未満児：主食費、副食費）、保育材料費等）」と明記されている。この新制度の公定価格は1958年度から積み上げられてきた保育所保育単価制度を継承し、幼稚園にも適用されることになった。保育単価制度では毎年発出される次官通知「児童福祉法による保育所運営費国庫負担金について」において、事務費（人件費＋管理費）、事業費（一般生活費）等の単価額が示され、保育所運営の財政基盤となっていた。

新制度に移行する直前の厚労省事務次官通知「児童福祉法による保育所運営

費国庫負担金について」（平成26年6月2日厚労省発雇児0602第１号）では、「事業費」は「ア一般生活費、イ児童用採暖費」となっている。「一般生活費」は「入所児童の給食に要する材料費（3歳未満児については主食及び副食給食費、3歳以上児については副食給食費とする）及び保育に直接必要な保育材料費、炊具食器具、光熱水費等」と規定されている。また、新制度の２号・３号認定に係わる「公定価格の基本構造イメージ」でも、給食材料費については、公定価格の基本額については「従前水準ベース」として「事業費―給食材料費、保育材料費等」と位置づけられている。旧制度の従前水準が引き継がれていることを意味する（内閣府「すくすくジャパン―子ども・子育て支援制度について」）。

新制度は保育所運営費国庫負担金（保育所保育単価制度）の仕組みに基づいていることから、一般生活費は「給食材料費（3歳以上児：：副食費、3歳未満児：主食費、副食費）、保育材料費等）」という場合、「等」には当然「炊具食器具、光熱水費等」が含まれていることは当然といえる。内閣府・厚労省は「積み上げ方式」で進めるとしながら、一般生活費の内訳については何ら説明されていない。これまでの経過からして、一般生活費の対象となるのは給食材料費、保育材料費の他に食事やおやつを提供する食器、食事を作る時必要な炊具・器具や食器洗浄機・乾燥庫、包丁・付近等の消毒器具、さらにそれに必要な光熱水費等が日常的に必要となっている。

最近では必要な炊具・器具は、冷蔵・冷凍庫、電子レンジ、フライヤー、スチームコンベクションオープンなどと多様になっている。安心安全の給食提供のためにはこうした器具や機器が必要になっている。こうした経費は給食を作る上で必要不可欠であり一般生活費の中に位置づけられていなければならない。つまり、給食費には食材料費だけではなく食器やいろいろな器具・機械の経費、光熱水費等も含まれることになる。

今回の幼児教育・保育の無償化の対応として示されている食材料費（主食3,000円、副食費4,500円）さらに「副食費相当額の一部」とか「物価調整費」として約681円というのは、突然浮上してきた。しかし、一般生活費には前述のように園児に直接かかわる多様な項目が含まれているが、その積算の内訳は何ら説明もされずにきた。

そこで、保育所での給食の歩みや一般生活費の歩みを振り返り、課題を解明することにする。

②　保育所の給食の歩みから

i　給食費について

保育所の給食は 1948（昭 23）年 12 月児童福祉施設最低基準が制定され、1949（昭 24）年 5 月 11 日に厚生次官・農林次官通牒「保育施設給食の実施について」が発出され、「保育施設給食実施要綱」に基づき 6 月より開始することとなった（児童福祉法研究会編「児童福祉法成立資料集成下巻」1979 年 2 月ドメス出版刊 p502～503）。

敗戦後の混乱期を経て措置費の国庫補助制度は 1953（昭 28）年度確立する。そこでは保育所措置費は職員の人件費等事務費、事業費として給食費とその他事業費で構成されていた。給食費には給食材料費、調味料、給食用燃料費等の費用とされ、その他事業費には、保育材料費、保健衛生費等が位置づけられ、日額限度額として単価額は示されていた。この措置費の支弁方式は「現員現給制による限度設定の方式」が採用され、給食費等は出席延人数に応じて支弁するという手法がとられていた。

徴収基準は生活保護世帯とそれ以外は 16 階層区分になっていた（厚生省児童局保育課編「保育所の運営」1954 年 7 月刊 p14）。子ども・子育て会議第 36 回資料「幼児教育の無償化について」で指摘しているように「開始当初から措置費に給食費を追加し、その措置費を負担能力のある者から徴収していた」（p6）といえる。

その後 1958（昭 33）年度から保育所措置費制度は従来の「現員現給制による限度設定の方式」を廃止して、保育単価制度に移行し、「児童一人当たりの措置費（保育に要する費用）の月額単価額」を明示し、保護者負担については従来の収入認定方式から課税階層区分による新たな「徴収基準額制度」をスタートさせ、今日に継承されている。

この時期の保育単価の内容は職員の人件費・管理費、給食費と保育費（旧制度のその他事業費）で構成されていた。給食費と保育費の単価額は日額でしめされたが、１ヶ月22日分として月額単価額で支給された。その後1973（昭48）年度には日額表示ではなく月額だけが示されるようになった。なお給食費は在籍児の「給食に要する材料費及び給食に伴う燃料費」、保育費は在籍児の「保育材料費、保健衛生費、炊具、食器費、光熱水費等」とされていた（厚生省児童局企画課長梅本純正「新しい保育所制度の解説」1959年6月刊参照）(1)。

ii「給食費＋保育費」から一般生活費へ

1974年度から他の児童福祉施設措置費と同様に保育所についても給食費と保育費は費目統合され一般生活費に一本化され、「施設においてその弾力的な使用を可能とすることとした」とされた（1974年5月16日厚労省児童家庭局企画課長通知「児童福祉法による措置費国庫負担金交付基準等の改正点及びこれが運用について」）。この一本化の背景には、当時異常な物価高騰、狂乱物価が続き、個々の値上げ状況に応じた対応を避け、平均的対応で進めようとしたのではないかと推測できる。当時1973年12月18日に全国社会福祉協議会・全社協保育協議会主催「保育所の危機を訴える全国代表者集会」が開催され、「主食のパンが昨年末と比べて30%値上がり、砂糖80%、そば類30%、教材費は50%も値上がりしている。『子どもたちに絵をかかせたくとも、画用紙が買えない』」等の実情が訴えられている（保育の友ニュース1974年2月1日号（全私保連編「昭和49度版保育問題資料集」所収））。

1974（昭49）年度の一般生活費は「概ね20%アップ」とされた。また１ヶ月の一般生活費は従来通り22日分として説明された（1975年2月26日衆議院予算委員会での児童家庭局長説明）。その単価額の支出は在籍児童の処遇のための経費であり、その使い方については施設に委ねられることになった。一般生活費について給食・栄養等の基準をふまえ、副食材料費、保育材料費、炊具食

(1)　保育単価制度への移行と問題点の詳細は拙稿「戦後日本の保育政策と行財政」（宍戸建夫編「児童問題講座5保育問題」ミネルヴァ書房1975年8月刊所収）参照

器費、光熱水費、給食用燃料費にどのように充てるかは施設に委ねられたといえる。

そこで一般生活費に統合される以前の給食費と保育費とはどんな割合で構成されているかを見てみる。1972年度の場合、3歳以上児の給食費月額は日額46円×22日の1,012円、保育費月額は16円×22日の352円であり、給食費＋保育費の月額は1,364円であった。内訳比率は給食費約74％、保育費26％であった。一般生活費に移行する前年1973年に月額単価に移行したがその時の給食費月額1,122円、保育費月額398円であり、給食費＋保育費の内訳比率は給食費約74％、保育費26％と変わらない。

iii　一般生活費の約半世紀の歩み、給食環境大きく変化

一般生活費はその後物価上昇などに応じて引き上げられ、新制度に引き継がれ約半世紀弱になろうとしている。この歴史的変遷の中で、社会も大きく変貌し、給食関係の環境も大きく変化してきている。

特に平成になり、病原性大腸菌O-157、サルモネラ菌による食中毒の増加が懸念され「食中毒発生防止の徹底について」の通知が相次ぎ発出され、予防対策や衛生管理の徹底が図られるようになる。さらに厚労省は2004（平16）年度には「保育所における食育に関する指針」を通知で発出、さらに、2010年改定「保育所保育指針」において「食育の推進」が位置づけられ、「保育の内容の一環として食育を位置づける」ことが明記され、「食事の提供を含む食育の計画を作成し、保育の計画に位置づける」とされた。

さらに食の提供については「体調不良、食物アレルギー、障害のある子どもなど、一人一人の子どもの心身の状態に応じた」対応が必要とされた。この保育所保育指針に基づき厚労省は2012（平24）年3月「保育所における食事の提供ガイドライン」を刊行し、食事の提供の具体的あり方、食の環境の整備、食事提供の留意事項では栄養面や衛生面への十分な配慮、一人一人に応じた対応、保育士と調理員、栄養士などとの「チーム保育」の必要性などの指針が示されている。

このように、この約半世紀の間に、保育所の給食に関わる環境が大きく変化してきている。こうした状況を背景に前述したように食器洗浄機・乾燥庫、包丁・付近等の消毒器具さらに冷蔵・冷凍庫、電子レンジ、フライヤー、スチームコンベクションオーブン等の設置により調理環境が大きく変化してきている。この大きな変化は公定価格における一般生活費の内容にも反映されて当然と言える。厚労省・内閣府は公定価格の単価額は「積み上げ方式」であると明言している以上こうした変化に応じた対応は必要不可欠である。しかし、一般生活費では、該当する項目の単価額がどのように「積み上げ」られているかなんら示されてきていない。

③ 680円問題─約半世紀前の比率の適用か？、保育所運営費の抑制か？

「無償化」に伴い給食費は公定価格から除外するとの方針が出されたら、突然３歳以上の副食材料費 4,500円が厚労省から示された。さらにその後「副食費相当額の一部」とか「物価調整費」として約680円を加算して合計5,180円を公定価格から減額するとした。なぜ5,180円なのかきちんとした説明がない。それなのに、内閣府・厚労省は平成30年度「保育所等の運営実態に関する調査結果」を踏まえると副食材料費 4,546円（内閣府・厚労省事務連絡「令和元年10月以降の２号認定子どもの公定価格における副食費の取扱いについて」（2019年９月４日））といいながら、約680円を物価調整費乃至副食費相当額として算定していたから、約5,180円減額するというような説明を行っている。

そこでなぜ5,180円なのかを考えてみる。その際、前述した約半世紀前の給食費と保育費が一般生活費に統合された際の比率を思い浮かべ、半信半疑で比較してみることにした。

統合された当時は給食費約74%、保育費約26%であったが、その後約半世紀を経過する中で前述のように給食・調理を取り巻く環境が大きく変化している。そのため調理の器具や機器の改善、光熱水費の値上がり等で保育費（保育材料費）が増えるなどの変化も見られるのではないかと推測していた。5,180円（4,500円＋680円）は一般生活費（6,918円）の約75%程度であることが判明した。今から約半世紀前の給食費と保育費（保育材料費）との比率とほぼ同じである。この半世紀前の比率をほぼそのまま採用したのではないかと推測できる。もし、そうであるならおかしい。

給食費と保育費を一般生活費に一本化した以上、厚労省の調査で副食材料費4,500円と判明したとするなら、無償化で副食材料費を除外するとしても、4,500円減額で対応するのが筋である。それなのに約680円を副食費相当額とか、物価調整費として想定しているからといって一般生活費から除外することはおかしい。

一般生活費として１本化し、弾力的運用で対応するということであれば、それをどのように運用するかは施設側の判断に委ねられている。つまり、約680円が仮に副食費相当経費や物価調整費として算定していたとしてもそれをどのように活用するかは施設側に委ねられているからだ。それでなくとも厚労省は通達などで公定価格に基づく保育所委託費を各園で弾力的に運用するように指導してきている。弾力運用を求めている以上、680円削減は理由が立たないし、あってはならない（委託費の弾力運用は第２部第３章−6 p239〜参照）。やはり、その大きな狙いは保育所運営費の抑制にあるのではないかと思う。

つまり、３歳以上児１人月約680円の減額は年8,160円であり、保育所の３歳以上児は約126.5万人（2020年４月）いることから、約103億２千万円（国負担分は1/2）の削減となる。内閣府・厚労省がこの削減にこだわったのは、財務省からの圧力もあり、そうした対応になったのかと推測できる。

本来なら別途財源を確保して人件費の増額をするべきなのに、一般生活費の一部（約680円）を削減して人件費に充てるという姑息な手法で対応してきているといえる。外見的には加算の充実など人件費を増額したかのように公言するが、その主な財源は一般生活費の一部680円削減を充てたに過ぎない。これは、公定価格の中のある項目を削減して、他の項目に振り向けるといった新たな保育所の運営費予算の抑制の手法のように見える。あらためて、人件費、事業費、管理費等の「積み上げ方式」の具体的内容と運営費の弾力運用について明確にすることが求められている。

第4章
子育て支援法改正と無償化政策の特徴と改善課題

1.「保育の質向上」を無視し子どもを置き去りにした無償化政策

本来、幼児教育・保育の無償化は3~5歳児の全ての子どもに「質の高い幼児教育・保育」を受ける機会を公平に保障しなければならないし、そのためには施設整備等条件整備の確保も必要だし、毎年8千億~1兆円程度の予算が必要であり、極めて重要な施策である。待機児童解消や保育士処遇改善問題など深刻な課題が山積している中、どのように進めるかの論議や施策の優先順位等丁寧な検討が必要である。

しかし、前述したが「無償化対象範囲検討会」もわずか4人の構成員で形式的な意見聴取で「無償化」の基本方針を公表（2018年5月30日)、子ども・子育て会議でも簡単な質疑がされただけできちんとした論議を求める委員からの意見も無視され、進められたといえる。

国と地方自治体との協議も、施策の概要がほぼ決定されてから、法案提出の直前の2018年11月~12月にもたれるという拙速な手法で進められた。2018年12月28日「幼児教育・高等教育無償化の制度の具体化に向けた方針」関係閣僚合意を行い、2019年2月に「無償化」に係わる「子ども・子育て支援法の一部を改正する法律改正案」が国会に提出され、衆議院では3月12日本会議趣旨説明が行われ、内閣委員会で審議され4月9日可決成立、その後参議院の内閣委員会で審議され5月10日に可決成立した。国会での審議の内容について簡単に見てみる。

①　国会審議もきわめて適当で、法案に「無償化」の用語がない

国会審議の概要については田村和之氏が「国会会議録にみる幼保『無償化』に関する子ども・子育て支援法改正法案」（保育研究所編「保育の研究 No29」2021年３月刊所収）でまとめている。これに基づき簡単に審議内容を３つの課題についてまとめてみると次のような特徴が見られる。

第１、政府は「幼児教育・保育の無償化」といいながら、改正法案には無償化という用語も「保育料を徴収しない」（保育料不徴収）とい文言も明記されていない。

国会審議でもこの問題が取り上げられている。例えば田村智子議員（共産党）は「民主党議員の高校授業料無償化法案では、授業料を徴収しないとと明記されました。なぜ同じように無償とする、あるいは使用を徴収しないと明記しないのでしょうか」、また伊藤孝恵議員（国民民主党）も「少なくともこの無償化については法文上にも書き込めばいいというふうに思うんですが」、「なぜ無償化を法律の規定で定めないのか」という質問をしているが、全く答えていない。参院内閣委員会の議長も田村議員の質問に際して、「質疑の内容に対しまして的確に答弁を行っていただくように、委員長としても求めたい」と要望している。それにもかかわらず回答がない。

子ども・子育て支援法施行令改正で「政令で定める額は零とする」と定められているだけで、法律上は「保育料の徴収」ができる規定はそのままである。施行令は法律と異なり、その都度その都度の内閣で決定できることになっている。子ども・子育て支援法で無償化（保育料不徴収）が明記されていれば、いかなる内閣でも従わなければならない。しかし今回の施行令改正での対応では、内閣が変われば、「零」（保育料不徴収）ではなく「有料」に変更・改廃できる可能性がのこされたままという、極めて不安定な「保育料不徴収」といえる。

第２は保育所の副食費の取扱いについても審議されている。

山岡達丸議員（国民民主）は主食費３千円と副食費4,500円の7,500円となり、「所得にかかわらず負担額が一定」となり給食費保護者負担の逆進性を指

摘、さらに「幼稚園、保育所等で過ごす子供たちは、食事なしに過ごすことはできない」などを踏まえて「無償化の対象にすべき」と指摘している。

安倍総理大臣や宮腰少子化担当大臣は食材料費や給食費の負担について「既に無償化されている義務教育についても、実費相当のご負担をいただいていることから、その考え方を維持」すると答弁している。しかし、文科省は平成29年度の「学校給食の無償化等の実施状況」を調査し、何らかの形で学校給食の無償化に向けた取り組み（一部無償化・給食費補助等含む）を進めている自治体も約3割に達している。もし義務教育の給食について言及するなら、こうした調査や事実を踏まえた検討がされるべきなのに、何らの検討もされていない。

さらに、幼児教育・保育と食育基本について山岡議員が幼稚園教育要領と保育所保育指針で食育がどのように位置づけられているか質問しているが、これについても「食育につきましては学習指導要領の中に位置づけられている」（永山政府参考人・農水省大臣官房審議官）と述べ、宮腰少子化担当大臣は食育基本法制定当初の説明を行い「法案の審議の際には、給食費無償化という意見は実はなかった」と強調しているだけである。幼稚園教育要領、保育所保育指針での食育の位置づけについては全く回答していない。保育所での食育・給食の在り方が問題になっているのに、何らの回答もせず、検討もされずじまいである。

第3,「無償化」の対象に、保育従事者の3分の2が無資格者でも認められる認可外保育施設を位置づけ、しかもその認可外保育施設指導監督基準さえ満たさない場合でも5年間は対象になるという問題をめぐって質疑がされている。

例えば「認可外の施設について、認可に移行するまでの猶予期間について公的給付金を出しますよということであれば理解できるんですよ。ところがそうじゃない。…これは余りにも子供の命や安全に対して無責任な制度設計」ではないか（田村議員)。「指導監督基準さえ満たしていない施設も無償化の対象とすることは…質の悪い施設や、ニーズに合わない施設まで生き延びさせることににならないか」「無償化と保育の質の評価をなぜセットにしなかったのか」

（牧山ひろえ議員（立憲民主党・民友会・希望の会））等の質問が出されている。

安倍総理、少子化担当大臣、政府参考人・大臣官房審議官の答弁ではいずれも「待機児童問題によりやむを得ず認可外保育施設を利用せざるを得ない人がおり、こうした方々についても負担軽減の観点から無償化の対象」とした繰り返し強調している。つまり、待機児童政策の不十分さを暗に認めているに等しい。「やむを得ず認可外保育施設を利用せざるを得ない」状況を解消するには待機児童解消のための認可保育所の増設や認可外施設の認可化の推進政策こそ推し進めるべきであることは明らかである。

「無償化」と「待機児童解消」とは次元の異なる政策であり、全ての乳幼児の幼児教育・保育の質確保を保障することが無償化政策の前提になることは明白である。それが不可能な状況であれば前提条件である待機児童解消問題を優先して取り組み、負担軽減は保育料軽減策を段階的にすすめる等して無償化を進める環境整備を行うことが基本でなければならない。ごちゃ混ぜの政策は税金の無駄遣いといわれても致し方ない。

②　内閣府令等80カ所のミスや公定価格単価表の廃止・撤回など

このように国会審議も政府側の答弁は極めて形式的で、内容を深めるという視点も見られず、保育の現状やその歩みを無視するような手法で進められたと言える。これは前述したように、無償化対象範囲等検討会や子ども・子育て会議等でもきちんとした検討や論議もされていないことが引き継がれたとも言える。さらに、保育の実施主体である市町村、都道府県との間での丁寧な検討もされずに、わずか１年程度の形式的手続きだけで短期間にすすめられ、国会で法律が成立してからわずか４ヶ月程度、しかも年度途中から実施という極めてずさんな進め方といえる。

このように政治主導、官邸主導で進められ、子ども不在で、保育所保育等の状況や歩みも論議されずに進められたことで、様々な混乱や不安を生み出しているといえる。

内閣府は法案の成立後５月30日に「幼児教育・保育の無償化に関する都道

府県説明会」を開催し、31日に無償化に関連した内閣府令・支援法施行規則を公布し、そのわずか数ヶ月後の10月に消費税率アップと同時に実施することとした。

ところが8月29日毎日新聞「子育て支援法条文に誤り、無償化直前に官報で修正」、9月5日朝日新聞「幼保無償化巡り内閣府令に誤り―43カ所」等と報道され、自治体からの指摘があり、40カ所近くの誤りがあることが判明、その後の調査で2019年5月31日公布内閣府令・支援法施行規則に80カ所のミスが発覚し、官報に正誤表を出すなどのドサクサ・混乱が生じた（「保育情報」2019年10月号参照）。

さらに内閣府・厚労省の「令和元年10月以降の2号認定子どもの公定価格における副食費の取扱い」をめぐり、8月22日に発出した公定価格の単価案及び9月4日事務連絡を全国市長会等の激しい抗議を受けて9月18日に「廃止」撤回されるなど混乱も生まれた。

この問題について「無償化」の実施後の10月31日の国と地方団体代表の「幼児教育・保育の無償化に関する協議の場」で全国市長会会長は次のような趣旨で訴えている。

2018年12月に副食費4,500円を国の案として了解し、議会にも説明したのに、公定価格で5,180円という数字が示されことは「市長会としては…不信感以外の何物でもない」。副食費は「本来5,180円なのを4,500円に据え置くみたいなことが書いてある、こんなことを決めた覚えはないわけです。…このような表現を一切しないでいただきたい。途中で変わるようなことをしてもらいたくない」と。

これについて衛藤内閣府少子化担当大臣は「おっしゃる意味はよくわかりますので、我々ももっともっと気をつけていきたい…本当にご迷惑をおかけいたしまして、申し訳ございません」と謝罪している（議事録p6）。

2. 新聞社説の論調にみる「無償化」政策への評価

幼児教育・保育の無償化は大変重要な政策であることから、本来なら多くの世論から歓迎されて当然であるが、今回の「無償化」に関わる各紙の社説は歓迎というより、いろいろと注文をつけた社説がほとんどである。

① 十分な制度設計の論議がない、保育士処遇改善、待機児童解消は急ぐべき

2019 年 3 月 12 日から衆院で幼保無償化のための子育て支援法改正案の審議入りがされ、5 月 10 日に法案は成立するが、その前後の各紙社説を見てみる。

3 月 24 日朝日新聞社説「幼保無償化—政策の優先度見極めを」では、「安部首相が唐突に打ち出した無償化には疑問や懸念が尽きない。政策の優先度をしっかり見極めるべき」と指摘。(拙稿連載「保育ジャーナル 3 月」参照（月刊誌「ちいさいなかま」2019 年 7 月号))。

5 月 9 日東京新聞社説「保育の無償化—子どもたちが置きさりだ」では、「十分な制度設計の論議がないまま泥縄式に制度が作られた。政策の狙いに内実が伴っていない」、「無償化は受けたい人全員が受けられる制度であることが前提である。待機児童解消が先きだろう」。さらに「質の確保には、保育士の待遇改善や配置基準を手厚くするなどの対策が不可欠だが、財源が十分にに手当てされているとはとても言い難い。…生煮えの政策に子供たちの安全や安心が脅かされていいはずはない。法案の見直しを求める」と要望している。

5 月 11 日毎日新聞社説「幼保無償化法案が成立、全世代型への第一歩だが」では、「幼児教育・保育を無償化する改正子ども・子育て支援法が成立した。…ただ、懸念材料は多い。…保育士の確保や保育所の拡充の財源が追いつかず、待機児童はさらに増加することが予想される」、「質を問わずに無償化の対象とすることで、保育のレベルが低い所も容認してしまうことにならないか」など懸念を表明している。

5 月 17 日讀賣新聞社説「保育無償化—待機児童解消と質向上を急げ」では

質向上に向けて重要な課題を提起している。冒頭で「経済的負担の軽減だけでは子育て世帯の安心は得られない。保育の受け皿確保と質の向上を併せて進める必要がある」。「子育て世代にとってより深刻なのは保育所には入れない待機児童問題である。…確実に待機児童を解消することが重要だ。無償化には財源を取られ、対策が遅れるようでは、元も子もない」と待機児童解消を優先的に進める必要性を指摘。また保育の質の向上について「認可外施設にも無償化が適用されるが……劣悪施設の容認になってはならない。行政の指導監督と認可施設への移行支援の強化が不可欠だ」。さらに「認可の基準についても、国際的に見ても低水準と指摘される。子供の安全と健やかな成長の観点から、保育士配置の改善や研修の充実などは急ぐ必要がある。保育の受け皿拡大と質の向上には保育士の確保が大前提となる。保育現場の人材難は深刻だ。さらなる処遇改善が求められる。全ての子供が良質な保育・教育を受けられる体制を整える。無償化をその契機とすべきだ」と結んでいる。

（拙稿連載「保育ジャーナル5月」（月刊誌『ちいさいなかま』2019年8月号）参照）

② 待機児童解消、保育士処遇改善が遠のくとの不安…、

次に10月1日「無償化」実施の直後の社説を見てみる。

2019年9月23日朝日社説「幼保無償化―待機の解消こそ本丸だ」では、いくつかの政策課題を提起している。まず待機児童解消は最優先課題との視点から、「無償化はしたけれど、施設の整備が追いつかない。そんなことはあってはならない」と強調。施設整備を進めるには「保育士の待遇や職場環境の改善も待ったなし」と待機児童解消と保育士処遇改善は待ったなしの政策課題であると強調。さらに無認可の5年間の経過措置に対して自治体が反対の声を上げたことを取り上げ、「自治体では、年1回の監査にも手が回らないのが実情」、国は「実効性のある指導・監督ができる体制を整えるとともに、認可外から認可施設への移行を促す支援策も強化する必要がある」と訴えている。

10月7日毎日社説「幼保無償化スタート、人材の確保で質の向上を」では、「最も懸念されるのは…国の基準を満たさない認可外施設も当面は無償化の対

象となっていることだ。」さらに「無償化で保育所利用を希望する人が増え、待機児童や保育士不足の解消が遠のくとの懸念は消えない。…しわ寄せを受けるのは子どもたち」、「実務を担う自治体任せにせず、国は一層の責任を持って取り組むべきだ」と強調している。（拙稿連載「保育ジャーナル10月」（月刊誌地『ちいさいなかま』2020年２月号）参照）。

このようにいずれの社説も待機児童の解消と保育士処遇改善、認可の基準も国際的に見て低水準であり保育士配置の改善、認可外施設の認可化の推進等を国は責任を持って進めるように訴えている。

3.「真の無償化政策」の実現に向けての６つの課題

「無償化」法案といわれて子育て支援法改正がされたが、これまでの自民党の検討案や政府の見解でも示されていた「すべての子どもに質の高い幼児教育・保育を保障する」等無償化の基本理念や定義等は法律に示されていないし、「無償化」という用語も見当たらない。前述した自民党の政策で強調された「幼児教育の質の向上」は切り捨てられたともいえる（第Ⅰ部第３章-4-(4) p64～参照）。そこで、改めてこの「無償化」政策にかかわる子ども・子育て支援法改正はどんな内容なのか、「真の無償化」政策に転換するためにはどのような課題があるかについて６つの課題として整理して検討する。

①　法律に「無償にする」の規定のない「無償化」政策

第１は、子育て支援法では、「子どものための教育・保育給付」を受ける特定教育・保育施設（幼稚園、保育所、認定こども園）と特定地域型保育事業（小規模保育、家庭的保育等）を制度的に位置づけ、その給付額については「公定価格＝施設型給付費（公費負担）＋利用者負担」の法的構造を示している（子育て支援法27条）。具体的には施行令において、国の定める公定価格（「保育に要する費用月単価額」）を示し、それに対する利用者負担額（国基準保育料）を決めている。保育所の場合は平均的には保護者負担率約４割、公費負担約６割

（国1/2、都道府県1/4、市町村1/4）となっている。

今回の改正では給付額に関する法的構造は変えずに、施行令の改正で、保護者負担を「ゼロ」に軽減する措置で「無償にする」ということでしかない。「保育料を徴収しない」等の明記はされていない。公定価格における国基準保育料を軽減してゼロにするということでしかない。法律に示された給付構造は変わっていないため、内閣の政策変更で、内閣府が自在に有料等の改変ができる可能性が残されているともいえる。つまり、公定価格が引き上げられ国基準保育料額も増えることになるが、その際増額分については保護者負担にする等という手法で有料等の改変もありうるということになる。極めて不安定な無償化政策といえる（田村和之「解説『幼保無償法』案について」（「保育情報」2019年4月号）及び「保育白書2019年版」参照）。

また、それとは逆にこの「無償化」を続けるために国の負担額を増やさないで進めようとすると、保育士等処遇改善等保育の質向上を進める公定価格の財源を抑制するという施策をとり続けることになる。この手法では毎年の予算編成において省庁間で「無償化」をつづけることと、公定価格の増額を進めることとの綱引き状況が作り出される。その際、この「無償化」を維持することを理由に、公定価格の抑制、保育士処遇改善等質向上の費用を抑制することが当たり前のようになる危険性がある。

無償化を明確にするためには、法律において「保育料は徴収しない」ことの規定を明記することが必要である。そうなれば、公定価格の増額問題は増額の必要性だけを吟味して計上することになる。無償化と公定価格とは別次元の問題であり、連動させることは、真の「無償化」とは言えない。前述したようにそもそも自民党の公約でも無償化は「すべての子供に質の高い幼児教育を保障する」ということを前提に位置づけられている（第Ⅰ部3章）。今回の「無償化」はこの考えが無視された内容になっている。

さらに、こうした点を踏まえるなら、「真の無償化」の実現をはかるためには、次に示すいくつかの課題に取り組むことが必要になる。

②　保育士処遇改善こそ最優先課題

第２は、今回の「無償化」政策を進めることで、待機児童解消と保育士処遇改善の政策に遅れが出たりすることがあってはならない。各紙の社説でもこのことへの不安も語られている。読売新聞社説でも指摘しているように、認可の保育士配置基準等が「国際的に見ても低水準」であり、保育の質向上を進める上では保育士の配置基準や処遇改善は極めて重要な課題である。今回の「無償化」政策では「子育て後進国からの脱却」にはならないことは明白である。

実際、国の会計検査院報告書（2019年12月）でも全国調査を踏まえて、保育士不足について“国の設備運営基準（最低基準）の保育士配置数では安定した保育が営めないために、更なる保育士確保が必要だが、確保できていない状況”という趣旨の内容を指摘し、この状況が「特定の地域に限られたものではなく、全国的に見受けられる」している。このことが認可保育所等の「空き定員」の原因であり、待機児童解消を阻んでいる原因でもある（詳細は第１部第３章−3 p55参照）。

つまりこの指摘は、公定価格の保育士の算定基準では「安定した保育が営めない」ことを言明していることであり、早急にその改善の必要性が求められているといえる。保育士配置や処遇の改善は待機児童解消を進める上では必要不可欠な課題である。入所を希望する乳幼児が認可保育所に入所できるようになれば、全ての乳幼児に質を確保した保育所に入所でき、無償化の基本理念である「すべての子どもに質の高い幼児教育・保育を保障する」ことが実現できるようになる。保育士配置や処遇の改善は最も優先的に進められなければならない。

保育士配置・処遇改善問題等は公定価格のあり方にかかわる重要な課題である。そこで第Ⅱ部において、公定価格問題を検討し、保育所保育の実情をふまえて保育士配置・処遇改善の具体的施策を検討する。

③　すべての認可外保育施設を「認可化」への推進こそ必要

第３に、今回の子育て支援法改正で新たに「子育てのための施設等利用給付」を創設し、新制度に移行していない幼稚園、認可外保育施設等を「特定子ども・子育て支援施設」として位置づけ、利用給付の対象とした。

認可外保育施設が保育施設が「無償化」の対象となるためには、児童福祉法に基づき都道府県への届出を行い、さらに子ども・子育て支援法に施行規則第1条に規定された認可外保育施設の指導監督基準等と同等の基準（国基準）を達成することが必要となっている。この指導監督基準では保育従事者のおおむね3分の2が無資格者でよいという極めて低水準の保育が可能とされている。支援法改正法附則第4条1項で当面5年間は経過措置として届出のみで、この低水準の基準すら満たしていない施設も対象にするとした。

しかし、支援法改正附則第4条2項で、5年間の経過措置の期間であっても、前述の国基準の範囲内で、市町村が条例で基準を定めれば、基準を満たした施設のみ「無償化」対象にできるとされた。その場合でも保育従事者のおおむね3分の2が無資格者でよいという極めて低水準を容認することでしかない。なお、この5年間の経過措置については、法施行後2年間をめどとして見直しの検討を行うことになっている。質の確保・安全面などからきちんとした検討が求められる。

また、認可外施設への指導監査はこれまでも極めて不十分であり厚労省の調査では立ち入り調査率は約7割で、そのうち指導監督基準適合率は約6割にとどまっている。無償化を契機に届出施設が急増し、2020年3月の届出数は2019年3月より約7千カ所余増え約1.6倍に増えているが、職員体制が大幅に拡充されなければ調査率はさらに下がるのではないかと危惧されている（厚労省「令和元年度認可外保育施設の現況とりまとめ」2021年8月）。国と自治体の責任で認可外施設への指導監査を徹底して進める体制と認可化の推進を進めることが必要である。

ところで、このように子ども・子育て支援法改正で、認可外保育施設に対して公的給付を支給できるようにして「無償化」の対象として位置づけられたことは、認可外保育施設の利用に対しての助成制度の導入であり、ある意味で今日の保育制度を揺るがしかねない深刻な問題が秘められている。

認可外保育施設とは言葉の通り、認可保育所の基準（施設整備基準）を満たしていない保育施設の総称と言える。認可外保育施設の保育士配置等の基準は認可保育所の基準自体が国際的には低いといわれているのに、それより低い水準となっている。小規模Ｂ型・企業主導型保育所等では約半数が無資格者でもよいとされ、さらに認可外保育施設指導監督基準に基づく認可外では保育従事者のおおむね３分の２が無資格者でよいという極めて低水準の保育が容認されている。しかもこの認可外保育施設指導基準に達していない認可外施設もある。

認可外問題は前述したが（第１部第２章−3 p41～参照）、2015（平27）年度子ども・子育て新制度の実施により、認可外保育施設が制度の中に組み込まれ（小規模Ｂ型、企業主導型保育事業等）、さらにいわゆる「無償化」政策により、認可外保育施設指導基準の対象の認可外やその基準も達していない認可外施設（5年間の経過措置期間）も公的助成を受けることができるようになった。「保育の質の向上」を本気で政策化するなら、「認可化を条件」に「無償化」の対象とするなどの施策が推進されても良いはずだ。しかし、認可基準以下の施設を無条件に受け入れ、公的助成の対象にするという手法は「保育の質の向上」の方針と相反する動きと言える。

この動きが定着すると、水準の低い保育施設なら入所でき、公的助成があるからいいのではないかという社会的雰囲気を広げていくことになりかねない。そうなると、認可保育所等に入所できる子どもと低い水準の認可外保育施設に入所せざるを得ないということが定着することになり、乳幼児に社会的格差を押しつけることになりかねない。

認可外保育施設が定着することは乳幼児に格差を押しつける社会を容認することになり、あってはならない。認可基準以下のすべての認可外保育施設については、「無償化」の給付を受けるには「認可化」を条件にさせる施策を進めることが必要になる。既に子ども・子育て第３回会議の小規模保育事業の導入に際しての論議でも、小規模Ｂ型の保育士２分の１基準について認可基準を適用している小規模Ａ型に時限を限定して移行させるべきとの意見が出されている（第1部第2章-3-(2) p44〜参照）。「無償化」が進められる状況では「すべての子どもに質の高い幼児教育・保育を保障する」という無償化の理念の実現にむけて、すべての認可外保育施設の基準を認可基準に引き上げる取組を子ども・子育て会議や社会保障審議会等関係審議会できちんと論議して進めるべきである。これこそが「真の無償化」への第一歩になると言える。自民党の「無償化」政策や与党で国会に提出している「幼児教育振興法案」（2016年5月）でも「すべての子どもに質の高い幼児教育・保育を保障する」、「全ての場を通じて、質の高い幼児教育が行われなければならない」等を打ち出している。この考えを目指すならば、共通に論議ができるはずである。

④　給食費の無償化をめざし、応能負担原則の適用等

第4は保育所等の2号認定（3歳以上児）の副食費の取扱いについての問題である。これまでは保育所の副食費は「食は保育の一環」という視点から公定価格の中に組み込まれていた。その副食費を公定価格から除外して、無償化の対象から除き、保護者が施設に直接支払う実費徴収負担にするという仕組みを導入してきた。この問題も前述（特に第3章-5)）で検討してきたが、この仕組みの導入は、1日の大半、1年の大半を保育所で生活を営むという保育所保育の実情や戦後の歩みを無視し、さらに保育所運営費の抑制策の推進であり、「保育の質の向上」に背く施策といえる。

国の基準では副食費は保育園での実費徴収となったが、年収360万円未満の子どもと、所得階層にかかわらず第3子以降の子どもについては、副食費を免除している。自治体によっては、副食費の無償化や軽減などで対応するケースも少なくない。保育研究所の「2021年度県庁所在地・指定都市・中核都市、主要87都市保育料表」調査によると、「国基準を超えて減免措置」を行っている自治体が約4割程度となっている（「保育白書2021年版」p239参照）。今後各自治体で、「食は保育の一環」であるという視点から保育所、幼稚園の給食費（主食費、副食費）の軽減など給食費無償化に向けた様々な取り組みも必要となる。また、公定価格に主食費・副食費等を改めて位置づけさせることも必要で

ある。

さらに、学校給食についても文科省の調査では何らかの形で学校給食の無償化に向けた取り組み（一部無償化・給食費補助等含む）を進めている自治体も約3割に達している（平成29年度「学校給食の無償化等の実施状況」）。今後、「食は保育の一環」を具体的に進めるには、給食の無償化に向けて、自治体での主食費・副食費の無償化・軽減、徴収する場合でも自治体の責任で応能負担原則を適用して「保育料徴収」と同様な手法で対応するなどを進めていくことが必要である。

⑤　2歳未満児の保育料の軽減の推進

第5、今回の「無償化」政策で2歳未満児の保育料については、住民税非課税世帯については「無償化」の対象となり、保育料ゼロとなっている。しかし、2歳未満児の国基準保育料は高いため、多くの自治体で軽減措置を行っている。例えば、保育研究所が毎年実施している主要87都市（県庁所在地・指定都市・中核市）保育料表調査を見ると、2021年度の場合、ほとんど全ての自治体で軽減を行っている。平均的には国基準保育料より約2〜5割程度の減額となっている。2歳未満児の国基準保育料が高いことは明白である。

政府は国会審議においても、2歳未満児の保育料軽減についても「さらなる支援について検討する」という趣旨の発言をしていることから、国は住民税非課税世帯以外の各世帯の保育料軽減をすすめる具体策を示す責任がある。例えば、自治体の保育料軽減状況をふまえて、国の責任で、段階的に約2〜5割程度の軽減を行う等の施策をすすめることが求められている。

⑥　保育関係団体と知事会・市長会等地方団体との連携

第6に、無償化の財源は消費税率引き上げ分を充てて、国2/4、都道府県1/4、市町村1/4の負担となっている。公立は全額自治体負担となるが、地方消費税増収額で不足の分は地方交付税で対応するとしている。これについては、国と地方の協議の場で、政府は「個々の団体に必要な財源を確保する」と約束している。この無償化を理由に公立の統廃合はあってはならない。市町村の財源問題は、この見解をベースに都道府県や国に改善を力強く働きかけることが必要と言える。

なお国と地方団体は「幼児教育の無償化に関する協議の場」（以下「無償化協議の場」）を設置、幹事会が継続的開催されている。幹事会は内閣府、文科省及び厚労省の局長、全国知事会長、市長会長、町村会長が指名する首長で構成され、幹事会の下に「都道府県と市町村に関わる実務ワーキンググループ」（4都県、4区市、2町）、「市町村実務検討チーム」（9区市、4町）が設置されている（2019年5月16日時点）。この「無償化協議の場」では、「幼児教育の無償化に関する様々な課題について、PDCAサイクルを行うため」の協議の場として位置づけ、「幼児教育の無償化に関する様々な課題について詳細な議論を行う」としている（「無償化協議の場幹事会（第1回）」議事録）。実際、「無償化協議の場」において、待機児童解消や保育士処遇など課題への取り組みの要望等も出されている。

例えば、「無償化」の実施後の2019年10月31日の「無償化協議の場」では、全国町村会長はまず第1に「保育士の安定的な確保」について次のように指摘している。

「待機児童はいないものの、年度途中入園は保育士不足のため、対応不可能といった実態も起こっております。…無償化を支える根幹は、保育士等の人材ですので、町村における人材の安定的な確保ができますよう、支援をお願い」しますと訴えている（議事録p6）。また全国知事会会長は認可外保育施設の5年間経過措置に関する法施行後2年間めどとした見直し検討について「具体的な検討課題あるいは検討手法、方法については、ぜひ現場の実態を把握していただきまして、質の確保、また、安全面での対策をぜひしっかりと御検討を」と要望している。

2021年3月2日「無償化協議の場　幹事会」の第6回会議では、全国知事会の滋賀県知事は待機児問題と保育士確保問題を取り上げ、その具体的改善策を求めている。

「保育士が確保できず子供を定員まで受け入れることができないという実態も伺っておりまして、近年の慢性的な保育士不足で待機児童が解消できない大きな要因になっている。」「早期に0.3兆円超の財源を確保頂、保育所等における職員給与や職員配置の改善を実現していただくようにお願い」と訴えている。この課題について同席している内閣府・厚労省の担当者からの回答はない（議事録 p3）。

「無償化協議の場」においても、保育所等の給食費の軽減・無償化、応能負担原則の徴収、3歳未満児の保育料の軽減、認可外保育施設の認可化への推進、指導監督の徹底強化等課題を検討し、さらに今回の「無償化」で先送りされている保育士配置・処遇改善等も積極的に検討することが求められ、必要となっている。ここでの論議を推し進める上でも、保育関係団体と知事会・市長会等地方団体との連携が極めて重要になっている。そのためにも全国各地の保育関係者や団体が各自治体等への要望を提出し、協議を進めることが極めて重要になる。

政府の「無償化」政策は極めて中途半端であり、保育の質向上も語られず、子ども不在の危険な内容も垣間見られる。そのため「真の無償化」政策への転換を図るには上記の課題の改善策を検討し、全ての幼児に質の高い幼児教育・保育を等しく保障できるような取組の方向性を探ることが必要になっている。この取組みをすすめることが「子育て後進国」からの脱却への第一歩といえる。

第2部
保育の公定価格と
保育士等職員処遇改善課題
安定した運営と保育士等職員増・
処遇改善に関する緊急提言

なぜ、保育所の公定価格の改善が必要なのか

2015年4月子ども・子育て新制度がスタートし、入所要件の拡大で待機児童の解消が進むような報道も見られたが、一層混迷するという指摘もされていた。保育所に入所できない子どもがいるのに、国の基準では待機児童ゼロであるという理由でゼロ宣言をする自治体もみられたが、同時に隠れ待機児童問題が指摘されるようになった。待機児童対策の課題では「保育士が足りない」を訴える自治体が多い状況も指摘されていた（2015年7月3日毎日、5日読売）。

厚労省は2015年11月に「保育士等確保対策検討会」を設置したが、厚労大臣の「規制緩和でできるものはやるよ、金はかからないんだから」（2015年11月27日毎日）という指示ですすめられ、朝夕の保育士配置要件の規制緩和で無資格者の採用、幼稚園や小学校の教員等の活用といった政策の検討だけであり、財源を確保しての保育士処遇改善には手を付けようとしない。

この状況に怒った母親達は2016年2月～3月に「保育園落ちた日本死ね」のブログをネットで拡散、国会前での抗議行動を行い、保育園整備の加速化、保育士処遇改善等を求める署名を厚労大臣に提出した。待機児童問題等が衆院

予算委員会等国会でも論議され、マスコミでも連日取り上げられた。こうした待機児童問題への関心の高まりに押されて、厚労大臣は2月18日初めて潜在待機児童数が約4万9千人（15年4月）と初めて公表した。マスコミ報道では「保育士処遇改善」を求める記事や社説が目立つようにり、保育士処遇改善の必要性が社会的に指摘されるようになった。

政府はこれを意識してか、しばしば保育士等人件費を2%、3%程度引き上げたことを強調するようになった。当時の安倍総理は2018年1月22日の施政方針演説で次のように強調している。

「これまで、自公政権で、保育士の皆さんの処遇を月額3万円相当改善し、…これに加えて今年度（2018年度）月額3000円の処遇改善を実施します。来年（2019年）も更に3000円引き上げ…保育士の確保に全力で取り組みます」と（読売新聞2018年1月23日「安部首相の施政方針演説全文」）。

この文章は、保育士一人一人の賃金が月額3万円相当引き上げられ、更に2017年度と2018年度にそれぞれ月額3千円引き上げられると一般的に受け止められるでしょう。しかし、現実はそのようにはならないし、そのような受け止め方が間違っていることになる。

この処遇改善施策は「保育士の皆さん」を対象としているのではなく、国が公定価格で定めた保育士配置の人件費の積算基準の改善にすぎない。つまり補助金の人件費部分の基準額が引き上げられたに過ぎない。この公定価格で定められた人件費が現場の一人一人の保育士処遇にどう反映するかは別問題である。実際の保育士配置数は国基準よりはるかに多い人数が配置され、経験年数の長い保育士を多く配置している施設も少なくない。しかし、この人件費基準額には保育士の経験年数もきちんと加味されていない。

さらにこの引上げは、長年国家公務員給与の人事院勧告に準拠して行うという慣例に沿って行われてきていたにすぎない。保育士の処遇改善が社会問題になって政策として自公政権が引き上げたのではない。また3万円というのは2014年度から2017年度まで人事院勧告に準拠して毎年約3%程度引き上げられてきた合計額であり、2018年、2019年の引き上げ額は人事院勧告に準拠して実施すると言うことに過ぎない。

公定価格が大変複雑な仕組みになっているため、なかなか理解できないと言える。そのため、政府関係者は正確な情報提供をしなければならないのに、それもきちんとされていない。

公定価格は保育士職員の人件費だけでなく、他の経費も含まれていて、保育所運営費全般の補助金であり、保育所運営の土台といえる。しかし、その人件費部分の単価額は国の基準で定められている職員数しかカウントされていないし、他の経費も国が決めた基準額しかカウントされていない。これらの経費の基準額を実態に即して改善する方向さえ示されていない。この補助額は、保育所運営全体を支える経費であり、それをどのように運用するかは施設の裁量に委ねられている。

保育所運営を安定させて、保育士処遇改善を進めるためには、公定価格が極めて重要であり、公定価格の改善をどのように進めるかが問われている。

そこで、この複雑な仕組みである公定価格について、その構造と内容などについて説明と分析が必要となる。この「第Ⅱ部 保育の公定価格と保育士等職員処遇改善課題」では、公定価格の基本的枠組みがどのようになっているのか、短時間保育の幼稚園と長時間保育の保育所の実情がどの程度反映しているのか、公定価格の基準額で保育所や幼稚園を運営する場合どのような問題が生じるのか、実際の保育所運営でのやりくりはどうなっているのか、保育所の重大事故件数急増と保育士処遇問題との関連、新制度下での厚労省の保育士処遇改善施策の検証などを検討する。そのうえで、保育士処遇改善をどのような考えで、どのように進めるのかを具体的に提案する。改善案では平均的保育所の保育士処遇等の改善がどのように進められるのかも検証してみる。

第1章
国が決める保育費用のシステム

1. 公定価格とは

子ども・子育て支援新制度では子ども1人当たりの保育に必要な月額費用を公定価格と呼んでいる。公定価格は「教育・保育に通常要する費用の額」をふまえて「内閣総理大臣が定める基準により算定した費用の額」とされている（子ども・子育て支援法（以下支援法）27条3項1号）。公定価格の算定方法は従来の保育所保育単価制度で[(1)]採用されてきた「積み上げ方式」を新制度でも採用することになり、教育・保育に必要で「対象となる費目を積み上げて金額を設定する」とされた。つまり、保育に必要な保育士等職員の人件費、施設の事務管理、補修費等の管理費、園児に直接関わる遊具・保育材料・教材費、給食材料費等事業費を積み上げて金額を算定することになる。ところで、2019年度は「子ども・子育て新制度施行後5年の見直しに係る対応方針」（以下「5年後の見直し」）を決める時期をむかえ、その対応方針を2019年12月に決定、公定価格の内容にいくつかの見直しが行われたが、算定方法は「積み上げ方式」を続けることになった。

子ども・子育て支援事業の基本指針（支援法60条、2020年4月改正版）では、「全ての子どもの健やかな育ちを保障していくためには…発達段階に応じた質の高い教育・保育及び子育て支援が提供され」、「子どもの最善の利益の実現を

(1) 保育単価制度創設の経緯と問題点の詳細は拙稿「戦後日本の保育政策と行財政」（宍戸建夫編「児童問題講座5 保育問題」ミネルヴァ書房 1975年8月刊所収）参照

念頭に質を確保」することが必要であると強調し、「『子どもの最善の利益』が実現される社会を目指す」と謳っている。これは、幼稚園、保育所等施設が異なっていても、全ての子どもに高い保育の質を平等に保障する社会を目指すという視点といえる。この基本指針をふまえて施設運営の実態や保育の質向上確保の視点から一定の水準を確保できる内容や項目をきちんと「積み上げ」、実情をふまえた適切な公定価格の算定が行われているか否かを常に検討することが必要である。

公定価格は全国すべての保育所等の施設運営を支える財政基盤の基準額であり、日本の子どもの平均的保育水準、保育の質を支えるメルクマールといえる。その意味で公定価格の構造と内容は極めて重要な意味をもつ。

2. 公定価格の種類

公定価格は、幼稚園・保育所等施設型給付と小規模保育事業等地域型保育給付に大きく区分され、施設型給付はまず認定区分と年齢区分の分類がある。

認定区分では教育標準時間認定（1号認定こども）と保育認定（2号、3号認定こども）とに分かれる。教育標準時間認定は3歳児以上の幼児で幼稚園等の保育を希望するケースである。保育認定は児童福祉法24条1項に基づき、保護者の就労、疾病などの理由で保育所等で「保育を必要とする」との認定を受ける乳幼児のケースである。地域型保育給付は保育認定（3号認定）のみである。

年齢区分は保育士・教諭1人当たりの乳幼児数の基準（年齢別配置基準）にもとづいて4つに区分されている。さらにそれぞれに地域区分と定員区が設定されている。

教育標準時間認定（1号認定）は3歳児と4歳以上に、保育認定では2号認定は3歳児と4歳以上に、3号認定は0歳児と1・2歳児とに年齢区分がされている。小規模保育事業等地域型保育給付では3号認定だけであり、年齢区分は0歳児と1・2歳児となっている。

いずれの給付の場合にも共通して設定されている地域区分は、施設・事業の所在する地域を「国家公務員及び地方公務員の地域手当の支給割合に係る地域区分に準拠」して8地域に設定されている。

つぎに定員による分類がある。施設型給付施設の定員区分では、幼稚園（1号認定）は定員15人から301人以上の17区分、保育所（2、3号認定）は定員20人から171人以上の17区分、認定こども園（1号、2号、3号認定）は1号が幼稚園と同じ、2・3号が10人から171人以上の18区分である。地域型保育事業の小規模保育事業はA型（3号認定、定員区分は6～12人、13～19人の2区分）、B型（3号認定、A型に同じ）、C型（3号認定、定員区分は6～10人、11～15人の2区分）の3類型、家庭的保育事業（3号認定、3～5人まで）、事業所内保育事業（3号認定）は定員19人以下で小規模保育事業の基準を適用したA型かB型、定員20人以上（定員区分20人～61人以上を5区分）の3類型、居宅訪問型保育事業（3号認定）である。

さらに、施設型給付施設、地域型保育事業での2号、3号認定については「保育必要量区分」として「保育標準時間認定」と「保育短時間認定」の区分が設定されている。また、「特別給付」では、1号認定子どもが「保育所を利用する場合」や、2号認定子どもが「幼稚園を利用する場合」等の特別利用や、1・2号認定子どもが「地域型保育事業を利用する場合」等の価格が示されている。（詳細は第2章）

3. 公定価格と給付費について

この公定価格から、国の保護者負担額基準額（国基準保育料額）を差し引いた額が給付費となる（支援法27条)。給付費は保護者に対する利用料補助であるが、幼稚園、認定こども園、地域型保育事業等施設（保育所を除く）が保護者の代理で市町村に申請し、受領するという仕組み（代理受領）になっている。この場合保育料は施設の責任で決定し徴収する。

保育所については、児童福祉法24条1項の市町村の保育実施責任の規定により、市町村が「公定価格相当額」（保育費用）を委託費として施設に支払う仕組みであるため（支援法附則6条）、施設型給付費の支給規定（支援法27条）は適用されない。保育所には、市町村から公定価格に相当する保育費用全額が支弁されるが、その委託費は、保護者への給付ではなく、施設への負担金といえる。この場合、保育料は市町村が徴収する（図表1）。つまり、市町村は私立保育園に入所する児童の保育に責任を持つことで、保育園の運営にも責任を持つということになる[(2)]。

なお、2019年10月からの「無償化」により、3歳以上児の1号、2号認定の国基準保育料額がゼロとなった。ただし、2号認定は、従来公定価格に含まれていた副食材料費が除外され、副食材料費（月額4,500円）は原則保護者負担となり、園での全額実費徴収となった。但し年収360万円未満相当世帯及び第3子以降は免除される。2号認定の主食費、副食費とも園への実費徴収となった。

図表1　公定価格（給付、利用負担）、委託費の関係

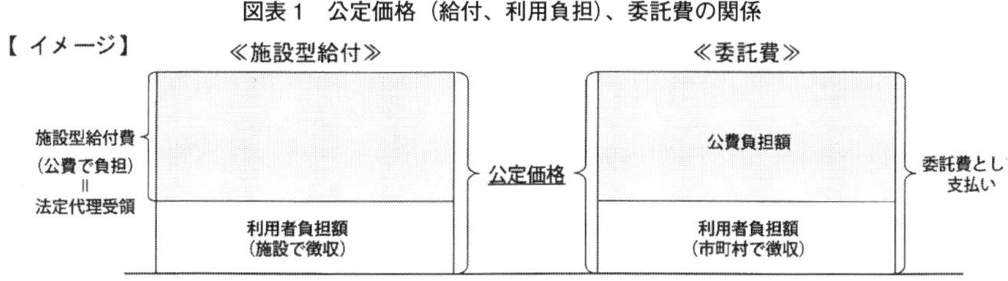

内閣府等「すくすくジャパン―子ども・子育て支援制度ハンドブック（平成27年7月改訂版）」にもとづく(p4)。

(2)　保育所の入所と保育保障については、児童福祉法24条1項において、保育を必要とする乳幼児については市町村に入所申請を行い、市町村の責任で希望する保育所への入所を決定し、費用については委託費として市町村が保育所に負担するという仕組みになっている。保育料は市町村に支払うことになる。これを保育の公的責任と呼んでいる。幼稚園と認定こども園の入所・入園は保護者が直接施設に入園を申請し施設が決定するシステムであり、保護者と施設との直接契約制度となっている。

第２章
公定価格の基本構造と課題
幼稚園と保育所を中心に

1. 幼稚園と保育所の基準の違いと特徴について

公定価格の対象となっている幼稚園と保育所には、制度的な仕組みや内容で特徴や違いがある。公定価格の内容の検討において、その特徴や違いがどのように考慮されているかが重要な課題となる。

そこで、まず、その特徴や基本的違いを整理する。

(1) 保育対象年齢と保育時間・保育日数の違いと園児の生活や教諭・保育士の仕事

保育を受ける子どもの対象年齢は幼稚園が３歳から５歳児の幼児であり、保育所は０歳児から５歳児までの乳幼児である。公定価格では幼稚園を利用する子どもを１号認定子どもと呼び、保育所については0~2歳児を３号認定子ども、3歳児以上を２号認定子どもと位置付けている。幼稚園と保育所は保育時間や保育日数が違うだけでなく、その施策や制度等が大きく違い、幼稚園の教諭や保育所の保育士等の働き方にも大きく影響している。延いては子どもの保育環境にも影響が生じることになる。そこで１日の保育時間の違い、保育日数・開園（所）日数の違いと教諭・保育士の働き方への影響について検討してみる。

①　保育時間と教諭・保育士の労働時間

まず１日の保育時間について、幼稚園の教育・保育時間は「4時間を標準」

（「幼稚園教育要領」）と定められ、「登園時間から降園時間までが教育が行われる時間」であるとされている（文科省「幼稚園教育要領解説　平成30年３月」p83）。実際の教育・保育時間は平均5.5時間であり、うち約１時間が昼食時間となっている（文科省「平成22年度幼児教育実態調査」（平成23年５月）参照）。そのため、教育・保育時間は８時間労働内に収まり、残りの３時間程度を保育の準備や記録、計画、打ち合わせ会議、研修に充てることが保障されている。また、労働時間週40時間になり、土曜日は休日となり、完全週休２日制が保障されている。

また幼稚園には預かり保育があり、保育所と同様に８時間保育が営まれている。この預かり保育は通常の教育・保育時間終了後に、希望者に対応する保育であり、別の補助金での制度となっていて、基本的には通常の教育・保育に従事している保育者以外の保育者で対応することになっている。そのため通常の保育・教育に従事する教諭の労働時間や仕事の在り方に影響が及ばないシステムとして位置づけられている。預かり保育の変遷については後述する（第２章−4−(2) p162〜参照）。

保育所の場合は「児童福祉施設の設備及び運営に関する基準（最低基準）」（以下「設備・運営基準（最低基準）」）で保育時間（第34条）は「１日につき８時間を原則」（以下「８時間原則」）とされている。1948（昭23年）年最低基準の制定に当たって、保育士と８時間労働との関係も検討され、保育士の労働時間の組み合わせ等つまり時差出勤や超過勤務等で対応するということでスタートした（厚生省児童局企画課長松崎芳伸「児童福祉施設最低基準」（日本社会事業協会1949年３月刊））。そのため、８時間保育以上は延長保育として扱われてきた。

その後、1980年代後半から1990年にかけて労働時間は週48時間制から週40時間に段階的に移行し1997年度から完全実施され、完全週休２日制が取られ始め、2002年度から学校５日制（土曜休日）が実施され、幼稚園は土曜日休園となり、完全週休２日制が実施された。しかし、保育所の開所時間と保育士の労働時間の関係、職員配置基準の在り方についてはきちんとした論議もされずに進められた。週48時間から週40時間制への移行は労働時間20％の短縮であり、職員5人に1人の増員が必要となる大きな問題であったが、年間基準人件費の7%を「業務省力化改善費」として補助することだけで進められ今日に至っている（詳細は第2章-5-(2) p170～参照）。

そのうえ、新制度の移行に伴い公定価格では、8時間未満の保育を「保育短時間認定」とし、8時間以上11時間の保育を「保育標準時間認定」とし、11時間を超える保育時間を延長保育とした。その結果、保育所の保育時間は8時間～11時間が基本となり、保育所の毎日の開所時間は11時間乃至11時間以上が一般的になっている。保育時間11時間は8時間の約4割弱（約38%）増となるのに、「設備・運営基準（最低基準）」の保育時間「8時間原則」の規定については何ら変更されていないし、保育士の労働時間と関連のある保育士等職員基準は何ら改善はされていない。基本的には73年前の「設備・運営基準（最低基準）」の考え方がそのまま適用されているといえる。余りにも時代遅れの基準と指摘されても致し方ない。

② 保育時間と園児の生活スタイル、保育者の働き方の違い

保育所は保育時間が8時間原則であり、0歳児からの乳幼児の1日の大半を保育所で過ごすことから食事やおやつ等の提供が必要であるため、創設時から調理室の設置が義務付けられている。0歳児からのミルクの提供、離乳食、乳児食、幼児食、おやつ（0～2歳児は2回、3歳以上1回）等多様な食事等の提供や昼寝・休息の保障、早朝や夕方の静かな生活、午前中の動的活動など1日の生活リズムに応じた生活スタイルによる保育の保障が必要となる。また保育時間が10時間以上になれば夕方の軽食保障も必要となる。

しかし幼稚園は「4時間を標準」ということもあり、給食施設については義務づけはなく、努力義務にとどまっている。そのため、お弁当や外食の配食提供であったり、週1日程度や学期末等に給食のない半日保育等も少なくない。幼稚園の場合は、午前中の生活を中心に、午後2時頃までの保育となっている。保育時間の違いは園児の1日の生活スタイルにも違いがあり、保育士の仕事の仕方にも違いが生じている。

幼稚園の場合は教育・保育時間が「4時間標準」であり、実際も平均5.5時間で教育・保育は終了し園児は降園する。教育・保育終了後は教師は保育の記録・まとめ、保育の準備や職員会議を営むことができる。つまり、幼稚園教諭は子どもに直接かかわる教育・保育と同時に保育準備や保育の記録、会議などの間接的時間（ノン・コンタクトタイム）が１日８時間労働の枠内で確保可能なシステムとなっている。

保育所の場合は８時間保育原則となっていて、保育士はその８時間子どもの保育に直接従事するという配置基準となっていて、保育準備・保育の記録・保護者への連絡帳の記載・打ち合わせや会議など間接的時間（ノンコンタクトタイム）が確保できる職員配置にはなっていない。間接的時間（ノンコンタクトタイム）については時間外労働で行わざるを得ない状況にある。

48時間労働時間体制の時は、女性の社会進出も限られ、2・3歳以上の幼児保育中心であったということもあって、多くの園児が午後4時頃にはほぼ終了し、残り約１時間程度をノンコンタクト時間に充てていた。また、土曜日も半ドンであったことで、月１回土曜日の午後を月１回程度全員参加の職員会議を実施していた。しかし、女性の社会進出が広がり、乳児保育も一般化し、8時間以上の延長保育の要望が拡大し、さらに労働時間40時間制への移行が進む中で、保育士の労働条件の改善はされず、毎日の保育時間が9時間、10時間が広がり、8時間保育に従事せざるを得なくなった。つまり、40時間制に見合った労働条件の改善がされないため。労働時間全てを保育に従事しないとならなくなり、ノンコンタクト時間や会議の時間も確保できなくなった。皮肉なことに保育所の現場では週40時間制の移行に伴い、労働時間の改善ではなく、労働環境の悪化が作り出されていると言える。

③　保育時間と保育日数について—保育所保育時間は幼稚園の約２〜３倍程度

前述した保育時間と保育日数について１日、１週、１ヶ月、年間でまとめてみると図表2-1のようになる。一日の保育時間では幼稚園の場合は、文科省の調査では平均5.5時間で内平均昼食時間が約１時間となっている。保育所の

図表 2-1　幼稚園と保育所の教育・保育時間と保育日数の比較

	i）1日の教育･保育時間	ii）1週間		iii）1ヶ月		iv）年間	
		日数	時間	日数	時間	日数	時間
幼稚園	平均 5.5 時間 （100.0）	5 日 （100.0）	約 28 時間 （100.0）	20 日 （100.0）	約 110 時間 （100.0）	195 日～240 日 （100.0）	約 1,073 時間以上 （100.0）
保育所	8～11 時間 （145.4～200.0）	6 日 （120.0）	48～66 時間 （171.4～235.7）	25 日 （125.0）	200～275 時間 （181.8～250.0）	300 日程度 （153.8～125.0）	2400～3300 時間 （223.6～307.5）

①ｉ）1日の保育時間―幼稚園は公定価格では「4時間標準」となっているが、文科省調査では平均約5.5 時間（内昼食時間平均約1時間）（平成 23 年2月 16 日第4回こども指針（仮称）ワーキングチーム資料「教育時間・保育時間について（案）」p1）。保育所は8時間以上 11 時間と定められている。
②ⅱ）、ⅲ）、ⅳ）の日数について、保育所は公定価格の基準の日数。幼稚園の年間日数 195 日は学校教育法施行規則に基づき、他は公定価格の基準。
③ⅱ）、ⅲ）、ⅳ）の各時間欄は日数に幼稚園は 5.5 時間を、保育所は8時間、11 時間を乗じた数値
④ⅳ）年間の幼稚園の 240 日には夏休み等長期休暇を含み公定価格で保障。保育所の 300 日には土曜保育も含まれるが、土曜日希望者がいない場合は日数に応じて減算するとしている。

保育時間は約 1.5 倍弱（約 45％増）から約2倍の長さになる。1週、1ヶ月、年間でみると、保育日数では約 1.2 倍～1.5 倍程度（約 20％～約 53％増）であり、保育時間ではいずれも約 1.7 倍～約3倍程度（約 71％～約 308％増）となる。

このように保育所の保育日数は幼稚園の 1.2 倍～1.5 倍程度だが、保育時間では約 2～3 倍前後となり、この大きな開きは、給食や昼寝など保育の形態も異なり、教諭・保育士の労働環境の違いも大きい。こうした違いが幼稚園（1号認定）、保育所（2号、3号認定）の公定価格（「教育・保育に通常要する費用」）の内容においてでは、どのように考慮され算定されているのかも含めて検討する。

2.　公定価格の基本的枠組みについて

(1) 公定価格の基本的特徴

公定価格は保育所、幼稚園等の施設や小規模保育事業等において、年間を通じて保育に必要な経費について、子ども１人当りの月額単価として設定した単価額である。

公定価格は、基本分単価＋加算部分（基本加算部分＋特定加算部分）で構成されている。さらに基本分単価の減額が求められる場合に適用される加減調整・乗除調整部分がある。

基本分単価は、職員の人件費を中心に、管理費と事業費で構成されている。基本加算部分、特定加算部分も人件費を中心に、管理費と事業費に係わる内容で構成されている。その内容は、幼稚園、保育所等施設ごとに若干異なる。公定価格は子ども一人当たりの単価額であることから、4時間標準保育の1号認定子ども（3歳〜5歳児）と8時間保育原則の2号認定子ども（3歳〜5歳児）と3号認定子ども（0歳〜2歳児）とに大きく区分されている。つまり保育時間の長さを基準に、年齢区分で分けられていると言える。

保育所（2号・3号認定）については、新制度では保育短時間認定（8時間保育）と保育標準時間認定（8時間〜11時間保育）とにわけて公定価格が設定されている。しかし、保育所最低基準で保育時間は「1日につき8時間を原則」とさだめられていることもあり、保育短時間認定の単価額が基本であり、標準といえる。保育標準時間認定の単価額は保育短時間認定の単価に一定の率を乗じて設定されている。その意味では8時間以上の保育を「保育標準時間認定」というのは適切ではない。

保育時間という視点からすれば、幼稚園（1号認定子ども）の場合は、4時間標準保育の公定価格であり、幼稚園（4時間標準保育）ということになる。こうした点をふまえて、ここでの公定価格については幼稚園（4時間標準保育）と保育所の標準（8時間保育）との比較を基本として検討する。

基本分単価の構成要素と主要な人件費に係わる加算については幼稚園（1号認定・4時間標準保育）、保育所（2号・3号認定・8時間保育）について、図表2-2で整理した。

公定価格での人件費に相当する額は、基本分単価に含まれる人件費部分＋処遇改善等加算Ⅰ＋処遇改善等加算Ⅱ＋それ以外のその他加算部分の人件費を合算した額になる。少し詳細に検討してみる。

図表 2-2　公定価格の基本分と加算の構造（2021 年 4 月現在）
※幼稚園欄の◎印は 1 号認定のみで 2 号認定にはない項目

			幼稚園（1 号認定・4 時間標準保育）	保育所（2 号、3 号認定・8 時間保育）
基本分単価	事務費	人件費	(1) 常勤職員給与 ◇本俸、教職調整額、◇諸手当、◇社会保険料事業主負担等 ①園長 ②教諭（教諭年齢別配置基準は 4 歳以上児は 30：1、3 歳児は 20：1） ③事務職員 1 人 ◎④学級編成調整教諭 1 人、全ての学級に専任の学級担任を配置するための配置（利用定員 36 人以上 300 人以下） (2) 非常勤職員雇上費 ①学校医、学校歯科医、学校薬剤費手当 ②非常勤職員雇上費（講師、事務職員） ③年休代替要員費	(1) 常勤職員給与 ◇本俸、特別給与改善費、特殊業務手当、◇諸手当、◇社会保険料事業主負担等 ①所長（2019 年度までは加算額に設定、2020 年度から基本分に移行、設置しない場合は減算） ②保育士（保育士配置基準は 4 歳以上児 30：1、3 歳児 20：1、1・2 歳児 6：1,0 歳児 3：1） ③調理員 2 人（定員 40 人以下は 1 人、151 人以上は 3 人（うち 1 人は非常勤）） (2) 非常勤職員雇上費 ①嘱託医・嘱託歯科医手当 ②非常勤職員雇上費（保育士、事務職員、調理員） ③年休代替要員費 ④研修代替要員費（基準の保育士 1 人年間 3 日） ⑤休憩保育士 1 人加配(利用定員 90 人以下の常勤保育士、91 人以上は非常勤) ※保育標準時間認定のいる施設には定員規模に関わりなく常勤保育士 1 人＋非常勤保育士（3 時間）1 人を基準に加配。標準認定児の割合で配分。
		管理費	〈職員の数に比例して積算〉 旅費、庁費、職員研修費、職員健康管理費、業務委託費 〈子どもの数に比例して積算〉 保健衛生費、減価償却費 〈1 施設あたりの費用として積算〉 補修費、特別管理費、苦情解決対策費	〈職員の数に比例して積算〉 旅費、庁費、職員研修費、被服費、職員健康管理費、業務省力化等勤務条件改善費 〈子どもの数に比例して積算〉 保健衛生費、 〈1 施設あたりの費用として積算〉 補修費、特別管理費、苦情解決対策費
	事業費		一般生活費（保育材料費等）	一般生活費（給食材料費、保育材料費等）
加算部分	基本加算部分	主に人件費	①処遇改善等加算Ⅰ ◎②副園長・教頭配置加算 ③ 3 歳児配置改善加算（15：1） ◎④満 3 歳児対応加算（6：1） ◎⑤チーム保育加算（1～8 人） ◎⑥講師師配置加算（利用定員 35 人以下、又は 121 人以上）、 ◎⑦通園送迎加算、 ◎⑧給食実施加算	①処遇改善等加算Ⅰ ② 3 歳児配置改善加算（15：1） ③夜間保育加算 ④休日保育加算 ⑤チーム保育推進加算（職員平均勤務年数 15 年以上の施設のみ、1 人、2020 年度より職員平均勤務年数 12 年以上の施設、1 人に改定） ⑥減価償却費加算
		その他	◎⑨外部監査費加算 ◎⑩副食費徴収免除加算	⑦賃借料加算 ⑧副食費徴収免除加算

<table>
<tr><td rowspan="2">加算部分</td><td rowspan="2">特定加算部分</td><td>主に人件費</td><td>①主幹教諭等専任加算
◎②子育て支援活動費加算
③療育支援加算
◎④事務職員配置加算（利用定員 91 人以上）
◎⑤指導充実加算（利用定員 271 人以上）
◎⑥事務負担対応加算（利用定員 271 人以上）
⑦処遇改善等加算Ⅱ
⑧栄養管理加算（非常勤栄養士配置、週３日程度）</td><td>①主任保育士専任加算
②療育支援加算
③事務職員雇上費加算
④処遇改善等加算Ⅱ
⑤入所児童処遇特別加算（職員配置基準以外に高齢者等を非常勤職員として１日６時間未満又は月 20 日未満の雇用の場合）
⑥栄養管理加算（非常勤栄養士配置、週３日程度）</td></tr>
<tr><td>その他</td><td>⑨冷暖房費加算
⑩施設機能強化推進加算
⑪小学校接続加算
⑫第三者評価受審加算
◎⑬施設関係者評価加算など 15 項目</td><td>⑦冷暖房費加算
⑧施設機能強化推進加算
⑨小学校接続加算
⑩第三者評価受審加算など 12 項目</td></tr>
<tr><td></td><td colspan="2">加減調整</td><td>①年齢別加算基準を下まわる場合（基本分単価の年齢別配置基準及び学級編成調整加配の教員数を下回る場合）</td><td>①分園の場合、
②新制度以降「常態的に土曜日閉所」は減算を導入、2020 年度から「土曜日閉所日数に応じて減算」に変更。</td></tr>
<tr><td></td><td colspan="2">乗除調整部分</td><td>①定員を恒常的に超過する場合（各年度の年間平均在所率が 120％以上の状態の施設）</td><td>＊定員を恒常的に超過する場合（各年度の年間平均在所率が 120％以上の状態の施設）</td></tr>
</table>

資料：子ども・子育て会議（第 44 回）「資料４子ども・子育て支援新制度施行後５年の見直しに係る検討について」、子ども･子育て会議第第 46 回（2019.10.10）「資料４公定価格の見直しに係わる検討事項について」、内閣府等連名通知「特定教育・保育等に要する費用の額の算定に関する基準等の実施上の留意事項について」（改訂 2021 年３月 31 日）、子ども・子育て新制度都道府県等説明会（2020 年２月 21 日）の「資料１令和２年度子ども・子育て新制度に関する予算案の状況について」及び「資料２-1 令和２年度当初予算案における公定価格の対応について」にもとづき作成

(2) 基本分単価の人件費に含まれる費用について

①　保育所と幼稚園の常勤職員配置に違い

基本分単価の人件費については、常勤職員給与、非常勤職員雇上費、さらに職員賞与、派遣職員費、退職給付費、法定福利費等「職員の給与等処遇に必要な経費」とされている。しかし、その対象となる配置職員の構成については異なっている。

幼稚園（１号認定）では、常勤職員については①園長、②教諭（配置基準上求められる教員数）、③事務職員、④学級編成調整教諭１人（定員 36 人以上 300 人

以下）の配置、非常勤職員雇上げ費として①学校医等の経費、②非常勤事務職員雇上費（週２日）、③年休代替要員費が算定されている。

保育所の人件費の内訳は、常勤職員として①所長（2020 年度から加算から基本分単価に移行）、②保育士（配置基準上求められる保育士数）、③調理員については、定員 40 人以下の施設では常勤１人、41～150 人以下の施設では常勤２人、151 人以上は３人（内非常勤１名）となっている。非常勤職員雇上費として①嘱託医等の経費、②非常勤職員雇上費（保育士、事務職員、調理員）、③年休代替要員費、④研修代替保育士（年３日分）、⑤休憩保育士（定員 90 人以下のみ１人）の人件費が含められているとしている。

子どもの保育に直接関わる教諭・保育士の配置でみると、幼稚園では園長＋配置基準上教員数＋学級編成調整教諭１人の常勤職員配置があり、全ての年齢別クラスに教員１人が保障されている（学級編成調整教諭配置対象施設は約８割強程度）[(1)]。

これに対して保育所では所長＋配置基準上保育士数だけでである。休憩保育士１人の配置対象施設は定員 90 人以下の施設（全施設の約 35%―2018 年経営実態調査）のみに限定されていて、多数の保育所は対象にならない。幼稚園も保育所も３歳児、４歳以上児の教諭・保育士配置基準は同じ内容である。幼稚園については「学級編成調整教諭１人」の配置があるため、全クラスに教諭が配置される以外に１人の教諭の配置が位置づけられている。しかし、保育所には「学級編成調整教諭１人」の配置がないため、保育士の配置に全くゆとりがない。さらに、保育所では毎日給食を実施することから調理員の配置が義務付けられている。

保育時間や保育日数が遙かに長い保育所の「配置基準上保育士数」のカウントは保育時間・保育日数の少ない幼稚園と全く同じ計算式で行われている（詳細は第２章-3 p143～参照）。そのうえ、幼稚園には学級編成調整加配（1 人）が

(1)　学級編成調整教諭配置対象施設は約８割強程度は文科省学校基本調査2019 年度調査の在園者別私立幼稚園数（6538 園）は、50 人以下約 11.7%（770 園）、301 人以上 8.3%（548 園）であるとのデータに基づく。

されているのに、保育所には配置されていない。保育所でも、保育指針に基づき年齢別クラスを基本に運営がされている。幼稚園と同様にクラス編成調整加配保育士の配置が少なくとも３歳未満児と３歳以上児において、それぞれに配置されて当然ではないだろうか。

②　保育標準時間認定は名ばかり、保育所最低基準を無視した内容

8時間以上11時間の保育については「保育標準時間認定」の公定価格と位置づけられている。8〜11時間保育が「保育標準」であるならば、本来なら保育所最低基準を踏まえて、年齢区分や利用児童数に応じた人件費単価額が明示されるべきである。しかし、この保育標準時間認定では、保育短時間認定（8時間保育）の単価額をベースにして、常勤保育士１人及び非常勤保育士（3時間）１人の加配分人件費を加算するとされている。その加配人件費（1人+3時間分）は定員全員が保育標準時間認定の場合の支給額であり、標準時間認定児の割合によって支給されるシステムになっている。例えば標準時間認定が５割であればも加配人件費（1人+3時間分）の５割だけが支給されることになる。

しかも、このシステムでは定員規模は全く考慮されず、45人定員でも100人定員でも、1人+3時間分の人件費だけが加算されるというシステムである。45人定員と100人定員では保育士配置は大きく異なるが、それは無視され、児童数や職員数の多さには関わりなく「1人+3時間」の人件費だけが加算されるということになる。

保育所最低基準に基づく定員規模の児童数に応じた保育士配置基準は全く考慮されていないと言える。保育所の保育標準は最低基準の保育士配置基準を踏まえた内容でなければならないはずだ。保育標準時間認定という名称を使用しながら、最低基準を無視した内容というのは、「看板に偽りあり」としかいいようがない。詳細は第２章−3、第３章−5等で検討する。

③　非常勤職員の配置にも幼稚園と保育所に大きな違い

もう一つの問題は非常勤職員の配置についてだが、これも幼稚園と保育所で

は大きな違いが見られる。幼稚園の場合、「幼稚園設置基準」で「各学級ごとに少なくとも専任の教諭1人を置かなければならない」と定められ、配置基準上の教諭は常勤職員としての位置づけになっている。そのため非常勤職員は事務職員と常勤教員等職員の年休代替に限定されている。ところが保育所については、非常勤職員として保育士、調理員、事務職員が位置づけられている。

保育所については、戦後制度がスタートしてから最低基準で決められた保育士数については、常勤保育士と定められてきた。非常勤保育士の配置は基準外の保育士に限定されていた。そのため、常勤保育士が多数いて、非常勤保育士は常勤保育士の補助者としての位置づけがされていたといえる。

ところが1995年のエンゼルプランの実施以降、乳児保育の普及、保育時間の延長など保育需要が多様化したとの理由で、厚労省は1998（平10）年2月8日厚生省児童家庭局長「保育所における短時間勤務の保育士の導入」を発出し、「常勤の保育士の総数が、基準上配置定数の8割以上」を条件に短時間保育士（非常勤保育士）の導入が実施された。さらに「規制改革推進3カ年計画」（2002年3月29日閣議決定）を踏まえ2002年5月21日上記通知の改定を行い、「常勤保育士8割以上」の条件を撤廃して、「常勤の保育士が各組やグループに1名以上の配置」等の条件のもとで配置基準上の保育士でも非常勤職員で対応することを認めた。

この手法は複数の非常勤保育士の勤務時間が常勤保育士の勤務時間を上回ることで常勤保育士1人の配置とカウントするようにした。例えば2人の非常勤保育士の場合、4時間勤務と5時間勤務、3人の場合であれば各3時間勤務であれば常勤職員の勤務8時間を上回ることになる。

つまり、配置基準上の保育士数をカウントする際に、常勤保育士だけでなく、非常勤・非正規職員も含めてカウントするようにした。「1日6時間以上20日以上勤務」の非常勤職員は常勤者とカウントし、それ以外の非常勤職員のカウントは、職員の1週間の勤務時間を、所定労働時間（週40時間）で除した数値で行うようになっている。そのため1日5時間、週25時間の非常勤職員が5人の場合でも、25時間×5人／40時間で3.1人としてカウントされる。

幼稚園については常勤職員で対応することが原則となっている。しかし幼稚園より長い保育時間の保育所については、常勤保育士の増員ではなく、常勤保育士１人分を短時間勤務の非常勤保育士で頭数だけ増やして対応するという考えが基調になっているといえる。

こうした状況を背景に、保育士の雇用形態をみると、非正規職員が増え、正規職員の割合が少なくなりつつある。例えば全国保育協議会の調査では1995年には正規保育士が約７割、非正規が３割という状況であったが、2002年の「常勤保育士８割以上」の撤廃以降、2006年には正規保育士約６割、非正規保育士４割となり、2016年には正規保育士約５割強、非正規保育士約５割弱という状況になっている（図表2−3）。

常勤・正規保育士は一日の保育全体を把握し、保育計画や記録をまとめる作業をおこなうが、短時間勤務の非常勤保育士には無理である。常勤保育士が少なくなり、非常勤保育士が増えると、常勤保育士の仕事の量は、常勤保育士が減った分増え、さらに非常勤保育士相互の調整を行う仕事が新たに増えることになる。こうした手法は保育士の処遇を悪化させ、保育士の離職者を増やす大きな要因になっている。

実際、非常勤保育士の増加→常勤職員の負担の増加→常勤保育士の離職→非

図表2−3　保育士の正規と非正規比率の推移（全国保育協議会調査に基づき村山作成）

	全体		公立		私立	
	正規保育士比率	非正規保育士比率	正規保育士比率	非正規保育士比率	正規保育士比率	非正規保育士比率
2016年調査（増減率）	53.4%（77.1）	46.6%（151.2）	45.4%（66.0）	54.6%（174.4）	57.8%（82.5）	42.1%（140.3）
2011年調査（増減率）	55.9%（80.7）	44.1%（143.1）	46.8%（68.1）	53.2%（169.9）	62.9%（89.8）	37.1%（123.6）
2006年調査（増減率）	61.5%（88.8）	38.5%（125.0）	53.9%（78.4）	46.1%（147.2）	67.9%（97.0）	32.1%（107.0）
1995年調査（増減率）	69.2%（100.0%）	30.8%（100.0%）	68.7%（100.0%）	31.3%（100.0%）	70.0%（100.0%）	30.0%（100.0%）

2016年、2011年、2006年調査は各年全国保育協議会「全国の保育所実態調査報告書」の「第３章職員の状況」に基づき正規保育士の比率を算出。1995年調査は全国保育協議会「保育所の実態調査ー調査結果報告書」（1997年３月刊）の資料編職員構成のデータにもとづき算出。

常勤保育士の増加といった悪循環が起きている。例えば東京都福祉保健局「東京都保育士実態調査」では、現在就業中の保育士で「保育士を辞めたい」が2014年調査19%、2019年調査では22%に達している。しかも正規保育士の退職意向の理由では、「給料が安い」約73%、「仕事量が多い」も約70%、「労働時間が長い」約57%となっている（2019年調査)。「仕事量が多い」、「労働時間が長い」は2014年調査より約10%も増えている（図表2-4)。常勤・正規保育士の仕事量は非正規・短時間保育士が増えれば増えるほど、「仕事量が増え」、「労働時間が長く」なるが、給料は増えずに安いという矛盾を背負い、離職に追い込まれている状況が見えてくる。給料の低さと同時に「仕事量が増え」、「労働時間が長く」等労働環境の劣悪さが指摘されているため、その改善が強く求められている。

こうした状況にあるにもかかわらず、2020年12月公表の待機児童解消対策である「新子育て安心プラン」（以下新プラン）においては、「待機児童が存在する市町村において各クラスで常勤保育士1名必須との規制をなくし、それに代えて2名の短時間保育士で可とする」という徹底した規制緩和策を打ち出してきている。厚生省はこの方針にもとづき、3月に通知を発出し、「市町村が認める」場合はこの和制後和策を2021年度から実施するとした。つまり8～11時間保育を非常勤の短時間保育士だけの交代勤務勤務で対応して良いという内容であり、安心・安全な保育を崩壊させていくという手法でしかない。待機児童解消を理由に保育士配置の規制緩和をさらに推進し、保育士配置に関わ

図表2-4　現在就業中の保育士退職意向の主な理由（複数回答）〈東京都保育士実態調査〉

	2019年調査		2014年調査	
	全　体	正規職員	全　体	正規職員
1. 給料が安い	68.7%	72.7%	65.1%	70.3%
2. 仕事量が多い	61.9%	69.8%	62.2%	60.4%
3. 労働時間が長い	47.4%	56.6%	37.3%	45.2%
4. 職場の人間関係	37.1%	39.6%	24.9%	28.0%
保育士を辞めたい	22.4%	26.4%	19.2%	25.6%

東京都福祉保健局「東京都保育士実態調査報告書」2019年5月版（2018年8月調査）及び同2014年版（2013年8月調査）に基づく。

る予算削減という手法が推進され、保育士処遇の劣悪さや保育の質のさらなる低下を増長させることになる。それは、同時に幼稚園と保育所の格差拡大を推し進めることになる。

(3) 加算部分の人件費―処遇改善等加算の基準について

加算部分は基本加算部分と特定加算部分で構成されている。その加算部分における人件費を大きく分けると、基本加算部分の処遇改善等加算Ⅰ（以下処遇改善Ⅰ）、特定加算部分の処遇改善等加算Ⅱ（以下処遇改善Ⅱ）、それ以外のその他加算部分（基本加算部分及び特定加算部分）とに分けられる。処遇改善Ⅰは基本加算部分に位置づけられていて、在籍している全職員を対象にして、全ての施設に共通して支給され、大きな位置を占めているといえる。処遇改善Ⅱは特定加算部分に位置づけられていて、対象の基本は基準職員の一定の割合に限定され、全ての施設に支給される。その他加算部分においての人件費は基準上の職員数以外で加算配置条件に該当する職員を配置している場合に支給される（図表 2-2 p122 参照）。これらの問題については①処遇改善Ⅰ、②その他加算、③処遇改善Ⅱの順で検討を行う。処遇改善Ⅱは加算単価の算定に際して、その他加算部分と関連するためである。

①　処遇改善等加算Ⅰについて

処遇改善等加算は、旧制度（保育所運営費保育単価制度）の保育所の民間施設給与等改善費（以下　民改費）を引き継ぎ、その施設の職員の平均勤続年数に応じて加算率が設定され加算額が決められる。なお、民改費の変遷と処遇改善等加算への移行経過は後述（第３章-4-(1) p210～参照）する。

新制度になり保育所のみならず幼稚園、認定こども園等すべての施設に支給されるようになったことは大きな改善といえる。その後、2017 年度からは「技能・経験に応じた保育士等の処遇改善の仕組み」として新たに処遇改善等加算Ⅱが創設されたことで、従来の処遇改善等加算は処遇改善等加算Ⅰに名称変更がされた。

処遇改善等加算Ⅰは、ⅰ基礎分、ⅱ賃金改善要件分、ⅲキャリアアップ要件分の3つで構成されていて、施設職員の1人当り平均経験年数に応じた加算率が設定されている。支給の際はⅲキャリアアップ要件分はⅱ賃金改善要件分に含まれる。

ⅰ基礎分の額は加算単価額×加算率で決まる。加算単価額は基本分単価に占める人件費額の約1%相当とされている。加算率は各施設の非正規職員を含む全職員の平均経験年数で決められる。平均経験年数は0年の2%から10年の12%まで段階的に設定されているが、経験年数11年以上の加算率の設定はなく、加算増額はゼロという設定になっている。該当する加算率に基づく加算額は毎月市町村に提出する教育・保育給付費・委託費において処遇改善等加算として請求し、すべての施設の公定価格に含めて支給される。

ⅱ賃金改善要件分（ⅲキャリアアップ要件分含む）は全職員に配分する賃金改善計画を提出し、職員の責務や職務内容等に応じた勤務条件の策定を行う等のキャリアアップ要件の確認も必要となる。その上で、賃金改善計画に基づく実績報告も求められる。加算率は2017年度に3%と5%に引き上げられ、2018年度には平均勤務年数11年未満一律5%、11年以上一律6%になり、さらに2019年度にはそれぞれ1%上乗せされた。そのうち2%はキャリアパス要件分であり、要件を満たさない場合は2%減となる。経験11年以上に賃金アップが保障されていないのは不合理である。子ども・子育て会議でも引き上げることへの要望が出されている(2)。しかし、5年後の見直しにおいても何らの改善もされていない。

---

(2)　坂崎委員提出意見書日本保育協会「公定価格に関する意見」では「平均年数の区分について、その上限を、保育所以外の児童福祉施設の民改費の仕組みに準じて『14年以上』の区分にまで改善すべき」と要望している（2014年3月12日）また全国市長会・三鷹市長清原委員は「職員の定着と確保のための処遇改善の仕組みは重要でございまして、…現在の民改費制度では10年以上働き続けるインセンティブが見える化されておりません。…せめて15年、できれば20年はキャリアアップが図れる給与制度の構築が求められていると思います。」（平成26年2月24日　基準部会第15回議事録p19）等

②　その他加算部分の職員数の基準について

次に処遇改善等ⅠおよびⅡを除くその他の加算部分における職員配置の加算内容を検討する。公定価格の各種加算は、その項目における条件を達成した職員配置がされている場合に加算されて、基準の人件費が支給される。そのため、条件に該当する職員が配置されていない場合は該当しない。

ⅰ　加算教員・保育士は幼稚園 3.8～10.8 人、保育所は１人のみ

幼稚園（1号認定）では副園長・教頭配置加算（1人)、主幹教諭等専任加算（1人)、チーム保育加配加算（1～8人)、講師配置加算（0.8人 2019年度から）がある。これらの加算の教員数は約 3.8 人～10.8 人であり、ほとんどの幼稚園が対象となる。このほか、給食実施加算、通園送迎加算、事務職員配置加算（2018 年度実施）があり、さらに利用定員 271 人以上の施設には指導充実加配加算があり、「必要教員数」を超えて非常勤講師を配置する場合 0.8 人の加算が可能となる。(図表 2-2 p122 参照)

一方、保育所（2号、3号認定）では、すべての保育所に対象となるのは主任保育士専任加算だけで保育士１人にすぎない。幼稚園で設定されている副園長・教頭配置加算、チーム保育加配加算、講師配置加算に該当する項目はない。保育所でも副園長を設置している施設もあるし、後述（第２章-3 p143～）するが基準定数の保育士では安定的な運営が困難なため基準定数以外に幼稚園の講師に該当する非常勤保育士を配置している施設は多い。それなのに、保育所には適用されていない。

また、チーム保育加配加算については、2020 年度から認定こども園の２号認定子どもは対象としてカウントされることとなった。それなのに、保育所の２号認定子どもは対象とならない。これは同じ２号認定子どもの保育条件に施設による格差が持ち込まれていることであり不合理である。保育所の２号認定の子どもも対象となるよう改善されなければならない。保育所には新制度になり 2016 年度から「チーム保育推進加算」がスタートしたが、名称は似ていても、対象施設が限定され幼稚園のチーム保育加配算とは内容が大きく異なる。

その他加算の中でも幼稚園のチーム保育加配加算は単価額も高く複数の職員加算であり、大きな比重を占めることから次に詳しく検討する。幼稚園のチーム保育加配加算は新制度で誕生したわけではなく、歴史的経過があり、それを振り返りながら検討し、幼稚園のチーム保育加配加算と保育所のチーム保育推進加算とを比較検討する。

ii　チーム保育加配加算（幼稚園）とチーム保育推進加算（保育所）の違いについて

i）幼稚園のチーム保育の目的と経緯

幼稚園のチーム保育は1997年11月4日文部省の調査協力者会議最終報告「時代の変化に対応した今後の幼稚園教育の在り方について」において、その導入の必要性が示された。報告書では「従来の幼稚園教育における育実践は学級を基本としていたが…同時に学級の枠を超えるという柔軟な指導方法が必要」であり、「そのためには、幼稚園全体の教職員の協力体制をつくりながら、教職員全員で園児一人一人を育てるという視点と姿勢が大切」であり、「このような園全体の協力体制を高めるための工夫としては、ティーム・ティーチング（チィーム保育）の導入」が必要であり、「少人数による保育を可能とすることが重要である」と指摘している（文科省「幼稚園教育年間平成10年版」p57～58）。

それを受けて「幼稚園教育要領改訂（1998年12月公表、2000年度実施）」では、「幼稚園全体の協力体制を高め、きめ細かい指導の工夫を図るために、ティーム・ティーチング（チィーム保育）の導入」が位置づけられ、2001年度から私学助成（一般補助）においてチーム保育推進の予算が計上され、公立幼稚園については地方交付税で措置され、その後定着が図られていく。

新制度においては、チーム保育加配加算として位置づけられ、すべての幼稚園を対象に「副主任を配置している場合など、低年齢児を中心とした小集団化したグループ教育・保育を実施」し、基準以上の教員を配置している場合に加算されるとした。しかも「施設の判断で基準を上回る配置を行う場合の人件費は上乗せ徴収等により賄うこと」と明記されている（内閣府「公定価格に関する

FAQ」No27、28)。チーム保育加配加算の単価額は教員１人年間500万円程度であり、利用定員の規模に応じて上限人数が決められている。具体的には、利用定員45人以下は１人、46～150人以下は２人、151～240人以下は３人等で、最大は450人以上で６人でスタートした。2016年度には最大８人に改正されている。そのため、複数配置の場合は、人数に応じて単価額が支給されることになる。

ii）「2号から１号への誘導で荒稼ぎする認定こども園」問題浮上で見直しでも、保育所に格差

新制度では前述したように保育所で実施してきた処遇改善加算は幼稚園・認定こども園に適用されるようになったが、このチーム保育加配加算は　保育所や認定こども園の園児には適用されずにスタートした。そのため、保育関係者からは不平等であり、保育所・認定こども園の２号認定子どもへの適用を求める意見も出されていた。このチーム保育加配加算の単価額は教員・保育士１人年間約500万円程度であり、２人で年間約１千万円、３人配置で１千500万円と高い補助金であり、保育者の配置にとって大きなメリットがある。しかし、子ども・子育て会議では論議されずに来ている。

ところが、「北海道経済」９月号（2019年８月15日発売）で「2号から１号への誘導で荒稼ぎする認定こども園―不正行為に打つ手もなく旭川市もお手上げ」という見出しで、１号認定子どもと２号認定子どもの給付費に大きな格差があり、２号認定子どもを１号認定子どもに認定替えをおこなっているという問題が浮上した。

こうした状況を背景に、2019年11月12日の子ども・子育て会議第48回「資料　公定価格に関する検討事項について」では、「認定こども園の公定価格について、１号から２号へと認定区分が変更されることによって単価が引き下がるとの指摘」について「減少する場合がある」と認めている。その対策の一つとして「チーム保育加配加算」を認定こども園の２号認定こどもに適用するとして、2020年度から実施された。

認定こども園の２号認定のこどもに適用されたのですから、当然保育所の２号認定子どもに適用されて当然といえる。しかし、保育所の２号認定子どもについては、いまだ適用されていない。そのため、２号認定子どもの保育条件については、幼稚園、認定こども園と保育所との間に大きな格差が作り出され、放置されている。つまり２号認定のこどもに公然と社会的格差が持ち込まれているといえる。

ⅲ）保育所のチーム保育推進加算はチーム保育加配加算（幼稚園）とは大きく異なる

2016年度に創設された保育所のチーム保育推進加算は幼稚園のチーム保育加配加算とはその内容が大きく異なる。このチーム保育推進加算の趣旨は、チーム保育体制の整備、キャリアに応じた賃金改善であり、主に「キャリアを積んだ保育士の賃金増」、「保育所全体の保育士の賃金改善に充てること」とされている。対象施設は平均勤続年数15年以上の保育所（保育所全体の約10％程度）に限定され、しかも１人加配でしかない。加算額は年間１人約500万円程度であり、幼稚園のチーム保育加配加算とほぼ同額である。つまり、全職員の平均勤続年数15年以上の保育所の場合、１人保育士を増員し、余った人件費は他の保育士給与改善に充てるということになる。

2020年度からは平均勤続年数12年以上に対象が拡大されたが、対象となるのは保育所全体の約35％程度に過ぎない。しかも、勤務年数の長い職員が退職したり、新任職員を多く採用したりして平均勤務年数が12年にとどかない場合は、対象から除外され、加配保育士がいても対象にはならない。毎年保障されるということにはならないため、きわめて不安定な加配加算である。

つまり、チーム保育推進加算の趣旨は、平均勤務年数のやや高い保育所等への人件費補助金・賃金改善であり、チーム保育推進のための保育士加配、増員が目的ではないことになる。チーム保育の推進を希望する園に教員・保育士を増員するためのチーム保育加配加算とは大きく異なる。この２つの加算は名称は同じようだが、似ても似つかない加算と言える。

職員の平均勤続年数に応じた賃金改善の加算補助では、前述した処遇改善等加算1があるが、経験年数11年以上の加算率の設定はなく、平均勤続年数が11年以上の12年、15年、20年であっても11年と同じ額であり、加算増額はゼロという設定なっている。平均年数に応じた給与改善の加算を目的とするなら、この処遇改善等加算1の加算率について、11年以上について、12年、14年、16年等の加算率を設定すればよいと言える。

チーム保育を推進するという趣旨であるなら、幼稚園と同じチーム保育加配加算を保育所にも適用すればすむことになる。公定価格では、幼稚園、保育所、認定こども園で同じ名称の加算は多数ある。それなのに、保育所だけには、チーム保育加配加算を適用させずに、趣旨の異なるチーム保育推進加算という名称で、きわめて限定的な補助金で問題をすり替え、ごまかそうとしているのではないかと疑念を持たれても致し方ない。保育所予算の抑制という狙いが見え隠れする厚労省の手法のようにも見える。

ⅳ）栄養管理加算と事務職員配置加算等について

栄養管理加算は幼稚園、保育所のいずれの場合も栄養士の雇用形態にかかわらず年額12万円とされてきた。2020年度からは栄養士を雇用した場合週3日程度の月額費用に引き上げられた。保育所では0歳児からの乳児保育を実施していることを考慮すれば、乳児の給食管理を考慮した更なる加算が当然必要といえる。ここでも保育所の実態を踏まえた対応の不十分さが見られる。

事務職員については、前述したように幼稚園（1号認定）では、基本分単価において常勤事務職員と非常勤事務職員雇上費が計上されている。それとは別に事務職員配置加算は事務職員を配置した場合につく加算があり、新制度当初は認定こども園だけに設定されていた。それが、2018年度から幼稚園にも新設され、利用定員91人以上の園にも適用されるようになった（0.8人分月単価額8〜9万円程度）。また幼稚園の預り保育事業（「一時預り事業（幼稚園型）」）において、2018年度から事務経費加算（年額約138万円）が実施されている。預かり保育を実施し、8時間保育を営んでいる幼稚園の場合は、事務職員配置加算の他に事務経費加算も受けられるようになっている。

保育所の場合は乳児保育3人、延長保育事業、一時預かり事業等のうち1つの事業を実施している場合との限定条件の下に、「事務職員雇上加算」(0.3人分月額5万円程度、年額約60万円程度) が適用されているだけである。この額は幼稚園の預かり保育事業の事務経費加算の半分以下に過ぎない。2019年10月から「幼児教育・保育の無償化」の実施に伴い、保育所では2号認定の副食費の実費徴収が新たに課されるようになったが、そうした事務量の増加があるにも関わらず、この単価は変更されなかった。

既に、少子化時代を迎え保育ニーズの多様化の対応をし始めた1993 (平5) 年頃厚労省「これからの保育所懇談会」は提言「今後の保育所のあり方について」において、「保育所所長や保母が事務的業務にとらわれず、保育所の仕事に専念できるよう、保育所の事務職員の常勤化について検討する必要がある」と強調した。しかし事務職員雇上げ費 (1日4630円×156日 (週3日)、月6万円程度) が1994年1月から実施され、今日まで何らの検討も改善もされず約30年を経過している。

保育所は幼稚園と比較して保育時間や保育日数がはるかに長いにもかかわらず、基本分、加算分いずれも保育士の配置数は少ない。しかも、新制度5年の経過の中で、この格差が縮まるどころか、少しずつ拡大している。どうしてこうした格差状況が放置され続けるのか理解に苦しむ。この状況は、最初に指摘しているが、子ども・子育て支援事業の基本指針において「全ての子どもの健やかな育ちを保障していく」、「『子どもの最善の利益』が実現される社会を目指す」という理念に背く手法であり、子ども・子育て会議の在り方も問われかねないといえる。

なお、幼保連携型認定こども園では2015年度新制度移行で幼稚園と保育所の2人の施設長のいる施設に対して、加算調整措置加算 (施設長1人分の人件費相当額) が実施されてきたが、経過措置期間 (2020年3月31日) の終了に伴い2020年度から廃止となった。

③ 処遇改善等加算Ⅱについて

ⅰ　処遇改善等加算Ⅱの対象と基準

処遇改善等加算Ⅱは、これまで職務上の位置づけのなかった副主任保育士、専門リーダー、若手リーダーなどの職位に対して、辞令等への明記、キャリアアップ研修の受講といった条件を課して、それを満たした職員に公定価格上の加算額を支給するという制度である。この制度は、新制度がスタートして３年目の 2017（平 29）年４月から、公定価格の特定加算部分に位置付けられ実施された（内閣府・文科省・厚労省局長連名通知「施設型給付費等に係る処遇改善加算」一部改正 2019 年４月 27 日）。

加算の対象は、①副主任保育士・専門リーダー（経験年数概ね７年以上）の職員を「月額４万円の処遇改善の対象者」（人数Ａ）として、②職務分野別リーダー・若手リーダー（経験年数概ね３年以上）の職員を「月額５千円の処遇改善の対象者」（人数Ｂ）と定めている。それぞれ定められた研修を受講することが条件付けられている。

加算の対象職員数については、実際の職員数ではなく、基準に定められた基礎職員数に限定されている。加算対象職員数については、①人数Ａの「月額４万円の処遇改善の対象者」は基礎職員数の３分の 1、つまり「基礎職員数×1/3」、②人数Ｂの「月額５千円の処遇改善の対象者」は基礎職員数の５分の 1、つまり「基礎職員数×1/5」と定められている。処遇改善Ⅱの加算額は　①人数Ａ〈単価額×（基礎職員数×1/3)〉+②人数Ｂ〈単価額×(基礎職員数×1/5)〉ということになる。つまり、処遇改善Ⅱの加算額は①と②の単価額と基礎職員数で決まる。処遇改善等加算Ⅱの算定の基準については図表 2-5 にまとめたので、それをふまえて説明する。

基礎職員数は基本的には「Ⅰ　定員区分による対象者数」+「Ⅱ　年齢別配置基準による職員数」+「Ⅲ　加算等で手当されている職員数」（以下「加算等の職員数」）の合計を基礎数として、施設ごとに決められる。まず、「Ⅰ　定員区分による対象者数」は施設定員により異なる。「Ⅱ　年齢別配置基準による職員数」は、国の基準で統一されている。いずれも決められている基準であり差はない。「Ⅲ　加算等の職員数」は公定価格での人件費に係わる加算項目等をさす。

図表 2-5　処遇改善加算Ⅱの算定基準―幼稚園、保育所の比較（2020.08 村山作成）

<table>
<tr><td colspan="2"></td><td>幼稚園（1 号認定）</td><td>保育所（2 号・3 号認定）〈指数〉</td></tr>
<tr><td colspan="2">加算額算定式</td><td colspan="2">①〈単価額×人数 A（基礎職員数×1/3）〉+②〈単価額×人数 B（基礎職員数×1/5）〉
（加算対象数）　（加算対象数）</td></tr>
<tr><td colspan="2">基礎職員数</td><td colspan="2">基礎職員数算出の基準のⅠ＋Ⅱ＋Ⅲ</td></tr>
<tr><td colspan="2">単価額
〈指数〉</td><td>①人数 A　月 51,030 円〈100.0〉
②人数 B　月　6,380 円〈100.0〉</td><td>①人数 A　月 48,790 円〈96.5〉
②人数 B　月　6,100 円〈96.5〉</td></tr>
<tr><td rowspan="4">基礎職員数算出の基準</td><td>Ⅰ 定員区分による対象人数</td><td>① 35 人以下―0.4 人、② 36～300 人―1.4 人、⑤ 301 人以上―0.4 人</td><td>① 40 人以下―1.5 人、② 41 人～90 人―2.5 人、③ 91 人～150 人―2.3 人、④ 151 人以上―3.3 人</td></tr>
<tr><td>Ⅱ 年齢別配置基準による職員数</td><td colspan="2">☆幼稚園―a 国の年齢別配置基準による職員数―{4 歳以上児数×1/30}＋{3 歳児数×1/20}＝合計数（小数点第 2 位以下切捨て）。☆保育所―a 年齢別配置基準による職員数―{4 歳以上児数×1/30}＋{3 歳児数×1/20}＋{1, 2 歳児数×1/6}＋{0 歳児数×1/3}＝合計数（小数点第 2 位以下切捨て）。</td></tr>
<tr><td rowspan="2">Ⅲ 加算等による職員数</td><td>b 講師配置加算―0.8 人（定員 35 人以下、121 人以上）、c チーム保育加算―1～8 人、d 通園送迎加算―0.8 人、定員 151 人以上 1.5 人、e 給食実施加算―2 人、151 人以上 3 人、f 主幹教諭等専任加算―1 人、g 事務職員配置加算―0.8 人（定員 91 人以上）、h 指導充実加配加算―0.8 人（定員 271 人以上）、i 事務負担対応加算―0.8 人（定員 271 人以上）、j 栄養管理加算（A：配置）0.5 人</td><td>b 保育標準時間認定実施―1.4 人、c 主任保育士専任加算―1 人、d 事務職員雇上加算―0.3 人、e 休日保育加算―0.5 人、f チーム保育推進加算―1 人（平均勤務年数 12 年以上の施設のみ）、g 栄養管理加算（A：配置）0.6 人</td></tr>
<tr><td>9 項目　最大 17.2 人（100.0）
減算項目
k 副園長・教頭配置加算を受けている場合―1 人減、l 年齢別配置基準下まわる人数―（必要教員数―配置教員数）減</td><td>6 項目　最大 4.8 人（100.0）
減算項目なし</td></tr>
</table>

内閣府・文科省・厚労省連名通知「施設型給付費等に係る処遇改善等加算Ⅰ及び処遇改善等加算Ⅱについて」（2020（令 2）年 7 月 30 日）より作成。内閣府子ども・子育て本部「平成 30 年度子ども・子育て支援新制度市町村セミナー資料」参照註 3 歳児配置改善加算を受けている場合は {3 歳児数×1/15} で算出。幼稚園 1 号認定で満 3 歳児対応加算を受けている場合は {満 3 歳児数×1/6} を加算。

前項「その他加算部分の人件費」（p131～）でも解説したが、この加算項目が保育所、幼稚園等施設によって大きく異なるという問題が影響する。「Ⅲ 加算等の職員数」の違いによって、処遇改善等加算Ⅱの対象者を算定するための基礎数も変わり、結果、対象者数も加算額も変わってくる。

幼稚園の場合は「Ⅲ 加算等の職員数」が多いため、処遇改善等加算Ⅱの対象者数も多くなり、支給額も増える。しかし、保育所の場合は「Ⅲ 加算等の職員数」が極めて少ないため、処遇改善等加算Ⅱの対象者数も限定され、支給額も少ないことになる。詳しくは第3章–4（p210～）において後述する。

ii　加算額の配分方法と研修要件の見直し

処遇改善等加算Ⅱの実施については、自治体や施設関係者から様々な不安や疑問が出されていたが、内閣府は2018年3月7日事務連絡「処遇改善等加算Ⅱの運用見直しについて」を発出し、いくつかの見直しを行った。主な2点は次のについての見直しを示した。

第1は「月額4万円の賃金改善」で対象者数の1/2（端数切り捨て）の職員に支給した上で、残額分を従来配分の認めていなかった勤務年数3年程度の職務分野別リーダー等にも配分を可能とした。さらに2020年度からは「4万円の加算額の算定対象人数の1/2（端数切り捨て）以上」を「1人以上」に緩和された。

第2は加算要件の研修について、「2022年度を目途に、研修受講の必須化を目指す」として、「2021年度までの間は研修要件を課さないこととする」とし、「2022年度からの必須化については、2022年度開始までに研修の受講状況を踏まえ、判断する」とした。しかし、2020年・21年のコロナ禍の影響で2024年完全実施に変更された。

配分対象とされた職員はすべて都道府県のキャリアアップ研修の受講が義務づけられた。その研修内容は専門分野別研修6分野（各分野15時間以上）あるが、Aの対象者は4分野（60時間）以上を受講、Bの対象者は1分野（15時間）以上の受講とされた。

研修受講要件について内閣府等は2019年6月24日通知「施設型給付費に係る処遇改善加算Ⅱに係る受講要件について」を発出、保育所等については、一定の条件を満たし都道府県が認める場合、その園内研修の修了者については、「1分野最大4時間の研修時間が短縮されるものとする」とした。幼稚園、認定こども園の園内研修はAは60時間以上のうち15時間以内、Bは15時間以上のうち4時間以内が位置づけられている。

幼稚園の場合は、保育時間は4～5時間で毎日の保育終了後に3時間程度の研修時間が保障され、また、土日の週休2日、夏休み等の長期休暇がある。しかも、それらの休暇は全て公定価格で保障されている。それらを利用することを想定すれば、受講環境が整っているといえる。

しかし、保育所の場合は土曜日も開所し、長期休暇もない中で、毎日8時間以上の保育を実施している中で、研修を受講することになる。そのため、受講する人の代替保育士等職員を手当しないと、保育に支障が生じる。代替職員の保障がないため安心して受講できないことになる。このままでは保育所の現状を無視したキャリアアップ処遇改善になりかねない。

(4) 事業費と管理費について

① 事業費―園児の保育に係わる費用の内訳

事業費については、幼稚園は「教材費等」、保育所は「一般生活費（保育材料費、給食材料費等）」と明示されている。保育所の場合の「一般生活費」は保育単価制度（1958年度創設）の考えが新制度に引き継がれてきている。新制度直前の厚生労働事務次官通知「児童福祉法による保育所運営費国庫負担金について」（1014（平26）年6月2日）では、「一般生活費」については「給食に要する材料費（3歳未満児は主食及び副食給食費、3歳以上児は副食給食費）保育に直接必要な保育材料費、炊具食器費、光熱水費等（3歳未満児月額9,804円、3歳以上月額6,637円）」と明記されていた。

この保育単価制度がそのまま採用され、幼稚園にも適用されることになった。2015（平27）年度スタートした新制度の公定価格でも、保育単価制度と同じように事業費に「一般生活費」が位置づけられ「保育材料費、給食材料費等」と説明され、単価額も2014（平26）年度と同額の月額6,637円が計上されている。つまり、「給食材料費等」の等には従来と同じように「炊具食器費、光熱水費等」が含まれているといえる。

保育所での食事やおやつの提供には、食材料を料理する調理台、ガス台、レンジ、鍋や釜、冷蔵庫、コンベクション、チラー、食器消毒器・保管庫、器具・ふきん等の殺菌保管庫など炊事用器具（炊具）も必要だし、子どもに提供するには食器も必要、さらに煮炊きするには水やガス・電気など光熱水費も必要となる。給食材料費だけでは給食は提供できない。「積み上げ方式」というのは、子どもの食事・おやつの提供に必要な経費を積み上げて単価額を設定することにある。それ故一般生活費に当然「炊具食器費、光熱水費等」が含まれて当然である。

また、保育材料費といえば、毎日の保育に必要なおもちゃや等玩具、折り紙、画用紙、クレヨン、絵本、紙芝居、楽器、遊具等が上げられる。事業費の保育材料費にはどのような内容が組み込まれているのか考え方等が示されるべきである。現状では示されていない。

②　管理費費―施設の管理・運営に係わる費用の内訳

管理費については、幼稚園、保育所ともほぼ同じ内容になっている。その内訳は①〈職員の数に比例して積算〉として「旅費、庁費、職員研修費、職員健康管理費、業務委託費（幼稚園のみ)、被服費、業務諸力化等勤務条件改善費（保育所のみ)」、②〈子どもの数に比例して積算〉「保健衛生費、減価償却費（幼稚園のみ)」、③〈1施設当たりの費用として積算〉では「補修費、特別管理費、苦情解決対策費」となっている（図表2-2 p122参照)。

この管理費の項目の中で保育所の「業務諸力化等勤務条件改善費」(以下「業務省力化改善費」) は職員の勤務時間週48時間から週40時間への移行に伴い1981年に創設され、1997（平9）年4月から週40時間労働制の完全実施に至るまで、職員の勤務時間の短縮を段階的にすすめる経費として位置付けられてきた。職員の勤務時間の短縮のための職員増の経費であれば当然人件費として扱われるべきでである。ところがこの業務省力化改善費は「保母等直接処遇職員及び調理員の行う業務のうち委託、代替可能な業務について、業務の外部委託や賃金職員の採用により業務を省力化し、実質的に勤務時間の短縮が行えるよう」にとの趣旨で実施された[(3)]。つまり職員の増員というより「業務の外部

(3)　「業務諸力化等勤務条件改善費」が創設された時の厚生省児童家庭局企画課長通知「児童福祉法に

委託」に重点をおいた「業務省力化」により「勤務時間の短縮」を行うという目的で設定されている（詳細は第２章−5−(2) p170〜参照）。そのため、管理費に位置付けられたといえる。単価額は保育所については「私立保育所運営費用内訳通知」（令和２年３月31日）で、定員別・保育必要量区分別・年齢別で管理費額が明示されている。

なお公定価格に関わる関連通知等には、以下のものがある。

※①　内閣総告示「子ども・子育て支援法に基づく特定教育・保育、特別利用保育、特別利用教育、特定利用地域型保育及び特別保育に要する費用の額の算定に関する基準等」（令和２年４月１日　略称「公定価格改正通知」）

※②　内閣府子ども・子育て統括官・文科省初等中等教育局長・厚労省雇用均等・児童家庭局長「特定教育・保育等に要する費用の額の算定に関する基準等の実施上の留意事項」（令和２年５月12日　略称「公定価格留意事項通知」）

※③　内閣府子ども・子育て本部参事官・厚労省子ども家庭局保育課長「令和２年度における私立保育所の運営に要する費用について」（令和２年３月31日）（略称「私立保育所運営費用内訳通知」）

※④　内閣府統括官・文科省初等中等教育局長・厚労省雇用均等・児童家庭局長通知「施設型給付費等に係る処遇改善等加算Ⅰ及び処遇改善等加算Ⅱについて」（令和２年７月30日　略称「処遇改善等加算通知」）

よる収容施設措置費国庫負担金交付基準等の改正点及びこれが運用について」（昭和56年４月２日児企第12号）では「この経費は、非常勤職員の増員を行うほか、入所児の処遇上、外部委託になじむ業務（例えば洗濯掃除業務）については委託する等、施設の実態に即して、必要に応じ、職員の勤務時間の短縮を図る趣旨のもとに計上されるものである」と指摘。さらに週40時間労働制の完全実施となった1997（平９）年５月、厚生省児童家庭局企画課長通知「児童福祉法による入所施設措置費国庫負担金交付要綱等の改正点及びその運用について」（児企第14号　平成９年５月28日）では「業務諸力化改善費の改善について」次のように指摘している。

「施設職員の勤務条件の改善を図るため、職務の困難性を勘案し、保母等直接処遇職員及び調理員の行う業務のうち委託、代替可能な業務について、業務の外部委託や賃金職員の採用により業務を省力化し、実質的に勤務時間の短縮が行えるような業務省力化等勤務条件改善費について計画的に改善措置を講じてきているところである。特に平成９年４月の週40時間労働体制の完全実施に伴い、従来、週42時間労働体制であったものを平成６年度より計画的に改善しており、平成９年度において、週40時間労働体制としたものである。」

3. 公定価格の保育者配置基準で幼稚園、保育所の保育者配置はどうなるか

これまで、公定価格の内容についての全体的な問題点や課題検討してきた。その際最も大きな問題点は保育者等職員配置がどのような基準で配置されているかと言うことにある。新制度の公定価格では、保育所、幼稚園、認定こども園の保育士・教諭１人当たりの園児の受け持ち人数は、「保育所設備・運営基準」（保育所最低基準）に基づくことになり共通の基準となった。

保育所最低基準では保育士の数は「乳児おおむね３人に１人」、「1・2歳児おおむね６人に１人」、「3歳児おおむね20人に１人」、「4歳以上児おおむね30人に１人」と定められ、さらに「保育所１につき２人をくだることはできない」とされている（第33条）。その際の保育時間は「1日につき８時間保育を原則」（第34条）と定められている。しかし、保育士の数をどのように算出するのかということは明記されていない。その運用については厚労省・内閣府に委ねられている。

公定価格での算式は、(4歳・5歳児数×1/30)＋(3歳児数×1/20)＋(1.2歳児数×1/6)＋(0歳児数×1/3)＝配置基準上保育士数（小数点以下四捨五入）であり、各年齢区分の計算は「小数点第１位」までで「小数点第２位以下」切捨となる。公定価格の保育士・教諭の基準が共通になったが、保育時間の長さは全く考慮されていない。また職員加算等については格差が見られる。この状況について内閣府は保育者配置のイメージ図としてまとめている（第４章図表4-4 p280参照）。

この状況が幼稚園、保育所ではどのような意味を持つかを具体的に検討してみる。

(1) 幼稚園等の配置基準は大きく改善、１クラスに２名配置も可能

2006（平18）年10月認定こども園制度の実施に伴い、「文科大臣と厚労大臣

とが協議して定める施設の設備及び運営に関する基準」(2006年8月4日、文部科学・厚生労働省告示第1号）が発出され、「幼稚園と同様に1日4時間程度利用するもの」を「短時間利用児」、「保育所と同様に8時間保育を利用するもの」を「長時間利用児」と位置づけて、認定こども園の基準を示した。短時間利用児については、幼稚園の設置基準の「1学級の幼児数は35人以下を原則とする」の規定に基づき、3歳児及び4・5歳児については「おおむね35人につき1人以上」と定められ、保育所最低基準にも明記された。

2015（平27）年度から実施された新制度において、短時間利用児を1号認定こども、長時間利用児を2号認定こどもと位置づけた。1号認定こどもについて3歳児は「おおむね20人につき1人以上」、4・5歳児は「おおむね30人につき1人以上」と大幅に改善された。しかも、3歳児については1号認定、2号認定とも「15人につき1人」という「3歳児配置改善加算」が導入された。

幼稚園児などの1号認定こどもの保育者配置基準では3歳児の受け持ち人数は約43%〜57%減、4･5歳児は約15%減と大幅に改善されたといえる。また、各クラスの教諭1人はすべて専任教諭でなければならない。その結果、現在幼稚園等の短時間保育児については、1日4〜5時間程度（短時間保育）の保育を公定価格の保育者配置基準にもとづき算定された教諭数で各クラス専任保育者（教諭）1人の配置が義務付けられた。

さらに、学級編成調整教諭1人やチーム保育加配加算教諭1人〜8人、講師配置加算1人、主幹教諭1人が配置されている。また園長や主幹教諭等を援助できる副園長加算が位置づけられている。

こうした状況では4〜5時間程度の保育（短時間保育）は、各クラスに専任教諭1人とさらにもう1人の教諭の配置が可能となり、3歳児では約10〜20名程度、4歳児、5歳児クラスでは15〜30名程度の園児を2人で担当することが可能になる。

具体的に公定価格における保育者配置について、配置基準計算に基づく保育者配置数と保育者加算が具体的にどのように配置されるかについて、2つの平

図表 2-6-1　公定価格における保育者配置基準の実情（幼稚園の場合）
—配置基準の２倍強（110～125％増）の配置—（2022.2 村山作成）

		園児数、保育者数（園長は除く）※【指数】	年齢別平均園児数						フリー配置保育者
			３歳児		４歳児		５歳児		
A 平均的幼稚園		６学級　154 人	16 人	16 人	29 人	29 人	31 人	31 人	
公定価格基準	①配置基準教諭数（教諭配置計算式）	６人【100％】	１人	１人	１人	１人	１人	１人	
		5.6 人（四捨五入）	32/20＝1.6		120 人／ 30＝4.0				
	②加算等教諭総数	6.8 人【113％】							
	ⅰ 学級編成調整教諭	１人				１人			
	ⅱ チーム保育加配加算	３人	１人	１人	１人				
	ⅲ 講師配置加算	0.8 人						0.8	
	ⅳ 主幹教諭加算	１人					１人		
	Ⅴ 副園長加算	１人							１人
	総計（①＋②）	12.8 人【213％】	２人	２人	２人	２人	２人	1.8 人	１人
B 平均的幼稚園		４学級　96 人		16 人	16 人	32 人	32 人		
公定価格基準	①配置基準教諭数（教諭配置計算式）	４人【100％】	１人	１人	１人		１人		
		3.7 人（四捨五入）	32/20＝1.6		64 人／ 30＝2.1				
	②加算等教諭総数	５人【125％】							
	ⅰ 学級編成調整教諭	１人			１人				
	ⅱ チーム保育加配加算	２人	１人	１人					
	ⅲ 講師配置加算	０人	（利用定員 121 人以上のみ対象）						
	ⅳ 主幹教諭加算	１人					１人		
	Ⅴ 副園長加算	１人							１人
	総計（①＋②）	９人【225％】	２人	２人	２人		２人		１人

※ A 平均的幼稚園及び B 平均的幼稚園については注（4）参照

均的幼稚園[(4)]の場合についてまとめたのが図表 2-6-1 である。「A 平均的幼稚

(4)　平均的幼稚園について—　文科省 2021（令 3）年度学校基本調査に基づき私立幼稚園の平均学級と各年齢平均園児数は次の通り。39835 学級／ 6046 園（休園中除く）＝ 6.5 学級、3 歳児の 1 学級平均在園児数は 235,095 人／ 14,535 学級＝ 16.1 人、4 歳児の 1 学級平均在園児数は 336,813 人／ 11,726 学級＝ 28.7 人、5 歳児の 1 学級平均園児数は 371,104 人／ 12,008 学級＝ 30.9 人。このデータにもとづき「A 平均幼稚園」は 6 学級、各学年 2 クラスとして、3 歳児は 16 人 2 クラスで 32 人、4 歳児は 29 人 2 クラスで 58 人、5 歳児 31 人 2 クラスで 62 人で利用定員 154 人とした。B 平均的幼稚園は平均的保育所との比較を想定して、3 歳児は 16 人 2 クラスで 32 人にもとづき、4 歳児、5 歳児も増員なしで 1 クラス編成で、利用定員 96 人を想定した。

園」(6学級　利用定員154人)の場合は、配置基準教諭数は5.6人(3歳児32/20+4･5歳児120/30=)で6人の配置で各クラスに1人の専任教諭が配置される。さらに配置基準教諭数(6人)よりやや多い加算等教諭(6.8人)の配置が可能である。その結果公定価格で計上されている教諭総数は配置基準教諭数の約2倍(213%)の12.8人となる。そのため、各クラスに1人の教諭加配がされて、2人担当となり、1人(副園長)がフリーで対応できる態勢が可能となる。「B平均的幼稚園」(4学級　利用定員96人)の場合も、Aタイプよりやや小規模であり、平均保育所とほぼ同じ利用定員だが、「A平均的幼稚園」とほぼ同じ傾向である。いずれも、3歳児16人を2人の保育者で、4歳児、5歳児も1クラス29人～32人を2人の保育者で担当できる基準となっている。

さらに保育の準備や遊びや活動の後片付け等保育環境の整備、記録や日誌など保育に必要な事務等ノンコンタクトタイムの作業は、保育終了後にすべて複数の教諭と協力してできるし、また会議も行うことができる。そのため、保育中は安心して子どもの動きをきちんと把握しつつ保育に専念できる態勢が可能であり、子どもも安心して作業や遊びに取り組める条件が保障されていることになる。保育しながら片付けや掃除などをする「～しながら保育」[(5)]をせずに保育が営める保育条件が確保されている。すべての保育者が公定価格に位置付いているため、これらの職員の給与すべてが公定価格で保障され、公定価格の基準を遵守できることが可能となる。

(2) 保育所の配置基準は改善されず、条件悪化が進行

①　実態と乖離した保育士配置基準、幼児1クラス1人配置というひどさ、

保育所の場合も、幼稚園と同じ公定価格の保育者配置基準で保育士配置数が決められているが、その基準は保育所では従来と変わらず、長年適用されてきた。従来は幼稚園は保育時間が「4時間標準」のため、前述のように3～5歳

(5) 「～しながら保育」についてはこの節の「(2)-④むしばまれている子どもの安全と保育の質向上」及び「第4章-4) 保育所等の重大事故の急増をどう見るか」を参照。

は「35人以下」であったが、保育所は保育時間が「8時間」と長いため、3歳児20人、4・5歳児30人という基準になっているという解釈の仕方もされてきた。しかし、新制度の公定価格で幼稚園の短時間保育の基準が8時間保育を前提とした「保育所の最低基準」と同様な基準に改善されたが、保育所の配置基準は何らの改善もされていない。そのため、4時間標準保育の「短時間利用児」の保育者配置基準で8時間保育を実施することになる。「同等である」という言い方もされるが、保育時間の長さは約2倍であるのに、その保育時間の長さが全く考慮されていないことになる。保育所の子どもの保育条件は改善から取り残されたともいえる。

しかも、この公定価格の保育士・教諭の配置基準では、幼稚園等の短時間保育（4時間標準保育）においても充分な保育が営めないことから、前述のように多くの加配教諭の増員があり配置基準教諭数の約2倍強の教諭配置が可能となり、保育者配置の改善が示されてきている。それなのに、保育所の長時間保育（8時間保育）では、図表2-6-2に見るように配置基準保育士のわずか10%（主任保育士1人）の加配保育士が配置されているだけである。

そのため8時間保育を3歳児では約20名程度、4歳児、5歳児クラスでは20～30名程度の園児を保育士1人で担当するという基準になる。主任保育士

図表2-6-2　公定価格における保育士配置基準の実情（保育所の場合）
—配置基準の1.1倍（10%増）—（2022.2 村山作成）

<table>
<tr><td colspan="3" rowspan="2">開所時間 11.7t、
土曜 10.5t
土曜開所は 97.8%</td><td rowspan="2">園児数、保育士数（園長は除く）※【指数】</td><td colspan="6">年齢別平均園児数（96人）</td><td>フリー配置</td></tr>
<tr><td>0歳児</td><td>1歳児</td><td>2歳児</td><td>3歳児</td><td>4歳児</td><td>5歳児</td><td></td></tr>
<tr><td colspan="3">平均的保育所</td><td>6クラス　96人</td><td>7人</td><td>15人</td><td>17人</td><td>19人</td><td>19人</td><td>19人</td><td></td></tr>
<tr><td rowspan="5">公定価格基準</td><td colspan="2">①配置基準保育士数</td><td>10人【100%】</td><td>2人</td><td>3人</td><td>2人</td><td>1人</td><td>1人</td><td>1人</td><td></td></tr>
<tr><td colspan="2">（保育士配置計算式）</td><td>【9.7人（四捨五入）】</td><td>7/3＝2.3</td><td colspan="2">32/6＝5.3</td><td>19/20＝0.9</td><td colspan="2">38/30＝1.2</td><td></td></tr>
<tr><td colspan="2">②　加算保育士数</td><td>1人【10%】</td><td colspan="6"></td><td></td></tr>
<tr><td rowspan="2"></td><td>i　休憩保育士</td><td>0人</td><td colspan="6">（註　利用定員90人以下のみ対象）</td><td></td></tr>
<tr><td>ii　主任保育士</td><td>1人</td><td colspan="6"></td><td>1人</td></tr>
<tr><td colspan="3">総計（①＋②）</td><td>11人【110%】</td><td>2人</td><td>3人</td><td>2人</td><td>1人</td><td>1人</td><td>1人</td><td>1人</td></tr>
</table>

※平均的保育所は全保協2016年保育所実態調査報告書にもとづき村山作成

は幼児のクラスだけでなく、ゼロ歳児、1・2歳児の保育を担当することになり、短時間保育の場合より多様な対応をせざるを得ない。前述のように幼稚園は4時間標準保育で1クラス2人の保育者配置が可能なのに、保育所は1人の保育者配置という基準はあまりにもひどい格差である。

この配置基準の保育士数では、日常の保育が困難なため、実際は配置基準より多い保育士が配置されている。この問題について、2019年12月公表の会計検査院報告では保育士不足で生じている空き定員の調査を分析し、その要因について「運営基準を満たす保育士は確保されているものの、保育士の勤務状況や個別の児童の状況を踏まえた安定的な運営を確保していく上で必要な保育士が確保できていない状況」（p131）からと指摘している。つまり、「基準上の保育士数が確保できていても」、安定した保育所運営ができないため、更なる保育士確保が必要であり、基準の改善を求めている。

実際、いくつかの調査をみると、公定価格の配置基準の保育者配置数では対応できないため、各保育所の自主的努力や自治体の援助で公定価格基準の保育士数より平均約1.6～2倍程度の多い職員配置で保育所運営をやりくりしている。結果として幼稚園並に基準以上の保育士配置で対応していることになる。

しかし、基準以上に保育士等職員を多く配置しても、公定価格に位置づけられていないため、給与は保障されていない。そのため公定価格の職員人数分の人件費を基準の約1.6～2倍程度の職員の給与に配分することになり、保育士等職員の給与は公定価格基準より低くならざるを得ない。

例えば、2022年2月から公定価格に配置されている幼稚園・保育所の職員給与を約3％（月9千円程度）をアップするという政策が実施されているが、この場合でも保育所の公定価格に位置づけられている保育士だけに支給されるため、基準外の職員にも配分することになり、約3％（月9千円程度）より平均約4～5割程度少ない額が支給されることになる。公定価格の保育士配置基準が実態とかけ離れているため、保育士の低賃金の大きな要因であり、極めて重要な問題である。

そこで、ここでは、2つの調査のデータに基づき、園児数と職員数を踏まえて、平均的保育士等の実際の配置状況について、公定価格の保育士配置基準定数の算定方式と実際の保育士等配置状況について比較し検討してみる。1つは内閣府「令和元年度幼稚園・保育所・認定こども園等の経営実態調査結果〈速報値〉」（2019年10月）のデータに基づきまとめた資料が図表2−6−3（内閣府調査）である。もう一つは全国保育協議会「全国の保育所実態調査報告書2016」（2017年6月）のデータをまとめた図表2−6−4（全保協調査）である。

②　保育士配置基準定数の計算方法では国の最低基準が守れない

いずれの図表もA欄の園児数は、いずれも96人であり、公定価格の保育士配置基準定数（C欄①）をみると図表2−6−3（内閣府調査）は11人、図表2−6−4（全保協調査）は10人となっている。まず、この基準定数がどのように決

図表2−6−3　認可保育所平均園児数と保育士配置の状況（内閣府調査2020.01村山作成）

		1 園児数及び保育士数	2 年齢別平均園児数						3C保育士国基準定数に対するB実際の保育士等配置数の割合
			0歳児	1歳児	2歳児	3歳児	4歳児	5歳児	
A園児数		96人	10人	16人	17人	18人	17人	18人	
B保育者配置数	①保育士数（内常勤） ②主任保育士 ③看護師 保育補助者	16.7人（14.3人） 1人（1人） 0.4人（0.2人） 0.9人（0.3人）	4人 0.2人 0.5人	4人 0.4人	4人	1.7人	1.5人	1.5人	
	④計（①+②+③）	19.0人（15.8人）	4.7人	5.4人	4人	1.7人	1.5人	1.5人	19.0人《158%》
C公定価格基準	①Aに対する国の保育士配置基準定数	10.8（a+b+c+d小数点四捨五入）	a 3.3人（10/3人）	b 5.5人（33/6人）		c 0.9人（18/20）	d 1.1人（35/30人）		
		11人	3人	3人	2人	1人	1人	1人	
	②主任保育士	1人							
	計（①+②）	12人							12人《100%》
D保育士基準定数を年齢別にカウントした場合（改善案）		12人（各年齢で小数点四捨五入）	3人（10/3）	3人（16/6）	3人（17/6）	1人（18/20）	1人（17/30）	1人（18/30）	

☆職員数は内閣府等「令和元年度幼稚園・保育所・認定こども園等の経営実態調査集計結果〈速報値〉（令和元年10月10日公表）」【平成30年3月調査】に基づく。☆園児数は第48回子ども・子育て会議提出資料1の「『保育所等の運営実態に関する調査〈確定額〉』（30年度）における平日と土曜の開所状況」に基づく。年齢別職員配置数は年齢別園児数に基づき推計した数値。☆平日保育時間11.4時間、土曜日保育時間10.8時間、土曜日の平均利用児童数は平日（96.6人）の32.5%（31.4人）。

められるかを見てみる。

公定価格の保育士配置数のカウントは年齢別に保育士配置の定数を決めるというのではなく、保育所全体の保育士数をきめる総定数方式を採用している。その総定数は4つの年齢区分別の保育士1人の受け持ち人数（0歳児3人、1・2歳児6人、3歳児20人、4・5歳児30人）で各年齢区部の園児数を除して、小数点第1位まで計算（小数点第2位以下切捨）、合計数の小数点第1位を四捨五入した整数が保育士配置の総定数となる。例えば4歳児（17人）と5歳児（18人）を合計した人数（35人）を園児数基準の30人で除して（35/30）1.1人とカウントする。年齢別であれば5歳児18人を園児数基準30人で除して0.6人になり、5歳児クラスに1人配置という手法がとられるべきなのに、そうした手法はとらていない。

図表2-6-4　認可保育所平均園児数と保育士配置状況（全保協調査2018.01 村山作成）

<table>
<tr><td colspan="2" rowspan="2">（土曜日開所は97.8%）</td><td rowspan="2">1園児数及び保育士数</td><td colspan="6">2 年齢別平均園児数（推計値）</td><td rowspan="6">3 C保育士国基準定数に対するB実際の保育士等配置数の割合</td></tr>
<tr><td>0歳児</td><td>1歳児</td><td>2歳児</td><td>3歳児</td><td>4歳児</td><td>5歳児</td></tr>
<tr><td colspan="2">A 園児数</td><td>96人</td><td>7人</td><td>15人</td><td>17人</td><td>19人</td><td>19人</td><td>19人</td></tr>
<tr><td rowspan="5">B保育者配置数</td><td>保育士数</td><td>17.8人（9.0人）</td><td>4(2)人</td><td>4.3(2)人</td><td>3.5(2)人</td><td>2(1)人</td><td>2(1)人</td><td>2(1)人</td></tr>
<tr><td>主任保育士</td><td>1人（1人）</td><td></td><td></td><td></td><td></td><td></td><td></td></tr>
<tr><td>看護師</td><td>0.4人（0.2人）</td><td></td><td></td><td></td><td></td><td></td><td></td></tr>
<tr><td>保育補助(資格なし)</td><td>1.5人（0.1人）</td><td></td><td></td><td></td><td></td><td></td><td></td><td></td></tr>
<tr><td>計（内常勤正規）</td><td>20.7人(10.3人)</td><td></td><td></td><td></td><td></td><td></td><td></td><td>20.7人
《188%》</td></tr>
<tr><td rowspan="4">C公定価格基準</td><td rowspan="2">①Aに対する保育士配置基準定数</td><td>9.7（a+b+c+d、小数点四捨五入）</td><td>a 2.3人
(7/3)</td><td colspan="2">b 5.3人
(32/6) 人</td><td>c 0.9人
(19/20)</td><td colspan="2">d1.2人
(38/30)</td><td></td></tr>
<tr><td>↓10人</td><td>2人</td><td>3人</td><td>2人</td><td>1人</td><td>1人</td><td>1人</td><td></td></tr>
<tr><td>②主任保育士加算</td><td>1人</td><td></td><td></td><td></td><td></td><td></td><td></td><td></td></tr>
<tr><td>計（①+②）</td><td>11人</td><td></td><td></td><td></td><td></td><td></td><td></td><td>11人
《100%》</td></tr>
<tr><td colspan="2">D 保育士基準定数を年齢別にカウントした場合（改善案）</td><td>11人(各年齢で小数点四捨五入)</td><td>2人
(7/3)</td><td>3人
(15/6)</td><td>3人
(17/6)</td><td>1人
(19/20)</td><td>1人
(19/30)</td><td>1人
(19/30)</td><td></td></tr>
</table>

☆全国保育協議会「全国の保育所実態調査報告書2016」（2017年6月刊）に基づき作成。　☆平均園児数・年齢別園児数は調査での園児数95.5人、平均年齢構成は0歳児7.8%、1歳児15.1%、2歳児17.8%、3歳児19.9%、4歳児、5歳児各20.0%に基づき算定、年齢別保育士数を推計。☆平日開所時間は11.7時間 土曜日開所は97.8%、開所時間10.5時間

そのため同じ利用定員数であっても、各年齢別の園児数が若干違うことで、保育士配置定数が1〜3名程度違ってくる。2つの調査で具体的に検討してみる。

内閣府調査（図表2–6–3）の場合は、0歳児3.3人＋1.2歳児5.5人＋3歳児0.9人＋4・5歳児1.1人の合計の10.8人を四捨五入して11人が保育士配置基準定数となる。全保協調査（図表2–6–4）の場合は、合計値が9.7人であり四捨五入して10人となる。同じ96人の利用定員であるが、内閣府調査のケース（図表2–6–3）は0歳児が10人であり、全保協調査（図表2–6–4）の7人より3人多いことで、保育士配置数が1人多くなっている。また、全保協調査の年齢別人数で、仮に翌年、0歳児（7人）と3歳児（19人）と同じだが、1・2才児が33人から3人少なくなり、4・5歳児が38人から3人多くなると、1・2歳児は29/6で4.8人、4・5歳児は41/30で1.3人となり、合計値が9.3人となり保育士配置基準定数は10人から9人と1名減となる。

このように、現在の算定方式では、定員は変わらないのに、年齢別の園児が多少の増減があることで保育士配置基準定数は1〜3名程度の増減が生じる。

第2の問題点は、こうして決められた定数の保育士数を各年齢別クラスの担当を最低基準の受け持ち人数にもとづき保育士を配置すると1〜2名程度不足することが少なくないという問題が生じる。

例えば、内閣府調査（図表2–6–3）の場合でも、国の配置基準を遵守するならば保育士配置は3歳児は18/20＝0.9人の配置、4歳児は17/30＝0.5人、5歳児は18/30＝0.6人であり、クラスに各クラス1人の保育士は必要となり計3人となる。1歳児は16/6＝2.6人、2歳児は17/6＝2.8人でクラスに保育士3人が必要、0歳児3人（10/3＝3.3人）の計12人となり、保育士基準定数は11人であり1人不足という状況になる。

この傾向は全保協調査（図表2–6–4）でも同じ傾向であり、保育士基準定数は10人だが、各年齢別クラスに配置すると3歳児は19/20＝0.9人、4歳児、5歳児は各19/30＝0.6人であり、クラスに保育士1人で3人、さらに、0歳児は7/3＝2.3で2人、1歳児は15/6＝2.5で3人、2歳児は17/6＝2.8で3人、合計で 11 人が必要となり、1 人不足となる。

現在の総定数方式では、保育所保育指針に基づき年齢別保育を実施しようとすると、保育所最低基に基づく保育士配置ができず、最低基準が守れないことになる。現在の総定数方式ではなく、各年齢別の算定方式で行えば、2 つの図表のＤ欄に示してあるが、それぞれ 1 人増え、いずれの年齢でも現在の最低基準は遵守できる。

保育所最低基準（設備・運営基準）で示されている保育士配置基準をどのように運用するかは厚労省・内閣府に委ねられているのに、子どもの視点や保育所保育指針を踏まえた積極的対応が取られていない。厚労省・内閣府には、最低基準で明示している「最低基準を超えて常に向上させる」という理念を踏まえ、公定価格の基準を実態を踏まえて改善する責任があり、算定方式の改善は厚労省・内閣府の裁量で可能である。早急に年齢別算定方式への改善が求められている（詳細は第 4 章–2、第 5 章–2 を参照）。

第 3 には、保育の質の向上や保育士の働き方と関連するが、必要な保育士数の算定について、保育時間・保育日数の長さがどのように考慮されているかがきわめて重要である。現状の公定価格の必要保育士・教諭数は「4 時間標準」の教育・保育時間の幼稚園と「1 日につき 8 時間保育原則」の保育所とが全く同じ算定方式が採用されている。

保育所と幼稚園では保育時間や保育日数の長さが大きく違うのに、全く配慮されていないことになる。そのうえ、新制度で保育所の保育時間は 8 時間～11 時間の保育標準時間が設定され、8 時間保育＋3 時間保育となり、この 3 時間分の保育をどうカウントするかが問われている。しかし 3 時間分の保育について、国の保育士配置基準を踏まえた保育士必要数は公定価格の基準等に明確に示されず曖昧のままであり、保育所最低基準が遵守できない状況が作られている。保育時間・保育日数の長さがどのように考慮されているかは、保育の質向上と深く関わるし、さらに専門職としての保育士の働き方をどのように位置づけるかということとも連動する。公定価格における保育時間・保育日数の長さの問題と改善策については後述する（第 3 章–5–(6)、第 4 章–3、第 5 章–2）等参照)。

③　実際の保育士配置数は公定価格の保育士配置基準定数の約 1.6〜2 倍

次に公定価格の保育士配置基準定数と実際の保育士配置状況とを比較してみる。

内閣府調査（図表 2-6-3）ではＢ欄に保育士等保育従事者数を記載してある。保育士の常勤については、「1 日 6 時間以上 20 日以上勤務している非常勤職員」を含めるとされていて、「すべて常勤換算後の人数後の人数」と明記されている。そのため、常勤の人数は実際より多くカウントされ、非常勤の人数は少なくカウントされていると推計できる。非常勤職員を含めた実際の職員人数より少なくカウントされているのではないかと推測できる。

この調査の保育士数は 16.7 人であり、保育に従事する主任保育士や看護師や保育補助者を含めると 19 人となる。公定価格基準では、国の保育士配置基準定数 11 人と主任保育士加算 1 人の 12 人になる。実際の保育に従事する保育士等（19 人）は公定価格基準（保育士配置基準定数＋主任保育士加算）の保育士数（12 人）の約 1.6 倍（158％）を配置して保育を営んでいる。

全保協調査（図表 2-6-4）では、常勤正規保育士とは別に非正規は雇用期間のある臨時職員、非常勤についてのみ常勤換算で計算、その結果主任保育士を含む保育士総数は 18.8 人であり、内常勤正規保育士は 10 人となっている。保育士総数 18.8 人は公定価格基準（保育士配置基準定数＋主任保育士加算）11 人の約 1.6 倍（162％）になる。保育士の他に看護師 0.4 人、保育補助者（資格なし）1.5 人の 1.9 人が保育に従事していることから、この人数を含めると 20.7 人となり、保育士配置基準定数 11 人の約 1.8 倍（188％）になる。その他栄養士・調理師等給食職員 3.2 人（公定価格基準 2 人）、事務職員 0.6 人（公定価格加算基準 0.3 人）で職員総数は 24.9 人となっている（園長除く）。

このように国の保育士配置基準定数では保育が営めない状況にあることは明白である。公定価格の保育士配置基準定数は現状から大きく乖離している。看護師は乳児保育を進める上で必要であることは認められているが、配置数や人件費単価額も位置づけられていない。こうした現状をふまえて、看護師配置加算や加配保育士の配置の拡充が検討されるべきである。例えば休憩保育士1名の加算は、定員90人以下に限定されているため、定員96人には適用されない。全ての保育所に休憩保育士の加配を規模に応じて配置するなどの改善が求められる。

保育所保育にとって給食・おやつは大変重要である。保育所の給食はミルク、離乳食、乳児食、幼児食と多様な食事やおやつを常に安全に提供されなければならない。公定価格の基本分単価では、調理関係職員の配置は定員41人以上150人で2人、151人以上3人（内1人非常勤）となっている。実際にはこの基準より1〜2人名（1.5倍程度）多く配置しているのが一般的である。例えば96人で見る場合、0歳児10人のミルクと離乳食、1・2歳児35人の乳児食、幼児53人の給食、さらに乳児は午前と午後のおやつ、午後のおやつを一定の時間内で準備し提供し、片付け・清掃、更に献立表等の事務作業を行わなければならない。この多様な作業を調理職員2人で行うことは大変無理があることは明白である。

また、基本分単価では非常勤事務職員が記載されているが、「施設長等の職員が兼務する場合又は業務委託する場合は、配置は不要であること」と明記されている。つまり、非常勤事務職員は配置が前提とされていないことになる。さらに、「事務職員雇上費加算」があるが、月額5万円程度あり0.3人分程度でしかない。しかもこの加算は、延長保育事業、一時預り事業等5事業の内いずれかを実施する施設に限定されている。保育所は新制度になり事務量が増え、しかも2019年10月からの幼児教育・保育の無償化で幼児の給食費は園での実費徴収になり、事務量はさらに増えているが、何らの対応もされていない。増えた事務仕事を園長・主任保育士、クラス担当保育士等で対応するということになれば、その分保育士の仕事が増えることになる。

このように公定価格の保育士や調理員や事務職員の配置基準が実態から乖離した内容になっていることが大きな問題である。実態を踏まえて加配保育士、加配調理職員、加配看護師等の配置の拡充が必要不可欠となっている。具体的改善策は第５章で検討する。

④　むしばまれている子どもの安全と保育の質向上

これまで指摘したように、保育士配置基準は実態から乖離した内容であり、しかもそれを補う加配保育士の配置も極めて不十分であり、自治体の独自補助や保育所の自主的努力でなんとか保育士の加配配置を行って、保育所運営が進められている。こうした状況が子どもの保育にどのような影響が生じているかと言うことが問われなければならない。

長時間保育の場合は、子どもが遊ぶや作業などの時間だけではなく、昼食、昼寝、おやつ等子どもの生活リズムも多様になり、安心・安全な保育を築いて行くためには、短時間保育以上に保育士相互の連携ときめ細かな対応が求められる。そのためには保育の記録のまとめ、保育の準備や計画、打ち合わせや会議、保護者との対応等ノンコンタクトタイムが重要になり、一人一人の保育士に保障されていなければならない。ノンコンタクトタイムは子どもと直接接する保育からはなれて、保育に関連した課題等について保育士自身や保育士相互で進める作業の時間である。日常の保育をスムースに進めるためには、ノンコンタクトタイムを活用して、保育の環境整備や保育の計画や準備、相談や打ち合わせを行い、きちんとした段取りを取ることが毎日必要になる。この保育士の専門性を保障するためには毎日の８時間労働の中にきちんと位置づけられ保障されて当然である。

しかしながら、これまで指摘したように、日常の保育を営むのにギリギリの保育配置のため、保育士は毎日の８時間保育に従事することだけに追われ、このノンコンタクトタイムがきちんと保障されていない。そのため、保育準備や記録などの保育事務や片付けなどの環境整備、保育士相互の打ち合わせなどは日常的に行わなければならない。しかしノンコンタクトタイムが保障されていないため、保育をしながらノンコンタクトの作業を行い、それで対応できない場合は残業や持ち帰り仕事で対応せざるを得なくなる。

保育中にノンコンタクトタイムの作業をせざるを得ないと言うことは、「ながら保育」の日常化を生み出し、子どもの重大事故を引き起こす環境の潜在化を浸透させている。例えば、子どもが自由に遊んでいる時、片付けをしていて子どもから目を離した隙に大けが、プール遊びをしていて、最後1人だけになったので用具の片付けをしていて子どもから目を離した隙に溺れる、何人かの子どもが食事中なのに片付けをしていて子どもから目を離した隙に食べ物をのどに詰まらせる等での重大事故が引き起こされている。いずれも、保育中で子どもの様子をしっかり把握しなければならないのに、それを怠り「片付け作業をしながら保育をすすめる」といったことが重大事故の誘因となっている。後述するが、死亡事故や30日以上の負傷・意識不明等の重大事故は保育所・認定こども園で急増し、幼稚園の約8〜9倍という異常な状況が生じている（詳細は第4章-1 p259〜参照）。

幼稚園等短時間保育児の子どもの保育環境は一定の改善が進み、保育者のノンコンタクトタイムが保障され、「ながら保育」を回避できる状況が保障されている。これと比較して、保育所等の長時間保育児の保育環境には、保育士の配置が幼稚園の短時間保育より少なく、ノンコンタクトタイムも保障されず、「ながら保育」の日常化等子どもと保育者に無用な負担と不安が持ち込まれている。

子どもの安全性と保育の質向上を進めるには「ながら保育」をしないで済むような保育士配置基準が検討されなければならない。例えば長時間利用児は短時間児より約2倍の時間の保育を必要とすることから、保育士配置基準では短時間保育の1.5倍程度の人員増が必要となるし、例えば3歳児は「15人につき1人以上」（3歳児配置改善加算は10人に1人）、4・5歳児は「20人につき1人以上」等の改善策、その上で幼稚園の加算等による保育者加配と同様な基準の適用などの検討がされておかしくない。

保育所の児童については、長時間保育の実情が考慮されずに、据え置きのままで、改善から取り残され、保育条件が悪化しているともいえる。これでは長時間保育は安心して進められないことは明々白々である。何らの改善もされずに放置されていることは、長時間保育の子どもの保育が蔑（ないがしろ）ろにされていると言われても致し方ない。

長時間保育児の保育環境が短時間児の保育環境より悪いと言うことは、子どもの保育に社会的格差を持ち込んでいることになる。これは許されない。子ども安全性と保育の質向上に逆行した施策は早急に改善されなければならない。

4. 保育時間の長さと公定価格等補助制度について

(1) 保育短時間認定と保育標準時間認定の保育保障について

① 8時間保育の公定価格に「保育記録や連絡帳や教材準備」等時間の保障を

保育所の場合、設備運営基準での「1日8時間を原則」（第34条）を踏まえて、従来の保育単価制度では8時間保育が基準となり人件費補助が行われてきた。その8時間保育の保育士の人件費は8時間子どもに直接接して保育に従事するという内容で、「保育記録・保育準備・会議」などの時間は含まれていない。

新制度では、8時間保育を保育短時間認定保育（以下8時間保育認定）、8時間以上11時間保育を保育標準時間認定保育と位置づけた。公定価格では8時間保育認定はこれまでの保育単価額を適用するとして、保育標準時間認定についてはどのようにするかについて、2014年2月から3月にかけて子ども・子育て会議基準部会の第14回（2.14）～第18回（3.28））等で一定検討が行われた。

保育所団体等の委員からは、新制度の実施に際して「保育の質の改善」が強調されていることを踏まえ、8時間保育の単価額についても、子どもへの直接的保育の時間だけでなく、「保育記録や連絡帳や教材準備」等間接的な保育時間を組み入れるようにとの趣旨の要望が出されている（第15回基準部会議事録（平成26年2月24日）p25～26、日本保育協会坂崎委員発言及び同16回基準部会坂崎委員提出資料（「公定価格に関する意見―日本保育協会」））。また、淑徳大学・柏女委員は「保育に直接かかわらない事務的な業務、例えば教材を準備するとか連絡帳を記載するとか園児要録の記載、あるいは保育者の専門性を生かした保護者支援業務である保育相談支援にかかわる業務これらを公定価格上配慮していく」、「公定価格算定において正当に評価をしていく必要がある」。と強調している。（平成26年1月15日基準部会第13回子育て会議第12回合同会議議事録p26、平成26年1月29日基準部会第12回、子育て会議第11回合同会議議事録p28）。

これについては、内閣府・厚労省からは8時間保育の人件費の改善については具体的回答はされていないが、「保育士等のキャリアアップの仕組みの構築」、「研修機会の確保」等の要望もあり、新制度で公定価格基本分に「研修代替保育士」として「基準上の保育士1人あたり年間3日」を位置づけたとしている。単価額は明示されていない。年間3日は8時間×3日で24時間であり、1ヶ月に換算すると2時間に過ぎない。これは、平均定員90人～100人程度で国の基準の保育士配置は約10人程度であり、その場合1施設1ヶ月20時間（2時間×10人）の保障にすぎず、1施設当たり0.5人（20時間／40時間）の配置でしかない。

「保育記録や連絡帳や教材準備」等間接的な保育時間は、毎日の保育の中ですべての保育士にとって必要な営みの時間であり、保育士の自己研修・研鑽の時間であり、1日一人当たり2時間程度は保障されて当然と言える。現行の「研修代替保育士」1施設0.5人の補助基準は余りにも実態を無視した内容でしかない。新制度5年の見直し（2019年12月）でも改善の方向性は示されていない。

②　保育標準時間保育と保育士の配置

保育標準時間保育についての保育士配置と人件費の改善については、子ども・子育て会議でも保育所3団体の委員から意見が出された。例えば「保育士の配置基準を、子どもの年齢区分に応じて11時間の常勤換算による保育士の配置に必要な費用とする」こと（基準部会第16回会議―2014.3.12日本保育協会坂崎委員提出意見書）、「3時間分の非常勤保育士加配分だけでなく、11時間を開所し運営する実態に見合った給付が算定される必要がある」((基準部会第18回会議―2014.3.26全国保育協議会佐藤委員提出意見書）等の意見もだされた。さらに「全国平均で約何割が保育標準時間の対象になるのかを積算し、その割合に応じて年齢別保育士配置を考慮した上、給付単価に盛り込むなど、さらに丁寧な公定価格の設定を求めます」（全私保連・橘原委員　平成26年3月28日基準部会第18回子育て会議第14回合同会議議事録p9）等の要望も出されている。

内閣府・厚労省からは保育標準時間認定の11時間保育に対応する職員配置について、第14回子ども・子育て会議基準部会で「資料1−新制度における『量的拡充』と『質の改善』」において、保育標準時間認定の人件費について、「保育士１人＋非常勤保育士（3時間分)」を配置するとして337億円が明示された。

その際、8時間保育を保育標準時間認定に単純に移行し、全員の保育士が3時間張り付いて保育を実施した場合には「3,025億円程度が必要」と明示している。保育士１人配置は新制度前の8時間保育を前提とした延長保育補助金として出されていた基準であり、新制度では非正規保育士3時間分配置だけが新たに付け加えられたに過ぎない。

子ども・子育て会議で日本保育協会・坂崎委員は「337億円程度」では「1割の予算しかとれていないわけです。…このことは非常に危険なことではないか」と指摘している（平成26年3月28日　基準部会第18回　　子育て会議第14回合同会議議事録p14)。こうした要望について、保育課長は「保育標準時間認定を受ける方が保育認定を受ける方の全体の中の７割、それから保育短時間認定を受ける方が3割ということで前提を置きまして各種の試算をさせていただいている」と説明しているがその内容については何ら説明されていない（平成26年3月28日　基準部会第18回　子育て会議第14回合同会議議事録p30)。また第16回基準検討部会（2014年3月12日）提出の資料で所要額「337億円程度〜」を示したことについては、保育課長は「財源確保の状況に応じたより一層の充実を図っていくことを意図しているわけでございまして…、財源確保の状況を見ながら検討ということになる」(p43）とも述べている。しかしその後、新制度5年後の見直し（2019年12月）でも改善の方向は何も示されていない。

③８時間以上の３時間保育の人件費について

そこで問題なのは、8時間〜11時間の3時間分について8時間保育と同様な保育を行った場合の国基準人件費3,025億円と人件費337億円との関係がどのように検討されたかである。

3時間分の人件費337億円（「常勤保育士1人＋非常勤保育士3時間分」）は、定員規模や3時間の利用児童数・年齢別児童数等に関係なく一律の補助額が適切かどうかということになる。8時〜11時間保育の利用児童数については、厚労省は「保育所入所児童数の時間別推移」（「公定価格・利用負担の主な論点」子ども子育て会議（第14回）と同基準検討部会（第18回）の合同会議提出資料、平成26年3月28日版p19）で明示している。子ども子育て会議ではこれらの資料に基づく具体的検討は何らされていない。そこでこれらの提出された資料に基づき問題点を検討してみる。

第一に、提出された厚労省資料「保育所入所児童数の時間別推移」（図表2–7）によると、8時間〜11時間保育の時間帯での利用児童数（平均96人）は朝7時〜8時21%（20人）、夕方4時〜5時73%（70人）、5時〜6時21%（20人）となっている。この数値に基づき、標準時間保育の1時間平均の利用児童数の割合は（20人+70人+20人／3時間）36.6人となり、平均定員（96人）の約4割弱（38.1%）となる。その場合の保育士の配置数は、その利用者の年齢別のデータは示されていないため、正確な数値は試算できないが、大枠で8時間保

図表2–7　育所入所児童数の時間別推移（厚労省調査）

利用定員96人	②標準時間保育時間帯	①８時間保育時間帯		②標準時間保育時間帯		③延長保育時間帯	
	7:00〜7:59	8:00〜8:59	9:00〜15:59	16:00〜16:59	17:00〜17:59	18:00〜18:59	19:00〜
利用児童数比率	20人 21%	76人 79%	96人 100%	70人 73%	20人 21%	2人 2%	2人 2%

第14回子ども子育て会議提出資料「公定価格・利用負担の主な論点について」（2014年3月28日）p19
※比率は利用定員96人に対する利用児童数の割合。

育の保育士数の約４割弱が必要となり、その人件費が必要になる。

３時間分の人件費3,025億円に対して平均利用児童数の割合38.3%を掛けると約1,158億円となる。予算額337億円は３時間分人件費3,025億円の11%に過ぎないし、38.3%分約1,158億円の３割弱（29.1%）に過ぎない極めて少額でしかない。しかも利用児童数が少なくなっても最低２人の保育士配置が基準で義務づけられているのに、２人分の人件費も保証されていないことになる。３時間分の保育に必要な人件費の約７割強を８時間保育に従事している保育士の残業で対応させるという手法でしかない。

一般の人が公定価格の単価額をみると、保育標準時間認定の基本分単価額は８時間保育より約15%程度高い額のため、なんとなく納得してしまう。しかしよく考えると、データでの平均的な数値では、８時間保育の保育士数の約４割弱が必要であり、８時間保育認定の約４割程度増額の単価額が必要となる。それなのに、その半分以下の費用しか計上されていない。もし厚労省・内閣府等に少しでも改善したいとの意思があれば、安全・安心の保育保障のために、時間の長さや利用児童数に応じた保育士加配加算補助金が検討されても良いはずだ。新制度になってこうした改善の動きさえ見られないのが極めて残念だ。

しかも、前述したように８時間保育の人件費には、保育に必要な「保育記録・保育準備・会議」などの時間が保障されていない等の問題がある。この問題のある８時間保育の単価額であるのに、さらに低い水準の額が設定されているのが保育標準時間認定(6)の基本分単価額である。

保育標準時間認定の保育を実施すると、「保育記録・保育準備・会議」等の残業と８時間以上の保育の残業が求められるということになる。それを軽減するには人件費の枠の中で非常勤職員の採用で対応せざるを得なくなる。そのため保育士の給与額の抑制もせざるを得なくなる。保育士等職員の配置基準が低

(6)　保育時間（保育必要量）の認定については「就労時間が１ヶ月あたり120時間以上である場合には原則として保育標準時間認定と120時間未満である場合には原則として保育短時間認定とすること」と定められている。（内閣府・文科省・厚労省局長連名通知「子ども・子育て支援法に基づく支給認定等並びに保育施設及び特定地域型保育事業者の確認に係る留意事項などについて」最終改正令和２年９月10日）

い→基本の人件費が安い→残業が増える→非常勤職員が必要→保育士給与の抑制といった悪循環が起きて、保育士確保困難問題が常態化している。

(2) 幼稚園「預かり保育」と8時間保育について

幼稚園では「4時間標準の保育．教育」が制度として位置付いているが、8時間と8時間以上11時間の保育について、「預かり保育」と長時間保育加算等補助制度で進められきている。この施策がどうなっているかについて検討する。

①幼稚園の「預かり保育ｊ施策の変遷と8時間保育保障について

幼稚園の預かり保育は、1997（平9）年6月文部省調査協力者会議「時代の変化に対応した今後の幼稚園教育の在り方（中間報告）」及び11月の最終報告で「預かり保育の推進」が提起され、97年度から「私立幼稚園預かり保育推進事業補助金」が実施されスタートした。1998年12月公表の「幼稚園教育要領改訂版」（2000年4月施行）の第3章4節「幼稚園運営の弾力化」において、「預かり保育」は「教育課程に係る教育時間終了後に行う教育活動」として位置づけられた。さらに2001（平13）年3月文科省「幼児教育振興プログラム」において「預かり保育の推進」のため私立幼稚園への特別補助の充実、公立幼稚園への財政基盤の強化が示された。翌年（2002年）6月には、文科省は全国の実践例などを踏まえて「預かり保育の参考資料」を公表、預かり保育の基本的考え方、指導体制の在り方について次のような考え方を示している（文科省教育課程課？幼児教育課編集「平成16年版幼稚園教育年鑑」所収）。

第Ｉ「『預かり保育』は幼稚園が実施する教育活動であるため、幼稚園の責任の下に実施することが必要である。『預かり保育』は、当該幼稚園に在園する幼児で、保護者が『預かり保育』を希望する幼児を対象として行う教育活動であり、幼稚園が家庭と連携して積極的に子育てを支援していくことを視野に入れた教育活動である。…『保育に欠ける』状態であるか否かは問わないのが原則である。」（P 84）なお、「預かり保育」の形態については「通常の教育課程に係る教育時間の教育活動」（＊以下「4時間標準の保育・教育」と呼ぶ）後から夕方まで、早朝や夏休み等長期休業期間中を挙げている。

第２「預り保育」は「4時間標準の保育・教育」との関連を図ることの必要性を強調している。この関連については「必ずしも活動を連続させることではなく、教育課程に係る教育時間中における幼児の生活や遊びなど幼児の過ごし方に配慮して『預かり保育』を考えることを意味するものであり、幼児にとって充実し、無理のない１日の流れを作り出すことが重要である」（P 86）と指摘している。

第３は、指導体制については「通常の教育課程に係る教育時間の教育活動を担当する教師が『預かり保育』に、『預かり保育』の担当者が通常の教育課程に係る教育時間の教育活動に参加する機会を設けることが、個々の幼児を理解する上で有意義と考えられる」（P 85）と述べている。

このように幼稚園の預かり保育は「4時間標準の保育・教育」の終了前後及び長期休業期間中に希望する　幼稚園児の教育活動として位置づけ、「預り保育」と「4時間標準の保育・教育」との関連・連携を図り、保育・教育活動として進めることを強調しているといえる。つまり８時間の保育・教育活動として位置づけていく視点を打ち出している。

その後、2003（平15）年７月「次世代育成支援対策推進法」と改正児童福祉法成立に基づく「児福法第21条の9、第56条の８第１項及び第56条の９第１項に規定する主務省令で定める事業のうち文部科学大臣の所管するものを定める省令」により、幼稚園における教育相談事業が預り保育とともに児童福祉法上の子育て支援事業と規定された。さらに2007（平19）年の「学校教育法」の改正により、「第24条〔家庭・地域への教育支援〕」が新設され、「子育て支援が新たに規定されるとともに預かり保育が適正に位置づけられた」とされている（平成21年版幼稚園教育年鑑 p81）。こうした動向を背景に、2009（平21）年２月27日　厚労省「新待機児童ゼロ作戦」に「幼稚園の預かり保育の充実」が掲げられ、2009（平21）年７月29日政府「社会保障の機能強化のための緊急対策―5つの安心プラン」において「保育サービスの提供手段の多様化」で

「幼稚園における預かり保育等の支援・奨励」が掲げられた(7)。

② 新制度下での「幼稚園預かり保育」―８時間の保育・教育の保障へ

新制度の下の幼稚園の預かり保育は、これまでの文科省が私学助成による都道府県主体で進めてきた「預り保育」施策を踏まえつつ、一定の変化が見られる。

第１に「子ども・子育て支援交付金事業」に「一時預り事業（幼稚園型）」として位置づけられ、実施主体は市町村となり、国庫補助基準は全国一律の基準が適用されることになった。そのため、市町村から「地域子ども・子育て支援事業」として受託してすすめる事業となった。

第２に、職員配置、居室面積、保育内容等の基準は児童福祉法や保育所の設備運営基準（最低基準）に基づき決められるとされた（2017.1 内閣府子ども・子育て支援新制度説明会資料「地域子ども・子育て支援事業について」参照）。幼稚園の預かり保育が保育所の設備運営基準に基づいて決められると言うことは、子どもの保育を平等に保障するということであり、極めて重要な改善と言える。そこでこの補助事業の内容を具体的に検討してみる。

まず、一時預かり事業補助金の対象となる保育時間は平日の「4 時間標準の保育・教育」の終了後の 4 時間であり、土曜日、夏休み等は 8 時間の保育と定められている。年間延べ利用児童数は 2000 人超を条件に、基本分補助単価は平日 400 円（標準的に 4 時間）、土曜・休日単価 800 円（標準的に 8 時間）となっている。なお、事業費総額は保育料を基本分補助単価額と同額として想定されている。実際の保育料は、全国平均で新制度移行の幼稚園は 1 時間 154 円（2019 年度）、私学助成幼稚園は 200 円、認定こども園 173 円と、基本分補助単

(7) 幼稚園の保育・教育という用語の使い方について
学校教育法第 22 条〔幼稚園の目的〕では「幼稚園は義務教育及びその後の教育の基礎を培うものとして、 幼児を保育し、…その心身の発達を助長することを目的とする」と定義し、この「幼児の保育」の目的を実現するために、第 23 条で「幼稚園教育の目標」が掲げられ、第 25 条で「教育課程等の保育内容」を文部大臣が定めるとされている。このことをふまえて、「保育・教育」という用語を使用する。

価額の1.5～2倍程度である（単価額は全国私立幼稚園連合会「令和元年度私立幼稚園経営実態調査」による）。補助金と保育料額を含めた事業費総額は基本単価額の2.5倍～3倍になる。

幼稚園の場合は、「教育課程に係る１日の教育時間は４時間を標準とする」とし、「登園時刻から降園時刻までの教育が行われる時間」と定められている（文科省「幼稚園教育要領解説」p83）。それ以降の４時間の保育を預り保育時間と位置づけている。預り保育の基本分単価は「1日４時間の利用を基本」としているが、「園として４時間の利用が可能な体制を整えていれば」、「利用時間が４時間未満であっても同額」であり減額はしないとなっている。また「教育時間と一時預り時間の合計が１日８時間」であれば適用される。具体的には「例えば教育時間が５時間の日に預り時間を３時間とする場合や教育時間が３時間の日に預り時間を５時間とする場合のいずれも、基本分単価（同額）が適用される」としている（内閣府「事業者向けFAQ【第７版】「一時預り事業に関すること」Q6参照」）

つまり、８時間の保育・教育を希望する幼児には、「預かり保育」を活用して保障するというシステムになっている。これまで文科省が「預かり保育」と「4時間標準の保育・教育」との関連・連携を強調してきたが、新制度ではそれを一歩深めて、補助要件として「教育時間と一時預り時間の合計が１日８時間」であることが示された。しかも、対象児童は在園児（1号認定の子ども）と２号認定の子ども（特例給付の子ども）が対象となるとしている（内閣府「事業者向けFAQ【第（7）版】「一時預り事業に関すること」Q12参照）。幼稚園基準と保育所基準との機械的な組み合わせではなく、相互相乗りで８時間保育の保障の仕組みが組み立てられ、弾力的運用がなされていると言える。その合計額が８時間を超える場合は長時間加算単価適用となる（内閣府「事業者向けFAQ」第７版2015年３月「一時預りに関すること」Q6）参照）。こうしたことから、幼稚園においても、保育所と同様に８時間の保育・教育を実質的に保障できるシステムとなっているといえる。

③　預かり保育（幼稚園型）の設備・職員配置は保育所最低基準を適用

保育者の配置は保育所の設備運営基準（最低基準）に基づき最低2名以上であり、さらに年齢別配置基準を満たすことが必要であり、保育者は原則として保育士又は幼稚園教諭の資格者であるとされた（設備運営基準第32条）。預かり保育の専任職員は幼稚園の「公定価格算定上の必要教員数」以外の職員配置が必要となる。公定価格基準以上の職員（保育士又幼稚園教諭）が配置されていれば兼務することが可能となる。但し「幼稚園と一体の場合、専任の保育士又は幼稚園教諭は1人で、他は幼稚園の職員（保育士又は幼稚園教諭に限る）として良い」とされている（内閣府2015年3月10日子ども．子育て新制度説明会資料「資料2-1一時預り事業（幼稚園型）について」参照）。

文科省のこれまでの施策でも、「預かり保育」は幼稚園の教育活動であり、教育課程に基づく「4時間標準の保育・教育」と関係・連携の下で進める事業であり、職員も「預かり保育」と「4時間標準の保育・教育」のいずれにも参加し、「幼児にとって充実し、無理のない1日の流れを作り出すことが重要である」と強調している（「預かり保育の参考資料」参照）。この視点を一歩進めたとも言える。っまり、希望する幼児に「預かり保育」を保障するためには、「4時間標準の保育・教育」を踏まえて、1日8時間の保育・教育を安定的な体制が必要として、新たに2名以上の職員（保育士又幼稚園教諭）を位置づけたと言える。

居室面積は設備運営基準（最低基準）第33条2項（1人1.98 m2）、保育内容は第35条に基づき保育所保育指針に従うとされている。「預かり保育」の設備・職員配置が保育所の最低基準を踏まえると言うことであれば、保育所の8時間保育と同じと言える。違いと言えば、保育を受ける場所が幼稚園か保育所かの違いであり、いずれも子どもにとっては8時間保育・教育である。当然いずれの場所であっても、8時間保育・教育　は平等に扱われなければならない。預かり保育事業の補助金基準額等の詳細な検討や保育所との比較については第3章-5（p224～）を参照してください。

5. 土曜保育問題と公定価格
―土曜保育と不条理な減算システムの導入

(1) 幼稚園の長期休暇は公定価格で保障、保育所の土曜保育閉所は減算

①　公定価格での保育所対応と幼稚園対応での大きな違い

新制度になり、土曜日保育について、その月の全ての土曜日閉所の場合は減算調整を行うシステムが導入された。その減算は、基本分単価、処遇改善加算Ⅰ、3歳児配置改善加算単価、夜間保育加算について約7%程度とされた。

この土曜保育問題は子ども・子育て会議での公定価格についての論議の中で提起されてきている。公定価格の論議は子ども・子育て会議や同会議の基準検討部会（以下基準検討部会）において論議されている。第8回基準検討部会(2013（平25）年11月25日）において資料「公定価格について（個別論点を中心に)」が提出され、本格的論議となったようだ。その資料では「年間を通じた学校教育・保育の提供について」で開所日数の考え方については次のように提起している。

「幼稚園については、毎学年の教育週数は39週を下らないこととしており、学期の区分・長期休業日を設けることとしている。また、国民の祝休日、土曜日・日曜日が休業日とされている。」

「保育所における1年の開所日数は、日曜日・国民の祝祭日を除いた日（年間約300日）が原則（利用者の需要がない場合は、休所とすることを妨げていない)」。つまり、保育所の開所については年間約300日だが「利用者がいない場合は休所」してもよいということになっている。

その上で、「検討の視点」として、 ①保育所（2号・3号認定）については、「特段の需要がない場合など、土曜日に閉所するケースの取り扱いについて」、②幼稚園（1号認定)）については、「土曜日などの休業日や長期休業期間中に

開所する場合の取り扱いについて」をどう考えていくかを検討すると提起した。第15回基準検討部会（2014（平24）年）では、この２つの課題について次のような見解を示した。

①については「土曜開所に対応するための業務省力化等勤務条件改善費として、非常勤職員等を雇用するための費用を算定している」という理由で「土曜日の開所に関して特段の需要がない場合など、常態的に土曜日に閉所する場合については、公定価格上、その費用（業務省力化等勤務条件改善費）を調整することとしてはどうか」と指摘。

②については「夏季休業等の休業期間中で研究や研修等が行われていることを考慮し、…1年を通じて給与を支払っているいるので、毎月同額の支払いが担保されることが必要」と指摘（資料２「公定価格・利用者負担の主な論点について」２月24日版 p51）。

保育所については「土曜の需要がない場合」は「費用を調整する」つまり業務省力化等勤務条件改善費（以下業務省力化改善費）を減算するという考えを示した。幼稚園については休業期間中も年間を通じた経費であるとして「毎月同額の支払い」を行うとした。保育所の公定価格や業務省力化改善費についても年間を通じた経費であるのに、減算を打ち出してきた。

この考えに基づいて、新制度スタート時の2015（平27）年度の公定価格の単価表では１ヶ月間土曜日閉所の場合を「常態的に土曜日閉所する場合」として位置づけてその月の公定価格基本分などの単価額を約7～8％減算を実施した。

②　希望者がいない場合も減算へ

さらに2020年度から土曜日閉所については、新たに閉所日数に応じた減額調整の仕組みを導入することが提案された。これについては第47回、48回子ども・子育て会議（2019年10月31日、11月12日）で保育所３団体等から反対意見が出され、市長会等から「新制度及び公定価格全体の論議の中で検討されるべきだ」、「地域の実情や現場を踏まえた丁寧な議論」が必要、現在一部で行われている地域での「共同保育」を推進するなどの対応も提起されている。こうした見解を踏まえた丁寧な論議もなく実施された。

2020年度からは月に１度でも土曜日に「保育の希望者がいない」場合は、基本分単価、処遇改善加算、３歳児配置改善加算など人件費の財源となる財源が減額されるという内容となった。減算は月１日の場合2%、月２日の場合は3%、月３日以上5%、土曜全て閉所は6%となった。例えば、2%減額は定員90人〜150人位だと18万〜20数万円であり、保育士の賃金の１か月分弱の額となる。

厚労省は前掲の解説資料「公定価格について」において、「年間開所日数300日程度（希望者がいない場合は、休所とすることを妨げていない）」と指摘している。自ら作成したこの基準すら反故にしている。実際、完全週休２日制が広がる中で、土曜日の平均利用率は３割程度になっていることから、利用者がいない場合も生じるケースは少なくない。土曜日をはさんでの３連休･４連休、災害や感染症の流行などで土曜日利用者がいない場合も生じることもある。子ども・子育て会議でも指摘されている。利用者がいるという前提で、保育士が出勤しても利用者がいないことも起きていて、その場合でも人件費がかかる等の意見も出されている(8)。保育所側での都合ではなく、保護者側の都合などで利用する人がいない場合でも開所を義務づけるような手法は異常としか言いようがない。

土曜保育問題は子ども・子育て会議でも指摘されたように公定価格全体に係わる問題であり、またこれまでの歴史的経過を無視した内容も含まれている等重大な問題が秘められている。以下問題点を検討する。

---

(8)　子ども・子育て会議第52回（2020年6月26日）の意見書（全国小規模保育協議会・駒崎弘樹委員）でも、次のような趣旨の要望が出されているが、この日の会議記事録には内閣府等の回答は見られない。

「小規模保育所では、そもそもの土曜利用希望者が少なめ。例えば１人の子どもに対応するため、土曜日の利用者がいることで、あらかじめ保育士２人と調理員１人を配置するシフトを組んでいても、直前のキャンセルとなった場合、利用者がいなくとも開所することになり、人件費はかかる」。だが減算されることになる。「利用者がいるかいないかでは無く、利用希望があったかどうかで開所・閉所の判断をして頂く運用に」と要望している。

(2) 理由にならない土曜保育費用の減算

公定価格では土曜保育については、保育を希望する子どもがいる場合は1ヶ月の経費の弾力運用で実施されてきた。土曜保育の経費がしっかりと明示されているわけではない。それなのに、突然、業務省力化改善費が「土曜開所のために」設定されたかのような説明をして、減算対象の費用とした。しかし、この発想は次の点からして理由にならない。

① 業務省力化改善費は土曜開所だけのための経費ではない

第1は、そもそも業務省力化改善費は、「土曜開所のために」設定されたものではなく、週48時間労働制から週40時間移行にあたり、勤務時間の短縮のために1981（昭56）年度から新設されたのである。その後段階的に改善され、1997（平9）年度週40時間制に移行した。厚労省は、この業務省力化改善費の設置の趣旨について、保育士等「直接処遇職員及び調理員の行う業務のうち委託、代替可能な業務について、業務の外部委託や賃金職員の採用により業務を省力化し、実質的に勤務時間の短縮が行えるよう」（厚生省児童家庭局企画課長通知（児企第14号　平成9年5月28日））にと指摘している。つまり業務省力化改善費は週40時間労働制への移行のための勤務時間短縮の施策のための経費であり、土曜保育実施のためにだけ設定されたものではないことは明白である[(9)]。

しかも、新制度になり11時間保育が基本となるということであれば、毎日

(9)　厚生省児童家庭局企画課長通知「児童福祉法による入所施設措置費国庫負担金交付要綱等の改正点及びその運用について」（児企第14号　平成9年5月28日）」

「第5　業務省力化等勤務条件改善費の改善について

施設職員の勤務条件の改善を図るため、職務の困難性を勘案し、保母等直接処遇職員及び調理員の行う業務のうち委託、代替可能な業務について、業務の外部委託や賃金職員の採用により業務を省力化し、実質的に勤務時間の短縮が行えるような業務省力化等勤務条件改善費について計画的に改善措置を講じてきているところである。特に、平成9年4月の週40時間労働体制の完全実施に伴い、従来、週42時間労働体制であったものを平成6年度より計画的に改善しており、平成9年度において、週40時間労働体制としたものである。」（1997年版保育白書 p208）

の通常保育において、週40時間制の下では交代勤務などが常態化するため、業務省力化改善費は平日の保育士や調理職員の勤務態勢確保のためにこれまで以上に必要となる。この業務省力化改善費は人件費補助ではなく、外部委託の経費にも使用してもよいということで管理費の中に位置づけられている。土曜保育の費用としてだけに位置づけられたものではない。

第２は、業務省力化改善費は年間費用額を毎月の公定価格基本単額の管理費として「毎月同額の支払い」として位置づけられている。業務省力化改善費は、国の基準上配置されている保育士・調理員について一人年額単価額（2006年度以降保育士１人年額285,700円、調理員１人年額276,640円）にもとづいて算定され、計上されてきている。管理費は基本単価額の約7%程度を占めていて、その中の一部として積算されている。新制度に移行して、ほぼ同じように継続されているが、業務省力化費用額は明示されていない。管理費は人件費ではないため、土曜日保育の人件費として定められているわけではない。

第３は、幼稚園の場合は夏休みや学期末の長期休業日については、「休業期間中で研究や研修等が行われている」、「年間を通じた経費である」を理由にして「減算」せずに毎月支払うとしている。これは当然の措置といえる。公定価格の考え方は幼稚園であれ保育所であれ等しく保障されなければならない。業務省力化改善費も年間経費額を「毎月同額の支払い」として対応している。しかも前述の厚労省の見解では年間約300日だが「利用者がいない場合は休所」してもよいの定めに基づけば「需要がない」ことを理由に、減算するというのは不当である。幼稚園と同様な対応にすべきである。

②　月４日土曜休所で管理費全額を減算―日常の保育所運営に支障

第４は　土曜保育を１ヶ月実施していない場合の減算額について大きな問題がある。この場合の減算額は基本分単価月額の約7〜8%減算となっているが、この減算率は管理費全額に相当する。2020年度からの土曜保育減算は土曜閉所が月１日の場合2%、月２日は3%、月３日以上5%、土曜全て閉所6%となった。

管理費には業務省力化改善費のほか、施設管理に必要な経費、園児の保健衛生費、職員の健康診断費用、職員研修費、職員の旅費、園舎の補修費などが含まれている。管理費は基本分単価の約7〜8％程度となっているが、その内訳は新制度になって明らかにされていない。これらは土曜日保育とは関係なく、日常的に必要な経費である。それらが最大で全額ないし約８割強程度削減されるということことは、保育所運営に支障となることは明白である。この減算は明らかに理にあわない、不当な減算といわざるを得ない。

管理費は年間の費用を月額にして積算されている。しかも１ヶ月分の管理費であり、仮に週４日休所ということで費用を削減するならば、国は１ヶ月25日分と積算しているが、それを踏まえるなら４日分は１ヶ月分の約16％（4/25×100）、１日分は4％ということになる。管理費（7％程度）の４日分約16％は管理費月額の1％程度（7％×0.16％）、２日分は0.25％程度となる。それなのに１ヶ月分の管理費の約９割弱〜3割弱程度減算というのは余りにもひどい。1日管理費2％は0.25％の８倍の減算であり、平日の運営費の削減ということになり不合理な内容。これは保育所の公定価格を少しでも削減するということで進めているのではないかと疑念がもたれても致し方ない。

公定価格の制度の本来の筋からして、減算するのではなく土曜保育のあり方を再検討すべきである。どうしてもということであれば厚労省・内閣府が決めた「年間額／12ヶ月、１ヶ月25日」という基準に基づくなら、管理費１日分の0.25％程度の減算が妥当といえる。

子ども子育て会議の「施行後５年の見直しに係る対応方針について」（2019年12月10日）において、「保育所等の人件費については現在より削減することについては多くの委員から反対意見があり、現行以上人件費を削減することは行うべきではない」と指摘している。しかし、月１日休所の場合の2％減算は管理費7％の約３割弱となるが、定員90人〜150人位だと約18万〜20数万円程度となる。削減されない管理費の約７割は施設管理・運営の経費、園児の保健衛生費、職員健康管理費などに優先的に回すことになり、結局約18万〜20数万円程度は職員の人件費の抑制ということになる。これでは「現行以上人件費を削減することは行うべきではない」との指摘も公然と無視されているといえる。

③　週 40 時間実施には人件費 20%増なのに、業務省力化は 7%増に過ぎない

第 5、業務省力化改善費は、勤務時間を短縮して週 40 時間制を進めるということで設置された。しかし、この業務省力化改善費で週 40 時間制を進めるのには無理がある。週 48 時間制から週 40 時間制への移行は約 20％分の労働時間の短縮であり、職員の 20％増員となり、5 人に 1 人の増員が必要となる。本来なら、人件費に位置づけて、人員増をきちんとはかるべきなのに、今日まで実施されていない。

労働時間短縮の経費を前述のように、「業務のうち委託、代替可能な業務について、業務の外部委託や賃金職員の採用により業務を省力化」として管理費に位置づけ安上がりな手法で週 40 時間制の移行を進めたことに大きな問題がある。例えば新制度直前の業務省力化改善費は保育士 1 人年間 28 万 5,700 円、調理員 1 人年間 27 万 6,640 円と積算されている。新制度直前に公表された公定価格の年額人件費では、保育士・教諭 410 万円程度、調理員 280 万円と示されている。保育士の業務省力事業費（28 万 5700 円）は人件費年間額（410 万円）のわずか 7％にすぎないし、調理員は約 10％にすぎない。きちんとした人件費補助であるならば年間人件費の 20％が必要となるのに、それには遙かに及ばない少額でしかない。

まず、保育所において実施週 40 時間・完全週休 2 日制がきちんと保障できるよう、人件費の増額を進めることが先決課題である。子ども・子育て会議でも「現在の公定価格に含まれている人件費は十分ではなく、週 40 時間の労働に対応しているとは言えません。月曜日から土曜日までの開所に対する適切な人員配置ができるよう、公定価格の人件費の積み上げについ検討をお願いします」（子育て会議第 44 回（2019 年 8 月 29 日）全国保育協議会森田信司委員提出資料）との意見が出されている。

第 6 は、土曜日保育について、きちんとした論議がされてこないことに大き

な問題がある。国は1981年度から週48時間制の改善に着手し、1997年度から週40時間制となり徐々に完全週休2日制が広がり、2002年度から学校週5日制が実施されている。この間社会のあり方が大きく変化してきているのに、保育所の補助金の基準は戦後まもなく保育単価制度が発足した時点の基準、年間開所日数300日だけは見直されず、保育時間は11時間の延長がされてきている。

この間、厚労省の審議会（これからの保育所懇談会）は1993年4月7日提言「今後の保育所のあり方について」（以下93年提言）を公表し、「週休2日制の普及に伴う保育所運営のあり方」について次のように指摘している。

「さらに週休二日制が進行する段階において過渡期的に、例えば地域の実情に応じて土曜日について指定制や輪番制などによる保育を実施」するなどの検討を示唆、さらに「二日制の定着化がさらに進行した段階においては、土曜日の保育は特別保育事業として位置づけることも検討の余地がある。」（厚生省児童家庭局編「利用しやすい保育所を目指して」（増補編）（1993年9月5日刊）p32）

この時期は保育所においても業務省力化改善費の上乗せで1992年度から週42時間勤務となり「企業や学校でも週休2日が普及してきて」、1994年度からは週40時間制への段階的移行が始まるという状況にあった。しかし、その後この問題についての論議もされずに来ているのが現状である。

少なくとも、新制度への移行の時点で、週40時間制の定着、完全週休2日制の下での保育所のあり方をきちんと検討すべきなのに、何らの検討もされていない。さらに前述したように　子ども・子育て会議でも多くの委員から土曜保育問題は「新制度及び公定価格全体の論議の中で検討されるべきだ」との意見が出されているのに、実施されていない。

このように公定価格全体のあり方という視点から見ると、土曜閉所への減算システムの導入は歴史の歩みに逆行した手法でしかない。早急に、1993年提言で指摘している「土曜日の保育は特別保育事業として位置づける」という視点について、真剣な検討が必要である。次に、土曜保育の現状と経費について検討する。

図表 2-8　土曜日の平均的保育実施状況

			年齢別平均園児数			
			0 歳児	1 歳児・2 歳児	3 歳児	4 歳児・5 歳児
平日	A 園児数	96 人	10 人	33 人	18 人	35 人
	B 職員数	24.2 人—内訳：園長 1 人、保育士 17.7 人（主任保育士 1 人含む）調理員等 5.5 人				
土曜	C 園児数（C/A）	31 人（32.4%）【100.0】	3 人【9.7】	10 人【32.3】	6 人【19.4】	12 人【38.7】
	D 職員数（D/B）	10.9 人（45.0%）—保育士 8.6 人（48.6%）その他職員 2.3 人（35.3%）				

☆平日、土曜日の職員数、園児数は内閣府等「『保育所等の運営実態に関する調査（確定値）』（平成 30 年度）における平日と土曜の開所状況等」（内閣府等調査は子ども子育て会議 2019 年 11 月 12 日「資料 1 公定価格に関する検討事項について」p8〜13）に基づく。平日職員数 24.2 人の内訳は園長 1 人、主任保育士 1 人、保育士 16.7 人（内常勤 14.3 人）給食関係 2.8 人（内常勤 2.1 人）となっている。

(3) 保育所の土曜保育の現状と経費について

①　利用児童数平日の約３割強、保育士は平日の約５割弱、

土曜保育の実施状況は内閣府等の調査によれば、「常態的に土曜日保育を閉所」し減算が適用されている保育所は 73 カ所（2018 年 3 月）過ぎない（第 48 回子ども子育て会議資料「公定価格に関する検討事項について」p7）。減算対象の保育所は 2017 年 4 月の保育所総数 23,410 カ所であり、僅か約 0.3%に過ぎない。ほとんどの保育所が土曜保育を何らかの形で実施している。土曜日保育の実施状況を内閣府等「保育所等運営実態に関する調査結果〈確定版〉」（2019 年 11 月 12 日）で見ると次のようになる（図表 2-8 参照）。

第 1 に開所日数は、平成 30 年 3 月の土曜日 5 日全て実施した保育所は約 9 割弱（86.7%）、土曜日の平均開所時間は約 10.8 時間となっている。ほとんどの保育所で平日並の保育を実施している。

第 2 に、土曜日保育実施施設の平均利用児童数は平日の利用児童数（約 96 人）の約 3 割強（32.4%、約 31 人）である。利用児童数の分布をみると、平日の 10%未満が 16%、10〜20%未満が 25%、20%〜30%未満が 19%であり、30%未満が約 6 割を占めている。土曜日の利用児童数 31 人の年齢別の内訳は 0 歳児 3 人（9.7%）、1・2 歳児 10 人（32.3%）、3 歳以上 18 人（58.0%）となっている。

第3に職員の勤務状況について、平日の勤務職員と土曜日の勤務職員数とを比較して調査している。それによると、平日の職員数の合計は平均24.2人（内保育士17.7人）であるが、土曜日の職員数は10.9人（内保育士8.6人）であり、平日の約45.0％（内保育士48.6％）となっている。つまり土曜日は平日児童数の約3割強（約31人）の保育を平日の保育士の約5割弱（48.6％、8.6人）、その他職員約4割強（45.0％、2.3人）の体制で実施している。

毎週土曜日の職員の勤務状況を踏まえるなら、人件費は1日分の約5割弱必要であり、1ヶ月4日とすれば毎月2日分の人件費が必要となる。1年12ヶ月で見ると24日となり、土曜日は年間50日程度あることを踏まえれば、土曜保育の年間人件費は約1ヶ月分に相当することになる。さらに、人件費の他に、給食経費・冷暖房費・保育教材等事業費や管理費が必要となる。この内閣府の土曜日保育調査に基づき土曜日保育の経費の実情について、以下検討してみる。

②　保育所土曜保育の経費について―12ヶ月分の公定価格額で13ヶ月分の経費をやりくり

内閣府の土曜日保育調査（2018年3月）に基づいて推計してみる。この調査では保育園の平均的規模が利用定員園児96人、職員数24.2人（内保育士17.7人）で、土曜日保育利用者は平均約31人（約32％、3歳未満児13.5人、3歳以上児17.5人）であり、土曜勤務職員は平均10.9人（内保育士約8.6人、調理員等約2.3人）となっている。つまり土曜保育に出勤する保育士（8.6人）は通常保育の時の約50％弱（8.6人／17.7人×100）で対応している。さらに調理員等の職員（2.3人）は、通常保育の時の約35％（2.3人／6.5人×100）で対応していることになる。この数値をふまえて、平均的土曜日保育は31人の園児を保育士9人と調理員2人の計11人で対応していることになる。この土曜日出勤の11人について、労働時間で換算して、土曜日保育1ヶ月（月4回）の職員数を推計してみる。

保育士は土曜日1日で8時間×9人で72時間勤務であり、月4日で総勤務時間は288時間となる。１ヶ月の職員勤務時間は160時間（8時間×20日）であり、保育士の総勤務時間288時間を160時間で除すると、保育士は1.8人となる。また、調理員等職員は１回で８時間×２人で16時間勤務であり、月４日で総勤務時間は64時間であり、0.4人（64時間／160時間）となる。つまり、平均的土曜保育は毎回利用園児数31人に対して１ヶ月の保育士1.8人と調理員等職員0.4人で対応していることになる。

この場合、公定価格の基準に基づく人件費がどの程度必要になるかを算出してみる。公定価格の基準では保育士は月額約32万８千円（全国平均年額394万円／12ヶ月）、調理員等職員は月額27万２千円（全国平均327万円／12ヶ月）となっている（内閣府・厚労省連名課長通知「令和３年度における私立保育所の運営に要する費用」参照）。

この基準を踏まえて土曜保育の人件費月額は保育士が約32万８千円×1.8人分で約59万円、調理員等が約27万２千円×0.4人分で約10万９千円となり、合計すると69万９千円となり、人件費年額では約839万円となる。これに管理費・事業費が必要となる。管理費・事業費は、公定価格の平均的基準では人件費９割、管理費・事業費約１割となっていることから、約84万円程度（月７万円）となる。年間経費総額は約923万円となる。

土曜保育の年額総経費約923万円という額は、定員96人程度の公定価格の保育所運営費の約１ヶ月分程度匹敵する。こうした土曜日保育の経費は公定価格に計上されていないことは明白である。若し少しでも計上されていれば、幼稚園の公定価格単価額より少ないということはあり得ない。幼稚園の公定価格単価額と同額か安い単価額で土曜保育をやりくりしているのが現状である。

１ヶ月分程度の経費が計上されていない中で、土曜保育を実施するために、12ヶ月分の公定価格単価額で13ヶ月分の保育をやりくりさせられているということになる。保育所の土曜保育への経費補助がないため保育料の徴収もできないことになる。１ヶ月分の経費を生み出すために、現場がそのやりくりに追われ、保育士の給与や処遇の悪さを生み出している。

幼稚園の場合の土曜保育は、公定価格とは別に、「幼稚園一時預かり事業補助金」があり、土曜日の8時間保育については1人800円の補助を受けられる。つまり1時間当たり100円となる。この補助額の設定は保育料を同額程度として設定し、各園で決めて徴収することが前提となっている。つまり、土曜保育8時間の経費は補助金800円＋保育料800円で1600円が想定されている。

全国私立幼稚園連合会「令和元年度私立幼稚園経営実態調査」によると、新制度に移行した幼稚園の場合、保育料が全国平均で1時間154円（2019年度）であり、預り補助金が1時間100円であることから、1時間254円の経費で運営していることになる。なお私学助成幼稚園は200円、認定こども園173円となっている。土曜保育の経費の40〜50％程度の補助金があり、運営していることになる。この経費で園児16人に2人程度の保育士等の配置ができるシステムになっている。幼稚園の場合は土曜保育への補助金があり、一定の安定が図られている。保育所とは大きな違いであり、格差となっている。

安定した土曜保育を進めるためには、週40時間・完全週休2日制の完全実施を目指した保育士の働き方改革の実現と保育の質の向上という視点から、土曜保育のニーズの実情を踏まえて、保育所の土曜保育を特別保育事業として位置づけ、幼稚園の土曜保育の補助金の状況を踏まえて、補助金システムを構築することが必要になっている。具体的改善案は第4章で検討する。

6. 法令で定められていない保育所の開所日数について

土曜日開所をどのように位置づけるかは、保育所の開所日数問題と関連してくる。最低基準には保育時間について「1日につき8時間を原則」という規定はあるが、開所日数は何ら定められていない。制定当時の社会は週48時間で週6日制であったが、1990年代後半から週40時間制に移行し、2002年度から学校5日制に移行し、完全週休2日制が定着し社会の生活の構造が大きく変化してきているのに、保育所開所日数が法令で定められていない。

それなのに、新制度の公定価格の基準において「保育所の開所日数については日曜日のほか国民の祝日の日数を考慮し、約300日（1ヶ月25日間）の開所を前提としている」として「月25日、年間300日」という規定が唐突にだされてきた。そのため、土曜日の経費は1ヶ月の公定価格単価に含まれていると内閣府等は主張する。開所日数の法令的基準がない中で、保育単価制度の運営費単価基準等において、開所日数がどのように扱われてきたのか、新制度制定過程ではどのように考えられたのかを検討してみる。

(1) 保育所の一般生活費は1ヶ月22日と厚生省家庭局長国会質疑で明言

まず1958年度からスタートした保育所保育単価制度の解説書（厚生省児童局企画課長梅本純正著「新しい保育所制度の解説」（日本児童福祉協会1959年6月刊））では、「給食費と保育費」については「日額」で示され、1ヶ月22日で月額単価が示されている。さらに「保育単価に関する質疑と回答」では「若し月間の出席平均日数が22日以下となった場合も、超過部分は返還させなくても差し支えないか」の問に対して次のように回答している。

「お見込みの通りである。…施設における会計経理の弾力性を認めたものである。しかし、給食費と保育費についてはその費用の性質に微し、出席児童に対しては所定の日額単価は支出しなければならない」（p96）。

1965（昭40）年10月刊行の厚生省児童家庭局企画課編「保育所措置費取扱要領」でも、「3歳未満児加算分の保育単価」の計算式では3歳未満児、3歳以上児とも給食費と保育費について「1ヶ月あたり22日」で計算している（p43）。1972（昭47）年度まで毎年発出された通知「児童福祉法による保育所措置費国庫負担金の交付基準について」等で「事業費月額算出内訳」において給食費、保育費の日額単価額×22日で示されてきた。この間、1963（昭38）年10月刊行された厚生省児童家庭局母子福祉課長植山つる編「保育所の開設と運営」（刊）の「第8章保育所の運営」において、「開設日数と保育時間」について「日曜、祝祭日などは会社、工場などは保護者が勤めに出ないで家庭にいる場合も少なくないから必ずしも日曜保育を必要としない」と述べ、日曜、祝祭日を除いた日について開所するという趣旨が指摘されている。

このような経過をまとめると、開所日は22日以上であり、「日曜、祝祭日を除いた日」を開所するのが望ましいが、22日分の経費で弾力的に対応するとの方針と読み取れる。その頃の年間カレンダーをみると、年間祝日9日、日曜日数52日（1ヶ月平均4日程度）であり、1ヶ月平日＋土曜日平均日数は25日余程度であった。そうした状況での月22日分であり、土曜日すべてが対象になっているとは言えないといえる。当時は土曜日は半ドンであり、保育所も午前中保育や給食後に帰宅などといった様子が一般的であったようだ。

その後給食費、保育費は1973（昭48）年度から月額単価となり、1974年度からは一般生活費に統合され月額で示されるようになった。そのため、1ヶ月の日数は示されないようになった。

1975年（昭50）年2月26日衆議院予算委員会では「狂乱物価をくぐり物価値上がり」続く中で、一般生活費問題が取り上げられている（全国私立保育園連盟編「昭和50年度版保育所問題資料集」p54〜55)。平田藤吉議員（共産・埼玉）が「厚生省は保育日数を22日と見ているようです。しかし実際はどこの保育園でも25日はやっているようです。…1日にすると幾らになりますか」と質問している。

これに対して、上村厚生省児童家庭局長は「1日にいたしますと、これ（月額単価）を22日で割るわけでございますが、3歳以上児につきまして、1日に直しますと、101円。それから3歳未満児につきまして203円でございます」と回答している。さらに「積算基礎は厚生省の方は持っているということでございますな」との質問に対して「特に持っておりません。前年度予算と比較しながら伸ばしていくという方式をとっております」と回答している。

一般生活費として月額単価で示されているが、従来通り1ヶ月22日で対応していることになる。つまり、給食提供は月22日分であって、残りの日数は給食のない半日保育でもよい等、弾力的運営で進めるとされていたと言える。その後、一般生活費の単価額は前年度額の踏襲で進められ、大きな変化がないわけですから、1ヶ月22日分として今日まで続けられてきているということになる。

(2) 月途中入所の日割り方式導入で「国との精算は１ヶ月25日で計算」—

1969（昭44）年12月27日厚生省児童家庭局長通知「保育所の入所措置及び運営管理の適正化について」において「開所日数についても、例えば夏休み、定期的な休暇を設ける等の事例がみられるところであるが、このようなことのないよう指導監督を強化する」、さらに1977（昭52）年12月15日同局長通知「保育所の入所措置及び運営の適正実施について」でも「…開所日数についても、夏休みを設ける等の事例が見られるので、これらの適正化に努めること」等の指摘がされている。しかし、開所日数を明確にするなどの対策は何ら取られてきていない。

その後、1995年度から開始したエンゼルプラン（緊急保育対策５カ年事業）を背景に、1996（平８）年度から保育所への「月途中入所」が実施されることになった。96年３月８日全国児童福祉主幹課長会議において「月途中入所対策の実施」に伴う「平成８年度の措置費運用上の留意事項」が公表され、「月途中の入所の円滑化を図るため、保育所措置費の支弁・徴収に日割方式を導入する」と公表した。その日割り方式の算式で開所日数１ヶ月25日（25日を超える場合は25日）とするとの考えが示された（「保育情報」1996年４月号掲載）。その後96年３月27日局長通知「保育所入所手続き等に関する運用改善等について」（以下「入所手続き３月通知」）で「日割り方式の導入」が明記された。つまり、１ヶ月25日の開所日数は途中入所を実施する際の保育所措置費の支弁・徴収のために設定された基準として示された。

さらに、その具体的取扱について1996（平８）年６月28日厚生省児童家庭局企画・保育課長連名通知「保育所入所手続き等に関する運用改善等について」（以下「入所手続き６月連名通知」）発出し、問答形式で見解をまとめている。そこで「日割りの算式」は措置費支弁・費用徴収にかんする「国との精算」の際「算式」であって、措置費支弁・費用徴収の具体的方法は市町村に委ねるとして、「日割りによらず月単位（月額保育単価）で支弁を行うこととしてもやむを得ない」としている。この1ヶ月25日はあくまでも月途中入所の国と自治体との費用の精算の基準であって、開所日数を明記した通知ではないことは明白である。

(3) 厚生省課長通知でお盆休み等自主的休所日は「開所日」扱いと明記 ―

さらに前掲の96年「入所手続き6月連名通知」では、開所日数について次のように見解を表明している。

「『開所日数』とは、日曜日、国民の祝日及び休日を除いた日数である。したがって各保育所の自主的な休所日等（例えばお盆休みの休所や行事の代替休所）については『開所日数』として取り扱うこととする。（下線は筆者）」つまり、月途中入所の日割りの場合、日曜日、国民の祝日及び及び休日を除き、保育所の自主的休日は「開所日」として扱うことを明記している。月途中入所の日割り支弁・徴収に関する国との精算の1ヶ月25日には、「自主的休日等」も開所日として扱って計算するとした。「保育所の自主的休日等」を認めた点は一歩前進だが、例示でお盆休みの休所、行事の代替休所を上げているだけで極めて曖昧な言い方であり、明確な定義はされていない。しかも、これらの通知は廃止されず、現在も適用されている。毎年刊行されている「保育所運営ハンドブック」（中央法規刊）にも掲載されている。

以上の経過からして、1ヶ月25日の規定は、月途中の入所者への徴収金（保育料）や保育所への補助支弁額を決めるための基準、前述の開所日22日も給食費や保育費（一般生活費）の月額を決める際の基準として示されただけであり、同時に「保育所の自主的休日等」も示され、これらの整合性は取られていない。保育所の開所日数を定めるために設定された事柄ではないことは明白である。

(4) 子ども・子育て新システム検討会議での事務局提案も無視して「年間300日」

新制度の論議は、2009年9月の民主党政権誕生で2010年1月に「幼保一体化を含む新たな次世代育成支援のための包括的・一元的なシステムの構築についての検討」が示され、3月に「子ども・子育て新システム検討会議」が開かれ検討が開始された。「子ども・子育て新システム検討会議」の「作業グループこども指針（仮称）ワーキングチーム」第4回会議（2011年2月16日）において、事務局の原案として「資料1教育時間・保育時間について（案)」が提案されている。その資料では、幼稚園の休業日、教育週数、教育時間等が関係法令できちんと示されているが、保育所は最低基準で「保育時間は1日つき8時間を原則」が定められているに過ぎないことも明示され、年間の保育日数「1ヶ月25日×12ヶ月＝30日」という考えと、同時に、ある市立保育所管理規則で「休日に、日曜日、祝日に年末年始5日（1月2日、3日、12月29〜31日)」が付け加えられている事例が明示されている。その上で「保育所の教育時間・保育時間の取扱い」について「全国的な基準としての年間の保育日数については、日曜・祝日や年末年始の日数を除いた日数を確保するという現行の考え方を踏まえて検討すべきではないか」と提案している。

この見解を踏まえれば、当時のカレンダでは、日曜日約52日＋祝日約16日＋年末年始5日で休日は約73日となり、平日と土曜日の年間日数は約290日程度となる。この場合では月約24日程度となる。

新制度の論議では「幼保一体化」をすすめるという趣旨で行われたのであり、当然幼稚園と保育所の制度や施策の違いを明らかにして、どのように一体化を進めるかと言うことが論議されなければならない。例えば、「教育・保育時間」や年間開所日数については、幼稚園はきちんとした規定があるのに、保育所には規定がない問題をどう整理し、保育所についてはどのような規定を作成し、幼保一体化を進めるのかという論議がされて当然である。この問題は毎日の保育・教育を進めるのに極めて重要仲代だからである。しかし、その後、この新システムの検討会議において、「教育時間・保育時間について」の提案も論議された様子は見られない。

子ども・子育て支援新制度法案が成立後開催された子ども・子育て会議では新制度の「公定価格・利用者負担の主な論点について」の資料に、唐突に「保育認定（2号、3号認定）の子どもについては、現行の保育所と同様に、原則、土曜日を含めた年間約300日間の開所を基本」とするとの考えを示した。そこには、前述の「休日は日曜日、祝日に年末年始5日」という視点からの年間保育日数の定義の検討は全くなされず、「年間300日」だけが強調された。しかも、前述したように厚労省は「一般生活費は1ヶ月22日」で算定していると断言しているが、それでカウントすると年間264日になる。このことについても何ら触れられていない。これは法令等で年間日数が定義されていないために、その場その場の都合のいい解釈であたかも決められているかのように「年間300日」等の見解が示されているといえる。

また前節で指摘した土曜日の「利用者がいない場合も」減算という内閣府の見解は「一般生活費22日規定」の考え方、1996年6月28日課長連名通知の開所日数の規定で示された「自主的な休所日は『開所日数』として取り扱う」という考えをも全く無視しているということにもなる。公定価格で「保育所の開所日数は月25日、年間300日」という規定は、きわめて恣意的であり、これまで厚労省が進めてきた現行の保育所施策を大きく歪めているとしかいいようがない。

仮に開所日数1ヶ月25日（年間300日）を示すとしたら、見解として示されてきた「一般生活費1ヶ月22日」の定義との関連を説明し、現状の施策を踏まえて「各保育所の自主的な休所日等（例えばお盆休みの休所や行事の代替休所）については『開所日数』として取り扱う」という記述も示すべきである。また月25日開所ということであれば、労基法の1日8時間、週40時間、労働日1ヶ月20日の基準に基づき、5日多い労働日、つまり1週間（40時間）分、年間では約60日分の人件費や管理費・事業費が計上されていなければなりません。こうした対応すらなされていません。

この「月25日、年300日開所」規定は幼稚園の規定のように法律で明確に示されている事項とは明らかに異なり、参考的な基準でしかないと言える。開所日数が法令等で明記されていないことが、その時々の行政の適当な解釈などで様々な混乱を生み出している。例えば、お盆休み（夏休み）や年末年始の休みが取れない、園児を休ませても職員が来て開所だけする等「保育所は休んではいけない」といった休みが安心して取れない雰囲気がある地域も少なくないようだ。社会的施設であるならば開所日数の規定は政令等で明記し透明化すべきであり、その具体的改善案は第５章で検討する。

第3章
公定価格の単価額基準とその運用について

1. 公定価格の人件費基準単価額の設定について

公定価格に配置されている保育士等職員の人件費基準額は人事院勧告に基づく国家公務員給与表に格付けされて、設定されている。これは、保育所の保育単価制度で実施されてきた仕組みが2015年度スタートした新制度の公定価格に引き継がれ、幼稚園の職員の人件費にも適用されるようになった。この基準額の増減が保育所等施設運営の財源に直接影響することになり、きわめて重要な意味をもつ。

そこで、新制度前の保育単価制度では、保育所職員の本俸基準額の国家公務員給与表に格付けがどのようにすすめられてきたかその経過を振り返り、問題点を検討してみる。

(1) 国家公務員給与表の格付けとその歩み

① 人件費基準額の推移―行政職から福祉職給与表に移行

保育所職員の本俸額は1970（昭45）年度から国家公務員給与表が適用されるようになり、所長・主任保育士・保育士は行政職俸給表（一)、調理関係職は行政職俸給表（二）に位置づけられた。この本俸額ではいずれも初任給並の低い額であり、実態に見合わないこともあり、1972（昭47）年度から主任保育士と保育士には本俸額の4%を特別給与改善費（1975年度以降6%）として加算されるようになった。以下本俸額と特別給与改善費を含めた額を本俸基準額と表記する。

この給与格付けについて2000（平12）年度から３年計画で見直しが行われ、所長・主任保育士・保育士は福祉職給与表が適用され、専門職としての位置づけが明確にされた点では大きな前進といえる。同時に、特別給与改善費も見直しがされ、2002年度より本俸額の２%に引き下げられた。2000年度の本俸額については、所長は福祉職２級10号、主任保育士は福祉職２級６号、保育士は福祉職１級８号が適用され、前年度より所長は約0.9%、主任保育士は約3.6%、保育士は約7.5%引き上げとなったが、主任保育士と保育士に加算される特別給与改善費は引き下げられた。その結果、計画の３年目の2002年度には、本俸基準額は2000年度と比較して所長は同額、主任保育士は－0.9%、保育士は－1.4%減額された。給与の位置づけでは福祉職としての専門職が明確にされながら、給与額の減額がされるという矛盾がもたらされた。

②　公務員の人件費抑制政策の下で

また、政府は2002年８月の人事院勧告の「官民の給与較差の是正」を理由に給与勧告制度創設以来初の給与引き下げの勧告に基づき給与の減額・抑制を2005年度まで実施した。さらに政府の経済財政諮問会議は2005（平成17）年11月に「総人件費改革基本指針」を公表し、「国家公務員の定員を今後５年間で５%以上純減」「メリハリの効いた人件費削減を図る」の方針を示し、公務員の給与等の削減・抑制が実質的には2013（平25）年度まで続いた。同時に賞与などの一時金支給月数も2000（平12）年度の4.75ヶ月から20210（平22）年度には3.95ヶ月に減額され、2013（平25）年度まで続き、2014年度にやっと4.10ヶ月となった。

この国家公務員給与の減額・抑制の影響をストレートに受けて、保育所職員の本俸基準額は2006（平18）、2007（平19）年度には、級号俸の変更もあり、給与の減額が進められた。2006年度には所長は福祉職２級33号（本棒額253,000）となり、2005年度261,800円より約3.4%減額、主任保育士は福祉職２級17号（本棒額223,500）となり、2005年度227,400円より約1.8%減額となった。2007（平19）年度には、保育士は福祉職１級29号となり本棒額189,300

で2005年度189,900円より約0.3％減額、調理員等職員も行政職俸給表（二）で級号俸の変更もあり約0.3％減額となった。また、主任保育士と保育士の特別給与改善費も本俸額の2％であることから、本俸額の減額で減額となった。また一時金支給額の減額もあり、保育単価の人件費全体の減額がつづいた。

新制度への移行の前年度の2014年度から人事委勧告に基づき給与月額は0.27％アップ、勤勉手当等一時金は0.15ヶ月分引き上げ4.10ヶ月となり、その結果公務員の平均年間給与が7年ぶりに1.2％の増加に転じた。新制度最初の年の2015年度には、給与月額は0.36％アップ、一時金は0.1ヶ月分引き上げ4.20ヶ月となり、人件費は約2％程度引き上げされた。その後も国家公務員の月額給与と一時金の基準は引き上げられ、平均年間給与が毎年1％程度の引き上げが行われた（内閣官房内閣人事局「国家公務員の給与（令和２年版）」参照）。

③　保育所の公定価格（保育単価）20年余の歩みから

i.　保育士等人件費基準額の削減・抑制続く20年

このような国家公務員給与改定の動向を背景に、保育単価・公定価格に積算されている所長・主任保育士・保育士等の職員の本俸基準額について福祉職給与表が適用された2000年から2020年度までの推移を図表3-1-1にまとめた。

所長、主任保育士の2020年の本俸基準額は2000年の95％、99％にとどまり、20年前の水準に達していない。保育士の本俸基準額は、2017年に2000年の水準となり、2020年度には2000年度より約2％程度引き上げられたに過ぎない。調理員等職員は2015年度に2000年度水準になり2020年度には2000年度より5％程度引き上げられた。国の保育政策では、2000年から新エンゼルプラン・待機児童ゼロ作戦が進められ、子ども子育て応援プラン（2005年～）、新待機児ゼロ作戦（2008年～）、新待機児童解消加速化プラン（2013年～）等次々と待機児童解消策が進められ、待機児童解消が進まない要因の一つとして保育士確保困難問題が取り上げられ、保育士処遇改善が社会的に大きく取り上げられてきた。それなのに、本俸基準額の基本的改善は何ら進められていな

図表 3-1-1　保育費用（公定価格・保育単価）に積算されている職員の本俸基準額の推移〈2020 年 10 月作成〉

本俸基準額		2020 年度 （令 2）	2019 年度 （令 1）	2016 年度 （平 28）	2015 年度 （平 27）	2014 年度 （平 26）	2010 年度 （平 22）	2005 年度 （平 17）	2000 年度 （平 12）
施設長 〈(福)2-33〉		257,900 円 (95.5)	256,600 円 (95.0)	253,300 円 (93.8)	251,500 円 (93.1)	253,400 円 (93.9)	253,400 円 (93.9)	261,800 円 (97.0)	270,000 円 (100.0)
主任保育士 〈(福)2-17〉 （特別給与改善費含む）		240,108 円 (99.5)	238,476 円 (98.8)	234,498 円 (97.2)	231,744 円 (96.1)	231,948 円 (96.1)	230,112 円 (95.4)	231,948 円 (96.1)	241,256 円 (100.0)
保育士 〈(福)1-29〉 （特別給与改善費含む）		205,530 円 (102.1)	203,898 円 (101.3)	199,920 円 (99.3)	197,268 円 (97.9)	197,268 円 (97.9)	195,228 円 (96.9)	193,698 円 (96.2)	201,300 円 (100.0)
調理員等 〈(行二)1-37〉		176,200 円 (104.7)	174,600 円 (103.7)	170,600 円 (101.3)	168,100 円 (99.9)	168,100 円 (99.9)	165,800 円 (98.5)	164,700 円 (97.9)	168,300 円 (100.0)
人事院勧告	給与増減率	—	0.09	0.17	0.23	0.27	△0.19	△0.36	0.12%
	その他年減率					11 年 △0.23	09 年 △0.22	02 年△2.03 03 年△1.07	
	特別給	4.45	4.50	4.30	4.20	4.1	3.95	4.45	4.75 月
最低賃金加重平均		902 円 (136.8)	901 円 (136.7)	823 (124.8)	798 円 (121.0)	780 円 (118.3)	730 円 (110.7)	668 円 (101.3)	659 円 (100.0)

☆ 2015、2016、2020 年度の額は内閣府・厚労省連名通知「私立保育所の運営に要する費用について」に基づく各年度の当初額、2000、2005、2010、2014 年度は厚労省保育課長通知「児福法による保育所運営費国庫負担金交付要綱等の改正点及びその運用について」に基づく。各年度「保育白書」及び全私保連保育単価検討委員会「保育単価（保育所運営費国庫負担金）の解説及び推移表」（2016 年 3 月刊）参照。
☆主任保育士、保育士の本俸基準額は、当該俸給額の他に特別給与改善費を加えた額となっている。
☆主任保育士と保育士の本俸基準額については特殊業務手当が加算される。主任保育士は 2000 年度 8700 円、2005 年度 9800 円、2010 年度～2015 年度 9200 円、2016 年度以降 9300 円。保育士は 2000 年度 6700 円、2005 年度以降 7800 円。

い。新制度に移行してからも、国家公務員給与額の増減に応じた対応だけで、子育て支援策の独自政策としての改善は何ら見られない。

ii　非常勤職員賃金基準は最低賃金以下に

さらに、保育所の公定価格（保育単価）の人件費項目には非常勤職員雇上費として①嘱託医、嘱託歯科、②非常勤職員雇上費（保育士、事務職員、調理員）、③年休代替要員費、新制度になり新たに④研修代替要員費（常勤保育士１人に年2日、2017年より年3日）が付け加えられた。この非常勤職員の賃金額や配置人数は明確に示されていない。全私保連の各年度「保育単価内訳試算表」に示されている非常勤保育士賃金額（日額）をふまえて時間給と最低賃金全国加重平均額とを比較してみたのが図表3-1-2である。非常勤保育士賃金額も2000年から2010年までは若干下がり、それ以降は同額となっている。

しかし、最低賃金は上昇し続け、2019年には2000年の約4割弱の増額となっている。非常勤保育士賃金は2000年から2010年までは最低賃金より高い額であったが、それ以降は低い額となり、2019年には最低賃金より約2割弱安い単価額となっている。別の言い方をすれば、2000年～2010年までは日額単価額で8時間分が最低賃金より高い額であったが、それ以降は最低賃金を基づくと8時間分ではなく、毎年少なくなり2019年には約6.5時間分と短くなっているといえる。非常勤保育士の賃金額の基準もないためずるずると減額ないし時間数の削減が続いていると推測できる。

iii 保育単価(公定価格)は20年以上減額・抑制の連続

保育所の場合は、新制度移行前の保育単価制度において、国家公務員給与減額が2002、03年、05年さらに08年、09年、10年と続いたこと（図表3-1-1参照）の影響で保育士等職員の給与額基準が減額・抑制され続けてきたが、それはストレートに保育単価額の削減・抑制となってきている。

2000年から2022年までの4・5歳児と1・2歳児の公定価格（保育単価）の基本分単価の推移を図表3-1-3にまとめた。いずれの単価額も2000年以降微減が続き、新制度スタートの2015年にやっと2000年の水準となっている。

新制度スタート以降の動向をみてみると、2021年では1・2歳児は2000年の6.5%増にとどまっている。4・5歳児は7.5%減となっている。これは保育の無償化に伴い、強引に副食費4,500円が保護者負担となり公定価格から除外されたことで少なくなっている（詳細は第1部第3章-5参照）。この副食費4,500円を加えれば、1・2歳児とほぼ同じ6%増となる。さらに、その後、2020年、21年と国家公務員給与の減額が行われ、22年4月公定価格の基本分単価額は

図表 3-1-2　最低賃金（全国加重平均額）と非常勤保育士（保育単価試算額）賃金額との比較
—非常勤保育士時間給は減額されつづけ、最低賃金以下に—（2020.12 村山祐一作成）

	2019 年	2017 年	2015 年	2014 年	2010 年	2005 年	2000 年
1. 最低賃金全国加重平均額 【伸び率】 （1 と 2 の比較指数）	901 円 【136.7】 （100.0）	848 円 【128.7】 （100.0）	798 円 【121.1】 （100.0）	780 円 【118.4】 （100.0）	730 円 【110.8】 （100.0）	668 円 【101.4】 （100.0）	659 円 【100.0】 （100.0）
2. 非常勤保育士時間給試算額	740 円 【96.7】 （82.1）	740 円 【96.7】 （87.3）	740 円 【96.7】 （92.7）	740 円 【96.7】 （94.9）	740 円 【96.7】 （101.4）	742.5 円 【97.0】 （111.2）	765 円 【100.0】 （116.1）

①最低賃金全国加重平均額は厚労省図表より作成。【伸び率】は 2000 年を指数とした最低賃金全国加重平均額伸び率。（指数）は最低賃金全国加重平均額を 100 とした場合の非常勤保育士等時間給試算額の比率。
②非常勤保育士時間給試算額は全私保連「国基準保育単価内訳試算表」各年度にもとづく。非常勤保育士や新制度で新設された研修代替要員費について日額 2000 年 6120 円、2005 年 5940 円、2010 年 5920 円と示されている額を 8 時間で除した 1 時間単価試算額を掲載。

図表 3-1-3　保育所 4・5 歳児及び 1・2 歳児の 8 時間保育の公定価格（保育単価）基本分平均単価額の推移（園長設置・その他地域（丙地域）の場合）

		2022（令 4）年 A＋補填加算＝総額	2020 （令 2）年	2015 （平 27）年	2010 （平 22）年	2005 （平 17）年	2000 （平 12）年
4・5 歳児	A 基本分単価額（指数）	30,893 円＋245 ＝31,138 円 （91.7）（92.5）	31,148 円 （92.5）	33,765 円 （100.3）	32,985 円 （98.0）	32,765 円 （97.3）	33,653 円 （100.0）
1・2 歳児	A 基本分単価額（指数）	91,563＋837 ＝92,400 円 （105.7）（106.7）	92,298 円 （106.5）	87,045 円 （100.5）	84,895 円 （98.0）	84,665 円 （97.7）	86,593 円 （100.0）
社会動向	全国平均最低賃金額	930 円（2021 年） （141.1）	902 円 （136.8）	798 （121.0）	730 （110.7）	668 （101.3）	659 円 （100.0）
	消費税	10% （200.0）	10% （200.0）	8% （160.0）	5% （100.0）	5% （100.0）	5% （100.0）

☆平均単価額は 60 人、90 人、100 人、120 人、150 人、170 人の単価額の合計額を 6 で除した加重平均額。2015 年度以降は短時間保育認定（8 時間保育）の単価額。
☆保育単価額の地域区部は最も額の低く、該当施設の最も多いとされている「その他地域」、2000 年、2005 年は乙地域の場合とした。☆記載した単価額は園長設置の場合の単価額。2000 年、2005 年、2010 年は園長設置の単価額、新制度の 2015 年は基本分単価額＋園長設置加算の計、2020 年からは園長加算額は基本分単価に含まれることになった。
☆各単価額は各年 4 月現在を採用した。なお 2022 年度からは人件費が国家公務員給与基準で決められているため人事院勧告で減額の場合、公定価格基本単価額は減額するが、その分を別途補填する加算額が設けられた。そのため公定価格基本単価額＋給与改定対応加算額の合計額を示した。
☆（　）内は 2000（平 12）年を 100 とした指数。

20年度より約1% の減額となったが、補填加算により20年度の単価額と同じ水準が確保されている。

つまり保育所運営費の国基準（公定価格）は22年間で6% 程度しか増額となっていない。4・5歳児は「保育無償化」で副食費4,500円が減額されたために約7%減額となっている。社会の動向を見ると全国平均最低賃金は２０００年度は1時間659円であったが2020年度には約37%増の902円、21年度約41%増の930円に増額されている。この間消費税は5%から2倍の10%に引き上げられている。

それなのに22年間でわずか6%増とは余りにも低い。22年間の間に最低賃金の時間給が約40%増なのに、保育所の運営費が6%増では、世間並みの賃金も保障できない状況が放置されてきているといえる。それも政府の政策で少子化対策を強調し、待機児童対策や保育の質向上を強調する中で進められているのだから余りにもひどい。こうした状況で保育士等職員の処遇は社会から取り残されてきているといえる。そのため「子育て後進国からの脱却」ができない状況が続いていると言える。

(2) 国家公務員格付けの問題点と新制度でも進まない改善

① 常勤職員の国家公務員給与表への格付けの不合理な問題点

i 格付けによる減額は不合理、いつまで続く減額、ここでも幼保に格差

保育士等常勤職員の本俸基準額については、国家公務員給与表への格付けがされ、基準額が決められていることは、一定額が保障されるという意味では安定している制度といえる。それに比べて非正規職員については、格付け等の基準額がなく不明確のため、極めて不安定であり、前述したように最低賃金額よりも低い基準単価となっている。

格付けがされていても、基準額が保育士処遇を保障できる実態を踏まえた額でなく、実態からかけ離れた低い単価額であることに大きな問題がある。長年その改善が強く求められ続けているのに、子育て支援が叫ばれたこの20年の間、改善がされず減額が続き、矛盾を一層深めた。

国家公務員給与表に格付けは、国家公務員各個人に適用されるものであり、各級号俸の額が削減・抑制の場合でも、勤務年数等で級号俸の昇級等で昇給幅が抑制されたりするが、減額は避けられたりする場合も生じる。しかし、保育所職員の本俸の格付けでは、級号俸の昇給はなく毎年同じ級号俸の位置づけとなっているため、毎年の級号俸の減額が直接人件費総額に影響し毎年削減されるということになる。そのため、年度当初決められていた補助額が、年度途中での人事院勧告に基づき本俸額の減額されると、その年度の４月に遡り減額されるため、補助金の返金という年度も生まれている。

そのため、本俸額が減額されることが予想されれば、昇給財源の確保が難しいことから、給与の抑制をせざるを得なくなる。極めて不安定な運営をせざる得ない状況が続いた。この矛盾は今後も生じかねない。例えば新型コロナの影響で、人事院勧告で人件費の抑制が行われれば、ストレートに影響を受けることになる。

2020年度当初の公定価格の園長、保育士・教員等の人件費単価額は、2019年の人事院勧告に基づき2019年度当初額より約1％程度引き上げられた。しかし、2020年度の途中に出された人事院勧告では、公務員の月額給与は据え置きだが、賞与が0.05ヶ月削減された。賞与0.05ヶ月削減は前年度4.5ヶ月から4.45ヶ月の約2.2％減ということになる。

そのため、公定価格の人件費当然公定価格の各月の人件費基準額には、賞与額も含まれていることから、当然賞与0.05ヶ月減額2020年度４月に遡り減額されることになった。このような場合、これまでは、その年度の４月に遡り単価が引き下げられ、減額分を返金するという手法がとられた。

ところが2020年度では、2020年４月から2021年１月分までは単価額を変更しないで、2021年２月、３月の単価額で１年分まとめて減額するとい措置がとられた。その削減された単価額を踏まえて2022年４月の単価額も削減された。どの程度の額かというと、保育所の園長、主任保育士、保育士、調理員等の人件費額はいずれも年間約１万円減額となった（「令和２年度における私立保育所の運営に要する費用」一部改正、2021（令3）年１月29日）。子ども・子育て会議第54回の「資料1公定価格に関する検討事項」では、減額改定について「予算上の常勤保育士・幼稚園教諭の年額人件費：395万円→394万円（▲0.3%）」と明記されている。

さらに2021（令3）年度国家公務員給与改定では期末手当が「0.15月分減額」となり、2022（令4）年4月からの公定価格の人件費が約0.9%減額となるとされている。しかし、令和4年度についてはこの減額部分について、公定価格では減額を行いつつ、当該引き下げ分に相当する金額について「国家公務員給与改定対応部分」として補填額を支給するとした。2022年度公定価格の実質的な基本分単価額は「減額された基本分単価額」+「給与改定対応部分補填額」となる。「給与改定対応部分補填額」は幼稚園、保育所、認定子ども園それぞれの公定価格基本分単価と同様に地域区分、定員区分、年齢区分別に明示されている（2022年4月19日内閣府通知「令和4年度保育士等処遇改善臨時特例交付金の交付について」参照）。

この削減状況を図表3-1-4にまとめてみた。まず、2020年4月と2021年2月改定（2月、3月適用）とを比較してみる。保育所では約1.3%程度減額（保育短時間認定383円減額、標準時間認定437円減額）、幼稚園では約0.5%程度（130円）減額となっている。少額ではあるが、保育所の減額は幼稚園の約3倍であり、前述の保育士・教諭の人件費0.3%減の約4倍強の減額となっている。

さらに、2020年4月と2021年4月分の単価額の差をみると幼稚園は0.11%減の約7円減額だが、保育所では0.2%減で短時間認定は53円減額、標準時間は62円減額であり、幼稚園の6.5〜7.5倍の減額となっている。

ii 2022年度は減額への補填補助だが―本質的改善を

さらに2022年4月の単価額についてみてみる。

幼稚園の場合は、減額の平均基本分単価額（31,398円）に補填額（277円）を加えて総額は31,675円となる。補填額（277円）は減額の平均基本分単価額（31,398円）の約0.9%程度であり、2020年4月の単価額より0.3%（108円）増となっている。

これに対して保育所の場合は、補填額（245円）は保育標準時間認定と保育短時間認定とが同額である。保育標準時間認定は短時間保育より３時間長く、単価額も約14％程度多いのに、全く無視されている。しかも、８時間保育認定の補助額（245円）は基本分単価額（30,893円）の約0.8％程度、保育標準時間認定の補助額は基本分単価額（35,293円）の約0.7％程度と幼稚園よりやや少ない。

その結果幼稚園の単価額の総計（31,398円）は2020年単価額（30,791円）より0.3％（108円）増となっている。これに対して保育所の場合は短時間認定がマイナス0.1％（−10円）、標準時間認定マイナス0.2％（−47円）となっている。ここでも幼稚園と保育所との間にわずかな格差が見られる。

公定価格に算定されている人件費年額は同じとされているのに、どうしてこうした格差が生じるのか理解に苦しむ。こうしたわずかな格差が積み上げられていくと大きな格差になりかねないため見過ごすことはできない重大問題といえる。

また、この国家公務員給与改定での減額への補填補助は22年２月〜９月までは全て国庫負担で実施するが、10月以降については「公定価格を見直すなどにより引き続き同様の措置を行う」、「公定価格の一部として所要の経費の支給を行うことを予定している」と説明されているだけであり不透明といえる。（内閣府「保育士・幼稚園教諭処遇改善臨時特例事業に係るFAQ」Ver.4、8−1〜8−4参照）。

今回は初めて国家公務員給与改定による減額部分への補助する施策を打ち出したことは一歩前進といえる（図表3−1−3参照）。しかし、こうした対応を継続的に進めるには限界があり、本質的改善にはつながらない。補填補助が廃止になれば、前述した2000年当初から長年続いた公定価格の人件費削減が再び到来し、保育士等職員の給与減額状況が更に深刻化することになりかねない。

今問われているのは、現在の公定価格の人件費額の算定の在り方の改善である。公定価格の職員給与基準額を国家公務員給与表への格付けの設定の見直しや貼り付けの在り方を再検討することが求められている。例えば公定価格の人件費基準を現在の国家公務員給与表の初任給並みに貼り付けるならば、実態を踏まえて勤務年数に応じた加算額を設定する手法もある。また人件費基準額を全国の平均勤務年数にもとづき決めて、年数に応じた加算額を設定するなど、実態を踏まえた改善の検討が求められている。

iii　公定価格の人件費の対象者は基準上の保育士等職員に限定

もう一つの問題点は、公定価格の保育士等職員の人件費支給の対象者が公定価格の基準上必要とされる保育士等職員配置数に限られていることにある。前述で指摘したが、保育所では基準上必要とされている職員配置数では毎日の保育を営むことが困難であり、配置基準よりも多くの職員数を配置しているのが一般的である。実際の保育士配置数は基準の約1.8倍程度であり、調理員、事務職員等を含めると約2倍程度の職員数となるケースも見られる（2章2-(2) p146～参照）。そのため、例えば保育士配置基準定数10人分の人件費財源（月額給料、賞与、その他の経費）は実際の保育士配置数17人、18人、19人の財源になる。その財源総額が1%引き上げられても、実際に雇用されている全職員の給与額が1%引き上げられると短絡的に考えることはできない。特に、前述したように人件費の財源となる職員の本俸基準額が長年削減・抑制され、保育士の本俸額は2019年頃にやっと2000年の水準に達したに過ぎない（図表3-1-1参照）。こうした状況化で人件費財源が1%程度上がったからといって、全ての職員の給与額が1%引き上げられるとはいいがたい。また、人事院勧告で人件費の減額が行われ、公定価格の人件費も減額されると、低い給与がさらに引き下げられるという深刻な状況になりかねない。

もし、格付けを行うなら、実際の平均年数に応じた給与額に位置づけることや実際の職員数に応じた職員数を対象にするなどの改善が求められる。

②　実態から大きくかけ離れた職員基準単価額

2015年度スタートした新制度では、保育所の保育単価制度の仕組みが公定価格に引き継がれ、幼稚園の職員の人件費にも適用されるようになった。新制

図表 3-1-4　人事院勧告削減の公定価格平均基本分単価への影響
—幼稚園、保育所の 4・5 歳児平均基本分単価額の比較（推計）（2022.5 村山作成）

	幼稚園（1 号認定）	保育所（2 号認定）	
		保育短時間認定	保育標準時間認定
2020 年 4 月	31,567 円(100.0)	31,148 円(100.0)	35,585 円(100.0)
2021 年 2 月	31,437 円(99.5) ▲ 0.5(－130 円)	30,765 円(98.7) ▲ 1.3(－383 円)	35,148 円(98.7) ▲ 1.3(－437 円)
2021 年 4 月	31,560 円(99.9) ▲ 0.1(－7)	31,095 円(99.8) ▲ 0.2(－53 円)	35,523 円(99.8) ▲ 0.2(－62 円)
2022 年 4 月	31,398 円＋277＝31,675(100.3) ＋0.3(＋108 円)	30,893 円＋245＝31,138(99.9) ▲ 0.1(－10 円)	35,293 円＋245＝35,538(99.8) ▲ 0.2(－47 円)

☆ 2020 年 4 月単価額は 2021 年 1 月分まで適用、2021 年 2 月の単価額は 2 月と 3 月分に適用、2021 年 4 月以降に適用。2022 年 4 月の単価額は公定価格基本分単価額＋補填額の計。
☆平均値は定員 60 人、90 人、100 人、120 人、150 人、170 人、「その他地域」の各単価額の平均値（各月合計額／6)、小数点は四捨五入。
☆（　）内は 2020 年 4 月を 100 とした指数

図表 3-1-5　公定価格における常勤職員の人件費

	幼稚園		保育所	
	配置数	人件費（年額）	配置数	人件費（年額）
園長・所長	1 人	約 440 万円	1 人	約 440 万円
副園長	1 人	約 440 万円	なし	
主幹教諭・主任保育士	1 人	約 410 万円	1 人	約 410 万円
教諭・保育士	3 歳児　20：1 4 歳以上児　30：1	約 340 万円	乳児　3：1 1, 2 歳児　6：1 3 歳児　20：1 4 歳以上児　30：1	約 340 万円
学級編成調整教諭	1 人	約 340 万円	なし	
休けい保育士			1 人	約 340 万円
調理員	なし		2 人	約 280 万円
事務職員	1 人	約 340 万円	なし	

平成 26 年 4 月 23 日「公定価格の仮単価のイメージについて」p21〈参考・公定価格における人件費について〉に基づく。学級編成調整教諭は利用定員 36 人〜300 人以下（施設の約 8 割程度)。休けい保育士は利用定員 90 人以下（施設の約 3 割強）

度開始直前に常勤職員の人件費の基準について図表 3-1-5 にまとめてある。保育所、幼稚園の常勤職員の人件費額（年額）は園長・所長は約 440 万円、主幹教諭・主任保育士は約 410 万円、教諭・主任保育士約は 340 万円等が示されている。これは、前述した国家公務員給与表に格付けされてきた人件費基準額の内容がそのまま示されたに過ぎない。保育所だけでなく幼稚園等にも適用され、単価基準が一元化されことは一歩前進であるが、これまでの歩みのままだと保育士処遇の改善は進まない。さらに、非常勤職員の日額給与額は示されていないことは明らかにおかしい。

2016年度の公定価格の人件費は、2015年国家公務員給与改定に伴い、1号認定の公定価格は1.49%、2・3号の公定価格は1.29%引き上げられた。その後も毎年の人事院勧告に基づき約1%程度の引き上げが行われている。2020年度当初の人件費単価額も2019年の人事院勧告に基づき2019年度当初額より約1%程度引き上げられている。

新制度の下での、公定価格の人件費基準額と実際の所長・主任保育士・保育士等職員の実際の平均給与額について比較してみる。2018年度及び2021年度の公定価格の基準額と2018年度会計での内閣府実態調査とを比較したのが図表3-1-6である。

「Ⅰ　実際の平均給与額」の給与平均月額は年額の1/12であり、賞与等も含まれた額である。「Ⅱ　公定価格の基準額」は厚労省が保育課長通知で示された額であり、本俸基準月額には賞与は含まれていない。保育士、主任保育士の月額には、特別給与改善費、特殊業務手当が含まれた額である。年額には給与、賞与だけでなく、社会保険事業者負担などの経費も含まれている。そのため、月額の比較は少し無理があるが、年額の比較でやや問題が見えてくる。園長と主任の年額（常勤）は基準額より約3割強、1割弱多く、その分不足していることになる。逆に保育士の年額（常勤）は、基準額より約2割少なく、調理員も約1割少ない。

非常勤職員の実際の平均年額はさらに安く保育士や調理員で常勤より約4割弱、園長、主任で約6割程度少ない額となっている。つまり、限られた財源の中で、非常勤職員の配置を含めた対応でやりくりしているといえる。例えば、園長、主任を常勤者でしっかりとした配置をすれば、その分保育士や調理員は非常勤職員をより多く配置してやりくりするということになる。逆にできるだけ多く常勤の保育士を配置しようとすれば、園長ないし主任保育士を非常勤で対応せざるを得なくなる。前述のように国の配置基準定数の保育士では通常保育を対応できないということであれば、当然非常勤保育士を多く採用せざるを得なくなる。

こうした状況が影響して、保育士の平均賃金は専門職でありながら、平均賃金は新制度開始時の2015年に26.9万円、新制度開始後4年目の2018年には29.7万円で2.9万円増額となった（図表3-1-7）。それでも全産業の平均賃金との差は、11.6万円、女子の平均賃金より2.2万円少ない。この増額は処遇改善加算Ⅱが2017年度から新設され中堅保育士等への加算が行われるようになったことが影響していると推察できる（第2章-2-(3) p129～参照）。しかし園長、主任保育士、若手保育士、調理職員や非常勤保育士の人件費額の基準が引き上げられていないため、これ以上の改善になるかは不透明である。

図表3-1-6　私立保育所の園長・主任保育士・保育士の平均給与額と公定価格基準額（2019年）

		Ⅰ．実際の平均給与額（私立） （2019年3月内閣府経営実態調査）			Ⅱ．公定価格の基準額（2018年度） 下段（）は2021年度当初基準額		
		給与平均月額（年額の1/12）	年額	平均勤務年数	本俸基準月額（特殊業務手当含む）	人件費年額	格付け
1 園長	常勤	565,895円	約679万円	25.8年	255,600円 （257,900円）	約485万円 （約494万円）	（福） 2−33
	非常勤	536,146円	約643万3千円	20.7年			
2 主任保育士	常勤	422,966円	約507万5千円	21.7年	246,552円 （249,408円）	約455万円 （約465万円）	（福） 2−17
	非常勤	344,103円	約412万9千円	26.1年			
3 保育士	常勤	301,823円	約362万1千円	11.2年	210,270円 （213,330円）	約379万円 （約394万円）	（福） 1−29
	非常勤	187,816円	約225万3千円	10.1年			
4 調理員	常勤	269,534円	約323万4千円	24.4年	173,100円 （176,200円）	約313万円 （約327万円）	（行） 1−37
	非常勤	173,290円	約207万9千円	7.1年			

☆実際の平均給与額は内閣府子ども・子育て本部「幼稚園・保育所・認定こども園等の経営実態調査報告書」（平成31（2019）年3月－2018年度会計、給与は2019年3月調査）に基づく。常勤給与月額には「月額給与の他、賞与の年額の1/12が含まれる」。年額については調査データの給与月額の12ヶ月分として筆者が算出。調査集計施設数2,447カ所、
☆2018年度公定価格基準額は改正通知「平成28年度における私立保育所の運営費に要する費用について」（平成30年6月29日）に基づく。2021年度は年度当初の通知「令和3年度における私立保育所の運営費に要する費用について」（令和3年3月31日）に基づく。主任保育士及び保育士の本俸基準月額には特殊業務手当基準額（主任保育士9300円、保育士7800円）を含む。

図表 3-1-7　保育士と全産業の賃金月額とその差（出典：賃金構造基本統計調査）

	A 全産業		B 保育士		C 差額（A－B）	
平均賃金月額	うち女性	平均賃金月額	うち女性	平均賃金月額	うち女性	
2015（平 27）年（新制度開始時）	40.8 万円	31.1 万円	26.9 万円	26.8 万円	13.8 万円	4.3 万円
2018（平 30）年	41.8 万円	31.9 万円	29.8 万円	29.7 万円	11.6 万円	2.2 万円

☆ 2019 年 11 月 12 日子ども・子育て会議図表「公定価格に関する検討事項について」p18 より

いずれにしても僅かな改善はされたが、常勤者を抑制して、非常勤を増やしてなんとか運営するという状況は改善されていないし、常勤者に仕事の負担が集中するという状況は続いている。前述した「仕事量が多い」「保育時間が長い」という労働環境を改善する糸口は見えていない。

2.　公定価格の基本分単価額と人件費単価額について

公定価格基本分単価は前述したように人件費＋管理費＋事業費で構成されているが、それぞれの単価額は明記されていない。人件費の単価額については、処遇改善等加算Ⅰ（以下処遇改善Ⅰ）の単価額との関連で推計値を算定できる。処遇改善Ⅰの単価額は基本分単価額の人件費額の 1/100 の額で設定されているとされている。つまり、基本分単価額の人件費部分は処遇改善Ⅰの単価額×100 ということになる。そのため、公定価格基本分単価額から人件費部分（処遇改善 1 単価額×100）を減算した額が管理費・事業費と推計できる。それぞれの単価額は地域別、定員別、年齢別、認定別等の区分で異なる。

ここでは、公定価格基本分単価と人件費単価額について、具体的に検討するため 4 歳以上の基本分保育単価、処遇改善Ⅰの単価額について、幼稚園児（1 号認定）、保育所児（2 号認定）について比較検討してみる。

地域区分では最も多い「その他地域」を想定し、定員 60 人、90 人、100 人、120 人、150 人、170 人の幼稚園（1 号認定）、保育所（2 号認定）の基本分単価額、処遇改善Ⅰの単価額、人件費相当額と管理費・事業費額などを推計し、さらにそれらの定員の相加平均を算出してまとめたのが図表 3-2-1 である。保

図表 3-2-1　公定価格基本分単価の内訳―4・5歳児1人当たり幼稚園、保育所の基準額の比較（推計）

―2020年度公定価格・その他地域の場合（2020.9 村山作成）

定員	公定価格※		幼稚園（1号認定） （保育時間4時間原則）（指数）	保育所（2号認定）	
				保育短時間認定 （保育時間8時間）	保育標準時間認定 （保育時間8～11時間）
60人	基本分単価額		41,430円（100.0）	44,090円（106.4）	51,660円（124.6）
	単価額の内訳	人件費相当額	39,000円（100.0） （処遇改善1単価額390円×100%）	41,000円（105.1） （処遇改善1 410円×100%）	49,000円（125.6） （処遇改善1 490円×100%）
		管理費・事業費等	2,430円（100.0）	3,090円（127.1）	2,660円（109.4）
90人	基本分単価額		33,630円（100.0）	34,710円（103.2）	39,750円（118.1）
	単価額の内訳	人件費相当額	31,000円（100.0） （処遇改善1単価額310円×100%）	32,000円（103.2） （処遇改善1 320円×100%）	37,000円（119.3） （処遇改善1 370円×100%）
		管理費・事業費等	2,630円（100.0）	2,710円（103.2）	2,750円（104.5）
100人	基本分単価額		31,390円（100.0）	30,010円（95.6）	34,550円（110.0）
	単価額の内訳	人件費額相当	29,000円（100.0） （処遇改善1単価額290円×100%）	27,000円（93.1） （処遇改善1270円×100%）	32,000円（110.3） （処遇改善1 320円×100）
		管理費・事業費等	2,390円（100.0）	3,010円（125.9）	2,550円（106.6）
120人	基本分単価額		29,730円（100.0）	27,680円（93.1）	31,460円（105.8）
	単価額の内訳	人件費額相当	27,000円（100.0） （処遇改善1単価額270円×100%）	25,000円（92.5） （処遇改善1 250円×100%）	28,000円（103.7） （処遇改善1 280円×100%）
		管理費・事業費等	2,730円（100.0）	2,680円（98.1）	3,460円（126.7）
150人	基本分単価額		27,390円（100.0）	25,340円（92.5）	28,360円（103.5）
	単価額の内訳	人件費額相当	25,000円（100.0） （処遇改善1単価額250円×100%）	22,000円（88.0） （処遇改善1 220円×100%）	25,000円（100.0） （処遇改善1 250円×100%）
		管理費・事業費等	2,390円（100.0）	3,340円（139.7）	3,360円（140.5）
170人	基本分単価額		25,830円（100.0）	25,060円（97.0）	27,730円（107.3）
	単価額の内訳	人件費額相当	24,000円（100.0） （処遇改善1単価額240円×100%）	22,000円（91.6） （処遇改善1 220円×100%）	25,000円（104.1） （処遇改善1 250円×100%）
		管理費・事業費等	1,830円（100.0）	3,060円（167.2）	2,730円（149.1）
平均	基本分単価額		31,567円（100.0）	31,148円（98.6）	35,585円（112.7）
	単価額の内訳	人件費額相当	29,200円（100.0） （処遇改善1単価額292円×100%）	28,200円（96.5） （処遇改善1 282円×100%）	32,700円（111.9） （処遇改善1 327円×100%）
		管理費・事業費等	2,367円（100.0）	2,948円（124.5）	2,885円（121.8）

※1）公定価格単価額及び加算額は2020（令2）年度公定価格単価表及び「特定教育・保育等に関する基準等の実施上の留意事項について」（2020年5月）に基づく。単価額は「その他地域」

※2）処遇改善1の単価額は基本単価額の人件費相当額の1%（1/100）といわれている。そのため処遇改善I単価額×100の額が人件費相当額になる。

3）平均は定員欄の各定員の単価額総計／6の平均額

育所については保育短時間認定（8時間保育）、保育標準時間認定（8~11時間保育）のそれぞれの単価額を記載した。

(1) 幼稚園（4時間標準保育）と保育所短時間認定（8時間保育）との単価額の比較

まず基本分単価額（人件費＋管理費・事業費）と人件費相当額について幼稚園と保育所（8時間保育）とを比較してみる。平均値でみると、保育所の8時間保育の基本分単価額（31,148円）は幼稚園（31,567円）より約1%強少ない。人件費相当部分では8時間保育（28,200円）は幼稚園（29,200円）より約3%強少なくなっている。これを定員別に見ると、60人、90人定員の場合はいずれも保育所がわずか6〜3%程度上回る。しかし、他の定員では保育所は幼稚園より基本分単価で約3%（定員170人）〜8%弱（定員150人）程度少なく、基本分単価の人件費額では、約7%（定員170人）〜12%（定員150人）も低くなっている。

この基本分単価の人件費の主な正規職員としての対象者は幼稚園では「園長＋配置基準上配置教員数＋加配教員1人＋事務職員等」、保育所では「所長＋配置基準上配置保育士数＋調理員等2人等」となっている。幼稚園、保育所とも「園長・所長＋配置基準上教員数・保育士数」は同じだが、加配教員1人が幼稚園には配置されているが、保育所にはゼロとなっている。この差が人件費の単価差の大きな要因といえる。そのため、保育所の場合90人以下とそれ以上の定員とで大きく違うのは、90人定員以下は基本分単価額に休憩保育士1人が加配算定されているが、91人以上には加配・算定されていないことが影響していると推察できる。休憩保育士1人が配置されていると、幼稚園の単価額よりやや高くなっている。幼稚園の「事務職員」は「事務職員及び非常勤事務職員」であり、事務職員は「園長等が兼ねる場合は配置不要」であり「非常勤事務職員は週2日の費用を算定」してあり、配置が条件となる。つまり、幼稚園の場合は何らかの形で事務職員配置が位置づけられている。保育所の場合は「非常勤事務職員」のみであり、「所長等が兼ねる場合は配置不要」となっている。

前述で指摘したように保育所の保育日数はいずれも約1.2倍程度（約20%〜25%増）であるが、保育時間では8時間保育の場合は1週間、1ヶ月、年間いずれも約1.6倍強（60〜66%増）となっている。それなのに、保育所の基本分単価や人件費相当額が幼稚園と同じか安いというのはどういうことなのか。保育8時間認定の場合は、保育時間は1.6倍と長いのに、平均の基本分単価や人件費相当額とも約3%減であり、余りにも少ない額といえる。保育所の保育時間が幼稚園より1.6倍程度長く、当然保育士の配置が必要になり人件費も増えるのは当然である。この保育時間の長さが全く配慮されていない。つまり、保育所の保育時間は幼稚園の約1.6倍程度なのに、幼稚園単価程度かそれより安い単価額で、経費を節約して保育を強いる内容になっている。このことは、子どもの保育の質に影響を及ぼすことになり、延いては1号認定子どもの保育と2号認定の子どもの保育に社会的格差を公然と持ち込んでいるといえる。

(2) 保育所の保育標準時間（8〜11時間）の単価額について

保育所の公定価格基本分単価額は、保育短時間（8時間保育）と保育標準時間（8〜11時間）に区分されている。保育標準時間の1日の保育時間は幼稚園の約2倍程度と長く、8時間認定より3時間長い。保育標準時間の平均園児数は厚労省調査で利用定員（96人）の場合平均約4割弱（約37人）が保育を受けている（詳細はp160〜161参照）。それに見合った人件費や事業費・管理費等基本分単価額が必要となる。実際どのような単価額になっているかを、図表3-2-1に基づき、幼稚園との比較検討してみる。なお、保育所の8時間保育と標準時間保育との単価額の比較は後述する（p208〜209）。

標準時間保育の基本分単価額は、幼稚園と比較すると、定員により異なるが約7%（定員170人）〜約25%弱（定員60人）の増額に過ぎない。平均では幼稚園の基本単価は31,567円だが、標準時間保育は32,700円と約13%増に過ぎない。その内訳をみると、 人件費相当額は幼稚園29,200円だが、標準時間保育32,700円とわずか約12%増にすぎないし、管理費・事業費等も約22%増でしかない。保育時間は幼稚園の約２倍程度長く、保育士の配置や子どもに関わる諸経費も約 1.5 倍～2 倍程度必要となるのは目に見えて明らかなのに、余りにも少ない。保育時間の長い子どもの保育は大変安上がりな方式ですすめるというような仕組みになっていて、幼稚園児と保育所児の処遇に大きな格差が生まれる状況がつくられているように思える。

このように、幼稚園の単価額を前提にしつつ保育時間の長さに応じた基本分単価の設定になっていないことが、保育士処遇の劣悪さと保育士確保困難の大きな要因であることは明白である。待機児童解消策が叫ばれているが、保育士確保困難問題の改善のメドもたたずむしろ深刻化している。そのため保育士処遇改善の必要性が社会的な問題となり、緊急な改善が求められているのに、この基本的課題について、何らの改善もされてきていない。少なくとも常識的にみると８時間保育認定の単価額は幼稚園の単価額の約 1.5 倍程度必要であるといえる。改善策については第５章で検討する。

3. 事業費と管理費の単価額について—内訳が不透明

(1) 基本分単価額での事業費・管理費の単価額推計値について

次に公定価格基本分単価額のうち事業費と管理費の単価額について図表 3-2-1 にもとづき幼稚園と保育所とを比較検討する。基本分単価額において事業費と管理費の単価額は明示されていない。しかし、前述のように公定価格基本分単価額から人件費部分（処遇改善１単価額×100）を差し引いた額が管理費・事業費と推計できる。その管理費・事業費について、定員別にみると、90 人定員では幼稚園も保育所もほぼ同額、100 人定員と 150 人定員では保育所が幼稚園より 1.3～1.4 倍程度だが、120 人定員では幼稚園よりやや少ない。平均値では幼稚園は 2,367 円だが、保育所の場合は８時間認定 2,948 円、標準時間認定 2,885 円となっていて、幼稚園の約 1.2 倍程度となっている。保育所の保育時間は約 1.6～2.2 倍であり、その数値と比較するととても十分とはいえない。

次に問題なのは、前述でも指摘したが、保育標準時間認定の管理費・事業費の平均単価額（推計値）は保育８時間認定の単価額より約3%弱安いという問題である。

保育標準時間認定の管理費・事業費の単価額の傾向を定員別に検討してみる。60人定員、100人定員、170人定員の場合はいずれも保育標準時間認定の単価額が保育８時間認定の単価額より約11〜17%程度少なくなっている。その場合の保育標準時間認定の人件費相当額は保育８時間認定より約13〜19%程度高く、基本分単価の増加率より約3%程度高くなっている。その他の定員では人件費相当額の増加率はほぼ基本分単価の増加率とほぼ同じかやや低くなっている。つまり、人件費相当額の増加率が基本分単価の増加率より高い場合は、管理費・事業費の単価額で調整しているのではないか推測できる。単価額は積み上げ方式であると主張しているが、それが崩されているのではないかと思われる。

(2) 保育所の事業費・管理費について

保育所については、児福法24条に基づき保育所運営費の委託費として支給されることから、内閣府・厚労省課長連名通知「令和２年度における私立保育所の運営に要する費用について」（令和２年３月31日、以下令和２年度「私立保育所運営費用内訳通知」）において基本分単価等の内訳として人件費基準額、事業費と管理費の単価額が明示されている。しかし、幼稚園については明確な定めがあるかないか定かではない。

この「私立保育所運営費用内訳通知」（令和２年３月31日）では、事業費について一般生活費（給食材料費、保育材料費等）として児童１人当たりの単価額が定員に係わらず共通に示されている。管理費については定員区分別、保育標準時間と保育短時間別、年齢区分別に園児一人当たりの単価額が明示されている。

事業費は2019年度当初は6,918円であったが、10月からの幼児教育・保育の無償化で副食材料費4,500円を公定価格から除外し、園の実費徴収にした。

その結果一般生活費は2,451円となった。その際、内閣府・厚労省は事務連絡（2019年９月４日）において、事業費の中の副食費は5,181円を計上していたが、厚労省の実態調査結果では副食費平均額が4,688円であることをふまえて副食費は4,500円として、5,181円－4,500円の差額約680円は物価調整費と説明している。この差額分（約680円）を含めて2019年10月分の公定価格から削除する方針を示していたが、市長会や保育関係者の反対もあり実施を見送った。2020年度ではその分約680円は２号認定こどもの人件費に充てるとして、一般生活費2,451円を1,809円に削減した。

前述したが、新制度に移行する直前の厚労省事務次官通知で「一般生活費」は「給食に要する材料費（３歳未満児は主食及び副食費、３歳以上児は副食給食費）、保育に必要な保育材料費、炊具食器費、光熱水費等」と明記されていた（第２章-2-(4) p140～参照）。

新制度に移行したときは一般生活費は「保育材料費、給食材料費等」と省略した表現で記載された。副食費を園の実費徴収と決めたときに、一般生活費に上げられている「保育材料費、給食材料費等」の内容、特に「等」の内容をきちんと吟味せずに、これまで通知などで使われていない「物価調整費」という用語を唐突にもち出してきた。削減を目的とした極めて恣意的なやり方としか言い様がない。

副食費の中には、食事とおやつの材料費の他に「炊具食器費」や煮炊きする光熱水費等の経費が必要となる。これらの経費や保育材料費等がどのように算定されているのか明確にされるべきである。管理費についても、挙げられている項目の単価額を明確にすべきである。

(3) 公定価格の事業費・管理費と内閣府・厚労省課長連名通知の単価額に大きな食い違い

保育所の事業費と管理費の単価額について、実際保育園に支給されている内閣府告示「令和２年度公定価格単価表」に基づく事業費・管理費の推定額（「Ⅰ公定価格単価表の基本分単価額の内訳」）と内閣府参事官・厚労省課長連名通知

「令和２年度における私立保育所の運営に要する費用について」に基づく事業費と管理費の単価額（「Ⅱ通知に基づく事業費、管理費単価額」）を定員区分別に保育短時間認定（8時間保育）と標準時間認定（8〜11時間保育）別にまとめたのが図表3-3-1である。定員区分は平均定員100人前後６区分に限定し、その平均を算出し下段に示した。この図表に基づいて事業費・管理費の単価額について検討してみる。

①　標準時間認定の単価額は８時間認定より少ないケースもあり

すでに「Ⅰ　公定価格単価表の基本分単価額の内訳」について、8時間認定と標準時間認定とを比較してみる。標準時間保育の基本分単価額は定員により異なるが、8時間認定より約10%（定員170人）〜約16%（定員60人）増であり、平均では約14%増となっている。内訳をみると標準時間認定の人件費単価額は当然8時間認定より約16%高い。定員区分別に標準時間認定の単価額をみると、人件費単価額はいずれも12%（定員150人）〜19%（定員60人）程度高い。事業費・管理費単価額は、定員90人、150人でほぼ同額、120人のみ約29%高いが、定員60人、100人、170人では約11〜17%程度少なく、平均では8時間認定より約3%程度少ない。保育時間が長ければ当然事業費・管理費もその分多く必要になることは明白である。なぜ保育時間の長い標準時間の単価額が安いのか理解に苦しむ。

8時間以上11時間の保育は定員の約4割弱の園児が保育を受けていれば、人件費も8時間保育より約3割程度多くて当然だが、わずか16%増では極めて不十分である。しかも保育事務費、光熱水費、冷暖房費等諸経費もそれなりに必要となることは明白である。それなのに、事業費・管理費等が平均約3%減とは余りにひどい。前述の幼稚園と保育所の8時間保育との比較でも指摘したが、ここでも保育時間の長さに応じた単価設定になっていないことが大きな問題である。子どもの処遇が保育時間が長くなれば公費投入が抑制され、悪くなるということが公然と行われているとも言える。

図表 3-3-1　公定価格基本分単価内訳と私立保育所運営費用通知との比較
（2020 年度、その他地域、4 歳以上児）

定員	i は保育時間 8 時間 ii は保育時間 8～11 時間	I 公定価格単価表の基本分単価額の内訳[1]			II 通知に基づく事業費、管理費単価額[4]			D 事業費・管理費増減額（B－C）[5]	E 増減率（D/C ×100）
		A 基本分単価額）	人件費相当額[2]	B 事業費・管理費[3]	① 事業費	② 管理費	C 計（①＋②）		
60人	i 保育短時間認定	44,090 円（100.0）	41,000 円（100.0）	3,090 円（100.0）	1,809 円	3,168 円	4,977 円（100.0）	▲1,887 円	－37.9%
	ii 保育標準時間認定	51,660 円（116.2）	49,000 円（118.9）	2,660 円（83.2）	1,809 円	3,710 円	5,519 円（110.8）	▲2,859 円	－51.8%
90人	C 保育短時間認定	34,710 円（100.0）	32,000 円（100.0）	2,710 円（100.0）	1,809 円	2,529 円	4,338 円（100.0）	▲1,628 円	－37.5%
	D 保育標準時間認定	39,750 円（114.5）	37,000 円（115.6）	2,750 円（101.4）	1,809 円	2,891 円	4,700 円（108.3）	▲1,950 円	－41.4%
100人	C 保育短時間認定	30,010 円（100.0）	27,000 円（100.0）	3,010 円（100.0）	1,809 円	2,075 円	3,884 円（100.0）	▲874 円	－22.5%
	D 保育標準時間認定	34,550 円（115.1）	32,000 円（118.5）	2,550 円（84.7）	1,809 円	2,401 円	4,210 円（108.3）	▲1,660 円	－39.4%
120人	C 保育短時間認定	27,680 円（100.0）	25,000 円（100.0）	2,680 円（100.0）	1,809 円	1.939 円	3,748 円（100.0）	▲1,068 円	－28.4%
	D 保育標準時間認定	31,460 円（113.6）	28,000 円（112.0）	3,460 円（129.1）	1,809 円	2,210 円	4,019 円（107.2）	▲559 円	－13.9%
150人	C 保育短時間認定	25,340 円（100.0）	22,000 円（100.0）	3,340 円（100.0）	1,809 円	1,807 円	3,616 円（100.0）	▲276 円	－7.6%
	D 保育標準時間認定	28,360 円（111.9）	25,000 円（111.9）	3,360 円（100.5）	1,809 円	2,024 円	3,833 円（106.0）	▲473 円	－12.3%
170人	C 保育短時間認定	25,060 円（100.0）	22,000 円（100.0）	3,060 円（100.0）	1,809 円	1,743 円	3,552 円（100.0）	▲492 円	－13.8%
	D 保育標準時間認定	27,730 円（110.6）	25,000 円（113.6）	2,730 円（89.2）	1,809 円	1,934 円	3,743 円（105.3）	▲1,013 円	－29.0%
平均	C 保育短時間認定	31,148 円（100.0）	28,167 円（100.0）	2,982 円（100.0）	1,809 円	2,210 円	4,019 円（100.0）	▲1,037 円	－25.8%
	D 保育標準時間認定	35,585 円（114.2）	32,667 円（115.9）	2,918 円（97.8）	1,809 円	2,528 円	4,337 円（107.9）	▲1,419 円	－32.7%

※1）公定価格単価額及び加算額は 2020（令 2）年度公定価格単価表及び「特定教育・保育等に関する基準等の実施上の留意事項について」（2020 年 5 月）に基づく。（図表 3-2、保育所（2 号認定）欄参照）
※2）処遇改善 1 の単価額は基本単価額の人件費相当額の 1%（1/100）といわれている。そのため処遇改善 I 単価額×100 の額が人件費相当額になる。
※3）I の「B 事業費・管理費」の額は基本分単価額—人件費相当額として算出した推計値。
※4）II の事業費、管理費の単価額は内閣府子ども・子育て参事官・厚労省保育課長連名通知「令和 2 年度における私立保育所の運営に要する費用について」（令和 2 年 3 月 31 日）に記載の数字を掲載。
※5）平均は定員欄の各定員の単価額総計／6 の平均額、小数点は四捨五入。

②　私立保育所運営費費用通知では標準時間認定単価額は８時間より高い

次に、図表に示した「Ⅱ　通知に基づく事業費、管理費単価額」について、短時間認定と標準時間認定とを比較してみる。標準時間認定の単価額は平均では、短時間認定より約8%弱高くなっている。定員区分別に見ると、定員60人で約10%弱程度、90人、100人では約8%程度等と定員が増えるとやや少なく、170人以上では約5%程度となっている。それなりにバランスを配慮した内容となっているとみられる。こ通知で示されたの単価額が「Ⅰ　公定価格単価表の基本分単価額」の事業費・管理費単価額とほぼ同じ額であって当然といえる。いずれも正式に公表されている単価額であり、ほぼ同じ額となるのが自然といえる。しかし、大きな差があるため、その増減額をＤ欄に示した。その「Ｄ欄　増減額」が「Ｃ①事業費＋②管理費」額に対する割合を「Ｅ増減率」とした。

③　公定価格の事業費・管理費単価額（推計値）は私立保育所運営費費用通知より約３割程度減額

第3に、「Ⅰ　公定価格単価表の基本分単価額」の事業費・管理費（推計値）と「Ⅱ　通知に基づく事業費、管理費単価額」とを比較してみる。Ⅰの公定価格の事業費・管理費（推計値）は、「平均」でみるとⅡの私立保育所運営費用通知で示された事業費・管理費より少なく、保育8時間認定で約25%（1,037円）、標準時間認定では約32%（1,419円）少ない額で算定されている。この減額は園児の生活費として算定されている事業費の約5割強〜8割弱程度が減額されていることになる。年間で約100〜200万円弱程度の減額となる。

更に定員別にみて減額の高いのは、基本分単価で唯一幼稚園の単価額よりやや高い定員60人、定員90人の保育短時間、保育標準時間であり、約2,800円〜1,600円程度も減額され、差額率はマイナス35%〜50%となっていて、私立保育所運営費用通知の事業費・管理費（図表Ｃ欄）の1/2〜1/3程度も減額されていることになる。年額では約130万円程度〜約220万円の減額となる。これに近いのが、100人定員及び170人定員の保育標準時間、120人定員の保育短時間である。これらの削減額は園児の生活費として計上されている事業費1,809円弱程度の減額であり、年額約150万〜200万円程度の減額であり、大変深刻な問題である。

この削減率の高い保育標準時間の場合、いずれも基本分単価の人件費相当額が、保育短時間認定より約14〜19%程度高くなっている。つまり、人件費相当額が高く算定されているケースは事業費・管理費を削減し、調整しているようにも推測できる。なぜ保育所の公定価格の基本分単価や事業費・管理費の単価額が抑制・削減が行われているのか理解に苦しむ。

内閣府や厚労省が発出している通知に示された数字を突き合わせてみて、こうした矛盾が出てきたことに驚愕し、あってはならないことだ。公定価格の内容が、実態を無視しきわめて不透明であることに大きな問題がある。内閣府等は公定価格の設定方法は「積み上げ方式」であると強調している。積み上げ方式であるなら人件費、事業費、管理費にはどのような項目と単価額が積み上げられているかを明確にすべきだ。

4. 幼稚園、保育所の処遇改善等加算Ⅰ及び加算Ⅱの単価額比較について

(1) 新制度・処遇改善等加算Ⅰについて

主な加算額については「図表2-2 公定価格の基本分と加算の構造」(p17)においてあげておいたが、加算基準を踏まえて実施をした場合に加算される仕組みとなっている。そのため加算額をどのように受けるかは施設により異なる。その中で、処遇改善等加算Ⅰは、その施設の職員の平均年数に応じて、加算される仕組みであり、保育所のみならず給付型幼稚園、認定こども園等すべての施設に支給されるようになった。これは一歩前進したといえる。

幼稚園、保育所、認定こども園の処遇改善等加算Ⅰ(基礎分)の取得率は9割以上に達している(第48回子ども。子育て会議資料「公定価格に関する検討事

項」p17)。そのため保育者の処遇改善にとってきわめて重要である。なお新制度開始時は処遇改善等加算であったが、2017年度から処遇改善等加算Ⅱがスタートしたことで、処遇改善等加算Ⅰという名称となった。

処遇改善等加算Ⅰは保育単価制度の民間施設給与等改善費（以下民改費）を引き継いでいる。この民改費は職員の平均勤務年数に応じた加算率に基づき、保育単価基本分に上乗せする仕組みとして長年実施されてきている。その変遷について簡単に整理し、新制度の処遇改善等加算Ⅰの単価額など問題点を検討してみる。

①　民間施設給与等改善費の変遷と処遇改善等加算Ⅰについて

この民改費は1972（昭47）年度に「公立施設の職員給与との格差是正を図る観点から」創設された。それは、基本分保育単価の約4%程度を加算額として位置づけ、「その支弁額の82%を給与改善費（人件費）に充て」、18%を「管理費に充てる」とされた（「児童福祉法による措置費国庫負担金交付基準等の改正点及びその運用について」1972年5月1日年厚生省児童家庭局企画課長)。1976（昭51）年度からは民改費を平均勤務年数4年未満の特例加算分（約3.5%）とそれ以上の一般加算分（約6.5%程度）との2区分に改善された。更に、1978年度からは職員1人当たりの平均勤続年数に応じて加算率は3区分が示されるようになった。

3区分は「4年未満4.5%」、「4年以上7年未満8.5%」、「7年以上10.5%」であり、最高で7年以上までとされた。それぞれの加算率のうち1.5%は管理費加算率とされ、他が人件費加算率として扱われた。その後、平均勤続年数区分は1988（昭63）年度改正で、「7年以上」が「7年以上10年未満10%」、「10年以上12%」に分割され4区分となり、内管理費は全て2%となるなどわずか改善された。それぞれの基本分単価額に加算率を乗じた額（加算額）が支給されるというシステムである。

この88年度改正で同じ児童福祉施設である児童入所施設の民間給与改善費は、「10年以上12年未満13%」、「12年以上14年未満15%」、「14年以上

16%」（いずれも2%は管理費加算分）と保育所より高い水準で改善がされている（「保育白書」各年度版、「児童保護措置費手帳」各年度版参照）。

その後、保育所の加算率は1988年以降2015年度新制度発足まで何らの改善もされなかった。しかし、保育士不足の深刻化を背景に、2013年度、14年度には、保育士等処遇改善臨時特例事業が実施された。それは、民改費の平均勤務経験年数や加算率全体を引き上げるのではなく、職員の給与の上乗せを実績に応じて、支給した実額に対して基準に基づき3%を上限に交付する制度として導入された。給与の上乗せを実施しない場合は支給されないことになる。この時も平均勤務経験年数は最長で「10年以上」であり、変わらずであった。

なおこの平均勤務年数は園長、保育士だけでなく園の全職員を対象として算出することになっている。そのため、新人職員の採用や離職者が出ると大きく影響する。

こうした経過をふまえ、保育単価制度の民改費は、新制度では、処遇改善等加算Ⅰに引き継がれ、若干の改善にとどまっている。

②　処遇改善等加算Ⅰのしくみについて

新制度になり、処遇改善等加算Ⅰの構造が若干改善された。

まず第1に従来の民改費（区間給与改善費）を基礎分とし、保育士等処遇改善臨時特例事業の部分を賃金改善要件分とに分けた。基礎分は、職員の平均年数0年2%、1年3%と1年刻みで10年以上は一律12%として、毎月の委託費（給付費）として支払われる。

第2に、賃金改善要件分は「賃金改善計画・実績報告を要件とした上で、賃金改善に確実に充てること」と「キャリアアップの取組」として「役職や職務内容に応じた賃金設定、資質向上のための計画を策定し、当該計画に係わる研修の実施」等を義務づけている。そのため各保育所が毎年賃金改善計画を市町村に提出し、審査決定し、年末から年度末に各保育所に支給されるという仕組みとなっている。賃金改善要件分の加算率は2015年度11年未満一律3%、11年以上一律4%、そのうちキャリアパス要件分一律1%でスタートした。その後、2017（平29）年度と2019年度に改善され、2020年度現在11年未満一律6%、11年以上一律7%、うちキャリアパス要件分は一律2%となっている。

第３に、平均勤務年数区分はこれまでの４区分から平均勤務年数10年までは１年刻みに改善したが、10年以上については、これまでの「10年以上」が「11年以上」と１年だけ引き上げられたに過ぎない。そのため平均勤務年数11年以上の基礎分加算率は「10年以上11年未満」と同じ12%であり、11年以上の勤務職員については加算アップが保証されていないことになる。処遇改善等加算の目的では「人材の確保及び資質の向上を図り、質の高い教育・保育を安定的に供給していくために、『長く働くことができる』職場を構築する必要がある」とうたっている。しかし、平均勤務年数11年以上については基本分加算率アップがないという仕組みは目的に沿っていないのではないか。目的の趣旨に沿った改善計画が示されるべきだ。

同じ児童福祉施設である児童福祉入所施設の民改費は新制度に伴い大幅に改善された。具体的には平均勤務年数区分が「5年以上6年未満」からＩ年ごとの勤務年数で毎年1%引き上げられ、最長で「20年以上」で加算率25%と大幅な改善がされた（詳細は「保育白書2015年版」p83〜84）。これと比較すると、保育所の処遇改善は極めて抑制されているといえる。1988（昭63）年度に「10年以上12%」が位置づけられ、30数年後にやっと「11年以上12%」が位置づけられたに過ぎず、30数年前の水準にとどまり、改善とはほど遠い若干の手直しに過ぎないといえる。保育の質の向上、働き方改革などが叫ばれていながら、さらに前述のように子ども・子育て会議でもこの平均年数区分の改善が求められ、具体的にはまず「14年以上」までの区分の改善が求められているのに、一向に改善が進まない（詳細は第2章-2-(3) p129〜参照）。

③　処遇改善等加算Ⅰの単価額の比較—保育時間の長い保育所が幼稚園より安い

処遇改善等加算Ⅰ（以下処遇改善Ⅰ）は、ⅰ基礎分＋ⅱ賃金改善要件分（キャリアアップ要件分2%を含む）で構成されている。その加算単価額は公定価格基本分単価の人件費の約1%相当額を設定しているとされている。加算単価に職

図表 3-4-1　処遇改善等加算Ⅰの単価比較（その他地域、4歳以上児）

定員	幼稚園（1号認定）	保育所（2号認定）	
		保育短時間認定	保育標準時間認定
60人	390円（100）	410円（105）	490円（126）
90人	310円（100）	320円（103）	370円（119）
100人	290円（100）	270円（93）	320円（110）
120人	270円（100）	250円（93）	280円（104）
150人	250円（100）	220円（88）	250円（100）
170人	240円（100）	220円（92）	250円（104）
平均	292円（100）	282円（97）	327円（112）

※1）各欄の単価額は内閣府「令和2年度公定価格単価表」（2020年4月1日）に基づく。
2）（　）内は幼稚園の単価を100とした指数。
3）平均は定員60人、90人、100人、120人、150人、170人の単価額を合計して6で除した数、小数点四捨五入。

員の平均勤務経験年数（加算率）を乗じた額で算定される。つまり、処遇改善Ⅰの加算額は基礎分（加算単価額×加算率（最高12%〈平均勤務経験年数10年〉）と賃金改善要件分（加算単価額×加算率〈平均勤務経験年数11年未満一律6%、11年以上一律7%〉）とを加算した額である。

この加算単価額は地域区分、定員区分、認定区分、年齢区分（0歳児、1・2歳児、3歳児、4歳以上）別に定められている。ここでは、2020年度公定価格における「その他地域」、「4歳以上」のケースについて、幼稚園（1号認定子ども）と保育所（2号認定子ども）の短時間認定（8時間保育）、標準時間認定（8〜11時間））との単価を6つの定員別に比較して見てみる（図表3-4)-1)。

60人定員では、1号認定単価額は390円だが、2号8時間認定は410円と1号認定より約5%高い額、標準時間認定は490円と1号認定の約29%高くなっている。90人定員は1号認定単価額が310円だが、2号8時間認定は320円と1号認定より約3%増でほぼ同じで、標準時間認定は370円と1号認定の約19%増に過ぎない。

しかしそれ以上の定員になると、8時間認定（2号認定）は保育時間の短い幼稚園（1号認定）の単価より少なくなる。8時間認定の単価額は100人定員、120人定員では幼稚園（1号認定）の単価より約7%減、150人定員では約12%

減、170 人定員では約８%減である。しかも、２号標準時間認定でも 150 人定員では１号認定単価額とほぼ同じであり、120 人、170 人定員では 4%増でしかない。平均で見ても２号８時間認定は幼稚園の単価より 3%減であり、２号標準時間は 12%増にとどまっている。

保育所の月保育日数は約 1.25 倍、月保育時間は約 1.6〜2.2 倍となっているのに、幼稚園単価と同じか低いという単価設定は明らかにおかしい。保育日数や保育時間の長さは、保育士等職員の配置や人件費が増えることは明白であり、単価の算定の際当然考慮されなければならない。保育士等職員の配置数は幼稚園より約 1.5 程度多くて当然。保育士処遇の悪さはここに大きな要因があると言える。

第２に問題なのは保育所における８時間保育認定とそれより３時間多い標準時間認定（8 時間〜11 時間）の単価額を比較してみる。平均で標準時間認定は約 15%程度の増にとどまっている。８時間保育を受けている子どもの平均約４割が標準時間認定の保育を受けている状況を踏まえるなら約 30%程度増であってもおかしくない。120 人、150 人、170 人定員では 11 時間保育の標準時間認定の単価額が幼稚園とほぼ同額となっているのには驚く。ここでも保育時間の長さがほとんど考慮されていない。4 時間標準保育の経費額並みで８時間保育、11 時間保育が強いられているといっても過言ではない。

このように保育時間の長さや経験年数の長さがきちんと評価されていないことは保育の質の向上に逆行することであり、早急な改善が求められている。

(2) 処遇改善加算Ⅱにみる幼稚園と保育所の格差

処遇改善Ⅱの加算額は前述したように①〈単価額×人数Ａ（基礎職員数×1/3)〉と②〈単価額×人数Ｂ（基礎職員数×1/5)〉とを加算した額である。つまり、加算額は単価額と基礎職員数で決まる。

①人数Ａは「副主任保育士・専門リーダー（経験年数概ね７年以上）の職員」（月額４万円の処遇改善の対象者）を対象とし、②人数Ｂは職務分野別リーダー・若手リーダー（経験年数概ね３年以上）の職員（月額５千円の処遇改善の対象者）

図表 3-4-2　処遇改善等加算Ⅱの加算単価額比較（2020 年９月村山作成）

		幼稚園	保育所	認定こども園	
		１号認定	２・３号認定	１号認定	２・３号認定
① 人数Ａ単価	2020 年度	51,030 円(104.5) 【101.2】	48,790 円(100.0) 【100.2】	49,950 円(102.3) 【100.8】	49,900 円(102.2) 【100.7】
	2017 年度	50,420 円(103.6) 【100.0】	48660 円(100.0) 【100.0】	49,540 円(101.8) 【100.0】	49,540 円(101.8) 【100.0】
② 人数Ｂ単価	2020 年度	6,380 円(104.5) 【101.2】	6,100 円(100.0) 【100.3】	6,240 円(102.2) 【100.8】	6,240 円(102.2) 【100.8】
	2017 年度	6,300 円(103.6) 【100.0】	6,080 円(100.0) 【100.0】	6,190 円(101.8) 【100.0】	6,190 円(101.8) 【100.0】

1）数値は各年度の内閣府「公定価格単価表」に基づく
2）横各欄の指数（100.0）は保育所単価額を 100 とした場合。縦欄の指数【100.0】は 2017 年度単価額を 100 とした場合

を対象とするとされている。そのため、職務と経験年数の違いから①人数Ａと②人数Ｂの単価額は異なっている。基礎職員数は実際の職員数ではなく、公定価格でカウントされている職員数に限定されている。以下で単価額と基礎職員数について検討する。

①　処遇改善等加算Ⅱの単価額と不合理な格差

第１に、処遇改善等加算Ⅱの単価額について、発足当初の 2017 年度と 2020 年度の幼稚園、保育所、認定こども園の単価額を比較したのが図表 3-4-2 である。処遇改善等加算Ⅱの発足当初の 2017 年度の支給単価額について、幼稚園と保育所を比較してみる。幼稚園は①人数Ａ単価が 50,420 円、②人数Ｂ単価が 6,300 円、保育所は①人数Ａ単価が 48,660 円（前年 48,790 円、前年比 0.1%）、②人数Ｂ単価が 6,080 円である。なぜか保育所は幼稚園より約 3%強少ない額となっている。

しかも、保育所も、認定こども園も、同じ２・３号認定の子どもの保育を営んでいるに、認定こども園より保育所は約 2%弱安く設定されている。常識では考えられない不合理な格差である。2017 年度と 2020 年度を比較するとこの格差が少し広がり、保育所の単価額は幼稚園より約 5%弱、認定こども園より

約2%強少ない額となっている。この不合理な格差が少しづつ拡大する傾向にあるようだ。

この加算額は本来、保育士・教諭の職務や勤務経験年数に基づき設定されているはずだ。経験年数については施設や保育の形態に関わりなく平等に扱われるべきである。職務については、保育時間・保育日数や保育の形態など保育の仕事の実態を踏まえて位置付けられるべきである。

２号・３号認定こどもの保育に従事している保育士・教諭は１号認定こどもの保育（幼稚園・認定こども園）と比較して、０歳児からの乳幼児の多様な保育形態であり、保育時間・日数の長い職務を遂行していることは明白である。そのため、１号認定保育と、２号・３号認定保育とに職務内容上生じる差を考慮すれば、２号・３号認定の単価額が若干高い場合でも合理的な説明がつく。しかし、逆に多様で複雑な保育を営んでいる２号・３号認定の保育士・教諭の単価額が安いというのは明らかに不合理である。１号認定こどもの単価が高いのではなく、２・３号認定こどもの単価額が低すぎることに問題がある。そのうえ、保育所、幼稚園、認定こども園等の施設形態の違いで単価額に差があることは、園児や保育士・教諭の処遇に施設間格差を公然と持ち込んでいることになる。

②　対象職員数のカウントの格差

第２に①人数Ａと②人数Ｂの基礎職員数について　前章で示した図表2-2（p122）を踏まえて、検討する。

基礎職員数はⅠ「定員区分による対象者数」+Ⅱ「年齢別配置基準による職員数」+Ⅲ「加算等による職員数」の合計となっている。Ⅰ「定員区分による対象人数」は、施設定員により異なり、Ⅱ「年齢別配置基準による職員数」は、国の保育士配置基準にもとづいて幼稚園、保育所ともカウントした職員数であり、国の年齢別配置基準職員数であり、実際の職員数ではない。ここでは「年齢別配置基準保育士・教諭数」とする。Ⅰ、Ⅱとも公定価格上共通に定められた基準であり、差はない。

Ⅲ「加算等による職員数」には公定価格の基本分加算部分と処遇改善等加算Ⅰ・Ⅱの職員を除く、公定価格に位置付いている加算職員が対象となっている。加算対象となる職員が多ければ、基礎職員数が増えることになる。加算項目は前述したように幼稚園、保育所認定こども園等施設により違いが見られる。その差が処遇改善Ⅱの加算額に大きな影響を及ぼすことになる（第2章-2-(3) p129～参照）。

幼稚園の場合は、チーム保育加配加算（定員に応じ1～8人）、通園送迎加算（定員150人以下0.8人、151人以上1.5人）、給食実施加算（定員150人以下2人、151人以上3人但し自園調理に限定）、主幹教諭等専任加算（1人）等があり、さらに2018年度から事務職員配置加算（定員91人以上0.8人）、2019年度から講師配置加算（0.8人）が付け加えられ9つの加算が位置付けられ、最大17.2人の職員の加算が位置づけられている。2020年度に栄養管理加算（A：配置）0.5人が新たに設置された。給食実施加算は自園調理に限定して、これまでより1人増え150人以下は2人、151人以上は3人と改正された。この配置人数は保育所の調理員配置基準に準じている。但し2020年度に限り外部搬入調理を認めて1/2の配置数とするとされている。

9項目のうち定員に関係なく全ての施設が対象になるのは、チーム保育加配加算（定員に応じ1～8人）、主幹教諭等専任加算（1人）等5項目で5.3人～最大で14人である、その他定員規模で受けられる加算は4項目で最大3.2人である。

これと比較して、保育所の場合は保育標準時間認定の児童がいる場合（1.4人）、主任保育士加算（1人）、事務職員雇上加算（0.3人）、チーム保育推進加算（平均経験年数12年以上の施設1人）、休日保育加算（0.3人）、栄養管理加算の6項目だけとなっている。加算対象となる職員もわずか最大で4.8人しか位置づけられていない。

保育標準標準時間認定実施は8時間以上11時間保育を実施している施設が対象となり、ほとんどの保育所が該当する。休日保育加算を取得している保育所はわずか5%程度に過ぎない。また、チーム保育推進加算については該当施設の職員平均勤務年数15年以上ということでスタートし、取得している保育所は約7%程度にすぎない（「保育所等の運営実態に関する調査結果〈速報〉平成31年1月28日」）。2020年度から平均勤務年数12年以上ということになり、約3割強の施設が該当するといわれている。

このチーム保育推進加算という名称は幼稚園のチーム保育加配加算と言葉は類似しているが、前述したように内容に大きな違いがある（2章−2−(3) p129〜参照）。定員に関係なく全ての施設が対象となるのは、保育標準時間認定（1.4人）、主任保育士加算（1人）、事務職員雇上加算（0.3人）、栄養管理加算（0.6）の4項目で最大で3.3人に過ぎない。

認定こども園では２号・３号認定に対して調理員が1〜3人、さらに休憩保育士0.8〜1人が位置づけられているが、２号・３号認定の子どもの保育を営んでいる保育所には位置づけられていない。特に調理員については、幼稚園についても給食実施加算で２人〜３人になっている。どういうわけか保育所だけ調理員数が位置付けられていない。同じ２号・３号認定の子どもの保育でありながら、施設間に格差を持ち込むことは極めて不合理である。

このように幼稚園の場合は加算職員が多いため、加算Ⅱの対象職員数（人数A＋人数）が公定価格の「年齢別配置基準保育士・教諭数」より多い人数がカウントされる。しかし、保育所の加算Ⅱの対象職員数は加算対象職員が極めて少ないため、年齢別配置基準保育士・教諭数より少ない人数がカウントされている。

(3) 処遇改善等加算Ⅱの具体的事例での検討

処遇改善等加算Ⅱの加算額単価と加算算定対象職員数の算定基準について、幼稚園（1号認定）と保育所（2号・3号認定）との間に格差があることを検討してきた。それについて、具体的な事例として平均利用定員の幼稚園、保育所のケースについて、処遇改善等加算Ⅱの月額加算額がどの程度保障されるかをまとめたのが図表3−4−3である。これに基づき検討してみる。

図表 3-4-3　処遇改善等加算Ⅱの加算対象職員数の算定と加算額の比較（2020.08 村山作成）

		幼稚園（1号認定子ども） （私立平均利用定員約108人）	保育所（2号認定子ども） （私立平均利用定員約102人）
単価額		人数Ａ 51,030円、人数Ｂ 6,380円（100.0）	人数Ａ 48,790円、人数Ｂ 6,100（95.6）
加算Ⅱ算定対象職員数の算出	対象職員算出計算方式	Ⅰ 定員区分＋Ⅱ 年齢別基準職員＋Ⅲ 加算等職員数（b～j（9項目））の合計から、k,, l の合計を減じた人数（基礎数）。この基礎数に人数Ａは1/3，人数Ｂは1/5を乗じた人数（1人未満の端数は四捨五入）	Ⅰ＋Ⅱ＋Ⅲ（b～g6項目））の合計人数（基礎数）。この基礎数に人数Ａは1/3，人数Ｂは1/5を乗じた人数（1人未満の端数は四捨五入）
	基礎職員数および加算額算定対象職員数	平均利用定員約108人の場合 （4歳以上88人、3歳児20人，5学級） ※基礎職員数 Ⅰ 1.4人＋Ⅱ 3.9人＋Ⅲ 7.9人（b 0.8＋c 2＋d 0.8＋e 2＋f 1＋g 0.8＋j 0.5人）＝13.2人⇒13人 ※加算額算定対象職員数（①＋②＝7人） ①人数Ａは13人／3＝4.3人⇒4人 ②人数Ｂは13人／5＝2.6人⇒3人	平均平均利用定員102人の場合 （0歳児8人、1･2歳児25人、3歳児19人、4歳以上40人）平均経験年数12年以上の施設 ※基礎職員数 Ⅰ 2.3人＋Ⅱ 9.1人＋Ⅲ 4.3人（b 1.4＋c 1＋d 0.3＋f 1＋g 0.6）＝15.7人⇒16人 ※加算額算定対象職員数（①＋②＝8人） ①人数Ａは16人／3＝5.3人⇒5人 ②人数Ｂは16人／5＝3.2人⇒3人
加算月額	①人数Ａ	51,030円×4人＝204,120円（100.0％）	48,790円×5人＝243,950円（119.5％）
	②人数Ｂ	6,380円×3人＝19,140円（100.0％）	6,100円×3人＝18,300円（95.6％）
	総額（①＋②）	月額223,260円（100.0％）	月額262,250円（117.4％）

※内閣府・文科省・厚労省連名通知「施設型給付費等に係る処遇改善等加算Ⅰ及び処遇改善等加算Ⅱについて」（2020（令2）年7月20日）、及び令和2年度公定価格単価に基づく。
※平均利用定員数は内閣府等「令和元年度幼稚園・保育所・認定こども園等の経営実態調査集計結果〈速報値〉【修正版】」（2019（令元）年11月26日）に基づく
※1号認定のＣチーム保育加配加算の利用定員区分の上限人数は45人以下：1人、46人～150人以下：2人、150人以上240人以下：3人、241人以上270人以下：3.5人、271人以上300人以下：5人、301人以上450人以下：6人、451人以上：8人

①　幼稚園、保育所の処遇改善Ⅱ加算額の算出方式

幼稚園、保育所とも約100人程度と類似しているが、3歳～5歳児の幼稚園と、0歳～5歳児の保育所とは年齢構成が大きく異なり、保育形態も異なる。そのため「Ⅱ年齢別配置基準保育士・教諭数」では定員108人の幼稚園は3.9で4人だが、定員102人の保育所は9.1で9人であり、公定価格の職員配置基準では、保育所は幼稚園の2.3倍の職員数となる。次に「Ⅲ加算等による職員数」をみてみるが、幼稚園と保育所とは大きく異なる。

幼稚園では、定員により受けられる加算項目や配置数が異なる。108人定員

の場合はｂ講師配置加算 0.8 人、ｃチーム保育加配加算２人、ｄ通園送迎加算 0.8 人、ｅ給食実施加算２人、ｆ主幹教諭等専任加算１人、ｇ事務職員配置加算 0.8 人、ｊ栄養管理加算 0.5 人の７項目で 7.9 人がカウントされている。その結果、算定基礎職員数はⅠ定員区分 1.4 人＋Ⅱ年齢別職員配置基準 3.9 人＋Ⅲ加算職員数 7.9 人で 13.2 で 13 人となる。この園では減算２項目の適用なしとする。これを踏まえた処遇改善等加算Ⅱの対象職員数は①人数Ａは 13 人／3 で４人、②人数Ｂは 13 人／5 で３人で計７人となり、月額加算額は約 22 万３千円（① 51,030 円×4 人＋② 6,580 円×3 人）が支給されることになる。

保育所では、加算の配置数は定員規模で異なるということはない。ここでは平均勤務年数 12 年以上の施設とし、チーム保育推進加算を取得するとした。その結果、Ⅲ加算職員数はｂ保育標準標準時間認定実施 1.4 人、ｃ主任保育士専任加算１人、ｄ事務職員雇上加算 0.3 人、ｆチーム保育推進加算１人、ｇ栄養管理加算 0.6 人の５項目で 4.3 人となる。保育所の加算職員 4.3 人は幼稚園 7.9 人の５割（54%）程度と半分に過ぎず、極端に少ない。その結果、基礎職員数はⅠ定員区分 2.3 人＋Ⅱ年齢別職員配置基準 9.1 人＋Ⅲ加算職員数 4.3 人で 15.7 で 16 人となる。処遇改善等加算Ⅱの対象職員数は①人数 A16 人／3＋②人数 B16 人／5 で３人、計８人となり、月額加算額は約 26 万２千円（① 48,790 円× 5 人＋② 6,100 円×3 人）が支給されることになる。

処遇改善等加算Ⅱの支給総額では幼稚園より保育所の方がわずか（約 17%）多いだけである。保育所の月保育日数は約 1.25 倍、月保育時間は約 1.6〜2.2 倍という状況を考えると、ここでも実態に応じた額にはなっていないといえる。さらに、このデータのもう一つの問題は、処遇改善等加算Ⅱの支給総額に大きく影響しているのは、公定価格にカウントされている職員数であり、この問題について検討してみる。

②　公定価格の年齢別基準職員数と処遇改善加算Ⅱの対象職員数―ここでも幼稚園と保育所に格差

そこで、図表 3-4-3 での「加算Ⅱ　算定対象職員数の算出」において記載さ

図表 3-4-4　国の年齢別基準職員数と処遇改善等加算Ⅱの基礎職員数
—幼稚園は年齢別基準職員数の約 3.3 倍、保育所は約 1.8 倍—

	幼稚園（1 号認定子ども）（私立平均利用定員約 108 人）	保育所（2・3 号認定子ども）（私立平均利用定員約 102 人）
A Ⅰ定員区分の基礎職員数	1 人（1.4 人）	2 人（2.3 人）
B Ⅱ公定価格の年齢別配置基準保育士・教諭数〈指数〉	4 人（3.9 人）〈100.0%〉	9 人（9.1 人）〈100.0%〉
C Ⅲ公定価格の加算等による職員配置数	8 人（7.9 人）〈200.0〉	4 人（4.3 人）〈44.4〉
D 処遇改善等加算Ⅱの基礎職員数（A＋B＋C）	13 人（13.2 人）〈325.0〉	16 人（15.7 人）〈177.7〉
E 処遇改善等加算Ⅱの対象職員数（①人数 A＋②人数 B）	7 人〈175.0〉	8 人〈88.8〉

※A、B、C、D の数字は図表 3-3C の基礎職員数である。
※（　）はそれぞれの計算式で算出した数字。「D 加算Ⅱの基礎職員数」はその数値を四捨五入した数値。
※〈　〉は「A Ⅱ国の年齢別配置基準保育士・教諭数」を 100 とした指数

れている「Ⅱ　年齢別基準職員数」、「Ⅲ　加算等職員数」及び「加算額算定対象職員数（①人数 A、②人数 B）」等を取り出して、幼稚園、保育所の国の職員配置基準（「Ⅱ　年齢別基準職員数」）との関連で処遇改善加算Ⅱの加算職員配置状況をまとめたのが、図表 3-4-4 である。これを踏まえて公定価格での職員配置状況を検討してみる

公定価格の「BⅡ　年齢別配置基準保育士・教諭数」では幼稚園は４人、保育所は９人となる。この保育士・教員数は必ず配置しなければならない配置数である。処遇改善加算Ⅱの職員配置数は、この基準に応じた対応が進められているのかどうかについて検討してみる。

「CⅢ　加算等職員配置数」では幼稚園８人、保育所４人となっている。この数字を「BⅡ　年齢別配置基準」と比較してみると幼稚園の８人は「Ⅱ　年齢別配置基準」４人の２倍だが、保育所の４人は「Ⅱ　年齢別配置基準」９人のわずか４割にとどまっている。しかも、幼稚園では「加算等職員配置数」において、事務職員、給食職員、運転手等の職員が位置づけられている。しかし、保育所では調理員等給食職員の配置が義務づけられ、事務職員や看護師の配置も

位置づけられているが、いずれについても何ら位置づけされていない。保育所の実情が全く無視されているとしか言い様がない。

さらに、このＢとＣに「ＡⅠ　定員区分の基礎職員数」を加えた「処遇改善等加算Ⅱの基礎職員数をみると、幼稚園は12人で「年齢別配置基準保育士・教諭数」の約3.2倍強（325％）、保育所は13人で約1.7倍強（177％）と余りにも少ない。その結果、「Ｅ 処遇改善等加算Ⅱの対象職員数（①人数Ａ＋②人数Ｂ）については、幼稚園は７人、保育所は８人となる。幼稚園７人は年齢別配置基準保育士・教諭数４人の約1.77倍（177％）の職員数が対象となるが、保育所の８人は、年齢別配置基準保育士・教諭数９人の約0.9倍（88.8％）にすぎない。幼稚園並みの水準になれば15から16人の職員数が対象になってもおかしくない。

しかも、各種データによれば、一般的な保育所は、国の職員配置基準の保育士配置数では保育が困難なため、国基準の約1.6～1.8倍程度の保育士を配置し、職員全体では公定価格の職員配置基準の約２倍近くの職員配置で運営していることが明らかになっている（第２章－2－(2) p123～参照）。その場合、多くは非常勤保育士として配置されているのだが、こうした基準外の職員は対象としてカウントされていない。それなのに、公定価格の年齢別配置基準に応じた対応もされないというのは余りにもひどい。

このように、処遇改善等加算Ⅱの加算額算定の基礎となる単価額と基礎職員数について、いずれも１号認定こどもの保育（幼稚園・認定こども園）より２号・３号認定子どもの保育（保育所・認定こども園）の方が少なく算定され、しかも、保育所のみは保育士以外の調理員や看護師、事務職員などの職員も除外するなど格差の拡大がすすめられ、さらに単価額でも格差がつけられている。

これは保育時間・保育日数も多く、０歳児からの多様な保育である２･３号認定こどもの保育を低く位置付け、安上がりに進めようとしているのではないかと思われても致し方ない。１号認定こどもの保育と２･３号認定こどもの保育に格差があって当然であるかのような施策に見られる。

もしそうであるなら子ども・子育て支援法の「子ども・子育て基本指針」の

理念にもする内容であり、新制度のあり方にかかわる重大な問題である。公定価格基本分、処遇改善Ⅰ、Ⅱとも幼稚園については改善がされつつあるが、保育所については一向に改善が進まず、取り残されていると言える。保育所の公定価格・処遇改善は幼稚園の基準をふまえて、保育時間や日数の長さを考慮した職員配置に改善することが早急に求められている。このことが保育士処遇改善の最も重要な課題であり、保育士確保困難問題の改善の最も近道と言える。

5. 幼稚園と保育所の公定価格総額（4歳以上児、3歳児）の比較―保育所（8時間保育）の公定価格は幼稚園（4時間標準保育）より約20%弱～30%強少ない

これまで公定価格の基本分単価額、処遇改善加算Ⅰ及びⅡ、その他主な加算等について個別的に検討を行ってきた。これを踏まえて公定価格がどのように算定されているのかを具体的に検討する。

(1) 幼稚園定員100名と保育所100名の4歳以上児の単価の比較について

公定価格の基本分単価、処遇改善Ⅰの単価額は、0歳児、1･2歳児、3歳児、4歳以上児の年齢区分により、職員配置基準が異なるため、単価額も異なる。各年齢の基本単価額には、主に①年齢別クラスの担当職員の人件費、②年齢別の園児に係わる事業費、③園長、副園長、主任保育等園全体に係わる人件費、④施設全体に係わる管理費・事業費から構成されている（詳細は第2章-2、4）p51～参照）。①と②の経費は年齢別の園児数で分担し合うことになるが、③と④は施設全体の経費であることから定員数で分担するという仕組みになっている。そのため、一般的には年齢別園児や定員数が多ければ、一人当たりの単価額は安くなるが、少なければ高くなるということになる。ここでは、4歳以上児園児1人当たり公定価格単価額について、幼稚園・保育所の平均定員に近い定員100人（その他地域、加算率12%）の場合を図表3-5-1にまとめてみた。

こうした比較をすると、幼稚園は３歳以上の定員であり、保育所は０歳児からの定員であり、３歳以上児は幼稚園より園児が少ないから、人件費も安くすむのではないかという疑問が出てくるかもしれない。まずこの問題に少し触れてみる。

保育所の場合は３歳以上児は平均的には定員の約６割程度とされている。これを踏まえると保育所定員100名の場合は３歳以上児は約60人と推計できる。幼稚園100人の定員は全て３歳以上である。

保育所も幼稚園も３歳以上児の単価額には３歳以上児の保育を営む①保育士・教員の人件費と②事業費、さらに施設全体に係わる③と④の経費が含まれることになる。幼児60名は３クラス、100名５クラス程度と推測できる。配置基準定数が同じであれば、全体としては園児１人当たりの負担額は変わらないか、園児が多ければ負担は軽くなる。例えば幼稚園の定員60名の場合は基本分単価は41,430円で100名定員より約32％（約１万円）高く、処遇改善加算Ⅰの単価額も390円と約34％高い。

今回の場合は幼稚園定員100名と保育所定員100名の内３歳以上児60名とを比較する。この場合の３歳以上児の単価額は、単価基準が同等であれば、共通に係わる経費単価は幼稚園は100名で、保育所は60名で分担し合うことから、当然幼稚園定員100名より保育所60名はやや高い単価額となってもおかしくない。こうした点を踏まえて、図表3−5−1を解説しながら、問題点を整理する。

(2) 基本分単価と処遇改善等加算について―保育所８時間保育認定の単価額は幼稚園より安いのはなぜ

まず、Ａ欄の「基本分単価」の対象となる経費は約９割程度が人件費、残りは管理費、事業費となっている。基本分単価の人件費については、幼稚園の場合は園長＋教諭（配置基準上の教諭）＋学級編成調整教諭１人＋事務職員等の人件費、保育所の場合は園長＋保育士（配置基準上の教諭）＋調理員等２人等である。保育士・教諭は幼稚園が１名多い。基本分単価額は幼稚園（４時間標準）

図表 3-5-1　幼稚園と保育所の 4 歳以上児 1 人当たり公定価格単価額比較（2021 年度当初）

保育所単価（8 時間保育）総額は幼稚園単価より安い

（その他地域・100 人定員・平均経験年数加算率 12%）の場合村山祐一（2021.06 作成）

			4 歳以上児の公定価格単価額		
			幼稚園（1 号認定） （幼稚園を 100 とした指数）	保育所（2 号認定）	
				保育短時間認定	保育標準時間認定
A公定価格基礎単価合計額	A1 基本分単価		31,380 円（100.0）	29,960 円（95.4）	34,490 円（109.9）
	A2 処遇改善等加算	処遇改善等加算Ⅰ	3,480（290×12）	3,360（280×12）	3,840（320×12）
		処遇改善等加算Ⅱ	① 511 円×人数 A （51,140 円／ 月初日子ども数） ② 64×人数 B （6,390 円／ 月初日子ども数）	① 489 円×人数 A （48,860 円／月初日子ども数） ② 61×人数 B （6,110 円／月初日子ども数）	
		加算Ⅰ＋Ⅱ計	4,055 円（100.0）	3,910 円（96.4）	4,390 円（108.2）
	A 合計額（A1＋A2）		35,435 円（100.0）	33,870 円（95.6）	38,880 円（109.7）
B主な加算	①副園長・教頭設置加算		1,008 円	なし	
	②主任保育士専任加算		なし	2,876	
	③主幹教諭等専任加算		1,215 円	—	
	④ 3 歳児配置改善加算＊		（3 歳児のみ）	（3 歳児のみ）	
	⑤チーム保育加配加算（全園対象定員に応じて 1 人〜8 人）		4,230（1 人）〜 8,460 円（2 人） （1 人〜2 人対象）	なし	
	⑥チーム保育推進加算（全職員平均経験年数 12 年以上のみ）			4,330 円（1 人のみ）	
	⑦給食実施加算		2,440 円（週 5 日園内調理）	基本分に算入	
	⑧通園送迎加算		824 円	なし	
	⑨講師配置加算		（定員 35 人以下、 121 人以上）	なし	
	⑩事務職員雇上費加算		—	516 円	
	⑪事務職員配置加算		（定員 91 人以上）874 円	—	
	⑫冷暖房費加算		110 円	110 円	
	⑬子育て支援活動費加算		45 円	なし	
	B 主な加算計		10,746〜14,976 円（100.0）	7,832 円（72.8〜52.2%）	
C 総計額（A＋B）			46,181〜50,411 円（100.0）	41,702 円 （90.3〜82.7）	46,712 円 （101.1〜92.6）

☆採用した単価額は政府図表「2021 年度公定価格単価表」に基づく。

☆幼稚園のチーム保育加算は「必要教員数を超えて教員を配置する場合」、1 人当たりの単価額。加配教員数は 45 人以下は 1 人、46〜150 人以下は 2 人、151 人以上 240 人以下 3 人、241 人以上 270 人以下 3.5 人、271 人以上 300 人以下 5 人、301 人以上 450 人以下 6 人、451 人以上 8 人を上限として加算。保育所の場合は平成 28 年度創設された「チーム保育推進加算」は「全職員の平均経験年数が 15 年以上」の保育所（対象園 1 割程度）のみ対象、2020 年度から 12 年以上にやや緩和された（内閣府等 2020 年 5 月 12 日通知「特定教育・保育等に要する費用の額の算定に関する基準等の改正に伴う実施上の留意事項について」に基づく）。対象となる保育所は約 3 割程度。

☆公定価格単価額は小数点第 1 位を四捨五入。指数（%）は小数点第 2 位を切り捨て

☆ 1 号認定の加算額に 2019 年度より「講師配置加算」（平均約 9 万円程度）を新設。

で31,380円、保育所の短時間認定（8時間保育）は29,960円と約5％程度安くなっている。保育所の標準時間認定（8〜11時間保育）は8時間認定より人件費等の経費が約15％程度上乗せされ34,490円となっているが、幼稚園より約10％程度高いだけである。

次に「A2処遇改善等加算」の加算Ⅰの単価は幼稚園290円、保育所の8時間認定280円、標準時間認定320円となっているが、この単価額は基本分単価の人件費の1％額といわれている。そのためこの単価額に100％を乗じた額が人件費相当になる。つまり基本分に占める人件費相当額は幼稚園は290円×100で29,000円（100.0％）、保育所8時間は28,000円（96.5％）、標準時間32,000円（110.3％）となっている。図表での処遇改善Ⅰは1％額の単価額に園職員の平均経験年数12％を乗じた額が示されている。

保育時間の長い保育所短時間の単価額及び基本単価額に占める人件費が幼稚園より約4％少ないのはなぜか。その主な理由は幼稚園では教諭（配置基準上の教諭）以外に学級編成調整教諭1人を配置しているが、保育所には保育時間が長いのに配置されていないことにある。

幼稚園も保育所も園長＋教諭・保育士（配置基準上）は共通だが、それ以外の職員数は幼稚園では事務職員と学級編成調整教諭の2人が位置づけられ、その人件費単価額はいずれも1人約340万円（年額）で計680万円（年額）となる。保育所で調理員2人で人件費単価額は280万円（年額）で560万円（年額）となる（詳細は図表3−1−5 p197参照）。つまり、この人件費だけでも保育所は幼稚園より120万円（年額）少ない額となる。この人件費の格差が処遇改善等加算Ⅰ、Ⅱの基本単価額の差にも連動している。

処遇改善等改善Ⅰ＋Ⅱは幼稚園4,055円だが、保育所の8時間保育は幼稚園より約4％弱安い3,910円となっている。標準時間認定は幼稚園より約2倍程度長い保育時間でありながら、幼稚園より僅か約8％増にとどまっている。

(3) 主な加算額について—保育所は幼稚園の30％弱〜50％弱少ない単価額

「B主な加算」について、保育に直接関わる保育士・教諭の加算をみると、幼稚園では副園長＋主幹教諭＋チーム保育加配加算１人〜２人と３人〜4 人の加算であり、配置してあれば全ての園が対象となる。これに対して保育所は主任保育士＋チーム保育推進加算１人（平均経験年数 12 年以上の施設）の２人だけの加算である。しかし、平均経験年数 12 年に該当するのは全保育所の３割程度であり、ほとんどが該当外である。しかも、職員の退職者や新任者等の変動で平均経験年数 12 年に達していなければチーム保育推進加算の対象施設にならない。そのため、どの保育所でも安定して加算を受けられるのは主任保育士１人となる。保育所の保育士等の加算数は幼稚園の３分の 1、４分の１に過ぎない。

また子どもに係わる事業費で冷暖房費があるが、一律月 110 円で幼稚園の場合は夏休み等長期休暇が 40 日程度あるがその間も支払われるのに、保育所の保育時間の長さや日数は全く考慮されていない。常識的に考えても不合理な単価設定と言わざるを得ない。

図表 3-5-1 の保育所のケースは、平均経験年数加算率 12％であり平均経験年数 12 年の場合を想定していることから、チーム保育推進加算１人の加算があるとして計算してある。

この「B 主な加算計」」では、幼稚園は 10,746 円（チーム保育加配加算１人）〜14,976 円（同加配加算２人）だが、保育所８時間・標準時間ともに 7,832 円であり、幼稚園より 30％弱〜50％弱も安い単価額になっている。しかし、新任保育士が増えたり、退職者が出たりして全職員の平均経験年数が 12 年を下回ったりすると、チーム保育推進加算 4,330 円を受けることができなくなる。その場合は「C 主な加算計」は 3,502 円となり、幼稚園より 70％弱〜80％弱も少ない単価額になる。余りにもひどい基準の格差でしかない。

(4) 保育所８時間保育認定の合計額は幼稚園より約 20 〜 30％程度少ない

「A1 基本分単価」＋「A2 処遇改善等加算」＋「B 主な加算」の合計額をみると、幼稚園は 46,181 円（チーム保育加配加算１人）〜50,411 円（同加配加算２人）と

図表 3-5-2　幼稚園と保育所の３歳児１人当たり公定価格単価額比較（2021 年度当初）
保育所単価（8 時間保育）総額は幼稚園単価より安い
（その他地域・100 人定員・平均経験年数加算率 12%）の場合村山祐一（2021.06 作成）

		3 歳児の公定価格単価額		
		幼稚園（1 号認定）（幼稚園を 100 とした指数）	保育所（2 号認定）	
			保育短時間認定	保育標準時間認定
A 公定価格基礎単価額	A1 基本分単価	38,160 円（100.0）	36,580 円（95.8）	41,110 円（107.7）
	A2 処遇改善等加算Ⅰ＋Ⅱ	4,895 円（100.0）	4,630 円（94.5）	5,110 円（104.3）
	A 合計（A1＋A2）	43,055 円（100.0）	41,210 円（95.7）	46,220 円（107.4）
B 主な加算計		18,246〜22,476 円（100.0）	15,172 円（83.1〜67.5%）	
C 総計額（A＋B）		61,301〜65,531 円（100.0）	56,382 円（91.9〜86.0）	61,392 円（100.1〜93.6）
D 幼稚園一時預かり事業補助金		11,200 円（400×20 日＋800×4 日）	土曜日開所しない場合は基本分単価＋処遇改善加算Ⅰを 2%〜6%減額	
E 総計額（D＋E）		72,501〜76,731 円（100.0）	56,382 円− α（77.8〜73.5）	61,392 円− α（84.7〜80.0）

※C 主な加算は 4 歳以上の加算額に 3 歳児配置改善加算が幼稚園は 7,500 円、保育所は 7,340 円を加えた額。

なっているが、保育所短時間認定は 10〜20%弱（4,479 円〜8,709 円）も少ない額となる。標準時間認定（8〜11 時間保育）でも約 1%程度増〜約 7%程度減（531 円増〜3,699 円減）となっている。保育所の場合、前述したがチーム保育推進加算 4,330 円を受けることができない場合は、幼稚園より約 20〜30%程度少ない額となる。

4 歳以上児ではこのような状況になるが、3 歳児 1 人当たりの単価額では、調整されているのではないかと言った疑問も出されるかもしれない。そこで 3 歳児一人当たりの公定価格単価額について、図表 3-5-2 でまとめてみた。

3 歳児の場合、保育所の保育短時間認定の場合、A1 基本分単価額では幼稚園より約 4%程度（約 1,580 円）少なく、A2 処遇改善加算では約 6%弱少なく、さらに B 主な加算では約 17%〜30%強少なくなっている。その結果「C 総計額」を見ると約 8〜14%（4,919 円〜9,149 円）も少ない額となる。標準時間認定（8〜11 時間保育）でも約 0.1%程度増〜約 6%程度減（91 円増〜4,139 円減）となる。4歳以上児と同様に格差が見られる。

その上、保育所の場合は、2020年度から、土曜日保育で希望者がいない場合は安い単価額（基本単価＋処遇改善1）から1日の場合2%、月2日の場合は3%、月3日以上で5%、土曜全て閉所の場合に6%の減算というシステムが導入された。そのため、土曜日の利用者がいない場合、幼稚園は土曜日の補助金がゼロになるだけだが、保育所は幼稚園より安い単価額を更に減算されることになる。

(5) 幼稚園の8時間保育の公費補助（一時預り事業）―幼稚園は保育所の約3割増

さらに、幼稚園が通常の4時間標準の保育・教育時間以外に平日4時間保育、土曜日8時間保育を実施する場合は、前述（第2章-4-(2) p162～参照）したように、新制度では8時間の保育・教育保障の視点を明確にして、保育所の設備運営基準（最低基準）を適用することになり、「一時預かり事業補助金」が支給される。

その補助金の単価額は平日は4時間延長で1日1人400円、土曜日は1日8時間で800円となっている。Iヶ月の単価額総計は、平日8,000円（400円×20日）と土曜日3,200円（800円×4日）を加えて11,000円となる。

このように、幼稚園の園児については平日8時間保育、土曜日や夏休み等の8時間保育が保障されている。この基本単価と加算額を図表3-5-3のD欄にまとめてみた（長時間保育加算除く）。内閣府資料による平均的規模として想定してある「1日平均利用者数16人」に基づき月平均額を算出した（「一時預り事業（幼稚園型）について　平成27年3月10日」）。預かり保育を活用し土曜日を含む毎日8時間程度の保育・教育を受けている場合、1ヶ月基本単価は11,200円補助を受けることができる。

幼稚園のシステムで見ると、預かり保育4時間分の補助基本単価額（11,200円）は4時間標準保育の公定価格基本分単価額（31,380円）の約4割程度が計上されていることになる。しかも、8時間以上となれば、長時間保育加算額が

図表 3−5−3　幼稚園と保育所の８時間保育公定価格等補助金基準の比較（2021.6 村山作成）
保育所の基準額は幼稚園より約 30％程度も少ない
（その他地域・100 人定員・平均経験年数加算率 12％）の場合村山祐一（2021.06 作成）

	4 歳以上児の公定価格等単価額		
	幼稚園（1 号認定） （幼稚園を 100 とした指数）	保育所（2 号認定）	
		保育短時間認定	保育標準時間認定
A 公定価格基礎単価合計額	35,435 円（100.0）	33,870 円（95.6）	38,880 円（109.7）
B 主な加算計	10,746〜14,976 円（100.0）	7,832 円（72.8〜52.2％）	
C 総計額（A＋B）	46,181〜50,411 円（100.0）	41,702 円 （90.3〜82.7）	46,712 円 （101.1〜92.6）
D 幼稚園一時預り事業補助金基本単価 平日１日（4 時間）１人 400 円 土曜等１日（8 時間）１人 800 円	＊内閣府図表は平均利用者 16 人想定。 基本単価 月１人 11,200 円 （400 円×20 日＋800 円×４日）、 ※８時間以上の加算は図表 3−5−3 参照	なし なお、土曜日開所しない場合は基本分単価＋処遇改善加算Ｉを 2％〜6％減額	
E 総計額 （C＋D）	57,381〜61,611 円 （100.0）	41,702 円 （72.6〜67.7）	46,712 円 （81.4〜75.8）

☆新制度の下での「一時預り事業（幼稚園型）」については、内閣府 2014 年度子ども・子育て新制度説明会（2015 年３月 10 日）図表 2−1「一時預り事業（幼稚園型）について」に基づく。

付け加わり、公定価格の基本分単価額とほぼ同額となる。このように幼稚園のシステムでは、保育時間の長さに応じた調整が図られていると言える。

公定価格の４歳以上児基礎単価額と加算額の合計額（図表Ｃ欄）にこの預かり保育補助金（図表Ｄ欄）を加えると幼稚園の総計額（図表Ｅ欄）は 57,381 円〜61,611 円となり、保育所の短時間認定（8 時間保育）よりも約３割程度（1 万 5,679 円〜1 万 9,909 円）高い額となる。保育所の８時間保育は幼稚園の約３割程度安い額で運営していることになる。

３歳児の場合について、図表 3−5−2 のＤ欄、Ｅ欄にまとめてあるが、３歳児単価額の総計額（図表Ｃ欄）に預かり保育補助金（図表Ｄ欄）を加えると総計額（図表Ｅ欄）は 72,501 円〜76,731 円となり、保育所の短時間認定（8 時間保育）よりも約２割強程度（1 万 6,119 円〜2 万 349 円）高い額となる。保育所の３歳児８時間保育は幼稚園の約２割強程度安い経費額で運営していることになる。

さらに、預かり保育の保護者負担の保育料は補助単価額と同額として事業費総額に想定されている（内閣府2015年3月10日子ども．子育て支援制度説明会資料2-1「一時預り事業（幼稚園型）について」p9参照)。実際の保育料は、全国平均で新制度移行の幼稚園は1時間154円（2019年度)、私学助成の私立幼稚園は200円、認定こども園173円と、補助単価額の1.5〜2倍程度で運営していることになる（単価額は全国私立幼稚園連合会「令和元年度私立幼稚園経営実態調査」による)。例えば1ヶ月一人当たりの単価額総計は、平日8,000円（400円×20日）と土曜日3,200円（800円×4日）を加えて11,000円となり、さらに想定保育料11,000円程度とされ、実際の1人当たりの事業費は2万2千円と想定されている。

(6) 幼稚園の8〜11時間保育の補助金基準と保育所公定価格単価額基準との格差

① 預かり保育の長時間加算について

預り保育の保育時間が平日4時間、土曜日8時間を超える場合には新制度当初から長時間加算が適用されている。加算額は2018年度に1.5倍に増額され、超えた時間が2時間未満（1日8時間〜10時間未満）は日額150円、3時間未満（1日10時間〜11時間未満）は日額300円、3時間以上（1日11時間以上）は日額450円となっている。

この平日4時間を超えるというのは、通常の保育・教育標準時間との合計が8時間を超える場合に適用されることになっている。つまり、長時間加算も預り保育の4時間に限定した対応ではなく、「1日の保育・教育が8時間」を基準として考えていると言うことになる。

2018年度には、事務経費加算（年額約1,383千円、6ヶ月に満たない場合は年額69万1,600円）が創設され、通年平日及び長期休業中8時間以上預かり保育を実施し、事務担当職員を配置するなど条件を満たした場合に支給される。

2019年度には保育体制充実加算（年額約144万6千円）が創設され、平日（教育・保育4時間を含む）及び長期休業中において原則9時間以上の預り保育を実施し、土曜日の預かり保育年間40日以上、すべての保育者が保育士又は教諭の資格者等の条件を満たした場合適用される。2021 年度には倍増（年額約 289 万 2 千円）に拡充された。この 2 つの加算は条件を満たしていれば施設に支払われる加算である。また 2020 年度から障害児の単価（1 日 4,000 円）が創設された。

さらに、2 歳児を対処にした幼稚園Ⅱ型が 2018 年度に新設され、従来の 3 歳以上児対象は幼稚園Ⅰ型に名称変更された。2021 年度から幼稚園Ⅱ型の対象を 0 歳児、1 歳児に拡大している。（各年度の内閣府子ども・子育て支援制度説明会資料及び内閣府「子ども・子育て支援交付金の交付の一部改正について」参照）

このように幼稚園の預かり保育事業の補助金は新制度発足して約 5 年の間に 1 日 8 時間保育を基準にして一定の拡充が進んでいる。

②　預かり保育平均的規模と保育所基本分単価額等との比較

ⅰ　幼稚園の 8 時間保育月額単価額は保育所の 1.4 倍で約 1 万 2 千円高い

預かり保育平均的規模については、内閣府「一時預り事業（幼稚園型）について」（2015（平 27）年 3 月 10 日子ども・子育て支援新制度説明会資料）において次のような内容を示している。

①平日実施日数 250 日（週 5 日×50 週、夏休み等長期休業期間含む）、②土曜・休日実施日数 50 日（週 1 日×50 週）、③年間延べ利用者数 2,000 人超、④平日の 1 日平均利用者数 16 人、土曜日の休日利用者数及び長時間加算はそれぞれ平均 8 人を基準としている。この規模であれば、専任保育士又は幼稚園教諭 2 名であれば良いことになり、そのうち 1 名は幼稚園の学級担任等が兼務することも可能となる。預かり保育の事業費総額には保育料が補助単価額と同額として想定され位置づけられている。

実際の保育料は、全国平均で新制度移行の幼稚園は 1 時間 154 円（2019 年度）、私学助成幼稚園は 200 円、認定こども園 173 円と、補助単価額の 1.5～2 倍程度。（単価額は全国私立幼稚園連合会「令和元年度私立幼稚園経営実態調査」による）。

この平均的規模の幼稚園型一時預り事業を「100 人定員、その他地域 4 歳以上児」の場合の幼稚園で実施した場合の８時間保育と８時間以上 11 時間保育の園児一人当たりの経費の状況と、保育所との比較を検討しまとめたのが図表 3-5-4 である。前述したこの図表は幼稚園の預かり保育長学補助金、８時間以上 11 時間の３時間保育補助及び加算額を含めてまとめたものです。この図表を踏まえて検討してみる。なお、８時間保育の公定価格基礎単価額及び幼稚園の基礎単価額（4 時間標準）は図表 3-5-1（A 合計額）で示した額をふまえている。

保育所の場合は８時間保育は短時間保育認定の基礎単価総額（基本分単価＋処遇改善等加算Ⅰ及びⅡ）の月単価額であり、この場合は 33,870 円となる。

幼稚園の場合は、4 時間標準の保育時間として設定されている基礎単価総額の月単価額は 35,435 円であり、その 4 時間標準を超え８時間保育の場合は② 4 時間の預かり保育単価額（11,200 円）が加算されることになる。そのため、８時間保育の園児１人当たりの単価額はこの２つの単価額（①＋②）の合計額であり、46,635 円となる。

８時間保育の園児一人当たりの経費は幼稚園であれ、保育所であれ幼稚園教諭や保育士が営む保育であることからほぼ同額であるのが当然である。ところが幼稚園の８時間保育の月額単価額（46,635 円）は保育所の単価額（33,870 円）の約 1.4 倍弱の額となっている。つまり、保育所の基本分単価額は幼稚園より約Ｉ万３千円程度安く、幼稚園単価額の約７割強程度でしかない。

ii　8〜11 時間保育の公定価格等補助基準額の比較―幼稚園は保育所の約 1.4 倍以上

次に８時間以上 11 時間の３時間分の公定価格等補助基準額について図表 3-5-4 のⅡ欄に示してあるが、その比較検討をしてみる。

保育所の３時間分の基準額は保育標準時間認定の基礎単価額総額（38,880 円）から保育短時間認定基礎単価総額（33,870 円）を差し引いた額（5,010 円）となる。

幼稚園の場合は２時間未満延長の８時間以上 10 時間未満の長時間加算は２時間未満１日 150 円であり、月 24 日で月額 3,600 円となり、８時間分の経費を

図表 3-5-4　幼稚園と保育所の８時間保育と８〜11 時間保育の公定価格等補助金基準の比較
（2021.6 村山作成）

（その他地域・100 人定員、4 歳以上児童加算率 12%）の場合

	保育所	幼稚園	
Ⅰ ８時間保育の公定価格基礎単価額	33,870 円（100.0） （短時間保育基礎単価額：保育料含む）	46,635 円（137.7） （① 35,435 円 ＋② 11,200 円＝）	①基礎単価額（4 時間標準） ②預り保育単価額（400 円×20 日＋800 円×4 日）、預かり保育事業では補助金と同額の保育料徴収を前提。
Ⅱ 8〜11 時間の３時間分月保育単価額	5,010 円（100.0） （標準時間保育基礎単価額―短時間保育基礎単価額：保育料含む）	③ 3,600 円〜④ 7,200 円 （71.9〜143.7）	③２時間未満延長（10 時間未満：150 円×24 日）④２時間以上３時間未満（10 時間以上 11 時間未満：300 円×24 日）。いずれも補助金と同額の保育料徴収を前提。
Ⅲ 合計 （Ⅰ＋Ⅱ）	38,880 円 （100.0）	49,660 円〜53,260 円 （129.5〜138.9）	
Ⅳ Ⅱの加算	加算なし	月１人 約 22,000 円	ｉ 保育体制充実加算月１人平均 15 千円（年額 2,892 千円／12 月＝241 千円／16 人） ii 事務経費支援加算月１人平均７千円（年額 1,380 千円／12 月＝115 千円／16 人）
Ｖ 総計（Ⅲ＋Ⅳ）	38,880 円 （100.0） （標準時間基礎単価額）	72,235 円（10 時間未満） 〜75,835 円（10 時間以上 11 時間未満） （185.7〜195.0） （この額に補助金単価並み保育料が加算される）	

※採用した幼稚園、保育所の公定価格の基礎単価額（その他地域･100 人定員、加算率 12%、2021 年 4 月）は基本分単価＋処遇改善等加算Ⅰ及びⅡの合計額。単価額は「その他地域・100 人定員・4 歳以上児」の場合、図表 3-5-1 参照。
※(　) 内は保育所を 100 とした指数
※②預かり保育単価額は 4 時間、月 24 日（平日 20 日、土曜 4 日）
※幼稚園のⅠ欄預り保育（4 時間延長）基本単価額及びⅡ欄 2 時間未満延長加算額（150 円×24 日）、3 時間未満加算額（300 円×24 日）は「一時預り事業（幼稚園型Ⅰ）」の交付基準額に基づく。2021 年度の内閣府子ども・子育て支援制度説明会図表及び内閣府「『子ども・子育て支援交付金の交付について』の一部改正について」(2021 年 4 月 1 日）参照
※Ⅳ欄の幼稚園の時間延長加算は夏休みを含め通年化実施の園には保育体制充実加算年額（2018 年度創設、2021 年度拡充改定）と事務経費加算年額（2019 年度創設）が適用される。事務費経費加算は配置月数が 6 ヶ月未満は約半額。
※Ⅳ欄で幼稚園の時間延長加算額について、1 ヶ月 16 人で試算したのは、幼稚園の時間延長加算額の基準が 16 人となっていることに基づく。

含め合計すると 50,235 円（46,635 円＋3,600 円）となる。10 時間以上 11 時間未満の 3 時間未満延長の長時間加算は 3 時間未満 1 日 300 円であり、月 24 日で月額 7,200 円となる。8 時間分の経費と合計すると 53,835 円（46,635 円＋7,200

円）となり、保育所の約1.4倍の額となっている。なお、幼稚園の場合３時間以上の加算については450円となっている。

幼稚園の場合は、８時間、９時間以上の保育を営む施設には前述のように事務経費加算額と保育体制充実加算を受けることができる。平均的規模の場合、一人当たりの月額単価額で計算すると次のようになる。

保育体制充実加算（年額約289万２千円）は、利用の園児１人当たり１ヶ月平均１万５千円（289万２千円／12ヶ月／16人）程度となる。

さらに事務経費加算額は年額約138万３千円（6ヶ月に満たない場合は年額69万1,600円）であり、利用の園児１人当たり１ヶ月平均約７千円（138万３千円／12ヶ月／16人）となる。この２つの加算額を合計すると約月２万２千円となる。

この額を含めて計算すると２時間未満延長の場合は72,235円（50,235円＋22,000円）、３時間未満延長の場合は75,835円（53,835円＋22,000円）となる。この額は保育所の単価額の約1.9倍〜2.0倍程度となる。保育所の8〜11時間保育は幼稚園の半分の額の基準で運営していることになる。この低い単価額が保育士の処遇の悪さの大きな要因になっているといえる。

保育所の場合の公定価格の単価額は市町村の委託費であることから保護者負担の保育料が含まれた額になっている。保育所では保育料を保護者から徴収できない仕組みとなっている。基本分単価に保護者の負担分がある場合は、市町村が徴収するという仕組みになっている。

幼稚園の場合は、前述したように、預かり保育の場合、その単価額と同額程度の保育料を徴収できると言うことで設計されている。そのため、実際の幼稚園の経費額はさらに増えることになる。

こうした状況を踏まえ、分け隔てなく等しい保育を保障するためには、保育所の基本分単価額は、幼稚園と同様な額に改善されなければならない。８時間保育の月額単価は現在の保育所の月額単価額の約1.4倍程度にすることが当然と言える。さらに、8〜11時間保育の月額単価額は、幼稚園と同様に保育体制充実加算、事務経費加算を導入し、同額にすべきである。

図表 3-5-5　8〜11 時間（3 時間分）保育の一人当たり経費額基準と保育士採用可能人数の比較（2021.6 村山作成）

〜4 歳以上児 16 人利用の場合―保育所は幼稚園の 35％程度の少なさは約 2.8 倍〜

	B 保育所（基礎単価総額）:3 時間分経費	A 幼稚園（ｉ 2 時間未満、ii 3 時間未満）（補助額と同額の保育料額を含めた額）
1 月額基準経費額（16 人分）	80,160 円（5,010 円×16 人）〈69.5〜34.7〉〈100.0〉	ｉ 115,200 円（(3,600＋3,600 円)×16 人）〜 ii 230,400 円（(7,200＋7200）×16 人） 〈100.0〉〈143.7〜287.4〉
2 月額 1 時間パート保育士採用可能人数	時間給 1 ヶ月 28800 円の場合（1 時間 1200 円×24 日）	
	2.7 人（80,160 円／ 28,800 円）	ｉ 2 時間未満は 4 人 （115,200 円／ 28,800 円） ii 3 時間未満は 8 人（230,400/28,800 円）

※1 ヶ月 16 人利用で試算したのは、幼稚園の時間延長加算額の基準が 16 人となっていることに基づく。

※1 欄の幼稚園の経費基本額は、国の加算額は 2 時間未満がｉ 1 日 150 円、1 ヶ月 24 日で 3600 円、ii 3 時間未満 1 日 300 円、1 ヶ月 24 日で 7200 円、それぞれ同額程度の想定保育料を加算した額（内閣府 2015 年 3 月 10 日子ども．子育て支援制度説明会図表 2-1「一時預り事業（幼稚園型）について」p9 参照）

※1 欄の保育所の 3 時間分の経費単価額は公定価格（その他地域・100 人定員、加算率 12％）の保育標準時間単価 38,880 円―保育短時間単価 33,870 円＝5010 円である。公定価格単価額には保育料は含まれた額となっている。

iii　3 時間分の保育経費額の比較―保育所は幼稚園の 3 分の 1 程度

次に 8 時間以上 11 時間の約 3 時間分の公定価格等の基準とされている保育経費について、検討してみる。その際、幼稚園の預かり保育の平均的規模で示されている平日の 1 日平均利用者数 16 人で 2 人の保育士・教諭で対応するケースを基準として、保育所と幼稚園の想定される月額経費額（補助金＋保育料）と月額 1 時間パート保育士の採用可能人数との比較についてまとめたのが図表 3-5-5 である。

ここでは幼稚園の長時間加算額と保育所の 3 時間分の基礎単価総額（標準時間基礎単価総額―短時間基礎単価総額）を基準経費額として位置づけた。その際、幼稚園の場合は、内閣府資料で、想定保育料として、補助額と同額が位置づけられているため、補助額（3,600 円）＋想定保育料が事業費総額として位置づけられている。そのため、幼稚園の基準経費額は長時間加算額（3,600 円）＋想定保育料（3,600 円）とした。

保育所については、公定価格の経費額は市町村の委託費として保育所に支払われることから、保護者負担の保育料は公定価格に含まれている。つまり、保育所の単価額（5,010円）には保育料が含まれていることになっている。

保育所最低基準では園児数が少なくとも保育士・教諭の2人の配置が必要であることから、各時間帯に2人の保育士の配置が必置となるため、1時間パート保育士が最低6人必要となり、その人件費が保障されているか否かが一つの基準となる。さらに、この基準経費額には人件費のみではなく園児の教材・おやつ代、さらに冷暖房費、光熱水費等の事業費や管理費等も必要となる。公定価格の基準単価額では人件費9割となっているが、実際の保育所・幼稚園の財政分析では人件費は約7割程度であることを踏まえるなら、平均的には人件費8割、事業費・管理費2割程度ではないかと推測できる。このような視点から図表3-5-5を検討してみる。

まず、園児16人分の月額基準経費額は、幼稚園の場合は2時間未満の場合が約11万5千円、3時間の場合が約23万円となるが、保育所の場合は3時間で約8万円程度となる。保育所の3時間分経費は幼稚園の3分の1の額にとどまっている。しかも、幼稚園には保育体制充実加算（年額2,892千円（但し資格者1人の場合は半額））、事務経費支援加算（年額1,380千円）がある。保育所には加算はない。

この経費を1時間パート保育士採用可能人数との比較で見てみると、幼稚園では、2時間の場合は1時間パート保育士4人の採用になることから、各時間2人の配置ができることになる。3時間の場合は8人の採用が可能となり、各時間2人採用であれは延べ6人で澄むことになり、残り2人分の経費（57,600円）を事業費・管理費に充てることができる。さらに、3時間の保育の質向上を目的に保育体制充実加算（年額289万2,400円、月約241千円）があり、保育士等の増員や賃金加算等ができるようになっている。

ところが、保育所の3時間の月額基準経費では、I人時間のパート保育士を2.7人しか採用できない。この経費に事業費・管理費が含まれることになるため、約2人分となり、保育士人件費は1時間分しか算定されていないことになる。

園児16人を３時間保育するのに各時間帯に２人の保育士を配置するには、6人の配置が必要になる。保育所の場合は、国の保育所最低基準の最低２人の保育士で対応するという基準すら守れないことになる。おそらく、日中保育に従事する保育士がまるまる８時間保育に従事させて、前半の１時間半〜2時間をまかない、残りの１時間程度の保育についての人件費程度だけが計上されているということではないのか。そのため、保育士は毎日８時間子どもの保育に従事し、記録や保育準備、打ち合わせ等ノン・コンタクトタイムは全く保障されていない。　その結果、記録等事務作業や保育準備等は残業で対応せざるを得ないという状況が日常化している。保育士の過酷な処遇が作り出されている大きな要因と言える。

保育士処遇改善をすすめ、保育の質の向上を進めるためには、幼稚園の預かり保育の基準が保育所の設備・運営基準（最低基準）を踏まえていることから、保育所の基準も幼稚園と同様な内容に改善することが必要不可欠である。現在の保育所の３時間分の単価額（5,010円）は約３倍程度を目指した改善が求められる。

6. 公定価格とその運用及び保育所・幼稚園の経営実態

幼稚園、保育所、認定こども園の公定価格の単価額は前述したように保育に必要な経費を「積み上げ方式」によって算定していると説明されている。単価額は示されているが、人件費、事業費、管理費について、どのような項目がどのような額で積み上げられているかはこれまでも指摘してきたが不透明な点が少なくない。「保育に必要な経費の積み上げ方式」であるなら、実際の運営費の運用を踏まえて毎年検証がされるなどして改善されなければならないことになる。ここでは、国が示している公定価格についての運用がどのように考えられているかを検討する。この制度が保育所の保育単価制度を踏まえていることや私立保育所については費用の内容や経理等についていくつかの通知が出されていることから、保育所を中心解説し、経営実態については幼稚園と比較検討する。

(1) 私立保育所の委託費（公定価格に基づく運営費）の構造と運用について

① 私立保育所の委託費について

幼稚園や認定こども園は保護者と園との直接契約で入園は決定され、公定価格は保育料を除いた額を給付費として園が保護者に代わって代理受領し、保護者から保育料（納付金）を直接徴収することになる。

保育所の場合は、児童福祉法24条１項の市町村の保育実施義務に基づき市町村が入所決定を行い、希望の園に入所を委託し、委託費を支払うというシステムとなっている。その委託費に係わる保護者負担（保育料）は市町村に支払うということになる。

そのため私立保育所の公定価格の費用については、子ども・子育て支援法附則６条で、市町村からの委託費とし支給されることになる。委託費は教育・保育に「通常要する費用の額を勘案して」国の定めた公定価格に「相当する額（保育費用）」であると定められている。つまり、委託費は通常必要な「保育所運営費」として支払われるものであり、それ以外には使用してはならないことになる。

この規定により、「委託費については、その性格上、一定の使途範囲が定められており、その適切な運用のため」、各年度及び変更の度に公定価格の基本分単価の内容について、内閣府子ども・子育て本部参事官・厚労省保育課長連名通知「私立保育所の運営に要する費用について」で示されている。この通知は毎年度公定価格が変更されると公表される。2022（令４）年度も「令和４年度における私立保育所の運営に要する費用について」（2022年４月28日）が発出されている（以下通知「私立保育所運営費用」）。

また、この委託費の適切な運用と適切な施設運営確保のために2015年９月３日に内閣府こども・子育て本部統括官・厚労省児童家庭局長連名通知「子ども・子育て支援法附則第6条の規定による私立保育所に対する委託費の経理等について」(2018年4月16日改定　以下「経理等通知」)、さらに内閣府同参事官・厚労省保育課長連名通知で「『子ども・子育て支援法附則第6条の規定による私立保育所に対する委託費の経理等について』の取扱いについて」(以下「経理等取扱通知」)、「『子ども・子育て支援法附則第6条の規定による私立保育所に対する委託費の経理等について』の運用等について」(2017年4月6日改正、以下「経理等運用通知」)が発出されている。

これらの通知に基づいて、私立保育所の運営費や経費の構造やその運用等について検討する。

②　委託費（保育所運営費）の対象項目について

委託費では人件費（職員の給与、法定福利費などの経費)、事業費（園児の保育に直接必要とする経費)、管理費（職員の福利厚生費、旅費交通費）に区分し使途範囲が示されている。それぞれの内容については図表2−2「公定価格の基本分と加算の構造」(p122）にまとめてある。

図表3−6−1　保育所運営費（歳出）の主な経費の構造（2020年7月村山作成）

	収支計算分析表に示された支出科目	公定価格
1 人件費支出	(1) 職員給料 (2) 職員賞与 (3) 非常勤職員給与 (4) 派遣職員費 (5) 退職給付費 (6) 法定福利費	人件費 「保育所職員の給与等処遇に必要な経費」
2 事業費支出	(1) 給食費 (2) 保健衛生費 (3) 保育材料費 (4) 水道光熱費 (5) 燃料費 (6) 消耗器具備品 (7) 保険料 (8) 賃借料 (9) 車両費 (10) 雑支出	事業費 「入所児童の処遇に直接必要な一切の費用」
3 事務費支出	(1) 福利厚生費 (2) 職員被服費 (3) 旅費交通費 (4) 研修研究費 (5) 事務消耗費 (6) 印刷製本費 (7) 水道光熱 (8) 燃料費 (9) 修繕費 (10) 通信運搬費 (11) 会議費 (12) 広報費 (13) 業務委託費 (14) 手数料 (15) 保険料 (16) 土地･建物賃借料 (17) 保守料 (18) 雑支出	管理費 「物件費･旅費等保育所の運営に必要な経費」
4 その他	1 人件費積立資産　2 修繕費積立資産 3 備品等購入積立資産　4 保育所施設・設備整備積立資産	
	5 当期資金収支差額合計（当期繰越金あるいは欠損金)	

※子育て統括官・厚労省児童家庭局長通知「子ども・子育て支援法附則第6条の規定による私立保育所に対する委託費の経理等について」に基づき作成。別表6収支計算分析表参照。

この委託費を充てることができる経費項目については、「経理等通知」の別表6で示されている内容をまとめたのが図表3-6-1である。人件費支出は職員給料、賞与、非常勤職員給与、派遣職員費、退職給付費、法定福利費の6項目であり公定価格に示されている内容とほぼ同じである。事業費支出、事務費支出（管理費）は極めて多岐にわたる内容がしめされている。

事業費の支出項目は給食費、保健衛生費、保育材料費、水道光熱費、燃料費など10項目となっているが、公定価格では「給食材料、保育材料費等」とされているだけであり、どの費用がどのように位置づけられているかが不透明である。管理費は事務費支出に該当するが、公定価格では旅費、職員研修費、被服費、保健衛生費、補修費など10項目だが、支出項目では18項目に及ぶ。しかも、公定価格の10項目がどのような単価額が積み上げられているか不透明である、さらに安定した事業の継続のために次年度以降人件費や施設整備等に充てることができる4種類の積立金や繰越金も位置づけられている。公定価格では、人件費、事業費、管理費として単価額の設定を行っているが、特に事業費、管理費は保育所運営で人件費以外の必要な経費すべてが該当することになる。

そこで公定価格（委託費）の運用についてどのように考えいるかといことが重要になる。

③　委託費の弾力運用について

「経理等通知」ではまず「委託費の使途範囲」について、公定価格の人件費、管理費、事業費について説明を行い、その上で委託費については、以下の7項目の要件すべてが満たされている場合は、収支計算分析表に示す経費科目に充てることができるとされている。7項目の要件とは以下の通りである。

①施設基準の遵守、②委託費交付基準等に示す職員配置等の事項の遵守、③給与規定の整備と適正な給与水準、④給食について必要な栄養量の確保、必要な諸経費の適正な確保、⑤保育が保育指針を踏まえ、児童の処遇が適切、⑥研集会に積極的に参加するなど役職員の資質向上に努めていること、⑦その他設

置者の運営について問題となる事由がないこと。

通常の保育を基準に基づいて実施している保育所であれば、ほとんど該当することになる。

公定価格には「人件費、事業費、管理費」の使途範囲が示されているが、7項目の要件が満たされる場合は、「適切な施設運営が確保されている」として、「各区分にかかわらず、保育所を経営する事業に係る、人件費、管理費又は事業費に充てることができる」と「委託費の弾力運用」を認めるとしている。

さらに、委託費の３か月分（当該年度の４分の1）に相当する範囲内（処遇改善等加算の基礎分を含み、賃金改善要件は除く）まで保育所や子育て支援事業の建物や設備、土地取得等に要する経費、賃借料等の経費に充てることができるとされている（「経理等通知」1の（5））。

また　積立金も人件費積立、修繕費積立、備品等の購入積立、施設・設備整備積立と限定されているが、次年度以降取り崩す場合、各種積立目的外の使用については、通知「経理等取扱」において、「経理等通知」の別表２に示す「保育所等建物、設備の整備・修繕等の経費、保育所等の土地又は建物の賃借料」などの経費又は以下に示す「施設の運営や入所児童の処遇に必要な経費」であれば認めて差し支えないとしている。

その経費は（1）人件費、光熱水費等通常経費の不足分の補填、（2）建物の修繕、模様替え等、（3）建物付属設備の更新、（4）省力化機器並びにソーラーシステム、集中冷暖房、給湯設備、フェンス、スプリングクラー、防火設備等の設備の整備、（5）花壇、遊歩道等の環境の整備、その施設の用に供する駐車場、道路の舗装等、（6）登所バス等の購入、修理等としている。

公定価格は「人件費、事業費、管理費」で構成され、基本分単価の約９割が人件費で占められているが、「委託費の弾力運用」を理由に事業費、管理費、修繕費などに充てられる仕組みになっている。

(2) 私立保育所の運営費のやりくりの構造

このように委託費（公定価格）は基本費用（人件費、事業費、管理費）について算定されている。しかし、公定価格の人件費、管理費、事業費は日常の保育に必要な経費を対象に設定されているが、その運用に際しては「弾力運営」が強調され、園の建設や施設整備、補修工事、土地や建物の賃借代などを含めた保育所運営費全般に充てることができるようになっている。委託費が日常必要な保育費用として安心して利用できるようにするためには、人件費、事業費、管理費それぞれが実態を踏まえた経費が計上され、さらに園の建設や施設整備、補修工事などは大規模修繕工事補助金など別途補助金制度の拡充が必要となる。

こうした取り組みがきちんとされないまま、「弾力運営」が強調されると、全体として安上がりな運営をせざるを得なくなり、保育の質の確保が困難になる。そこで、私立保育所の財政運営の状況やそれを支えている公定価格の内容について検討してみる。

まず、私立保育所の歳入と支出の構造という視点から運営のやりくりの状況を、内閣府の「幼稚園・保育所・認定こども園等の経営実態調査」(2016年度及び2018年度決算）に基づき、幼稚園との比較をしながら検討してみる。

①　私立保育所・幼稚園の歳入の構造―保育所は委託費、幼稚園は保育料で調整

まず保育所、幼稚園等の収入構造について、まとめたのが図表3-6-2である。これに基づき検討してみる。

保育所の保育事業収入は、いずれの年度も公定価格の施設型給付費に基づく委託費等が約９割弱（88％)、延長保育事業、一時保育事業等の利用料や自治体の補助金等事業収入が約１割強（12％）となっている。委託費には保護者の保育料が含まれている。委託費に占める保育料の割合は自治体や園によって異なるが、全国平均で約４割と推計されている。また、保護者等からの寄付金等の収入は0.7％と１％に満たない額に過ぎない。保育所の運営・経営は市町村からの委託費に依存していることが明白である。それ故、委託費の単価額等について、実態に即して諸経費がきちんと積み上げられた内容となっているかどうかが問われる。

図表3-6-2　私立の保育所・幼稚園の収入構造（2016年度・2018年度）

	保育所 （下段は平均児童数〈増員率〉）		幼稚園（新制度移行） （各年度、下段は 平均児童数〈伸び率〉）	
サ―ビス活動収益・収入科目	2018年度 （構成比） （105人〈110.5〉） （100）	2016年度 （構成比） （95人〈100.0〉）	2018年度 （構成比） （106人〈122.1〉） （100）	2016年度 （構成比） （86人〈100.0〉）
1 保育事業収益（教育活動収入）	137,347千円 （99.9）	114,496千円 （100.0）	89,988千円 （100.0）	65,988千円 （96.8）
（1）施設型給付費	—	—	64,916千円 （72.1）	48,323千円 （73.2）
（2）委託費〈保育料含む〉等	121,140千円 （88.1）	101,019千円 （80.2）	—	—
【2016年度比】	【119.9】（108.5）	【100.0】	【134.3】（110.0）	【100.0】
（3）延長保育料・給食費等利用料	1,098千円 （0.8）	1,006千円 （0.9）	—	—
（4）園児等納付金	—	—	19,227千円 （21.4）	13,372千円 （20.3）
【2016年度比】	【109.1】（98.7）	【100.0】	【143.8】（117.8）	【100.0】
B 小計〈（1）+（2）+（3）+（4）〉	122,238千円 （88.9）	102,025千円 （89.0）	84,143千円 （93.5）	61,695千円 （93.5）
【2016年度比】	【119.8】（110.6）	【100.0】	【136.4】（111.7）	【100.0】
（5）その他補助金・付随事業等収入	14,970千円 （10.9）	12,427千円 （10.8）	5,845千円 （6.5）	4,293千円 （6.3）
2 児童福祉事業収益	33千円（0.0）	19千円（0.0）	—	—
C 保育事業収益等合計（1+2）	137,459千円 （100.0%）	114,515千円 （100.0%）	89,988千円 （100.0%）	65,988千円 （96.8）
【2016年度比】	【120.0】（108.5）	【100.0】	【136.4】	【100.0】
3 寄付金等その他事業収入	1,336千円 （1.0）	827千円 （0.7）	3,185千円 （3.2）	2,147千円 （3.3）
D 合計（1+2+3）	138,795千円 【120.3】 （108.9）	115,342千円 【100.0】	93,173千円 【136.7】（112.0）	68,135千円 （100.0%） 【100.0】

※内閣府子ども・子育て本部「幼稚園・保育所・認定こども園等の経営実態調査」（2018（平30）年3月（2016（平28）年度決算に基づく））のデータに基づく、各施設の平均額。
※保育所と認定こども園の「1 保育事業収益」の額とその内訳（1）+（2）+（3）+（4）の合計額との間に差があるが、データの数値のままである。なお、2018年度調査では保育事業収益の総額だけが示されていて、内訳は記載されていないため、2016年度の比率で推計した額を掲載した。
※収益科目の（　）の名称は幼稚園の科目名です。

幼稚園の場合は、施設型給付費は約7割強（72〜73%）、園児等保育料など納付金が約2割（20〜21%）、更に預かり保育事業保育料、実費徴収等付随事業収入が約６%余、さらに幼稚園教育活動に関わるその他事業収入が約３%余と併せて約１割であり、それらは主として保育・教育事業による保護者負担といえる。施設型給付費等公費助成の状況を見ながら、保護者の納付金等をどのように徴収していくかが園経営にとって重要な意味をもつ。

2016年度と2018年度について、平均児童数の増減と収入状況を比較してみると、保育所の場合は、児童数約11%の増に対して、委託費等及び保育事業収益は約20%増となっていて、園児数の増員率より約10%弱増えている。幼稚園は、児童数約22%の増に対して、施設型給付費は約34%増であり、園児数の増員率より約10%余の増であり、保育所とほぼ同じである。しかし園児納付金は約44%増であり、児童数約22%と比較して、20%増と高くなっている。その結果、幼稚園の保育事業収益合計額は36%増となっている。このことからも、幼稚園の場合は、給付費収入の状況を見ながら、保育料等の園児納付金の引き上げ額を調整して対応しているといえる。

幼稚園の場合は保育時間が４時間標準であることから、例えば平日の午後や土曜日に使用していない保育室等を活用した事業を展開することも可能である。保育所の場合は平日、土曜日の朝から夕方遅くまで保育を実施しているため、幼稚園のように日中保育室等を使用しての事業は不可能であり、保護者からの事業収入を得ることは困難である。

しかも保育所の保護者の保育料は所得に応じて支払う応能負担に基づき保育料を市町村に支払っていて、委託費総額に占める保護者負担の割合は平均で約４割程度といわれている。このことから、幼稚園と比べて保育料等保護者負担が安いとはいえない。そうしたこともあり、保育所で保護者負担を増やすことは困難であることは明白である。

そのため、保育所運営の基本は国・自治体の運営費補助金（委託費）に依存している。給付費や自治体の補助金等の収入をどのように運用するかという対応となる。支給される補助金（委託費）額の枠内でやりくりするため、補助金が実態に即している場合は安定しているが、実態からかけ離れ少ない額であれば、大変深刻な矛盾を抱え込むことになる。

幼稚園においても、国・自治体の運営費補助金（給付費）が実態からかけ離れて低い額であれば、保護者負担を増やすことにも限界があり、同様に深刻な矛盾を抱え込むことになる。

いずれにしても、幼稚園、保育所の公費補助金（給付費、委託費）が実態に即して諸経費の積み上げがされた内容であれば、保護者が安心して保育を受けることができるし、同時に園運営の安定につながることは明白といえる。

②　費用の支出の構造―保育所の人件費比率は幼稚園より約10%余高い

保育所、幼稚園の支出の状況について、図表3-6-3にまとめた。歳入構造の図表3-6-2と関連させながら検討する。

まず、当然ではあるが支出の中で最も多いのは人件費比率であり、幼稚園は

図表3-6-3　私立保育所・幼稚園の運営費の支出の概要（2016年度・2018年度）

			保育所		幼稚園	
サービス活動費用 【2016年度を100とした指数】			2018年度 平均児童数 105人 【110.5】（100）	2016年度 平均児童数 95人 【100.0】	2018年度 平均児童数 106人 【123.2】（100）	2016年度 平均児童数 86人 【100.0】
A費用	サービス・教育活動	1 人件費	千円% 103,170（75.1） 【123.9】	千円% 83,298（72.7） 【100.0】	千円% 57,509（63.8） 【145.3】	千円% 39,585（60.0） 【100.0】
		2 事業費・事務費等	26,180（19.0）	21,617（18.9）	23,224（25.8）	16,222（18.9）
		3 その他の費用	3,997（2.9）	3,736（3.3）	211（0.2）	4（3.3）
	費用計（1+2+3）		134,241（97.7） 【123.6】（111.9）	108,651（94.9） 【100.0】	80,944（89.8） 【145.0】（117.9）	55,811（84.6） 【100.0】
B. 繰越金等（収支差額）			3,219（2.3）	5,779（5.0）	8,873（9.8）	4,493（6.8）
収益・収入計 （寄付金等その他収益除く）			137,459（100.0） 【120.0】	114,515（100.0） 【100.0】	90,143（136.6） 【136.0】	65,988（100.0） 【100.0】
〈収益・収入計の1ヶ月平均額〉			約11,455千円	約9,543千円	約7,512千円	約5,499千円

※内閣府子ども・子育て本部「幼稚園・保育所・認定こども園等の経営実態調査」（2018（平30）年3月（2016（平28）年度決算に基づく））及び「令和元年度幼稚園・保育所・認定こども園等の経営実態調査クロス集計結果〈速報〉」（2019（令和1）年11月26日2018（平30）年度決算）のデータに基づく

※費用はサービス活動費用に限定。サービス活動外などの費用については2016年度と2018年度調査の内容や、幼稚園と保育所ともやや異なるため除外。そのため収益計と費用＋繰越金等の合計とは一致しません。各項目の数値は調査報告の通り。

60％～64％であるが、保育所は約73％～75％台と幼稚園より約10％強高くなっている。

幼稚園の場合、2016年度の人件費総額は39,585千円であり、施設型給付費等収益48,323千円の約82％である。2018年度では人件費総額57,509千円は施設型給付費等収益64,916千円の約89％に達している。しかし、幼稚園の施設型給付費等収益は保育事業収益・収入の約73％程度であり、納付金やその他補助金等の収入が約27％程度を占めている。そのため保育事業収益・収入に占める人件費比率が約60％にとどまり、残り約40％を事業費・事務費や施設整備等の費用、さらに次年度繰越金等に当てている。

保育所の場合は、2016年度の人件費総額83,298千円であり、施設型給付費・委託費収益101,019千円の約82％、2018年度では人件費総額103,170千円であり、施設型給付費・委託費収益121,140千円の約85％であり、幼稚園とほぼ同じ傾向にある。だが、保育所の人件費総額は2016年度は幼稚園の約2倍、2018年度は1.8倍となっている。定員はほぼ同じだが、保育所は0歳児、1・2歳児が平均で約4割程度を占めていて、保育士数が多いことが大きく影響している。

しかし、保育所の委託費等収益は保育事業収益・収入の約88％と幼稚園より15％と高く、その他補助金や利用料収入は約12％にとどまっている。保育事業収益・収入に占める人件費比率は約73％と幼稚園より13％も多い。そのため、残り27％の額の枠内で、事業費・事務費や施設整備等の費用、施設整備償還金や次年度繰越金を捻出することになる。

保育所の事業費・管理費等は、土曜日を含め毎日早朝から夕方遅くまで0歳児から5歳児の多様な保育を行い、毎日食事やおやつも提供することから光熱水費も多く、冷暖房はフル稼働であり、幼稚園より多くかかることは明白である。ところが保育にかかる事業費・事務費等支出をみると、2018年度の場合、保育所は26,180千円であり、幼稚園の23,224千円の約13％程度多いだけである。保育所は事業費・事務費等の支出をかなり抑制していることがうかがえる。

さらに、繰り越し金等についてみると、幼稚園の場合は2016年度4,493千円で収入額の１ヶ月平均額（5,499千円）の約82％、2018年度8,873千円は収入額１ヶ月平均額（7,512千円）の約1.2倍弱（118％）と経費の約１ヶ月分程度が計上されている。しかし、保育所の繰越金は2016年度5,779千円で収入額１ヶ月平均額（9,543千円）の約61％程度、さらに2018年度3,219千円で収入額１ヶ月平均額（11,455千円）の約28％程度にすぎない。

保育所の場合は委託費が毎月支給されるが、委託費以外の人件費補助金等は、その年の後半ないし年度末に支払われるケースも多く、立て替えの必要性が求められる。また、毎月の委託費の中には、年間の賞与額も分割して参入されているため、夏の賞与支給の財源も含まれているとして運用している場合もある。こうしたことを考慮すると、少なくとも１ヶ月程度の繰越金が必要となる。繰越金等が１ヶ月経費の３割弱ではとても十分とはいえない。

保育所の人件費はこれ以上やりくりしても増やすことができない状況にあることは明白である。そのため保育士の賃金が安いのは、保育所運営費に占める委託費が安すぎることにあることは明白である。給付費・委託費は公定価格に基づいているため、公定価格基本分単価等がどのように算定されているかが問われる。

保育所の運営にとって、公定価格の基本分単価等の経費の内容がどのような内容なのかが大きく影響する。　そこで、公定価格の基本分単価額などの内容について検討する。

(3) 公定価格の基本分単価等の主な経費の内容

公定価格は基本分単価と加算額で構成されている。基本分単価は、前述したように配置基準上必要な職員配置の人件費と保育に必要な事業費・管理費等について、園児一人当たりの経費額が示されている。更にそれ以外で職員配置などで一定の条件を達成した場合に加算額が追加される。さらに、保育所の場合は、短時間認定（8時間保育）と標準時間認定（8時間〜11時間）の単価額が設定されている。標準時間は単純に比較すると８時間認定より約４割弱程度

図表 3-6-4　保育所・幼稚園公定価格基本分単価等での人件費等経費単価額（5 定員区分平均額）

（2018 年度、2020 年度その他地域、4 歳以上児、加算率は除く）

			A 基本分単価額	A の内訳額 ①人件費相当額	A の内訳額 ②事業費・管理費	B 主な人件費加算 ③所長・園長	B 主な人件費加算 ④副園長	B 主な人件費加算 ⑤主任保育士・主幹教諭	B 主な人件費加算 ⑥チーム保育加配	B 主な人件費加算 ⑦講師配置加算	B 主な人件費加算 ⑧加算計	人件費計 (①+⑧)	総計 (A+B)
2018年	幼稚園		29,562 円 (100.0) 【100.0】	27,400 円 (92.7) 【100.0】	2,162 円 (7.3) 【100.0】	基本分単価に参入	816 円	932 円	3,406 ～ 7,631 円	設定なし	5,154～ 9,379 円 (17.4 ～31.7)	32,554～ 36,779 円 (110.1 ～124.4) 【100.0】	34,716～ 38,941 円 (117.4 ～131.7) 【100.0】
	保育所	短時間認定	30,870 円 (100.0) 【104.4】	23,400 円 (76.3) 【85.4】	7,470 円 (23.7) 【345.5】	3,762 円	設定なし	2,147 円	設定なし	設定なし	5,909 円 (19.1)	29,309 円 (94.9) 【100.0】 【90.0 ～79.7】	36,779 円 (119.1) 【105.9 ～94.4】
		標準時間認定	35,206 円 (100.0) 【119.1】	27,800 円 (79.0) 【101.5】	7,406 円 (21.0) 【342.6】	3,762 円		2,147 円			5,909 円 (16.8)	33,709 円 (95.7) 【103.5 ～91.7】	41,115 円 (116.8) 【118.4 ～105.9】
2020年	幼稚園		30,074 円 (100.0) 【100.0】	27,600 円 (91.8) 【100.0】	2,474 円 (8.2) 【100.0】	基本分単価に参入	816 円	932 円	3,488 ～ 7,812 円	260 円	5,496～ 9,820 円 (18.3 ～32.7)	33,096～ 37,420 円 (110.1 ～124.4) 【100.0】	35,570～ 39,894 円 (118.3 ～132.7) 【100.0】
	保育所	短時間認定	31,376 円 (100.0) 【104.3】	28,400 円 (90.5) 【102.9】	2,976 円 (9.5) 【120.3】	基本分単価に参入	設定なし	2,505 円	設定なし	設定なし	2,505 円 (8.0)	30,905 円 (98.5) 【93.4 ～82.6】	33,881 円 (108.0) 【95.2 ～84.9】
		標準時間	35,792 円 (100.0) 【119.0】	32,800 円 (91.6) 【118.8】	2,992 円 (8.4) 【120.9】			2,505 円			2,505 円 (7.0)	35,305 円 (98.6) 【106.7 ～94.3】	38,297 円 (107.0) 【107.7 ～96.0】

※1）公定価格単価額及び加算額は 2018（平 30）年度、2020（令 2）年度公定価格単価表に基づく。小数点第 2 位を四捨五入。公定価格の地域区分で最も多いとされている「その他地域」における単価額を採用した。

※2）A②人件費相当額は､処遇改善 1 の単価額は基本単価額の人件費相当額の 1%（1/100）といわれているため「処遇改善 I 単価額×100」の額が人件費相当額になる。

※3）A ②事業費・管理費額は「基本分単価額―人件費相当額」として算出した推計値。

※4）定員欄の 5 区分は 2016 年度経営実態調査の 5 定員区分に基づき、平均は各定員の単価額総計／5 の平均額。保育所は「60 名以下、61～90 名、91～120 名、121～150 名、151 名以上」から 60 名、90 名、120 名、150 名、170 名の 5 つの利用定員施設を設定。なお、各定員区分の公定価格は 10 人刻みであり 51～60 名、81～90 名、111～120 名、141～150 名、161～170 人区分となっている。幼稚園の定員欄の 5 区分は「60 名以下、61～90 名、91～150 名、151～210 名、211 名以上」から 60 名、90 名、150 名、210 名、270 名、の 5 つの利用定員施設を設定。なお、各定員区分の公定価格は 15 人刻みであり 46～60 名、76～90 名、136～150 名、181～210 名、241～270 人区分となっている。

※5）保育所の主な人件費加算は 2020 年度から所長人件費が基本分単価額に算入され、主任保育士専任加算だけとなった。幼稚園の園長人件費は新制度当初から公定価格基本分に含まれている。加算額には副園長配置加算、主幹教諭等専任加算（基本額 108,530／各月利用子ども数）、チーム保育加配加算（上限人数は利用定員 46～150 人以下教諭 2 人、151 人～240 人以下教諭 3 人、241～270 人以下 3.5 人）を計上した。講師配置加算は 2019（平 31）年度より実施、利用定員 35 人以下と利用定員 121 人以上教諭 1 人。いずれの加算額の処遇改善等加算 I の加算率は除き、基本額のみ掲載した。

（37.5％）長く、厚労省等の調査では平均約3〜4割程度の園児が保育を継続して受けているとされている。標準時間の単価基準では保育士１人とパート約3時間分の人件費が増額されているに過ぎない。また、加算額は同一であり、保育時間の長さは全く考慮されていない。

公定価格基本分と主な人件費加算を取り上げ、その経費内容について平均的傾向を見てみる。その手法として、2016年度経営実態調査（2018年3月公表）の5定員区分をふまえ、平均的施設を算定し、その傾向をみることにした[(1)]。保育所と幼稚園の4歳以上の単価額、保育所の0・1・2歳児の単価額について、2018年度と2020年度の5利用定員施設の平均値をまとめたのが図表3-6-4、図表3-6-5である。

2019年10月の「保育・幼児教育の無償化」の実施により、公定価格に含まれていた保育所の3歳以上児の副食材料費（約4,500円程度）が除外され、保育所が保護者から実費徴収するということになった。また幼稚園については2019年度から講師配置加算が新たに設置された。さらに2020年度から保育所の所長設置加算単価額は基本分単価に参入され、加算は廃止された。こうした変化により、公定価格基本分単価等の内容がどのように変化しているかを検討するため2020年度についても掲載した。

①保育所の標準時間は短時間より約38%保育時間が長いのに、経費は約4%〜13%増に過ぎない

まず、保育所の短時間と標準時間の単価額について2018年度の4歳以上の公定価格基本分単価等の経費内訳（図表3-6-4）と0・1・2歳児の単価額等の内容（図表3-6-5）について比較検討する。

ｉ　4歳以上児の基本分単価の場合

(1)　2016年度経営実態調査で示されている5定員区分は次の通りである。保育所は「60名以下、61〜90名、91〜120名、121〜150名、151名以上」であり、各区分から60名、90名、120名、150名、170名の5つの利用定員施設を選定。

まず図表3-6-4に示してある　保育所の４歳以上児基本分単価の内訳を見ると、2018年度の場合、人件費が約８割程度（８時間76％、標準時間79％）だが、残りの約２割程度が事業費・管理費となっている。基本単価額では８時間（30,870円）と標準時間（35,206円）とを比較すると、標準時間の単価額は短時間より14％程度多い。内訳で見ると人件費では約19％多いが、事業費・管理費は短時間7,470円だが標準時間は7,406円と約１％少なくなっている。保育時間が３時間も長い標準時間の単価額が安いというのは、「積み上げ方式」で単価設定しているという理屈が成り立たない。ここでも、標準時間の基本単価総額は短時間より14％増という枠組みの中で、「その場しのぎの帳尻合わせ」をおこなっているに過ぎないのではないか。

さらに、加算額では８時間も標準時間も同額であり、ここでも保育時間の長さは何ら考慮されていない。保育時間が短時間より約４割弱長ければ、保育所全体に責任を持つ所長、主任保育士も時間外勤務などの負担も当然生じる。こうした負担についても何ら考慮されていない。そのため、人件費計（基本分単価の人件費相当額＋加算額）では標準時間（33,709円）は短時間（29,309円）の15％増だが、基本分単価額＋加算額の総計では、標準時間（41,115円）は短時間（36,779円）の約12％増にとどまっている。

人件費についても、標準時間の園児は平均通常の3〜4割程度保育を受けていることから、人件費も３割増が必要であると推計できるのに、僅か15％増程度では不十分であることは明白である。

「保育・幼児教育の無償化」後の2020年度の単価額では、副食費が公定価格から外され保護者の実費負担になったことで、公定価格基本分の事業費・管理費は2018年度より約4,500円程度減額されている。また所長設置加算が廃止され、基本分単価に算入されたことで、基本分単価の内訳は幼稚園と同様に人件費約９割強、事業費・管理費は約１割程度となった。主な人件費加算は主任保育士加算だけとなり、総計（基本分単価＋人件費加算額）では2018年度より約7〜8％減額、しかも、標準時間（38,297円）は８時間認定（33,881円）の13％増にとどまっている。人件費計では標準時間（35,305円）が８時間認定

（30,905円）の約14％増で、2018年度の15％と比較して1％少なくなっている。「保育・幼児教育の無償化」に伴い所長配置加算が基本分単価に算入されるなど変化があったが、標準時間の人件費の改善は全くなされていない。

ii　0・1・2歳児の基本分単価の場合―標準時間単価額は短時間の約4％弱増の低さ

次に、図表3−6−5の0・1・2歳児の基本分単価額等の内訳について見てみる。

まず人件費相当額はいずれの年度も約91％であり、事業費・管理費は9％に過ぎない。基本単価額等について短時間と標準時間を比較してみて、まず驚くのは標準時間の基本単価額や人件費相当額、総計（基本分単価＋人件費加算額）とも標準時間の単価額は短時間の3〜4％増の微増であり、事業費・管理費はほぼ同額でしかない。これでは保育時間の長さを全く考慮していないに等しい。0・1・2歳児の保育は4歳以上児より遙かに人手が必要であるのに、4歳以上児の増加率（14％）より遙かに低い3〜4％とは余りにもひどい。

標準時間の保育時間は、8時間認定より約4割弱（約38％弱）、月360時間（1日3時間×20日）〜450時間（1日3時間×25日）も長く、しかも1時間平均の園児数は通常保育の約3割から4割に達している。人件費だけでなく、光熱水費、冷暖房費等の諸経費もそれに応じて必要となる。それにもかかわらず、人件費は微増にと止まり、事業費・管理費は短時間と同じか、微減というのは余りにも不合理である。内閣府・厚労省の強調している「積み上げ方式」が、いかに杜撰であるかと言わざるを得ない。「積み上げ方式」ではなく、保育時間の長さを考慮しているかのように巧みに気づかれないように取り繕った「ごまかし方式」と言われても致し方ない。

また、無償化に伴い2019年10月から3歳以上の幼児の副食費（約4,500円程度）が公定価格から除かれ、幼児の給食費（主食費＋副食費）は幼稚園と同様に園で保護者から徴収することになった。保護者からの給食費の徴収ができるかどうかが、保育所運営に大きく影響することになった。しかも新制度になり、補助金制度が複雑になり、保育所の事務量が大幅に増えている。幼稚園は

図表 3-6-5　保育所公定価格基本分単価等の内訳―０・１・２歳児１人当たりの５定員区分平均単価額（推計）

（2018 年度、2020 年度その他地域）

		A 基本分単価額	A の内訳額		B 主な人件費加算			人件費計（①＋⑤）	総計（A＋B）
			①人件費相当額[2)]	②事業費・管理費	③所長	④主任保育士	⑤加算計		
2018年	保育短時間認定	118,735 円【100.0】（100.0）	107,900 円（90.9）	10,835 円（9.1）	4,354	2,488 円	6,842 円	114,742 円（96.6）	125,577 円【100.0】（105.8）
	保育標準時間認定	123,071 円【103.7】（100.0）	112,300 円（91.2）	10,771 円（8.8）	4,354	2,488 円	6,842 円	119,142 円（96.8）	129,913 円【103.5】（105.6）
2020年	保育短時間認定	125,701 円【100.0】（100.0）	114,400 円（91.0）	11,301 円（9.0）	基本分単価額に参入	2,505 円	2,505 円	116,905 円（93.0）	128,206 円【100.0】（102.0）
	保育標準時間認定	130,112 円【103.5】（100.0）	118,800 円（91.3）	11,312 円（8.7）		2,505 円	2,505 円	121,305 円（93.2）	132,617 円【103.4】（101.9）

※1）公定価格単価額及び加算額は 2018（平 30）年度当初、2020（令 2）年度当初公定価格単価表に基づく。単価額は「その他地域」

※2）①人件費相当額は、処遇改善１の単価額は基本単価額の人件費相当額の 1%（1/100）といわれているため「処遇改善Ⅰ単価額×100」の額になる。

※3）A ②事業費・管理費額は「基本分単価額―人件費相当額」として算出した推計値。

※4）定員区分平均は 2016 年度経営実態調査の５定員区分に基づく。定員区分は「60 名以下、61〜90 名、91〜120 名、121〜150 名、151 名以上」となっていることから、60 名、90 名、120 名、150 名、170 名の５つの利用定員施設を設定。この５の定員施設の単価額総計／５の平均額である。なお、各定員区分の公定価格は 10 人刻みであり 51〜60 名、81〜90 名、111〜120 名、141〜150 名、161〜170 人区分となっている。

基本単価に正規事務職員の人件費が計上されているが、保育所の基本単価には計上されていない。そのため保育士の仕事がさらに増えることになりかねない。

②　保育所の８時間保育人件費単価額は幼稚園より少ない額も―「無償化」で幼保の格差拡大

保育所の人件費や事業費・管理費の４歳以上児（その他地域）の単価額について、図表 3-6-4 に基づき幼稚園の単価額と比較検討してみる。

幼稚園の基本単価額の内訳は人件費相当額が92〜93%、事業費・管理費が７〜8%となっている。さらに主な人件費加算として副園長配置加算、主幹教諭等専任加算、チーム保育加配加算等が全ての園を対象に加算されている。副園長、主幹教諭は１人、チーム保育加配加算については利用定員の規模に応じて上限人数が決められている。例えば45人以下は１人、46〜150人以下は２人、151人〜240人以下は３人等で最大は450人以上は８人となっている。そのため、単価額も複数配置になれば増えることになる。

さらに2019年度からは講師配置加算が設置され、利用定員35人以下と利用定員121人以上に教諭１人となっている。基本分単価額＋人件費加算額の総計額は2018年度の場合基本分単価の約17〜32%増（34,716円〜38,941円）となる。17%増はチーム保育加配が１人、32%増はチーム保育加配が複数人の場合ということになる。2020年度の総計額は講師配置加算が実施されたことで、約18〜33%増（35,570円〜39,894円）となり、2018年度より2%増となっている。

次に保育所の８時間保育認定の単価額と比較してみる。

2018年度の場合は、保育所の基本分単価額は幼稚園（29,562円）より約4%増の30,870円であり、加算額（所長設置加算、主任保育士専任加算）を加えた総計額では基本単価額の19%増の36,779円である。　幼稚園の場合は基本単価の約17〜32%増（34,716円〜38,941円）であり、幼稚園より安い単価額になることもあり得る。

この比較を2020年度で見てみると一層明確になる。2020年度の保育所の３歳以上児の基本分単価額は「無償化」の実施に伴い、所長設置加算が基本分に参入し、副食費が基本分単価から除外されたことで、幼稚園の基本単価額の構造と同じになった。保育所の基本分単価額（31,376円）は幼稚園より約4%増で2018年度と同じだが、内訳は人件費相当額が約91%程度、事業費・管理費は約9%程度であり、幼稚園とほぼ同じ比率となっている。さらに、基本分単価額＋人件費加算額の総計額は、幼稚園より約5%〜15%少ない額（33,881円）となっている。しかも2018年度の保育所の総計額より約8%少なくなっている。そのうえ、事業費・管理費は幼稚園2,474円だが、保育所は僅か500円増の2,976円に過ぎない。

保育所の８時間保育の保育日数は幼稚園より25～50％増であり、保育時間は約70％程度多い（詳細は第２章-1 p116～参照）。それなのに、人件費の額が幼稚園より少なく、事業費・管理費はほぼ同じ程度というのは、明らかに不平等な経費基準であり、保育に社会的格差を持ち込んできているといえる。ここでも保育時間や保育日数の長さが全く配慮されていない。保育士の給与の低さ、処遇の悪さを改善するには、委託費（公定価格）の改善を進めなければならないことは明白である。

保育所の支出の検討において、保育所の人件費はこれ以上やりくりしても増やすことができない状況にあると指摘したが、その原因は委託費（公定価格）の人件費や事業費・管理費が極めて少ない単価額にあることは明白であり、公定価格の基本分単価額などの改善が必要となる。

7. 負のスパイラルを断ち切るには保育士等職員増・処遇改善が必要

保育所運営の基盤となる公定価格の仕組みについて分析検討をおこなってきたが、一言で単純化して表現すると、８時間以上の保育を行う保育所の保育士配置基準は、４時間標準の幼稚園と同じであり、実質約２倍程度の長い保育時間が考慮されていないし、そのうえ加算配置職員は幼稚園より極めて少ない内容にとどまっていることになる。しかも、待機児童解消対策では規制緩和政策が進められ、保育士配置基準の改善ではなく、配置基準内の常勤保育士１人を短時間で２人するなどの手法がとられ続けている。非常勤職員が増えれば、非常勤職員相互の協力関係の営みや非常勤職員ではできない事務的仕事などが全て常勤保育士が対応することになり、負担がさらにふえるという負のスパイラルが生じている。

国の保育士配置基準では保育所運営が難しく、保育士は国基準の平均約1.8倍程度配置しなければ運営できない状況に置かれている。そのため、国基準の人数分の人件費はその 1.8 倍の保育士の人件費財源に充てざるを得ない状況になる。例えば 10 人分の人件費を 18 人分の人件費にあてなければならない。そのため、保育士の給与が低く抑えられることになっている。実際、国の会計検査報告書（2019 年 12 月）でも全国調査をふまえて「国の設備運営基準（最低基準）の保育士配置数」では「安定的な運営」した保育が営めないため、更なる保育士確保が必要だが、確保できずに、定員割れが起きている状況が「全国的に見受けられる」と指摘している（第１部３章−3 p55〜参照）。

内閣府等が毎年公表する「教育・保育施設等における事故報告集計」を見ると、年間の重大事故（死亡や 30 日以上負傷や疾病を伴う重篤な事故）は、保育所では 2015 年 344 件（内死亡２件）であったが、2016 年 474 件（内死亡５件）で 1.4 倍弱、2020 年には 1,081 件（内死亡１件）で５年間で約 3.1 倍、さらに 2021 年には 1,189（内死亡２件）と急増している。幼稚園は 50 件（2020 年）にとどまっている。施設数に対する事故件数の割合でみると、保育所や認定子ども園の重大事故発生率は幼稚園の 8〜12 倍となっている（詳細は後述の第４章−1 を参照）。保育所・認定子ども園では子どもの命と安全が脅かされていると言っても過言ではない。

このような状況の下で、国基準以上の保育士確保→賃金抑制→保育士確保困難→定員割れ→公定価格の減収といった悪循環・負のスパイラルがうまれている。そのため、保育士等職員は、低賃金や多忙で過重な仕事という処遇の悪さの環境に置かれ、保育士の保育所離れや確保困難問題を生み出し、深刻化しつつある。しかし、保育の質を高めるために、保育士の増員をすすめるなどの取り組みを進めている保育所も少なくない。保育の質の確保は現場の努力だけに委ねられている。そのため、ちょっとしたミスが重大事故を引き起こすことになりかねない。事故が起きないようにいつもドキドキハラハラしながら保育に当たっているといえる。全ての保育所で安心安全の保育を確保し、重大事故を起こらないようにするには、各園の現場だけに委ねることでは問題の解決につながらない。

こうした状況を改善するには、公定価格の保育士等職員の配置基準を改善し、保育士等職員の増員・処遇改善が必要不可欠である。保育士確保困難問題では、しばしば保育士の賃金引上が問題になるが、保育士の増員が伴わなければ、給与等の処遇改善にはつながらない。後述するように国の保育士等職員給与基準額の改善も必要だが、現在の国配置基準人数分だけの給与をわずか増額するだけでは、全員には行き渡らず、この悪循環を断ち切ることは困難である。最も重要な課題は安心・安全の保育を営むための保育士等職員の増員等による処遇改善を緊急に進めることにある。

新制度になり公定価格の内容や手法が複雑であったり、保育士に関わる政策が表向きにはいろいろ出されたりしているため、第４章では保育士等処遇改善施策を検討する際のいくつかの課題や方向性について検討し、保育士等職員の増員等具体的な改善施策について第５章で検討する。

第４章
保育士等職員増・処遇改善施策を考えるうえでいくつかの課題について

保育士処遇改善の施策を考えるうえで最も大切なことは、子どもの命や安全を守れる保育が営まれているかどうかということにある。内閣府は新制度になり毎年保育所、幼稚園等の重大事故調査報告を公表しているが、それはどのような状況になっているのか、保育士配置等処遇問題とどう関連するのかをまず検証する。

次に、保育士配置基準の土台となっている保育所の設備・運営基準（最低基準）の理念や改善の歩みを振り返り、保育士処遇改善を進めるうえでの課題を検討する。さらに、このような状況の下で、内閣府・厚労省が最近検討してきている保育士処遇施策とはどのような内容なのかを検討する。

これらの課題を踏まえて、次章で保育士処遇改善に関する公定価格の抜本的改善課題について提起する。

1. 保育所等の重大事故件数の急増をどう見るか

内閣府は新制度の発足に伴い、保育所、幼稚園、認定こども園等での事故報告制度の見直しを行い、2015（平成 27）年度から実施し、毎年「教育・保育施設等における事故報告集計」を公表してきている。この「報告」で掲載している事故は、重大事故と定義し、その内容は「死亡事故や治療期間 30 日以上の負傷や疾病、意識不明の事故等を伴う重篤な事故など」としている。つまり、死亡事故だけでなく、重篤な事故を取り上げている。保育中などにあってはならない事故である。

(1) 保育所・認定子ども園の重大事故発生率は幼稚園の約 9〜13 倍と異常な高さ

この重大事故の件数について新制度移行以後の推移について図表 4-1 にまとめた。なお、全ての施設について 1 年間（1 月 1 日〜12 月 31 日）の調査が実施されたのは 2016（平 28）年からであり、2016 年を基点とした。また、ここでは、認定こども園について、認可施設である幼保連携型、幼稚園型、保育所型の三つのタイプを取り上げた。

まず 2020 年の重大事故の件数は、最も多いのは保育所で 1081 件で、次が認定こども園の合計 382 件、幼稚園 55 件の順であり、かなりの差がある。認定こども園はタイプにより差がある。それぞれの施設は施設数が大きく異なっているため、件数だけでは比較ができない。ここでは重大事故が施設数に対してどの程度の割合で発生しているかを見ることで比較した。この割合（事故件数／施設数×100）を重大事故の発生率とした。

図表 4-1　保育所等の重大な事故件数と事故発生率の推移（2021.9 村山祐一作成）

		幼稚園	保育所	認定こども園			
				計	幼保連携型	保育所型	幼稚園型
2020（令2）年	1 事故件数計（内死亡事故）【指数】	55(0)【275.0】	1,081(1)【228.1】	382(2)【545.7】	312(0)【611.8】	46(1)【418.2】	24(1)【300.0】
	2 事故発生率（事故件数／施設数×100）〈指数〉	0.6%〈100.0〉	4.8%〈800.0〉	4.8%〈800.0〉	5.5%〈916.6〉	4.4%〈733.3〉	2.0%〈333.3〉
	3 施設数	8,498	22,706	7,941	5,688	1,053	1,200
2016（平28）年	1 事故件数計（内死亡事故）【指数】	20(0)【100.0】	474(5)【100.0】	70(0)【100.0】	51(0)【100.0】	11(0)【100.0】	8(0)【100.0】
	2 事故発生率（事故件数／施設数×100）〈指数〉	0.3%〈100.0〉	2.0%〈666.6〉	1.8%〈600.0〉	1.8%〈600.0〉	2.3%〈766.6〉	1.2%〈400.0〉
	3 施設数	6,514	23,447	3,941	2,785	474	682

※内閣府子ども・子育て本部 2016 年、2018 年、2020 年「教育・保育施設等における事故報告集計」に基づく。重大事故とは死亡事故や治療期間 30 日以上の負傷や疾病、意識不明の事故等を伴う重篤な事故など。

※事故発生率は施設数に対する重大事故件数の割合であり、事故件数／施設数×100 で計算。

2020 年の重大事故発生率をみる、幼稚園は 0.6％と低いが、認可保育所と認定こども園は 4.8％と約５％程度の施設で重大事故が起きていることになる。このまま続くと、５年で約 25％の施設で、10 年で約半数（50％）の施設で重大事故を起こしていることになりかねない。保育所、認定こども園の発生率は幼稚園の 8〜9 倍に達している。さらに 2022 年７月公表の「2021 年事故報告集計」では事故発率は幼稚園（0.6％）だが、保育所は幼稚園の９倍弱（5.2％）、認定こども園は平均で 10 倍（6.5％）、そのうち幼保連携型認定こども園は 13 倍弱（7.6％）と急増している。これを見過ごすことはできない。

(2) 幼保連携型・保育所型認定こども園の重大事故発生率は保育所と同様に高い

次に認定こども園についてタイプ別で重大事故発生率を比較してみる。幼保連携型認定こども園は 5.5％、保育所型認定こども園は 4.4％と高く、幼稚園型認定こども園は 2.0％とやや低い。どうして差があるのかということが当然問題となる。この３つのタイプの違いは１号認定こども、２号認定こども、３号認定こどもの園児数がかなり違うということにある。１号認定こどもは３歳以上児で４時間標準の短時間保育、２号認定こども（３歳以上児）、３号認定こども（３歳未満児）は「保育を必要とする児童」であり、８時間、８時間以上の長時間保育を必要とする。

保育所は全て２号・３号認定こどもであり、幼稚園は全て１号認定こどもとなっているが、新制度での認定こども園は１号認定こども（３歳以上児・４時間標準保育）、２号認定こども（３歳以上児、長時間保育）、３号認定こども（３歳未満児・長時間保育）のいずれも対象児童である。特に２号認定こどもについては定員設定が認可条件となっている。タイプにより各認定の園児数の構成比は異なるため、図表 4–2 にまとめてみた。

幼保連携型は、発足当初の 2015 年は１号認定約 39％、２号認定 37％、３号認定 24％であったが、2020 年には１号認定 26％、２号認定は 46％、３号認定は 28％となっている。2015 年と 2020 年を比較すると１号認定が約 40％弱であったが、2020年には26％と減少し、2号・3号認定が61％から約74％に増加している。幼保連携型は2号・3号認定こどもが多数を占めている。

保育所型は保育所を基盤とした認定こども園であり、1号認定こどもは少なく10％、2号・3号認定が約90％であり、発足当初から大きな変化はない。

幼保連携型、保育所型とも2号・3号認定こどもが多数を占めている。これに対して幼稚園型は幼稚園を基盤とした認定こども園であり、1号認定こどもが多数を占めている。2020年の1号認定は約68％、2号・3号認定は約30％程度である。発足当初は1号認定が80％を占め、2号・3号認定が20％であったが、1号認定が少なくなり、2号・3号認定が増える傾向にある。

図表4-2　認定こども園タイプ別の支給認定別在籍園児数（2021年9月村山作成）

			4時間標準保育	8時間及び8時間以上保育		計
			1号認定こども：3歳以上児（指数）	2号認定こども：3歳以上児（指数）	3号認定こども：3歳未満児（指数）	
幼保連携型	2020年	構成比	26.2%　(67.3)	46.0%　(124.3)	27.8%　(115.8)	100.0%
		園児数	【196,319人】	【345,227人】	【208,781人】	【750,327人】
	2018年	構成比	30.3%　(77.8)	42.0%　(113.2)	27.5%　(107.9)	100.0%
		園児数	【181,224人】	【251,205人】	【164,656人】	【597,085人】
	2015年	構成比	38.9%　(100.0)	37.0%　(100.0)	24.0%　(100.0)	100.0%
		園児数	【108,863人】	【103,316人】	【67,228人】	【279,407人】
幼稚園型	2020年	構成比	67.5%　(84.3)	25.4%　(177.6)	14.0%　(245.6)	100.0%
		園児数	【108,085人】	【40,669人】	【11,365人】	【160,119人】
	2018年	構成比	74.3%　(92.8)	18.9%　(132.1)	6.7%　(117.5)	100.0%
		園児数	【100,280人】	【25,534人】	【9,044人】	【134,858人】
	2015年	構成比	80.0%　(100.0)	14.3%　(100.0)	5.7%　(100.0)	100.0%
		園児数	【61,245人】	【10,908人】	【4,336人】	【76,489人】
保育所型	2020年	構成比	9.2%　(86.7)	56.5%　(100.8)	34.3%　(102.6)	100.0%
		園児数	【9,386人】	【57,885人】	【35,177人】	【102,448人】
	2018年	構成比	11.1%　(104.7)	54.9%　(98.0)	33.9%　(101.4)	100.0%
		園児数	【7,874人】	【38,832人】	【23,986人】	【70,692人】
	2015年	構成比	10.6%　(100.0)	56.0%　(100.0)	33.4%　(100.0)	100.0%
		園児数	【3,353人】	【17,780人】	【10,594人】	【31,727人】

※データは内閣府「認定こども園に関する状況について（各年4月1日現在）」各年版に基づく。
※(　)は各タイプ別の「構成比」について2015年度を100とした指数。

以上の傾向を重大事故発生率の状況と関連付けると、２号・３号認定の子どもが多数を占める幼保連携型と保育所型の発生率が大変高く、保育所と同じか、それ以上で、幼稚園の約8〜9倍となっている。同じ認定こども園でも１号認定中心の幼稚園型の発生率は2%と低い。しかし、１号認定こどもだけの幼稚園は0.6%であり、それと比較すると約３倍強と多い。また幼稚園型の重大事故発生率の推移を見ると、2016年0.3%から2020年0.6%へと増加傾向にある。

なお、事故件数を年齢別に見ると、３歳未満児は保育所で約15%、認定こども園で約24%であり、いずれも３歳以上児が約85〜76%と多数を占めている。

(3) 事故発生の要因について―「〜しながら保育」等の常態化

事故の内容についての分析は内閣府等「重大事故防止を考える有識者会議年次報告」(2018（平30）年７月）において示されているので、検討する。

死亡事故では発生しやすい場面は「睡眠中」「食事中」「プール等水遊び」であり、一人一人の子どもの健康状態の把握や一人一人の見守り、プール事故は専念できる監視役の設置等が防止につながるとされている。最も多いのは０歳児・１歳児であり、ほとんどが保育所や認定こども園での事故である。

負傷等の重大事故では、事故の誘因は「自らの転倒・衝突によるもの」、「遊具等からの転落・落下」が多く、遊具の事故では「すべり台」が最も多い。発生時の年齢クラス等別では、最も多いのが異年齢構成による場合が最も多く、保育所では約５割、認定こども園は約３割強、年齢別クラスでは５歳児が最も多く、幼稚園の場合は４割弱となっている。職員の配置状況は基準通りが幼稚園68%、保育所57%、認定こども園40%であり、基準以上配置が保育所40%、認定こども園では53%となっている。

さらに、事故発生時の担当職員の動きについては、「対象時から離れたところで対象児を見ていた」+「対象児の動きを見ていなかった」が保育所57%、認定こども園51%と半数を超えている。こうした状況での「事故発生の要因分析」について、「年次報告」では次のように指摘している（p47)。

「『子どもを見守りつつ、後片付けなどの作業を並行していた』、『延長時間で通常クラスではなく異年齢児構成で対応する際、担当の受け渡しが十分でなかった』、『子どものお迎えで保護者に対応していた』などといった、普段であれば職員による見守りがあるところ、短時間であっても子どもを観察していない時間に発生しているところが多い」。

つまり、重大事故の発生要因は、後片付けしながら、保護者と対応しながら、異年齢構成になるなどの短時間に子どもをきちんと見守られていない状況でが発生していると指摘している。「遊びや食事等の後片付けをしながら保育」、「昼寝の布団を敷いたり、片付けたりしながら子どもを見守る」、「保護者対応をしながら子どもを見守る」といった「〜しながら保育」の短時間に「子どもの見守りができない」ことが重大事故発生の大きな要因になっていると言える。いつでも保育士が、子どもをきちんと見守れるようにすることの重要性を指摘していると言える。

(4)「〜しながら保育」等の解消には保育士の配置や働き方の改善が必要

保育所等は子どもの保育時間が長いため、保育中にいろいろと片付けなどが必要になる場面が多々ある。保育士の配置が少ないため、「〜しながら保育」が日常化している。特に3歳以上の場合は、20人、30人を保育士1人配置基準のため「〜しながら保育」が常態化しやすい。「〜しながら保育」なしには保育が営めない状況にある。幼児になれば、片付けなどを子どもと一緒に行えるようになるが、それは4〜5人のグループの個別指導になり、他の子どもたちは短時間ではあるが放置されることになる。幼稚園で実施されているチーム保育の考えを保育所にも導入し、チーム保育加配加算で保育士の増員を図るなどの対応ができれば一定の改善が図られる。8時間の長時間保育について、園児20人、30人を保育士1人で対応するという基準自体が異常であり、「〜しながら保育」を解消し子どもの安全・安心が確保できる保育士の増員配置をすすめることが必要不可欠である。

また、8時間保育以上の保育等で、園児や保育士が少なくなることで、異年齢集団の保育になり、子どもの見守りが手薄になる。異年齢であればこそ、年齢・発達が異なるためよりこまめな見守りが必要になるが、そうした考慮が困難な状況に置かれている。保育所の事故発生の時間帯では夕方（16時頃〜夕食提供前頃）は約3割（29%）を占め、午前中（10時以降）の約3割強（34%）について多い。保育所等の8〜11時間保育の職員配置も大幅な改善が求められる。

3歳未満児の事故では「食事中」、「睡眠中」が目立つが、食事には細かな介助が必要のうえ、手際よく後片付けをするなどの作業も必要となる。「睡眠中」もきめ細かな観察が求められるが保育士の休憩時間と重なるケースが少なくない。また、昼寝の準備や後片付けは全て保育士が対応しなければならない。食事の準備から昼寝の終了までの時間帯は、通常の保育士の配置では対応できないため、保育士配置を増やして対応しないと危険を伴うことになる。

さらに、保育所等の保育士配置基準では保育士は8時間保育に従事し、記録の記載や保育準備等は時間外勤務等での対応となっている。そのため、保育をしながら書類などの事務仕事を処理しなければならない状況もあり、「〜しながら保育」が日常化しやすい環境におかれている。

「〜しながら保育」の常態化は、保育士の協力・協働の営みを難しくする要因にもなる。保育士の協力・協働の営みは、長時間保育を営む上では必要不可欠である。保育士の協力分担の営みは、共通の場で仕事の分担と協力を日常的に築いて行くことが必要であり、それには保育士各人が保育士相互に関わりを持てるゆとりが求められる。

「〜しながら保育」が日常化すると、保育士相互で分担と協力する営みが築きにくくなり、関わりをもつことに大変さを感じるようになる。その結果、短時間であれ保育者の見守りがない時間帯が点在化し、事故の起きやすい条件が醸成されていくことになり、重大事故を引き起こす要因となっていくと言える。

幼稚園の場合は保育時間が5.5時間位であり、保育終了後に片付けや準備が可能であり、あえて「片付けながら保育」といった営みをせずに保育ができる。しかし、保育所の場合は、長時間保育が前提となっているのに、保育士配置基準では、片付けや準備等のノンコンタクト時間が保育者1人1人に保障されていなし、保育中に生じる片付け等に対応する保育士の配置も考慮されていない。このことが、重大事故発生の大きな要因になっていることは明白である。重大事故防止と子どもの視点から保育時間の長さを考慮した保育士等の労働時間・働き方や配置基準の在り方を検討することが求められている。

それでは保育所の保育士配置基準を定めている設備・運営基準（最低基準）について検討してみる。

2. 保育所の設備・運営基準（最低基準）の問題点と改善の視点について

保育所等の設備や保育士等職員配置等運営に関する基準については児童福祉法45条に基づき厚生労働大臣が「児童の身体的、精神的及び社会的な発達のために必要な基準」として省令「児童福祉施設の設備及び運営に関する基準」で定めている。2011（平23）年の児童福祉法改正で、保育所等の設備・運営の基準について都道府県がこの省令に基づき条例で定めることになり、それに伴い「児童福祉最低基準」の名称は「児童福祉施設の設備及び運営に関する基準」に改正された。その省令の内容では、「最低基準」と言う用語はそのまま使用されている。そのため、「設備及び運営に関する基準（最低基準）」と言われることも少なくない。ここではこの基準について「設備・運営基準（最低基準）」ないし最低基準と呼ぶことにする。

各保育所に支給される公定価格（保育単価）の基準は、この最低基準を踏まえて設定されている。各保育所の運営にとって、最低基準がどのように運用されているかは極めて重要な意味をもつ。そこで、あらためて、最低基準がどのような理念や考えで作成され、どのように運用や改善がされてきたかを振り返ってみる。

(1) 最低基準の２つの基本理念と運用・改善の歩みについて

最低基準は 1948（昭 23）年 12 月に制定されたが、敗戦後の経済的混乱状況を考慮して「現状からみて著しく高い水準とはせず」にという思いで制定された。そのため制定直後に出版された厚生省児童局企画課長松崎芳伸著「児童福祉施設最低基準」（1949（昭 24 年）３月、日本社会事業刊、以下「最低基準解説書」）の「はしがき」で「最低基準というものは、日進月歩しなければならない」、「いわゆる先進文明国のそれと同じレベルのものが書き上げられなければならない。私はその日の近きを期している」とその思いを語っている。

さらに、同書で最低基準のあり方について、「国そのものも、経済の復興、文化の向上につれて、できればスライド式に、この最低基準を向上させなければならないのは当然であり、厚生大臣は『最低基準を常に向上させるように努めるものとする』（第３条２項（現在第１条３項））との規定の趣旨も、またここに存する」と説明している（同書 p27）。つまり、最低基準は社会・経済状況の発展等時代に応じて「日新月歩」で改善されていかなければならないという理念が込められて、作成されたといえる。これが、第１の理念といえる。

もう一つは「最低基準を超え、常に、設備及び運営を向上させる」という考えである。「最低基準解説書」では「最低基準」というのは「これより下がってはいけない、ぎりぎりの最低線ということであり、単に『基準』というのとは大いに異なる」（p17）と指摘している。

さらに「厚生大臣の定めた最低基準より上回った基準を持ちうることが可能であろう。この省令は、そういう基準を阻止しょうとはしない、むしろこれを歓迎するのである」と強調している。さらに、「そういう思想を表現している」のが第３条１項の「都道府県知事は…都道府県児童福祉審議会の意見を聞き、その監督する児童福祉施設に対し、最低基準を超えて、その設備及び運営を向上させるように勧告することができる」、第４条１項の「児童福祉施設は最低基準を超えて、常に、その設備及び運営を向上させなければならない」という規定であると指摘している（p26）。そのため、保育士定数の基準や施設等の面積基準は「○○以上」という表現で示されている。

また制定の際の厚生次官通牒「児童福祉施設最低基準施行について」(1948(昭23) 年12月) でも次のように指摘している。「都道府県又は市町村は、あらゆる困難を排し、率先してその設置する児童福祉施設をこの水準より高いものに整備するとともに、私人の設置する児童福祉施設の管理者に対して助言と援助を与えられたい。」

この2つの理念・視点が相互に関連させながら、最低基準の向上が進められるという期待で作成されたと推測できる。そのように捉えるなら、この2つの理念・視点は次の2つの課題を提起しているといえる。

第一の理念からは最低基準自体の改善問題が「日新月歩」という視点からすすめられたのかという課題である。また、第2の考えに基づく実践をふまえて最低基準の改善が進められたのかどうかと言うことが問われる。

第二の理念からは、最低基準が公定価格（保育単価）等の日常的施策にどのように運用されているかという課題である。国、自治体などが最低基準を運用する際に、「最低基準を超えて向上させる」という視点から進められたのかということが問われる。

この2つの視点を踏まえた2つの課題が相互に関連させながら、最低基準の向上が進められて来たのかと言うことが問われる。この2つの課題がどのように扱われてきているかを検討する。

(2) 第一の理念　最低基準は「日新月歩」したと言えるのか

第一の理念である最低基準が社会の発展に応じて「日新月歩」の歩みはどう進んだのか、その歩みを振り返ってみる。社会が大きく変貌し、保育の施策も大きく変化しているにもかかわらず、保育士等職員配置基準は1960年～70年代に若干改善されただけで、基本の規定は何らの改善もされず制定当時のままであり、その運用方法も改善されていない。特に、1990年代から2000年代にかけて国民生活に係わる国の施策や社会生活のあり様に大きな変化をもたらす動きが台頭し始め、保育所保育への考え方や国民の期待にも変化が見られた。

1999（平 11）年の男女共同参画社会基本法の施行により、男女平等の実現に向けた様々な取り組みを推進することが国の施策として打ち出され、「家庭生活と職業生活の両立」のための環境整備を進めるために、保育所整備、待機児童解消の施策が打ち出されてきている。これまで以上に、保育所の重要性が社会的に位置づけられるという大きな変化が見られはじめた。

さらに国民生活の基本となる労働時間についても、国の政策で週 48 時間制から週 40 時間制への移行が 1981 年度から段階的に進められ 1997（平 9）年度に完全実施となり、2002（平 14）年度から学校 5 日制が実施され、完全週休 2 日制が社会に定着して来ている。政府の統計でも土曜日の就労者は約 3 割程度になり、労働環境が大きく変化し始めた。このことは、保育時間の在り方や保育士の働き方にも大きな変化をもたらしている。

保育士の制度的位置づけも 2000 年以降大きく変化した。まず、男女共同参画社会基本法の施行や男性保育者が増えたことなどもあり、児童福祉法施行令の改正により保母の名称を保育士に改め、1999 年 4 月に施行された。その後、児童福祉法の改正（2001（平 13）年 11 月）により保育士の法的定義が児福法（第 18 条の 4）に明確に位置づけられ、2003（平 15）年 11 月に施行された。

その定義では、保育士は「専門的知識及び技術をもって、児童の保育及び児童の保護者に対する保育に関する指導を行うこと」と、職務内容が明記された。子どもの保育だけではなく、保護者に対する「保育に関する指導」の 2 つの役割が法的に位置づけられた。

このような保育士の職務内容が法律で明確に位置づけられたにもかかわらず、最低基準での保育士の職務や保育士配置基準に関する規定についての改善は何らなされていない。

また、保育所保育指針は 1965 年 8 月に初めて制定され、その後 1990（平 2）年、2000（平 12）年、2008（平 20）、2017（平 29）年と 4 回の改定がされ、1950 年代、60 年代当時の保育状況とは大きく変化し、乳児保育の充実や幼児の年齢に応じた保育の充実、年齢別の指導計画、保健計画、食育計画の作成とそれに基づく保育の展開、保護者に対する支援、障がいや発達上の課題が見られる子どもの保育の展開、食育の推進、食物アレルギーへの対応、地域の保護者に対する支援、職員の職場内研修の充実、キャリアアップ研修など外部研修の機会の確保など様々な対応が打ち出されてきている。さらに、食に係る様々な環境の変化の中で望ましい食生活の推進を進めるために2005（平17）年7月食育基本法が施行され、2006年3月に「食育推進計画」が策定された。その計画の第3章で「保育所での食育推進」を明記し、2004（平16）年3月発出された厚労省課長通知「保育所における食育に関する指針」が位置づけられ、「保育計画に連動した組織的・発展的な『食育の計画』の策定等」の推進が強調された。こうした動向を背景に2008（平20）年版保育所保育指針の「第5章健康及び安全」の中で「保育の内容の一環」として「食育の推進」が位置づけられた。これを受けて厚労省は2012（平24）年3月「保育所における食事の提供ガイドライン」を公表している。

このように、社会や国民生活が大きく変貌し、保育所の役割や課題も大きく変化しているため、保育環境や保育士等職員の労働環境の在り方の再検討が求められ、最低基準の改善も当然進められなければならない。それにもかかわらず、最低基準の基本的枠組みは制定当時のままであり、後述するように基準の内容の改善は遅々として進まず、とても「日進月歩」しているとはとても言えない。第一の理念は置き去りにされ、最低基準は時代の変化に対応できず、時代遅れのまま放置されていると言って過言ではない。現代社会に対応できる最低基準のあり方、改善が求められている。

(3) 第二の理念「最低基準を超えて向上させる」という視点はどうか ——

① 保育士定数等改善の歩み等の施策について

1948年制定当初の最低基準では保育士配置定数及び保育時間について次のように定められていた。

「乳児又は満2歳に満たない幼児おおむね10人につき1人以上、満2歳以上の幼児おおむね30人につき1人以上とする。但し、保育所1につき2人を下ることはできない」(53 条)、「保育所における保育時間は１日につき８時間を原則」(54 条) と定められていた。配置定数の但し書き「2 人を下ることができない」と保育時間の規定は現在も変わっていない。

保育士配置定数０歳・１歳児は 10：1 以上、2 歳児以上は 30：1 以上は、1969（昭 44）年までに一定の改善が行われ、０歳・1 歳・2 歳児６：1 以上、3 歳児 20：1 以上、4・5 歳児 30：1 以上となった。この間、1953（昭 28）年 1 月から省令「児童福祉施設最低基準に定める保育所の保母の特例に関する省令」を発出し、「資格のある保母を置くことが出来ない場合は」、資格のない保育者を定数の「3 分の 1 を超えない」範囲で有効期間 2 年間の条件で置くことが出来る特例が示された。この特例は 1979（昭 54）年 5 月廃止された。また 1977 年 3 月の事務次官通知「児童福祉法施行令等の一部改正」で、保母の資格を有した男性も、「保母と同様に、児童福祉施設において児童の保育に従事することができる」とした。いわゆる「保父制度」の発足と言われている（厚生省児童家庭局母子福祉課監修「保育所の手引き」改定増補版 1988（昭 63）年 9 月刊）

乳児保育に対する社会的要請の増大に対応するという趣旨で 1969 年度から乳児保育特別対策補助制度が進められ、最低基準は改定されずに補助基準として保育士定数３：1 と保育室面積 1 人 5㎡が位置づけられ、29 年間継続され、この基準が定着してきた。補助金を受けられない保育所では最低基準の保育士定数６：1、保育室面積 1 人 3.3㎡の基準で実施されてきた。待機児童解消政策が進められる中で、1998 年度から乳児保育を一般化するために、最低基準が改正され、保育士定数は６：1 から３：1 に改善されたが、保育室面積は 3.3㎡のままで、補助基準 5㎡より切り下げられることになった。補助基準で 29 年間続けられて定着し、評価されてきた 5㎡が位置づけられずに切り下げられた。これは「最低基準を超えて向上させる」長年の取り組みを無視し、改善の芽を踏み潰すような手法である。

また、基準定数の保育士は制度開始当初から常勤正規勤務（1 日 8 時間勤務）とされてきたが、1998（平 10）年 2 月 18 日局長通知「保育所における短時間勤務の保母の導入について」を発出し、1998 年度から最低基準の定数保育士

（保母）の2割未満については常勤ではなく短時間勤務（1日6時間未満又は月20日未満勤務）を充てて差し支えないとした。

その後、保育士の短時間勤務については、2002年5月同局長通知で、短時間勤務保育士の「2割未満」制限を廃止し、常勤の保育は「各組や各グループに1名以上配置」になり規制緩和が一層進められた。「最低基準を超えて向上させる」視点に立つなら、定数保育士外に約2割の短時間保育士の配置を加配できる等の施策がとられるべきではないか。最低基準では何も定義されていない「各組や各グループ」という概念を使用するのであれば、最低基準で「各組や各グループ」の年齢別の規模等を示すべきである。これらの手法は「最低基準を超えて向上させる」視点に逆行する施策としかいいようがない。

さらに、1998年2月18日局長通知「保育所における調理業務の委託について」で調理業務の外部委託を認め、その際「調理員を置かないことができる」とした。また保育所の園庭（屋外遊戯場）の設置についても、2001年3月の課長通知で「屋外遊戯場の付近にある屋外遊戯場に代わるべき場所」について「必ずしも保育所と隣接する必要はないこと」とし、実質的に「園庭のない保育所」でも認可されるようになった。

1990年代以降の最低基準に係わる諸施策は、第二の理念である「最低基準を超えて向上させる」という考えとは逆行し、規制緩和を理由に、基準をさらに引き下げて行くような内容になっている。

②　公定価格の保育士配置の総定数計算方法は最低基準の理念に逆行

最低基準では、保育士の配置定数基準については「乳児おおむね3人につき1人以上、満1歳以上満3歳に満たない幼児おおむね6人につき1人以上、満3歳以上満4歳に満たない幼児おおむね20人につき1人以上、満4歳以上の幼児おおむね30人につき1人以上」（33条）と定められているだけである。「おおむね」の規定であり、「おおよそ」「だいたい」と言う意味であり、「大まかな」数値で示されているということになる。しかも、年齢別のグループやクラスの規模については何らの規定もない。そのため、極めて曖昧な基準となっている。

幼稚園設置基準では「1学級の幼児数は35人以下を原則とする」（第3条）、「各学級ごとに少なくとも専任の主幹教諭、指導教諭又は教諭を１人置かなければならない」（第４条）と規定されている。つまり、１クラス35人以下でなければならないし、専任の教諭を１人配置しなければならないと明記されている。また、1学年40人いる場合は「35人以下」であることから、20人のクラスが２クラスとなり、２人の専任教諭の配置で対応することになる。幼稚園と比べると保育所の基準はあまりにも漠然とした内容と言える。

公定価格では「おおむね」という用語は使われず「4歳以上児30人につき１人、3歳児20人につき１人、1,2歳児につき１人、乳児３人につき１人」という言い方で、より明確な基準となっている。しかし、公定価格の配置基準上保育士数を算出する計算式には「おおよそ」の曖昧さが見られる。

公定価格の国基準保育士数の計算式は（0歳児数／3（各年齢区分ごとに小数点第１位、小数点第２位以下切捨））＋（1・2歳児数／6）＋（3歳児数／20）＋（4・5歳児数／30）＝配置基準上保育士数（小数点以下四捨五入）という計算式で、保育士の総定数がまず決められる。つまり、年齢区分ごとに保育士数を小数第１位まで算出し、その合計数の小数第１位を四捨五入して保育士定数が決められる（以下総定数計算方式）。その総定数を各年齢に配分するという手法になっている。各年齢別で保育士数を決めて、その上で合計保育士がきまるという手法ではない。

そのため、「4歳以上児30人につき１人、3歳児20人につき１人」など年齢別基準を適用して保育士を配置すると、1〜2名不足するケースが生まれ、その場合は公定価格の年齢別保育士配置が守れなくなる。

例えば、全社協2016年調査の平均園児数96人の場合について２つの事例を比較してみたのが図表4-3である。Aの事例は調査で示された年齢別園児数であり、Bは0歳児１名、２歳児２名を少なくして、３歳以上児を各１名増やした場合の事例である。それぞれ、①現行の公定価格の国基準保育士総定数計算式（合計数の少数第１位を四捨五入）での保育士数と②国基準保育士定数を年齢別計算式での保育士配置数を比較してまとめてみた。

事例Ａの場合は①現行国基準保育士数は10名になる。その10名を年齢別に保育士定数基準を踏まえて配置すると、4・5歳児混合で38名を保育士1人で担当することになり、公定価格の基準が守れなくなる。国基準を②年齢別計算式での保育士数は4歳児1人、5歳児1人の配置となり、保育士総数は11名になり、公定価格の基準が守れる。現行の計算式では、公定価格の保育士定数を年齢別に遵守すると1名不足となる。

事例Ｂの場合は、①現行国基準保育士数は9名になる。その9名を年齢別に保育士定数基準を踏まえて配置すると、2歳児15人を保育士2人、4・5歳児混合で40名を保育士1人で担当することになりかねない。②年齢別計算式での国基準保育士数は2歳児15人を3人、4歳児1人、5歳児1人の保育士配置となり、保育士総数は11名になる。現行の総定数計算方式での保育士数では、現行の国基準保育士定数で年齢別の園児数に応じて保育士を配置すると2名不足となる。

図表4-3　現行国基準保育士算出方式では1〜2名不足で基準も守れない
（利用定員96人／全保協2016年調査に基づく）（2020.12 村山作成）

<table>
<tr><td colspan="2" rowspan="2"></td><td rowspan="2">園児数、保育士数</td><td colspan="6">年齢別平均園児数（96人）</td></tr>
<tr><td>0歳児</td><td>1歳児</td><td>2歳児</td><td>3歳児</td><td>4歳児</td><td>5歳児</td></tr>
<tr><td rowspan="5">Aの事例</td><td>平均園児数</td><td>96人</td><td>7人</td><td>15人</td><td>17人</td><td>19人</td><td>19人</td><td>19人</td></tr>
<tr><td rowspan="2">①現行国基準保育士数（計算式）</td><td>10人</td><td>2人</td><td>3人</td><td>3人</td><td>1人</td><td colspan="2">1人</td></tr>
<tr><td>9.7人（四捨五入）</td><td>7/3＝2.3</td><td colspan="2">32/6＝5.3</td><td>19/20＝0.9</td><td colspan="2">38/30＝1.2</td></tr>
<tr><td rowspan="2">②国基準年齢別計算での保育士配置数</td><td>11人</td><td>2人</td><td>3人</td><td>3人</td><td>1人</td><td>1人</td><td>1人</td></tr>
<tr><td>（計算式）</td><td>2.3人</td><td>15/6＝2.5人</td><td>17/6＝2.8</td><td>19/20＝0.9</td><td>19/30＝0.6人</td><td>19/30＝0.6人</td></tr>
<tr><td rowspan="5">Bの事例</td><td>平均園児数</td><td>96人</td><td>6人</td><td>15人</td><td>15人</td><td>20人</td><td>20人</td><td>20人</td></tr>
<tr><td rowspan="2">①現行国基準保育士数（計算式）</td><td>9人</td><td>2人</td><td>3人</td><td>2人</td><td>1人</td><td colspan="2">1人</td></tr>
<tr><td>9.3人（四捨五入）</td><td>6/3＝2.0</td><td colspan="2">30/6＝5.0</td><td>20/20＝1.0</td><td colspan="2">40/30＝1.3</td></tr>
<tr><td rowspan="2">②国基準年齢別計算での保育士配置数</td><td>11人</td><td>2人</td><td>3人</td><td>3人</td><td>1人</td><td>1人</td><td>1人</td></tr>
<tr><td>（計算式）</td><td>2.3人</td><td>15/6＝2.5人</td><td>15/6＝2.5</td><td>1.0人</td><td>19/30＝0.6人</td><td>19/30＝0.6人</td></tr>
</table>

現行の総定数計算方式による基準では、年齢別園児数の若干の増減状況で、保育士の配置数が1〜2名少なくなり、きわめて不安定であり、基準としては不適切といえる。10人程度の保育士数のうち1〜2人増減は保育現場に大変な影響を及ぼすことになり、重大な問題である。保育士10人分、9人分の人件費で11人分を賄わざるを得なくなる。

この総定数計算式では、もう一つの問題が生じる。保育士の配置基準について、しばしば1歳児は6：1から4：1に、2歳児は6：1から4：1に、3歳児は20：1を15：1に、4・5歳児30：1を20：1に等の改善が求められる。しかしそれが実現しても、現在の最低基準の計算式では単純に保育士配置増につながらないケースも生まれ、十分な改善にはつながらない場合が少なくない。

例えば、3歳児の受け持ち基準が20：1から15：1に改善された場合について、定員96人で0歳児7人、1・2歳児32人、3歳児19人、4・5歳児38人のケースでみてみる。保育士の総定数は0歳児2.3人（7/3）＋1・2歳児5.3人（15/6）＋3歳児0.9人（19/20）＋4・5歳児1.2人（38/30）＝9.7人で四捨五入で10人となる。この総定数方式の場合では、3歳児が20：1が15：1に改善されると19/15＝1.2人となるが合計数は10.0となり増減ゼロと変わらない。

3歳児15人の約6割以上の人数9人増つまり24人になると1.6人（24/15）となる。しかし96人定員であるため、他の年齢で園児数を少なくすることになる。例えば4・5歳児33人となると1.1人（33/30）であり、合計数は10.3人であり、10.5人に達しないため増減ゼロと変わらない。更に3歳児5人の定員増を行い、他の年齢が変わらない場合でも、合計数は10.4人で増減ゼロ。

また、4・5歳児が30：1が20：1に改善されただけでは、やはり96人定員のケースですと、10.4人で保育士の増減はゼロ。3歳児と4・5歳児の受け持ち人数が改善された場合にやっと10.7人となり1人増になる。しかし年齢別で計算すると3歳児は23人／15＝1.5となることから、23人以上の場合は保育士2人となる。

このように現在の総定数計算方式では、現在の保育士1人当たりの受け持ち人数が若干改善されると、園児数の具合で1人程度増えるケースもなくはないが、多くの保育所で保育士数が単純に増えるということにはならない。

このように現行国基準保育士数の総定数計算方式では、年齢別児童数の若干の違いで基準保育士数が1〜2名少なくなったり、定数が改善されても人員増につながらないなど、極めて不安定であり、基準としては適切ではない。「最低基準を超えて向上を図る」という理念に逆行している。まず基準は「最低基準を超えて向上を図る」という視点をふまえ、安定していることが一番大切である。

③ 最低基準と公定価格の改善の視点について

最低基準では、職員については保育士と調理員の配置だけが義務づけられ、所長や主任保育士の配置は位置づけられていない。保育士については配置定数が示されているが、調理員の配置定数は示されていない。公定価格では、所長や主任保育士の配置が位置づけられ、調理員は利用定員40人以下は1人、41人以上150人以下は2人、151人以下は3人（うち1人は非常勤）と定められている。調理員は公定価格基本分単価に計上され、所長と主任保育士は基本加算部分に位置づけられてきたが、所長についてはほとんどの施設で設置していることで2020年度から基本分単価に位置づけられるようになった。

また自治体において、1・2歳児の保育士配置6：1以上を1歳児4：1、2歳児5：1等に改善し、加配保育士経費補助事業などの取り組みがされている（「保育白書2020年版」調査編「都道府県単独補助」参照）。こうした取り組みは「最低基準を超えて、常に向上させる」という視点からの取り組みといえる。

最低基準とは、前述したように「これより下がってはいけない、ぎりぎりの最低線ということ」であり、「最低基準より上回った基準」で対応する、「最低基準を超えて向上を図る」等の視点が前提となっていると言える。そのため最低基準では厚労大臣、都道府県に「設備運営基準（最低基準）を常に向上させるように努めるもの」、保育所には「最低基準を超えて、常に、その設備及び運営を向上させなければならない」としている（第1,3, 4条）。

最低基準が現状のままでも、「最低基準を超えて向上を図る」という視点から、国は公定価格の保育士定数基準を超えて配置するなどの改善をすすめる保育所に対して、公定価格の加算単価に保育士加配加算を位置づけるなどの対策を取ることは可能であり、実施されてもおかしくない。つまり「基準を超えて」保育士等職員を配置し改善に努力している保育所に対して、国・自治体が積極的に公費助成（加配加算）を行うことが、最低基準の理念をふまえた対応といえる。

さらに、「最低基準を超えて向上を図る」という視点を踏まえるなら、公定価格における保育士定数の計算方式を総定数計算方式を廃止し年齢別計算式にあらため、その際四捨五入ではなく小数点切上で算定し、その合計数が保育士の配置数となるような運用上の改善を行うことも可能である。

また公定価格の保育士の配置基準において、保育時間の長さを考慮した配置、保育士一人一人に休憩時間や有給休暇の保障、児童福祉法（18条の4）の保育士の専門職としての２つの職務（子どもの保育と親支援）が遂行できるようノンコンタクトタイム等の時間の保障等が位置づけられることで、保育士増員も可能となる。

「最低基準を超えて向上を図る」の視点を踏まえ、現状の取り組みを積極的に受け止めて、どんな改善が出来るかを検討して、個々の改善を積み上げることが必要である。こうした取り組みを進める中で、保育所全体のレベルアップが図れることで、最低基準の保育士配置基準等の改善も進んでいくということになるといえる。

保育士の処遇改善を進める上で、もう一つの問題が浮上する。それは新制度に移行したことで、幼稚園の施策との関係が当然考えられる。これまでも公定価格における幼稚園と保育所の単価額の格差について指摘してきたが、この問題を整理し保育士処遇改善のあり方の方向性を検討する

3. 公定価格にみる幼稚園と保育所の格差について

新制度の積極面は何かといわれると幼稚園と保育所の施策を比較検討できる

ようになったことにあるといえる。これまで文科省管轄の幼稚園と厚労省管轄の保育所に二元化されていて、同じ保育施設でありながら、別々の対応で施策が進められてきた。そのため、幼稚園と保育所は異なった別々の施設と扱われてきた。そのため、縦割り行政の枠の中に閉じられていて、相互の施策を比較検討し、共通の課題やそのあり方を検討することも難しかった。

新制度になり内閣府子ども子育て本部が幼稚園、保育所等幼児教育・保育施設を一括して管轄することになり、補助制度も公定価格制度として一体的に扱うことになった。公定価格の補助体系はこれまで実施してきた保育所の保育単価制度に基づく制度と言える。この制度を私立幼稚園等にも適用し、大きく２つの課題が改善された。

１つは、公定価格基本分単価の設定における必要教員数のカウントは保育所と同じ方式が適用され、「4歳以上児30人につき１人、3歳児及び満3歳児20人につき１人」という基準で対応することになった。幼稚園の設置基準では「1学級35人以下」、「各学級に少なくとも教諭を１人」となっていることから、1学級30人（4・5歳児）、20人（3歳児）が可能となり一定の改善がされた。

もう一つは勤務年数に応じて人件費加算を行う処遇改善加算が保育所と同様に実施されたことにある。しかもこれまで補助金で実施されていた学級編成調整加算、副園長配置加算、チーム保育加配加算等も公定価格に位置づけられた。私立幼稚園の補助制度は大きく改善された。当然私立幼稚園制度の良い点が保育所制度にも取り入れられ、幼稚園も保育所も大きく前進すると思われていた。当初保育所についても、1歳児の保育士配置基準の改善、土曜保育問題や標準時間認定の単価額等の改善等も触れられていたが、いまだ何らの改善もされていないし、5年後の見直しでもふれらていない。むしろ、2章、3章で検討したように公定価格における保育所と幼稚園との単価額や職員の加配加算については格差が拡大してきている。その大きな要因は公定価格における保育者配置の違いから来ていると言える。

(1) 公定価格に見る保育者配置基準の格差

内閣府がまとめて表にしている「保育者配置イメージ」（図表4-4）をみると一目瞭然である。幼稚園では公定価格基本分に園長（1人）＋教諭（配置基準定数）＋学級編成調整教諭１人（利用定員36人以上300人以下）と３人＋α（配置基準定数分）が配置され、加算分では副園長１人＋主幹教諭１人＋チーム保育加算（1人〜8人）と３人以上10人が配置されていて、さらに2019年度から講師配置加算が新たに設置された。これらはほとんどの幼稚園が対象となっている。これに対して、保育所は基本分では所長１人＋保育士（配置基準定数）だけで、幼稚園より１人少ない。さらに加算では主任保育士１人だけでしかない。休憩保育士１人は利用定員90人以下の施設のみであり、該当する施設は約５割程度でしかない。またここには掲載されていないチーム保育推進加算があるが、幼稚園のチーム保育加配加算に似た名称ではあるが、性格が全く異なり、全職員平均年数12年以上の施設のみに限定されている。退職者が出たり、新採用者が増えたり等で12年に届かない場合は保育士１人が加配されていても対象から外される。そのため毎年安定的に支給されるわけではない。現在でも対象施設は約３割程度に過ぎない（詳細は第２章-2 p120〜参照）。このように公定価格における職員配置の格差は当然公定価格の基本分、加算分、処遇改善Ⅰ及び２等の単価額の格差となっている。

しかもこの保育者配置基準を年齢クラス別に配置してみると、幼稚園の場合は各年齢１クラス２名の保育者配置が可能となるが、保育者は１名に過ぎない（詳細は第２章-3、図表2-6-1、図表2-6-2 p145〜150参照）。子どもの保育条件に歴然とした格差が持ち込まれている。これはあってはならないことだ。

幼稚園は新制度移行に伴いこれまでの補助金の継続と同時に保育所のシステムを導入し大幅な改善を行ったが、保育所は従来の補助金システムのままで、幼稚園の補助金システムを取り入れることがされていない。これは明らかにおかしい。前述のように保育所の最低基準の「最低基準を超えて向上を図る」という理念を踏まえるなら、幼稚園で実施している学級編成調整、副園長、チーム保育加配加算、講師配置加算等の良さを保育所にも取り入れられるべきである。

図表 4-4　公定価格からみた幼稚園・保育所における保育者配置のイメージ
（内閣府「すくすくジャパーン　子ども・子育て支援制度」
2018 年 5 月「Ⅵ　公定価格・利用者負担」参照）

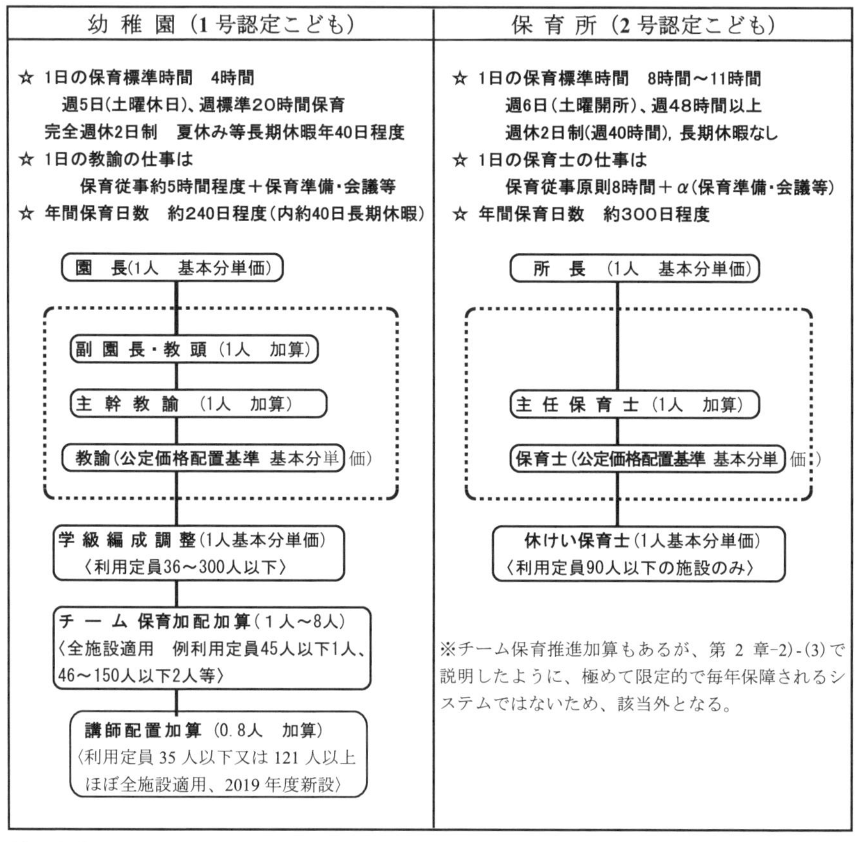

（内閣府「すくすくジャパーン　子ども・子育て支援制度」2018 年 5 月に基づき村山作成、19 年 5 月加筆）
※公定価格保育士･教員の配置基準は保育所も幼稚園も同じである。なお、基本分単価には保育者以外の職員として、幼稚園には事務職員（1 人）、保育所には調理員（利用定員規模に応じて 1 人～3 人（内 1 人非常勤））が配置されている。

一日や週の保育時間が幼稚園の 2 倍、年間の保育日数約 1.5 倍の保育所が保育者（幼稚園教諭、保育士）の配置数が遙かに少ないというのは余りにも不合理である。この問題について、内閣府や厚労省の関係者を取材すると、この格差については認めるが、「新制度開始の時の約束だから」等の回答がされるだけである。また子育て会議等でもタブー視されているようである。この格差はどうもこれまでの文科省と厚労省の二元化制度、縦割り行政と財務省からの圧力などをそのまま引きずってきているようである。縦割り行政・二元化行政の弊害が子どもの処遇に影響している状況は速やかに改善されるべきである。この職員配置の格差は、子ども・子育て支援法の子ども・子育て支援基本指針の理念にも反する内容であり、早急な改善が求められている。

(2) 保育時間や保育日数の長さが考慮されてない基準に問題

このように、幼稚園と保育所との間に大きな格差があるもう一つ要因は、保育所の公定価格の基準に保育時間の長短や保育日数の長さ等を配慮するという当然の視点が全く欠如していることにある。

１ヶ月の保育日数は幼稚園 20 日、保育所は 25 日で 1.25 倍、保育時間は幼稚園約 120 時間程度、保育所は約 200～275 時間程度と約 1.7 倍～2.3 倍となっている。しかも、幼稚園は保育者に土曜日の休暇と 40 日程度の夏休み等の長期休暇期間が公定価格で保障されている。保育所には土曜日の休暇や長期休暇は保障されず、年間 300 日程度の開所となっている（詳しくは第２章−1 p10～参照）。しかし、公定価格の基本分の保育士配置基準にも、加算部分の職員の配置や人件費相当額にも、そうした開所の日数や時間の違いは全く無視され、反映されていない。

同様のことは、事業費の単価額にもあらわれている。例えば、幼稚園、保育所とも、冷暖房費は１か月 110 円と同額に設定されているが、夏休み等長期休暇も無く、毎日の保育時間が長ければ冷暖房費は当然その分多くかかる。それなのに同額というのは、常識的に考えても不合理だ。不足分は人件費分を切り崩したり、保護者等の負担で賄ったりすることになってしまう。

新制度になり、幼稚園の預り保育は保育所の設備・運営基準が適用されるようになり、８時間保育、長時間保育として 8～11 時間保育、11 時間以上の保育が位置付くようになり、幼稚園の８時間保育の経費、8～11 時間保育の経費基準も示されるようになった（第２章−4 p157～参照）。その結果、保育所の公定価格の基準額（加算額を除く）は8時間保育、8～11時間保育のいずれも幼稚園の約3割程度安く、加算額を含めるとさらに拡大する。特に8～11時間の3時間保育の経費基準は幼稚園では保育所の設備・運営基準に定められている保育士・教員の配置基準（最低2人配置）を遵守できるが、保育所の場合は設備・運営基準を遵守できない内容になっている（第3章-5 p224～参照）。

このように保育時間や日数がはるかに長い保育所の職員配置加算や単価額が幼稚園よりはるかに少ない額になっていることが、保育士処遇の劣悪さ、保育士確保困難問題の根本原因といえる。

幼稚園と保育所との間の職員配置等処遇の格差は、1号認定子どもの保育と2号・3号認定子どもの保育に影響が生じている。保育所等の重大事故の件数が際立てて多いのもその一つのあらわれと言える。子どもの保育に格差が持ち込まれ、平等に扱われていないことは大きな社会問題と言える。子育て支援法の「子ども・子育て基本指針」の「子どもの最善の利益の実現を念頭に、質を確保する」（p12）という理念を踏まえるなら、保育所の公定価格は、幼稚園の水準をふまえて、保育時間や日数の長さを考慮した職員配置や保育士処遇等の基準に改善されるべきだ。このことが保育士処遇改善、保育士確保の実現にむけた最も重要な課題であり、早急な抜本的改善が求められている。

このような状況が進行しているなかで、保育処置改善が社会的問題となっているなかで厚労省はどのような検討を行っているか次節で検討してみる。

4. 新制度施行と保育士処遇改善施策の推移

厚労省は「待機児童解消加速化プラン」（2013.4）の確実な実施と新制度の施行の推進を理由に2015（平27）年1月「保育士確保プラン」を公表、「保育士確保対策検討会」（2015年11月～2015年12月）を設置、2018年度には「保育所等における保育の質・向上に関する検討会」（2018年5月～2020年7月）、2019年度末には「保育の現場・職場の魅力向上検討会」（2020年2月開始、9月報告書）等、次々と保育士処遇に係わる審議会を設置し報告を公表している。

(1) 保育士確保プランと保育士確保対策検討会―規制緩和策の推進で進まない保育士処遇改善

保育士確保プランでは、「新たな取組」では①保育士試験の年２回実施、②保育士に対する処遇改善の実施、③指定保育士養成施設での学生に対する保育所への就職推進支援等の施策と「保育士確保対策検討会」を設置し、「保育士確保のための様々な方策等の検討を行う」とした。

確保プランでは保育士の処遇改善について、「新制度施行後の公定価格において、職員の勤務年数や経験年数に応じた処遇改善をすすめる」とした。また確保プランの資料では、2015（平27）年度新制度施行に伴う公定価格処遇改善加算では「職員の勤務年数や経験年数に応じて3％を加算」と「平成26年度の公務員給与に対応した単価のアップ」を具体的に示している。この字面だけ見れば、かなり改善されると思う人は少なくないが、実際は僅かな改善にすぎない。

2015年度の公定価格制度の創設では処遇改善等加算について従来の保育所の民間給与等改善費（民改費）を若干改善しスタートした（詳細は第３章−4−（1）参照）。しかし、「職員の勤務年数や経験年数に応じて3％を加算」としているが、「経験年数」に応じた加算率のアップは経験年数10年までで、11年以上については一律同じで、アップはない。また「平成26年度の公務員給与に対応した単価のアップ」はこれまで園長、保育士等職員給与基準を国家公務員給与表に格付けして来ていることから、何も新しい施策ではなく、当然実施しなければならない施策である（詳細は第３章−1 p186〜参照）。

新制度になって毎年のように職員給与をアップしたことを強調しているが、これは、従来進めてきたことであり、目新しいことではない。むしろ問題なのは、前述したが、この格付けのマイナス面を放置してきたことで、2000年代初頭のITバブル崩壊後の経済危機、2008年のリーマンショック等の影響で人事院の国家公務員給与・賞与勧告において、2002年以降減額が何年か続いたことがストレートに影響を受け、園長・保育士等の基準額の減額が続き、保育士の給与基準額は2019年度にやっと2000年の基準額に戻った。しかし、園長・主任保育士の給与基準額はいまだ2000年の基準額に達していない。こうした状況が続いていることで、公定価格（保育単価）の単価額が抑制され続け、保育士の低賃金など処遇の劣悪さを作り出した主要な要因となっている（第3章-1-(2) p192〜参照）。

保育士確保対策検討会（駒村康平座長）は2015年11月に第一回会議が開かれ、12月4日の第3回会議で「保育の担い手確保に向けた緊急的な取りまとめ」を公表した。それは、①「朝夕の保育士配置の要件弾力化」、②「幼稚園教諭及び小学校教諭等の活用」、③「研修代替要員等の加配人員における保育士以外の人員配置の弾力化」であり、2015年度中に設備・運営基準等必要な省令を改正し2016年度から実施できるようにした。

特に①は朝夕の少人数の時間帯の保育について保育士2名のうち1人は「保育士資格を有しない人」の配置を容認するという内容。③は「最低基準上必要となる保育士数」を上回って配置する保育士数（例えば研修代替要員、年休代替要員、休憩保育士等）については「保育士資格を有しない一定の者」を活用できるとした。これらは、規制緩和策であり、保育現場での保育士の負担増となるだけであり、保育士処遇改善や保育の質の向上、保育士確保とは逆行する施策でしかない。

保育士確保を困難にしている基本的要因は保育士等職員給与基準や保育士配置基準が実態から乖離し、保育現場に疲弊を作り出していることに起因している。給与基準を実態を踏まえた国家公務員給与格付けの引上げや勤務年数に応じた給与加算額の設定、さらには職員数の増員加算などの検討がされ、計画的な改善策の検討が求められている。それなのに、この基本問題には何ら触れられていない。

(2)「保育所等における保育の質・向上に関する検討会」の「とりまとめ」―ノンコンタクトタイム、研修時間の確保を指摘、改善の視点は示されず

厚労省は2018年4月からの保育所保育指針改定に伴い「保育所等における

保育の質の確保・向上に関する検討会（汐見稔幸座長）」（以下「保育の質検討会」）を2018年5月に設置、「保育の質の確保・向上を図る」ために「保育の質を支える『環境』や『人材』に係る取組などを広く視野に入れ」検討するとした。10回の会議を開催し、2018年9月26日第6回会議で「中間的な論点の整理」（以下「中間論点整理」）をまとめ、2020年6月26日第10回会議において「議論のとりまとめ」（以下「とりまとめ」）を行っている。

「中間論点整理」では保育の質・向上に関する検討に当たっての「基本的な視点」と「検討の方向性」（具体的な検討事項）等についてまとめている。

「基本的な視点」では、「保育の質の検討に当たっては『子ども』を中心に考えることが最も基本」、「保育所保育指針に基づく保育実践の充実に向けた取組が日常的に行われることが重要」であり、「保育をめぐる多様な関係者の参画や連携・協働、保育に関する理解の共有も必要」と指摘している。

「検討の方向性」では、「個別的事項」の「保育の現場における保育実践」では①〈職員間の対話を通じた理念共有〉、②〈保育の振り返りを通じた質の向上〉、③〈保育の環境や業務運営改善〉、④〈保育士等の資質・専門性向上〉について検討事項が指摘されている。

③〈保育の環境や業務運営改善〉では「主な意見」として次のような内容が明示されている。

i「保育所の職員は、保育時間が長く、研修やドキュメンテーション作成など、保育の質を向上させる取組を進めていく上で、そのための時間や資源の確保が課題。業務負担の軽減について検討することも必要」

ii「保育現場における日常業務の中で、保育士等が子どもから離れて書類作成や会議等の業務を行う時間（ノンコンタクトタイム）や研修の受講機会を確保する体制や仕組みが必要」

iii「保育の現場において、例えば、特に忙しい給食準備から午睡にかけての時間帯の職員配置を工夫するなど、1日の保育の流れと保育の環境や人員の配置を併せて考えることが重要」。

このように、保育の質の確保・向上を進めていく上で、保育の日常業務の多忙化の解消、ノンコンタクトタイムの確保などが必要になっていることが明確に示されている。

「とりまとめ」では、「保育実践の質の確保・向上に向けた取組」について「組織全体で取組を進め」「共通理解を図っていくことが重要」等ということがいろいろと強調され、現場で責任ある取組の姿勢について強調されているが、その取組を阻んでいる保育所の業務運営改善に係わる課題については、具体的にはほとんど触れられていない。最後の「実践の質の向上を支える施策の実施と情報共有・意見交換の場づくり」において、次のように述べている。

「行政の役割として、現場におけるよりよい保育に向けた実践や取組を支える施策を推進することが求められる。特に研修時間やノンコンタクトタイムに関しては、その確保が難しい現場も少なくないのが現状である。キャリアアップ研修をはじめ、…全ての保育士等の資質・専門性の向上を図っていくための施策が講じられることが重要である。」

この指摘は研修時間やノンコンタクトタイムの確保が難しいことを認めつつも、その改善の視点等は示されず、一般的な指摘にとどまっているにすぎない。

(3)「保育の現場・職場の魅力向上検討会」報告書公表
―勤務環境の改善が指摘されても、改善の糸口見えず、叫びだけの保育の魅力向上なのか……

厚労省は「子育て安心プラン」(2018（平30）年度～2022（令4）年度末）に基づき認可保育所等の整備を進めているが、「保育の担い手の確保が困難な状況が続いている」として、2020（令2）年1月16日に子ども家庭局保育課に「保育士という職業や、働く場所としての保育所の魅力向上やその発信策について検討を行い、推進する」ことを目的とした「保育の現場・職業の魅力向上推進室」（以下推進室）を設置した。この推進室は「保育所の魅力向上やその発信方法等」を検討する目的で同年２月６日に「保育の現場・職業の魅力向上検討会（汐見稔幸座長）」（以下「保育の魅力向上検討会」）を立ち上げ、６回の会議を開催し、2020年９月30日に報告書を公表している。

「保育の魅力向上検討会」の立ち上げの際、推進室は「保育の現場・職業の魅力向上」に関する提案・意見を現場の保育士等に募集を呼びかけ、「意見募集の結果」について、第２回会議、第３回会議で報告されている。

「保育の現場・職業の魅力向上」意見募集の結果（以下「意見募集の結果」）を見ると、保育現場から2613件寄せられた。その内容を見ると、「国や自治体に取り組んで欲しいこと」では労働環境（賃金・昇進昇格）1334件、労働環境（就業時間・休みの取り方）382件、保育士等の配置基準378件、労働環境（その他）356件で計2450件と全体の約94％にも達していて、現在の労働環境の改善を求める要望の強いことを示している。掲載されている「特徴的な意見・エピソード」をいくつか上げてみると次のような意見が寄せられている。

☆「保育士が不足しているのは労働条件がまだまだ低いから…もう少し見直してほしい」、「幼稚園教諭と保育士の待遇も同じにして欲しい」、「保育士の専門性や責任の重大さを認めてもらい、それに見合った賃金設定を」「せめて看護師と同水準で」、「処遇改善1.2があるが、事務処理が面倒である。又職員全員の底上げをするには少ない」等。

☆「完全週休２日制」、「保育園の年間の開園日を減らす（年末年始しか休みがない）」、「子どもの受け持つ人数も多く、年次休暇は取りづらい。年次休暇取得のために代替職員を確保できれば良いが現実は難しい」。

☆「最低基準が策定された昭和23年以来の現在までに『子育て（保護者）支援』、『アレルギー対応』、『手帳を持たないグレーゾン児の対応』等の現場での重要な業務が増えたのに人員配置等が昔のまま」、「保育士１人に対しての受け持ち人数を時代の変化とともに考えてほしい」、「全年齢対象に保育士の配置基準を増やして欲しい」等。

☆「長時間保育が拡大している中で、記録を書く、ケース検討を行うといった時間の保障を可能にする職員配置を」、「ノンコンタクトタイムの実施に関する制度づくり（定義の明確化、保育者の人員配置の変更等）に向けて取り組んで欲しい」、「保育所保育指針に義務づけられている記録、計画、保育準備、会議、保護者への対応などは保育に従事しながらは出来ません。幼稚園教諭と同様に1日8時間労働のうち2時間程度はその仕事に従事できるような保育士配置にしてください」、「3歳児からは幼稚園と同じようにクラス定員制にし人数制限を付け　どのクラスも複数担任とする（年少15人、年中年長20人）」

保育士の処遇改善が一向に進んでいないため、具体的改善の提案もされている。この意見募集の結果は「保育の魅力向上検討会」で報告されていることから、これらの提案を踏まえて「魅力ある職場づくり」に向けての具体的改善の方向性が当然検討され、報告書に示されて当然と言える。

「報告書」では「保育の現場・職場の魅力向上のための具体的な方策」において「生涯働ける魅力ある職場づくり」について次のような見解をまとめている。

①「施設長は組織運営のためのマネージメント力を身につけ、保育士等がチームとして語り合う時間を確保しながら、生涯働ける魅力ある職場づくりを進めることが重要である。」

②「働き方改革と業務効率化・業務改善の推進により、ノンコンタクトタイムを確保して、保育士が『子どもの理解』を中心に語り合える環境の実現を図る」等。

③「保育所は働き方改革として、職員の勤務時間の改善や有給休暇の取得促進等を進めるとともに、…介護休業制度や短時間勤務制度、子の看護休暇・介護休暇制度等について就業規則等で整備すること」やそのための「代替要員の確保等をすすめる」等が重要であるとしている。

「ノンコンタクトタイムの確保」、「保育士等がチームとして語り合う時間の確保」「短時間勤務や非常勤職員を含めて全員が職員会議に参加すること」などが打ち出されているが、「施設長のマネージメント力」での対応に責任を求めたり、「ICT化や保育補助者等の活用により業務の効率化と業務改善を進める」等としている。これらの課題が実施できないのは、なぜなのかと言った検討が何らされていない。

公定価格で示されている保育士の配置基準では不十分であり、その見直しを求める意見が出されているのに、具体的改善の方向性はあいまいである。

「休憩時間やノンコンタクトタイムを確保できるよう、現場の勤務環境の改善の取組を後押しすることが重要」、「国は…1歳児や4・5歳児の職員基準等について、財源確保と併せて、引き続き検討を進めることが必要である」といった指摘にとどまっている。

「意見募集の結果」を真摯に受け止めるなら、休憩時間やノンコンタクトタイムの確保、有給休暇の取得促進等が必要であるという指摘にとどめるのではなく、その実現のためには、どのような職員の配置基準の改善や職員の増員が必要なのかが検討されて当然である。例えば、定員90人以下に配置されている休憩保育士を規模に応じて配置する、ノンコンタクトタイムについては幼稚園並みに保育士１人１日２時間を保障するため、それに必要な保育士加配を検討するなど具体的検討の事例などが示されて、今後検討を深めるという視点があって当然である。現場の「意見募集の結果」をまとめておきながら、きわめて残念な報告書と言える。

こうした「意見募集の結果」を踏まえて、休憩時間やノンコンタクトタイムの確保、有給休暇の取得促進等保障できるよう保育士処遇の改善施策について次章で検討する。

第5章

子どもの命と安全を守り、保育の質の向上をすすめるために

保育所等の安定した運営と保育士等処遇改善等の緊急改善策の提案

1. 保育士等処遇改善の基本的視点について

(1) 保育士等職員給与基準の改善—給与加算制度の創設等

保育士確保困難問題が社会的問題に浮上する中で、保育士の賃金の低さが問題になっている。公定価格の保育士、主任保育士、保育士、調理員等の給与は国家公務員給与表に格付けされている。しかし、その格付けは勤務年数3~5年程度であり、昇給については処遇改善等加算Ⅰで対応するとされている。それは、各保育所全職員の平均経験年数に応じた加算率で単価額が決定されるが、加算率は平均経験年数11年までで、それ以上は設定されていない。しかも保育士等職員の給与基準額が低く抑えられているため、処遇改善等加算Ⅰの単価額も低くなる。この仕組みでは、保育士、看護師、栄養士など専門職の給与の改善はすすまない。

こうした現状の公定価格では、現物では支給される人件費をどうやりくりするかということになり、しばしば指摘されるのが2つのタイプである。一つは、初任給など勤務年数の少ない職員の給与を世間並みの水準を確保すると、経験年数の高い保育士等職員の給与を抑制するということをせざるを得ない。

もうひとつは、逆に経験年数の高い職員の給与を引き上げると、経験年数の低い職員の給与を抑制しなければならなくなり、若い職員の採用が難しくな

る。

この状況を改善するには、経験年数10〜15年以上の保育士等専門職については、年数に応じた給与加算額を支給できるような給与加算制度を創設する等の対応が必要となる。基準額の区分は3年〜5年程度の間隔で例えば11〜13年、14〜16年等勤務年数に応た加算制度であれば、各施設の実情に応じて職員の給与を経験年数に応じて引き上げることが可能となる。

次に、園長と主任保育士の給与基準額の改善である。内閣府子ども・子育て本部「幼稚園、保育所、認定こども園等の経営実態調査報告書」（2018年3月公表—2016年度会計）によると平均月額給与は園長（平均経験年数23.1年）52万8千円（年額約634万5千円）、主任保育士（平均経験年数19.6人）39万7千円（年額約476万円）であるが、2018年度当初の公定価格の月額給与基準額は園長25万3千円（年額約474万円）、主任保育士24万3千円（年額約443万円）にすぎない。2020年度はやや上がり、園長25万7千円（年額約495万円）、主任保育士24万9千円（年額約466万円）となっている。そのため、基準単価額は余りにも実態からかけ離れた低い基準額であり、主任保育や園長の人件費は他の職員の人件費を当てざるを得なくなる。

園長、主任保育士については、実態を踏まえての国家公務員給与の格付けの見直し、さらに年数に応じた加算額を設ける等給与加算制度を創設して、安定した給与を支給できるように改善する。そうなれば、保育士等他の職員の人件費分を当てることもせずに、保育士等職員の増員や給与の改善に充てることができる。

(2)　保育士等職員配置・加算改善策の視点と事業費・管理費の改善課題

保育士等職員の配置基準は保育の質に直結する問題であり、幼稚園、保育園、認定こども園の園児の保育環境が保育時間や保育日数の長さを考慮して等しく保障されているかという視点からの検討が極めて重要である。

現在公定価格の保育士等配置基準は4時間標準保育の幼稚園（1号認定こど

も）と８時間保育の保育所（２号認定こども）とが全く同じ基準であり、保育時間や保育日数の長さが全く考慮されていない。しかも、これまで指摘してきたが職員加配加算は幼稚園にはあるが、保育所にはないに等しい状況にある。

現行の保育士等の配置基準では、保育所運営が困難になっている。これまでも指摘してきたが、平均的保育所では保育士配置数が基準の約 1.8 倍、調理員も約 1.5 倍程度であり、国の会計検査院の報告（2019 年 12 月）でも国の職員配置基準では安定した保育所運営が困難な状況について指摘している（第１部 p134）。

基準以上の職員配置を行うことは、基準分の人件費で基準を超える職員給与を保障せざるを得ないため、一人一人の給与を抑制することになり、低賃金を生む構造を作り出している。

これを改善するには、保育士等職員配置基準や職員加配加算基準を改善することが必要であり、この取り組みが給与の改善にも連動することになる。この保育士等処遇改善を進めるためには、次の視点を踏まえての検討が必要である。

第１に、保育士等職員配置基準、加算の基準等については、保育時間・保育日数の長さを考慮して、子どもの保育環境を等しく保障するという視点から検討する。

第２、幼稚園に配置されている副園長加算、学級編成調整教諭、チーム保育配置加算、講師配置加算等について、まず保育所についても同様に配置するという視点から検討されなければならない。そのうえで、保育日数や保育時間の長さ、０歳児から５歳児までの多様な保育形態等を考慮するという視点も加味されるべきである。

第３、全ての保育士に、１日８時間労働の中にノンコンタクトタイムを２時間程度保障し、専門職としての職務を遂行できるようにする。

第４. 子どもの命と安全を守るということについては、重大事故発生を防止するという視点から保育士配置を検討する。

第５保育所の保育士等職員の働き方改革を進めるために、完全週休２日制や休憩時間取得の完全実施、有給休暇取得や１週間程度の夏休みの保障、研修休暇や全員参加の職員会議開催の保障などが実現できるような方策を検討する。

第６、各保育所がそれぞれの現場の実情を踏まえて、職員の処遇改善に取り組めるように職員の加配加算配置システムを積極的に位置づけることが大切である。保育所の現状を踏まえて、多様な職員配置の加配加算システムがあれば、それぞれの現場の実情を踏まえて弾力的な対応が可能となる。

第７、事務職員の配置は、現在事務職員雇上げ費加算0.3人分（年額約60万円）でしかないため、保育士や主任保育等への負担が増えたり、保育士等の人件費をあてて事務職員を配置したりしているケースも少なくない。事務職員をきちんと配置することは、保育士の事務量の削減になり、保育に専念できるようになり、保育のキャリアアップ、保育の質向上に貢献し、安定した保育所運営を促進することになる。保育の質向上の視点から事務職員の配置を検討することが求められている。

第８、事業費は子どもの処遇に係わる費用であることから、給食に係わる材料費、器具備品、光熱水費、冷暖房費、保育材料費等は実態を踏まえて、どう積み上げているかを明確にすべきである。一般生活費には「保育材料費、給食材料費等」と記載されているが、その内訳も明示されていないし、「等」とは何を意味するかも不透明である。給食を提供するのには材料費だけではだめで、光熱水費や様々な器具備品、食器類等の経費が必要になる。こうした経費がどのように位置づけられているかを明示すべきである。

また幼稚園、保育所とも冷暖房費は１か月110円となっている。幼稚園は夏休み等長期休暇が約40日程度あるが、それも含めて支給されている。保育所の場合は保育時間は約倍であり、１か月25日、年間約300日程度開所、幼稚園のような長期休暇はないのに、同額でしかない。常識的に考えても不合理な基準額だ。積み上げ方式という視点から改善をはかるならば、幼稚園の単価額を基準として、保育所の年間保育時間数は幼稚園約1.7倍（8時間保育）～約2.3倍（標準時間保育）であることから、110円×1.7＝187円（8時間保育）、110円×2.3＝253円（標準時間保育）等とするなど明確な基準を示すべきだ。

第8、事業費・管理費については、公定価格の基準額がどのような科目をどう積み上げて設定されているか明確にすべきである。前述したが特に推定される管理費基準額は通知「私立保育所の運営費に要する費用」に明記されている単価額より低い額で算定されていたり、標準時間認定の単価額が短時間と同額や安い額という不合理問題も見られる（第3章-3-(3) p206～参照）。

保育時間や保育日数の長さに応じた単価額の設定が必要である。

こうした課題や改善の視点をふまえて、保育士等職員増員・処遇改善を中心とした公定価格の改善策を進めることが安定した保育所運営の営みを保障する上で、極めて重要であり、次節で具体的に検討する。

2. 保育士配置基準等緊急改善策6つの提案

(1) 平均的保育所の状況と改善の視点

公定価格の保育士等職員配置基準をこれまでも指摘してきたが、保育所保育の実態をふまえ、現実的に改善を進めるために6つの課題に分けて、図表5-1まとめた。その改善策について、保育所保育の実情がどのように改善されるかを明確にするため、平均的保育所の園児数に基づく保育士等配置状況をふまえて、どのように改善されるかが明示出来るようにした。

平均的保育所はこれまで本著で示してきた全保協2016年調査に基づく。平均園児数96人は内閣府等の調査でも平均100人前後であることから妥当なデータと言える。

図表5-1には、平均的保育所の園児数と保育士等の配置状況と公定価格の保育士配置との比較を上段で示し、改善策で保育士等職員の配置数がどのように変化するかをまとめてある。まずこの平均的保育所について説明する。

毎日の保育に従事している職員は保育士数（主任保育士含む）19.1人（内常勤10.0人）、看護師0.4人（内常勤0.2人）、資格のない保育補助1.5人（内常勤0.1人）であり、計21.0人（内常勤者10.5）となる。しかし、公定価格の国基準保育士数では保育士配置基準による保育士数は10人、主任保育士加算１人で計11人。休憩保育士は定員90人以下のみに適用されることから０人であり、平均的保育所の保育者総数計21.0人となる。その内訳は10.5人が常勤正規保育士であり、公定価格基準10人でほぼ対応するが、その常勤正規保育10人では対応できないため、非常勤保育士10人程度を採用していることになる。

また、公定価格基準の保育士数を100とした場合、平均的保育所の保育士等保育従事者は188％と基準の約1.9倍が配置されていることになる。

ところで国基準の保育士配置数10人を年齢別に配置すると、２歳児については園児数17人に対して２人の配置になる。年齢別に計算すると17/6で2.8人となり、基準に基づくなら３人の配置が必要だが、公定価格基準では２人配置しか出来ないことになる。算定の仕方の不合理さが露呈している。さらに、３歳児、４歳児、５歳児とも園児19人の８時間程度の保育を保育士１人で対応するということになるか、これでは保育は不可能に近い。平均的保育所では各２人の配置で対応していると推測できる。

なお全保協2016年調査によるとこの平均的保育所では、国基準の約1.9倍の保育士等職員を配置していて、平日の平均開所時間は11.7時間であり、土曜日開所は97.7％、開所時間10.6時間となっている。正規保育士の実労働時間は「週40時間〜50時間未満」が約55％と最も多く、「50時間以上」が1.8％とされている。また年次有給休暇取得状況をみると、「3〜6日」が約31％と最も多く、次いで「7〜9日」が約29％であり、「2日以内」約3％を含めると6割強の保育士が有給休暇を十分取得できない状況にあると言える。

休憩時間の取得状況についての調査はされていないが、有給休暇取得率の低さから、休憩時間も十分取得できていないのではないか推測できる。国基準の約1.9倍の保育士等の配置となっているが、それでも保育士の労働環境は極めて悪く、時間外労働、休憩や有給休暇も思うように取れない状況に置かれているといえる。

新制度では、保育所、幼稚園、認定こども園の運営費補助金を公定価格制度に統一されたが、すでに指摘しているように、幼稚園と保育所の職員配置につ

図表5-1　子どもの命と安全を守るために保育士等処遇公定価格基準の抜本的改善提案
（利用定員96人／全保協2016年調査に基づく）（2020.12 村山作成）

		園児数、保育者数（園長は除く）※【指数】	年齢別平均園児数（96人）						主任保育士加算
			0歳児	1歳児	2歳児	3歳児	4歳児	5歳児	
A 平均的保育所／全保協調査	平均園児数	96人	7人	15人	17人	19人	19人	19人	
	保育者　保育士数（内常勤正規）	19.1（10.0）人	4（2）人	4.5（2）人	3.6（2）人	2（1）人	2（1）人	2（1）人	1（1）人
	保育者　看護師	0.4（0.2）人							
	保育者　保育補助・資格なし	1.5（0.1）人	1人	0.5人					
	保育者計（内常勤正規）	21.0（10.5）人【190.9％】							
B 公定価格基準	①国基準保育士数	10人	2人	3人	2人	1人	1人	1人	
	（保育士配置計算式）	9.7人（四捨五入）	7/3＝2.3	32/6＝5.3		19/20＝0.9	38/30＝1.2		
	②主任保育加算	1人							
	③休憩保育士加配1人	0人	（休憩保育士加配は利用定員90人以下のみで対象外）						
	計	11.0人【100.0％】	2人	3人	2人	1人	1人	1人	1人
改善策Ⅰ	1 年齢クラス別配置定数採用	12人配置	2人	3人	3人	1人	1人	1人	1人
	（必要保育士数算定の改善）	計算式（四捨五入）	7/3＝2.3	15/6	15/6	19/30	19/30	19/30	
	2 幼稚園学級編成調整適用	1人	0.5人	0.5人					
	3 幼稚園チーム保育加算適用	2人				1人	0.5人	0.5人	
	4 同講師配置加算適用	0.8人					0.4	0.4	
	A 小計	15.8人【143.6％】	2.5人	3.5人	3人	2人	1.9人	1.9人	1人
	5 保育指針に基づく保育準備・記録等ノンコンタクトタイム、1人1日2時間保障	15.8人×2t×20日＝632t/160t＝約3.9人 ※160t＝40t×4週	0.6人 （160時	0.8人 間は1人	0.7人 1ヶ月の	0.5人 労働時間（1	0.5人 日8時間	0.5人 ×20日	0.3人 分）
	B 改善策Ⅰ 1＋2＋3＋4 計	19.7人【179.0％】	3.1人	4.3人	3.7人	2.5人	2.4人	2.4人	1.3
改善策Ⅱ	6 重大事故防止のため食事・睡眠等リスク場面の援助保育士配置、1日3時間保障	1日3t×4クラス×20日＝240t/160t＝約1.5人	0.5人（t＝時間）	0.5人	0.3人	0.2人			
	C 改善策Ⅱ B＋4 計	21.2人【192.7％】	3.6人	4.8人	4人	2.7人	2.4人	2.4人	1.3人

改善策Ⅲ	7 標準時間の保育士配置基準の拡充加算（現在1.4人）	1.4人を3人に改定。1〜3人の加配加算新設	標準時間利用者は利用定員の平均約40%、園児96人で通常保育保育士15.8人×0.4で約6人。4t×20日×6人＝480t/160t＝3人
	8 休憩保育士の配置の拡充加算	利用定員に応じて1〜3人加算に拡充配置	休憩保育士は現在利用定員90人以下にのみ1人配置だが、新たに90人以上の施設にも適用し規模に応じた加算配置が望ましい。
	9 職員の有給休暇の保障	1〜2人加配加算新設	8時間×職員数、職員数20人で1人の保育士等の加配
	10 園外研修代替保育士加算	0.5〜1人加配加算新設	年1人5日分、職員数25人で0.5人を基準
改善策Ⅳ	11 副園長加算	1人加算新設	幼稚園の副園長加算を保育所にも適用する
	12 主任保育士の複数配置加算	2人加算を新設	3歳未満児増加等のため必要な施設では2人配置を可能にする。
	13 調理職員の拡充加算	1〜3人加算新設	公定価格基準以上の職員を配置している保育所への加算支援
	14 看護師配置加算	1人加算を新設	乳児保育には看護師配置が位置付いていることを明確化するため。
	15 事務職員の加算拡充	0.5人と1人加算新設	現在事務職員雇上げ加算は月額約5万円程度に過ぎない。
改善策Ⅴ 土曜保育の改善	土曜保育は特別保育事業として、地域の共同保育・シェア保育の推進を図る。土曜保育の運営費は乳幼児1人当り平均月額2万5千円程度、利用者30人で約75万円、年間900万円程度。完全週休2日制保障		
改善策Ⅵ 年間開園日数の規定	土曜保育特別保育事業を前提に年間約240〜250日以上（夏休みや研修休暇等20日程度閉所日含む）、児福法24条市町村保育実施責任に基づき地域の共同保育・シェア保育の推進を図る。		

(1)平均園児数は全保協2016年調査に基づく。内閣府等「令和元年度幼稚園・保育所・認定こども園等の経営実態調査集計結果・速報値【修正版】」では、「経営の状況」の平均利用定員数102人、平均児童数105人だが、「職員配置の状況」では平均利用定員数86人、平均児童数は示されていない。平均利用児童数も2つのデータの間になぜか大きな開きがある。しかも、年齢別児童数は修正版では示されていない。修正前のデータでは示されていた。こうしたデータに不透明さがあり活用しないことにした。

(2)標準時間加算は保育士1人と3時間パートが基準となり、それに標準時間児童数／利用定員を乗じた数値が実際の補助となる。利用定員全員が標準時間であれは、保育士1人と3時間パート（P）が配置される。計算式は標準時間児童数／利用定員数×1.3となる。（内閣府図表「公定価格に関する検討事項について」令和元年11月12日p14参照）。ここでは3時間パートは8時間で除して0.4人とした。

(3)「7. 土曜保育出勤のための休暇保障」の保育士数は「平成30年度における平日と土曜の開所状況等」の「(4)職員の勤務状況」のデータ参照。土曜日利用児童数は平日の利用児童数の約32%、土曜日出勤保育士は平日の48.6%と約5割。（内閣府等「公定価格に関する検討事項について令和元年11月12日」p8〜p11）

(4)【指数】は現行の公定価格基準を100としての保育士等保育者配置数の増減状況を見るために設定した。

いて大きな格差があり、しかも保育時間や保育日数の長い保育所の方が低い水準に置かれ、新制度施行５年が経過しても改善の方向が見えていない。まずこの格差を是正して、保育時間、保育日数の長さを踏まえた個別の改善が必要になる。こうした点を踏まえて６つの改善策を提示している。

図表 5-1 の改善策では、改善策Ⅰは幼稚園基準を踏まえた改善策、改善策Ⅱは保育所等で急増している重大事故リスク場面への支援、改善策Ⅲは保育所保育（週６日開所、１日 8～11 時間保育）の特性をふまえ、労基法遵守を前提にした「働き方改革」としての改善策、改善策Ⅳは保育の質向上のために主任保育士、看護師、調理職員、事務職員の加配による加算配置、改善策Ⅴでは土曜保育の改善策、改善策Ⅵでは年間保育所開所日数の規定の作成を提示した。以下詳細を説明する。

(2) 改善策Ⅰ　幼稚園の職員加配配置基準を保育所にも適応

改善策１では、公定価格で位置づけられている幼稚園教諭や加配職員等の基準をお手本にして保育所の公定価格に適応させるという改善である。

①「1．年齢クラス別保育士配置定数（算定方式改善策 A)」について

１は、公定価格における必要保育士の算定方式の改善により、幼稚園と同様に年齢クラス別保育を保障できるような保育士配置にする。保育所も幼稚園も公定価格における必要保育士・教諭の算定方式は、保育所最低基準に基づき、(4 歳・5 歳児数×1/30) + (3 歳児数×1/20) + (1.2 歳児数×1/6) + (0 歳児数×1/3) = 配置基準上保育士数（小数点以下四捨五入）となっていて、まず保育士等の総定数をきめる方式となっている。幼稚園の場合は年齢クラス別で園児数を配置し、しかも、幼稚園設置基準で「1 学級の幼児数は 35 人以下を原則とする」（第３条）と定められ、「各学級ごとに少なくとも専任教諭１人を置かなければならない」（第５条）と定められている。そのため学級編成調整教諭やチーム保育加配配置加等が位置づけられている。

しかし、保育所には各学級や専任保育士の配置の定めはないため、この算定

方式がそのまま適用されることになる。そうなると保育所最低基準さえ守れなくなる。例えば、4・5歳児44人の場合、算式は44/30＝1.4人で四捨五入で1人ということになる。幼稚園・小学校では、1クラス35人学級制が実施されているのに、それより11人も多い44人の園児を1人で担当することになりかねない。しかも、最低の基準すら守られず、国が率先して最低基準違反を助長しているといえる（詳細は第2章−3 p143〜参照）。算定方式の早急な改善が求められる。

そこで、現行の保育士総定数方式ではなく、各年齢別に保育士数を算定する年齢別算定方式に改善することを示している。つまり（5歳児数×1/30）＋（4歳児数×1/30）＋（3歳児数×1/20）＋（2歳児数×1/6）＋（1歳児数×1/6）＋（0歳児数×1/3）＝配置基準上保育士数ということになる。

その際、各年齢別の算定において、「小数点以下四捨五入の改善」（A案）と、「小数点以下切り上げの改善」（B案）とがある。B案は基準園児数を1名でも多い場合は、例えば5歳児が31名の場合は基準が30名のため保育士2人配置となり2クラスとなる。この考えは、幼稚園・小学校の学級定数の考えと同じであり。最善の改善策といえる。

しかし、この改善策では、まず改善の第一歩としてA案を採用することとした。この改善で2歳児は保育士3人配置となり、総計で12人となる。さらに、この図表には示されていないが、更なる改善で算定方式の改善策B案（小数点切り上げ方式）が採用されると、0歳児は園児7人に対して保育士3人配置となり、総計で13人となる。

この算定方式の改善を踏まえたうえで、年齢別保育士配置基準の改善、例えば4/5歳児の30人を25人に改善するなどが求められる。

この算定方式の改善なしに、4・5歳児の配置基準を25人に改善しても、たとえば4・5児合計で38人の場合は、38/25人＝1.5で保育士2人配置が可能となるが、37人では、37/25人では1.4で1人となってしまい改善につながらないケースが発生する。年齢別で行うと4歳児18/25＝0.7で1人、5歳児19/25＝0.7で1人となり、改善されることになる。この算定方式の改善は極めて重要と言える。

②　幼稚園の「2. 学級編成調整適用」、「3、幼稚園チーム保育加配加算」、「4. 講師配置加算」の適用について

２では、幼稚園の公定価格基本分にクラス担当教諭が休んだり、園児への個別対応が必要な時に対応する教諭として学級編成調整加配教諭１人が配置されている。保育所にもこれを適用するという改善である。実際、認定こども園の場合も、「1号及び２号の３歳以上の利用定員の合計が36人以上の場合、保育教諭を１人加配」となっている。なぜ保育所の２号認定の子どもには適用されないのか。整合性が取られていない。保育所の場合は幼稚園より多様な年齢層（0～5歳児）であり、学級編成調整加配保育士は必要であることは明確である。認定こども園の２号認定子どもが対象となり、保育所の２号認定子どもは対象外というのは格差・差別であり、早急に是正されなければならない。ここで保育士１名を配置する。

３は幼稚園チーム保育加配加算の保育所への適用である。幼稚園チーム保育加配加算は「副担任を配置している場合など、低年齢児を中心とした小集団化したグループ教育・保育を実施」し、基準以上の教諭等を配置している場合に加算される。しかも「施設の判断で基準を上回る配置を行う場合の人件費は上乗せ徴収等により賄うこと」と明記されている（内閣府「公定価格に関するFAQ」No27、28)。認定子ども園については、教育標準時間認定（1号認定）子ども及び２号認定子どもが対象になっている。それなのに保育所の２号認定子どもに適用されない。ここでもなぜか保育所の２号認定子どもだけが除外されている。

平均的保育所でもすでに見たように各クラスとも基準以上の保育士を配置し、副担任配置を行ない、「小集団化したグループ教育・保育を実施」しているケースは一般的に見られる。施設間の整合性を図るなら、当然保育所にも幼稚園と同じ加算が適用されて当然である。幼稚園と同じ基準で対応すると保育士２名の加配配置となる。保育所の場合は今後、３歳未満児への加算適用を検

討することも必要である。

4の講師配置加算は公定価格の年齢別配置基準を超えて非常勤講師を配置している場合、幼稚園と認定こども園1号認定こどもの利用定員36人以下又は121人以上の施設を対象に2019（平）年度から実施されている。本来なら、利用定員を限定するのではなくすべての施設を対象とすべきだ。保育所の場合も多くの園でも基準定数を超えて非常勤保育士等を配置していることから、当然対象とすべきである。厚労省などは短時間保育士の導入を推進していることからも、非常勤保育士加算を施設規模に応じて実施して当然である。短時間保育士の導入を推進しながら、非常勤保育士の加配配置を行わないのは、保育の質向上に逆行していると言わざるを得ない。緊急な改善が求められている。

以上1、2、3、4の改善で4.8名増となり、常勤保育士数は15.8名（A小計）となり、B公定価格基準11人（100%）より約1.4倍余（143.6%）となる。

③「ノンコンタクトタイム、1人2時間保障」等について

5では、この常勤保育士・講師（非常勤保育士）15.8名について、それぞれ幼稚園並みのノンコンタクトタイムを保障するという改善である。前述の厚労省の「保育所等における保育の質・向上に関する検討会」や「保育の現場・職場の魅力向上検討会」の「報告書」等でノンコンタクトタイムの確保の必要性が指摘されている。

幼稚園の場合は教育・保育時間は文科省調査で平均5.5時間であり、約2時間半がノンコンタクトタイムと言える。この幼稚園の状況を考慮するなら、保育士1人1日8時間労働のうち2時間（25%）程度を保育準備・記録・会議・保護者対応などコンタクトタイムとして位置づけることとした。それに必要な時間は2時間×15.8人×20日分で632時間となり、1ヶ月労働時間160時間（8時間×20日）で除すると約3.9人の常勤保育士等の配置が必要となる。

以上公定価格における幼稚園の幼稚園教諭や加配職員等の基準を適用した改善策1では、保育士配置数8.7人増となる。公定価格基準11人の約1.8倍弱の19.7人の配置になり、平均的保育所の保育者計20.7人とほぼ同じ水準近くな

る。幼稚園で実施している加算システム等を適用するだけで、保育士の処遇改善が大きく前進することは明白である。

(3) 改善策Ⅱ　重大事故防止のために等

改善策1は幼稚園の4時間保育標準の基準を8時間保育に適用させた場合の改善策である。保育所には乳児保育や低年齢児保育があり、しかも毎日のミルク・離乳食・乳児食・幼児食・アレルギー食。おやつ等多様な食事の保障、睡眠・午睡等生活の保障、8時間以上11時間保育（標準時間保育）、11時間以上の時間外保育など多様な保育を保障することが求められている。ここは幼稚園とは大きく異なる保育所特有の多様な保育・生活保障といえる。この保育所特有な保育を安心・安全な取り組みとして進めるため施策として改善策Ⅱ、改善策Ⅲ、改善策Ⅳを提起する。さらに改善策Ⅴでは土曜保育のあり方の改善策を検討する。

まず改善策Ⅱでは、乳児や低年齢児等において重大事故で多いのは睡眠・食事の場面であることから、このリスク場面への援助のための保育士配置加算を位置づけた。保育所での重大事故は内閣府のデータで増え続けている、その防止のため、0歳児〜3歳児までの4クラスに3時間の保育士配置を位置づけた。1ヶ月約1.5人の保育士配置となる。

改善Ⅰと改善Ⅱを総計すると21人となり、公定価格基準の11人の約1.9倍となる。この数字はA平均的保育所の保育士等保育者数21人と同じ人数となる。つまり、子どもの命と安全を守り、保育士の質向上を進めるためには、最低限必要な職員配置数といえる。現在もいろいろと苦労して、この約21の職員を確保しているが、公定価格の11人の保育士人件費をやりくりして約21人の人件費を賄っているため、低賃金での保育士確保となっている。

公定価格においてこの保育士加算が保障されれば、保育士の賃金等の保障に大きく貢献することは明白である。この水準は、現行制度での幼稚園の保育者配置基準（加配加算含む）が、公定価格基準の約2倍強（第2章-3 図表2-6-1 p145参照）であり、それにやっと近づいたにすぎない。

それでも８時間以上の標準保育時間の保育士配置は極めて不十分であり、またこの21人の保育士等職員数では現在でも休憩や有給休暇が十分取得できていない問題が指摘されていることをふまえ、改善策Ⅲとして改善策を提起する。

(4) 改善策Ⅲ　保育時間の長さに応じた保育士配置、休憩、有給休暇の保障を

「7. 標準時間の保育士配置基準の拡充加算」では、厚労省の調査でも標準時間保育利用者は各時間帯平均は通常保育利用者の約38％と指摘されている。現行の公定価格では保育士1.4人しか配置されていない。標準時間の場合は最後1〜2人と少人数の園児でも２人の配置が「最低基準」で義務付けられている。子ども子育て会議でも保育所関係者からその改善が強く求められている。利用者の人数に応じた保育士配置ができるように改善すべきである。そこで、平均利用者約40％として、通常保育の保育士配置（A小計の15人）の約40％の職員配置は約６人であり、１日４時間（引き継ぎ等の時間を含む）で20日間とすると１ヶ月480時間勤務が必要となり、１ヶ月労働時間160時間（8時間×20日）で除すると約３人の常勤保育士の配置が必要となる。現行の1.4人を３人に引き上げる。さらに、３歳未満児の利用者が多い場合は更なる保育士の配置も必要となるし、最後は1〜2人でもあっても保育士２人の配置が義務付けられている。そのため、規模に応じて対応できるように１人〜3人の標準時間保育士配置加算を創設することで改善の拡充をはかることが必要である。

「8. 休憩保育士の配置の拡充加算」では現行の休憩保育士配置は利用定員90人以下に限定しているが、この制度を拡充して90人以上の保育所には規模に応じて１人〜3人保育士加配を行い、安定して休憩が取れる体制を確保する。

「9. 職員の有給休暇の保障」では、平均して最低年間12日（平均月１日）の有給休暇を保障するという趣旨で職員数20人で１ヶ月20人×8時間で160時間となり、月１人の保育士加配配置が必要となる。規模に応じて保障できるように保育士１人〜2人の休暇保障加配加算を新設する。

「10. 園外研修代替保育士加算」は園外研修参加の際に、代替保育士が保育に従事できるための加算。特に最近、国や自治体は保育保育士のキャリアアップや保育の質向上を目的とした園外研修への参加を推進しているが、その際手不足となり日常の保育に影響があり参加できない状況も生じる。安心して園外研修に参加するためには、代替保育士が必要である。ここでは保育士等職員1人年間5日程度として、1日8時間×5日分×25人（保育士・栄養士等調理職員・看護師など）＝1000時間となる。1000時間を月1人の労働時間で除すると年間約6.2人となり、月約0.5人となる。この値をふまえ、職員数に応じて対応できるように0.5人～1人の配置とした。

(5) 改善策Ⅳ　調理職員増員、看護師、主任保育士増員、事務職員等の加算拡充を

次に改善策Ⅳでは副園長、主任保育士や看護師、調理職員、事務職員の加配加算拡充のための改善である。

まず「11. 副園長加算」は、幼稚園には設置されているが、保育所にはない。0歳児～5歳児の長時間保育、子育て支援や学童保育の併設等極めて多様な保育事業を展開し、定員規模によっては園長を補佐する職務が必要になるケースも生まれている。必要な園では設置できるようなシステムが必要といえる。

「12. 主任保育士の複数配置加算」は、幼稚園でも主幹教諭が配置されているが、保育所は乳児や低年齢児が利用定員の平均で約4割を超える状況となり、3歳未満児専任の主任保育士が必要なケースも生まれている。必要な保育所では乳児0歳・1歳・2歳の3クラスを担当する主任保育士と幼児3歳・4歳・5歳の3クラスを担当する主任保育士を設置できるような対応も必要になっている。

「13. 調理職員の拡充加算」では、現行の公定価格配置基準では利用定員40人以下1人、41人～150人以下2人、151人以上3人（うち1人非常勤）であり、その改善を求めている。

保育所の給食では、離乳食、移行食、乳児食、幼児食、アレルギー食、おや

つ等多様な食事を一人一人の子どもの状態を考慮して提供するとされている。そのため保育所保育指針では「食事の提供を含む食育計画を全体的な計画に基づいて作成すること」、「体調不良、食物アレルギー、障害のある子どもなど、一人一人の子どもの心身の状態に応じ、嘱託医、かかりつけ医の指示や協力の下に適切に対応すること」等が義務づけられている。こうした給食を公定価格の基準では対応できないため、多くの保育所で基準以上の配置を行っている。全保協調査の平均的保育所でも基準では２人だが、3.3 人の配置で対応している。他の調査でも公定価格の基準より 1.5〜2 倍程度の配置で対応している傾向にある。しかし、仮に利用定員 40 人に１人配置が基準で整合性を取るなら、利用定員 41〜80 人で２人、81〜120 人で３人、121〜160 人で４人、161 人以上で５人ということになる。こうしたことを考慮して、調理職員を基準以上配置している保育所には、１人〜3 人の加配職員を配置できるようにする加配加算による改善が必要と言える。

「14. 看護師配置加算」では、現在乳児保育において看護師配置が位置づけられているが、この位置づけを明確にすることが必要である。さらに保育所保育指針の「第３章子どもの健康支援」では「保育中に体調不良や障がいが発生した場合」、「感染症やその他の疾病の発生予防」、「アレルギー疾患を有する子どもへの適切な対応」などで「看護師が配置されている場合には、その専門性を生かした対応を図ること」と指摘し、保育所全体でも園児の健康・安全確保のために看護師配置の必要性が示されている。保育士の定数外に看護師を配置している施設に加算配置として援助することが必要である。

「15. 事務職員の加算配置拡充」では、現在は事務職員雇上げ加算では月額約５万円程度に過ぎず、約 0.3 人分でしかない。時間外保育や一時保育等の事業の徴収事務新制度になり公定価格の補助金制度が複雑になりその事務作業、、さらに無償化で幼児の給食の主食費・副食費の全額が実費徴収になる等事務量が大幅に増えてきている。多くの保育所で事務職員を配置するなどして保育士の負担軽減を図っている。事務量は定員規模により違いがあることを考慮して、0.5 人分配置と１人分配置の２種類の配置加算を設定し、拡充改善を行う。

ところで、現行の保育所の事務職員雇上げ加算は約月5万円程度で年額約60万円程度にすぎない。前述（第3章-5-(6) p232～参照）したが、幼稚園の預かり保育を含めた8時間以上約3時間の長時間保育を実施している場合、事務経費加算額（年額1,380千円）が支給されている。保育所の加算額はその半額にも満たない。毎日の利用児童数も預かり保育の平均で10倍以上、多数の園児の保育に責任を持つ、保育所の事務職員雇上げ加算が60万円程度というのは余りにも少なすぎる。預かり保育の事務加算額の4～5倍程度であってもおかしくない。保育所の事務職員雇上げ加算額は1990年代からほぼ同額であり、改善もされず余りにも少ない額であり緊急な改善が必要である。

(6) 改善策Ⅴ　土曜保育の再検討とシェア保育の拡充

土曜日保育のあり方の検討は保育所の年間開所日数の規定のあり方や保育士に完全週休2日制の完全実施問題と連動する。

①　土曜保育は特別保育事業で保育のシェアー（分担・共有）システムで対応を

2002年度より学校5日制が導入され、土曜日は休日扱いされるようになり完全週休2日制が広がり始めた。「2016年社会生活基本調査」によれば「土曜日に仕事をする人」の割合は平均32%である（内閣府資料「公定価格に関する検討事項」2019年11月12日 p13）。また厚労省「2020年就労条件総合調査」によれば完全週休2日制の状況は、「完全週休2日制」が適用されている労働者は58%、「完全週休2日制より休日日数が実質的に多い制度」の労働者は9.8%、併せて約7割（68%）である。保育所のように月3回、月2回、月1回の週休2日制の「完全週休2日制より休日数が実質的に少ない制度」の労働者数は27.8%と少数である。

こうした状況を反映して、土曜日保育の利用者は平日の利用者の約32%となっている（前掲内閣府資料 p9）。内閣府も「実際の保育所等の土曜日における開所状況や運営実態をみると、あるひと月の中で土曜閉所している日もあることや、平日と比較して利用する子どもの数や職員の数が少ないことがわかっている」とも指摘している（前掲内閣府資料 p9）。いまや土曜保育のニーズは普遍的ではなく、特別なニーズになってきていることは明白である。

前述したがすでに 1993 年４月の厚労省「これからの保育所懇談会」提言で週休２日制の定着化が進行した段階で「土曜日の保育は特別保育事業として位置づける」ことの検討を提起している（第２章–5 p167〜参照）。また、新制度において幼稚園では、預かり保育補助事業において、土曜日保育について１日８時間保育の補助金を支給している。

以上のことから、保育所の通常保育は幼稚園と同様週５日として土曜保育は特別保育事業と位置づけ、幼稚園同様に補助事業を創設することが必要である。この取り組みは、保育士の完全週休２日制の完全実施に連動し、働き方改革に大きく貢献することになる。

その際、重要なのは土曜保育の進め方にある。現在国が推進している「他の保育所等との共同保育」の取り組みをさらに推し進めることが必要である。土曜保育のニーズは地域により違いも見られるが、地域のニーズに応じて、地域全体の保育所が協力・連携して、地域全体で支えていくという取り組みで進めることが大切である。感染症や災害の時、休園せざるを得ない保育所の子どもの保育を他の被害のない保育所がどうシェア（分担・共有）し、連携支援するかという対応が求められる。こうした対応ができるような風土を日常生活で築いて行くことが必要である。

すべての保育ニーズを一園で解決していくというのは無理が生じる。例えば、土曜日保育の希望者が３割程度であるということは、限られたニーズであり、それを各園で対応することになれば、数人の子どもの保育保障のために常に２人以上の保育士配置が求められ、財政的負担が強いられたり、保育士の労働強化が強いられるという問題が恒常化することにもなりかねない。

こうした地域の保育ニーズを個々の保育園での対応に丸投げするのではなく、地域社会全体で受け止め、シェアできるシステムを築いて行くという視点で進めることが必要だ。感染症や災害の時、突然連携してシェア保育を進めようとしても、スムースにできない。それは、新型コロナ感染拡大のもとで、休園・登園自粛が行われ、保護者も戸惑い混乱状況に陥ったことに見られる。

感染症や災害の時、預けている園が休園等になった時でも、どうしても職場に行かざるを得ない場合、市町村に前もって申請していて開園している園に預けることができるなどのシステム（シェア保育）があれば安心できる。それには預かる側の保育園も通常利用していない園に預ける保護者も日常の生活においてシェア保育に慣れていることが必要となる。

土曜保育や日曜・祭日保育等限定された特別保育ニーズは市町村が核となり地域全体の保育所等の連携で対応することが求められる。実際、一時保育、夜間保育、日曜・祭日保育などについては、それぞれの保育所の独自性をふまえて連携して特別保育として行っている自治体は少なくない。

土曜日保育については、地域や保育園のニーズ状況に応じて、利用者が常に一定数いる場合はその園で実施するが、利用者が少なかったり、ばらつきがあったりする場合は、関係する園が共同して交代で実施できるようにする。

またニーズが点在化している場合は各園が月１回程度交代で実施するなどの方式でシェア保育が進められるようにする。その際市町村は児福法24条１項の保育実施責任の規定に基づき、各園の調整役・コーディネーターとしての役割を果たす責任がある。市町村が土曜保育等特別保育事業コーディネーターとして日常的に係わることが、感染症の流行、災害等の非常時の機敏な対応につながることを可能にする。

国が推進している土曜保育の共同保育の取り組みが約２割弱（18%）にとどまっているが、それは公定価格の単価の中でやりくりさせられているため、協力ができにくく、同一法人の保育所や公立保育所相互に限られいるからである。

特別保育事業になれば、地域の土曜保育ニーズへの対応という明確の目標を共有化でき、土曜保育の経費が明確になり、実態に即して補助金が支給されれば、それにもとづき土曜保育の保育士採用など実施の態勢を築きやすくなる。市町村が土曜保育の実施のコーディネーターとしての役割を果たし、補助金が支給されれば、地域の実態をふまえた対応が進めやすくなる。

今後、働き方が多様化する傾向が強まる中で、土曜保育や日曜・祭日保育、夜間保育（夜10時頃)、病後児保育等のニーズは常に一定程度あり、特別保育事業としてその対応が一層必要となる。その際、大切なことは、市町村が児童福祉法24条１項の保育実施責任に基づき、調整役・コーディネーター役をどのように果たすのかということにある。特別保育事業を実施している保育園に丸投げするのではなく、市町村が地域全体のニーズを積極的に把握し、その活用やシステムを積極的に住民に伝えたり、運営状況を把握するなどして日常的な関わりを持つことはきわめて重要になる。

②土曜保育の運営費について―現状は１回乳幼児１人当たり約２万５千円程度

次に、土曜日保育が特別保育事業として実施される場合、土曜日保育の運営費がどの程度必要となるかを２つの事例を参考に検討してみる。

第１はすでに内閣府の土曜日保育調査（2018年３月）に基づいて公定価格基準に基づく経費総額を推計しているが、それに基づくと次のようになる（詳細は第２章−5−(3) p175〜参照）

内閣府調査に基づく平均的土曜保育は定員園児96人、職員数24.2人（内保育士17.7人）の場合、土曜日保育利用者は平均約31人（約32％)、その内訳は３歳未満児13.5人、３歳以上児17.5人で、土曜勤務職員は平均10.9人（内保育士約8.6人、調理員等約2.3人）となっている。この場合、人件費年額は約839万円（月額約70万円)、管理費・事業費は約84万円程度（月７万円）であり総経費は約923万円（月額77万円）となる。利用者１人当たりの平均月額費用は約２万５千円弱（77万円／31人）となる。

第２に、幼稚園の預かり保育基準を踏まえると、１日の３歳以上児の平均経費額は１人約254円（補助額100円＋保育料154円）であり、１日８時間で約2032円となる（保育料は全日本私立幼稚園連合会「令和元年度私立幼稚園経営実態調査報告」p52)。３歳未満児は保育士配置が平均約5.5倍なので１人約１日８時間で１万1176円（2032円×5.5）となる。前掲の内閣府調査の96人定員で平均利用者31人（3歳未満児13.5人、3歳以上児17.5人）の場合、３歳以上児の１日の経費額は3万5560円（2032円×17.5人）、1ヶ月では14万2240円（3万5560円×4回）となる。3歳未満児の1日の経費額は15万876円（1万1176円×13.5人）、1ヶ月では60万3504円（15万876円×4回）となる。3歳以上児と3歳未満児の1ヶ月の合計額は約74万5744円（14万2240円+60万3504円）となり、年額では約895万円となる。利用者1人当たりの平均月額経費は約2万4千円（74万5744円／31人）となる。

2つの別々のデータで費用計算すると、1人当たりの月額経費額は2万4千円〜2万5千円であり、年額経費額も約900万円前後であり、ほぼ同じ傾向が見られる。土曜日保育の特別保育事業補助額は、こうしたデータを踏まえて、早急な検討が望まれる。

幼稚園の場合は補助金が支給されていて、平均経費額の約4割を補助金、6割を保育料で賄っている。そのため、幼稚園の通常保育へのしわ寄せがないことになる。これと比較して保育所の場合は、土曜日保育の補助金が支給されていないため、通常保育の経費から約923万円程度を捻出していることになる。そのやりくりのために、保育士や調理員等の処遇を切り詰めて実施し、保育士等職員の処遇の劣悪さを生み出している。保育士や調理員等の処遇改善を進めるためにも、幼稚園と同様に土曜保育特別保育事業補助金を創設することが必要不可欠である。

(7) 改善策Ⅵ　保育所の開所日数規定の明確化と保育ニーズを地域全体で支える仕組みの確立を—公定価格基準の開所日数「月25日、年間300日程度」の抜本的改善

①　改善の方向性について

土曜日保育のあり方は保育所の開所日数をどのように規定するかということになる。現在は保育所の開所は厚労省連名通知で「日曜日、国民の祝日及び休日を除いた日数」は開所となっているが、「自主的な休所日は『開所日数』として取り扱う」と明示されているだけである（詳細は第2章-6-(3) p182〜参照）。これでは、開所日数は決められていないということに等しい。その都度その都

図表 5−2　保育所、幼稚園、放課後児童クラブ（学童保育）の年間開所（園）日数

保育所	幼稚園	学童保育	年間日数
政令等に規定なし。 公定価格の基準 年間 300 日 （25 日×12 か月）	学校教育法施行規則 37 条「39 週を下ってはならない」→祝日も含むという解釈、毎月 4 週として年間約 10 か月、1 週 5 日で 195 日 公定価格の基準 年間 240 日（月 20 日×12 月）（夏休み等長期休暇約 40 日を含む）	「設備及び運営に関する基準」18 条 「1 年につき 250 日以上」	1 平日約 240 日程度 2 土曜日約 52 日程度 3 日曜日約 52 日程度 4 祭日約 17 日程度 5 年末年始休日約 5 日 1+2 約 292 日程度

＊年間休日・就労日は厚労省「2020 年就労条件総合調査」の労働者一人当たりの平均年間休日日数に基づく。平均就労日は 365 日−116 日（平均休日日数）として算定。

度で示された日数をあたかも基準のように扱うことは許されない。開所日数は労働基準法や年間の祝祭日等の状況を踏まえて、きちんと法令等で示されるべきである。

図表 5−2 に保育所、幼稚園、放課後児童クラブ（学童保育）の年間開所（園）日数の規定をまとめた。幼稚園や学童保育等は法令等で明記されているのに、保育所は示されずに放置されてきている。

幼稚園の年間保育・教育日数は学校教育法施行規則第 37 条で「年間 39 週を下らない」と定められている。毎月 4 週として年間約 10 か月、1 週 5 日で 195 日となるが、公定価格ではこの基準を踏まえて、学期末や夏休み等長期休暇を開園日数を加えて 240 日が運用上の規程となっている。つまり、法律としては保育・教育日数は 195 日以上を実施することが義務づけられているが、それ以上の 44 日程度は開園せずに、研修や休暇として活用できるようになっていて、公定価格の支給対象とされている。

学童保育は厚労省令「放課後児童健全育成事業の設備運営に関する基準」の第 18 条「開所時間及び日数」で「1 年につき 250 日以上を原則」として「その地方における児童の保護者の就労日数、小学校の授業の休業日その他の状況を考慮して、当該事業所ごとに定める」とされている。また、土曜日保育の実施については別途補助金制度が創られている。

ところが、保育所については保育所の最低基準（設備およぞ運営基準）には何らの規定も示されていない。その都度に設定された補助金の基準がいつの間にか一人歩きして「月22日」とか「月25日」とかの見解があたかも基準のように扱われて、いつの間にか、「平日＋土曜日」で「月25日×12ヶ月＝300日」があたかも決められているように扱われてきている（詳細は「第２章-6 p72～参照）。そこで、この「月25日×12ヶ月＝300日」がカレンダーの変化でどのようになっているのか、さらに週40時間制と完全週休２日制の広がりの中で、一般社会の企業の営業日や労働者の平均年間労働日の状況の変化の中でどのように考えるべきかを検討する。

②　現行開所日数「月25日、年間300日程度」は施策の経過を無視、実態にそぐわない

i　祝日の増加で「平日＋土曜日」は年間300日以下に

「平日＋土曜日」の実際の日数を見るには、まずカレンダーの祝日がどのように変化しているかを検討する。

祝日は1948（昭23）年には９日でスタートし、1966（昭41）年には11日、1967年12日、1989年13日、1996年14日、2007年15日、2016年に16日と増え、しかも1973年に振替休日が制度化された。そのため、制定当初は祝日も９日程度であり、平日と土曜日を合わせた日は300日を超え306日程度であった。祝日は1996年14日、2007年15日となり、振替休日を含めるとさらに数日多くなる。平日＋土曜日は300日以下で約296日程度となった。

最近のカレンダーでは祝日も当初の約２倍程度となり、日曜日＋祭日の休日数は少なくても68日程度であり、年により異なるが振替休日わ含めると、祝日が17日、18日となり、多い時は20日（2018年）、22日（2019年）のケースも生まれている。そのため、年間の平日は243日程度で土曜日数は52日位となり、年間の平均平日＋土曜日が300日以下、通常295日程度だが2018年は293日、2019年は291日となり、１ヶ月24日程度になってきている。

前述したが厚生省が示した一般生活費１ヶ月22日分という基準が実態に近

い。一般生活費22日分という規定があり、その上、平日と土曜日の年間日数は平均291日〜296日程度になっているにも係らず、25日、年間300日開所という規定を持ち出してくることは、これまでの厚労省の施策の経過や平日と土曜日の年間日数の変化などを無視した内容であり、言語道断としか言いようがない。

ii　企業の平均年間営業日は255日、保育所年間開所日は291日

週40時間制と完全週休2日制の定着で官庁や企業などの年間休日数は増えている。厚労省「令和2年就労条件総合調査」に基づくと、1企業の平均年間休日総数（有給休暇は除く）は、平均約110日（109.9日）であり、79日以下は平均4.7%にすぎない。企業の平均的年間営業日は約255日程度（365日—休日110日）となる。ちなみに行政機関の休日は122日程度であり、開庁日は約243日（365日−122日）となる。

これに対して保育所の基準の休日は日曜日52日、祝祭日約17日程度、年末年始休日約5日（祝日除く）で約74日であり、年間休日が最も少ない階層に属する。保育所の年間開所日の対象となる日数は約291日（365日—74日）程度である。

実際、前述したが政府の「子ども・子育て新システム検討会議作業グループこども指針（仮称）ワーキングチーム」第4回会議（2011年2月16日）で示された「資料1教育時間・保育時間について（案）」の事務局見解「全国的な基準としての年間の保育日数については、日曜・祝日や年末年始の日数を除いた日数を確保するという現行の考え方を踏まえて検討すべきではないか」との提案を踏まえるなら、今日では、年間開所日数は約291日程度、月24日となる。

ここで問題なのは、第1に公定価格の「月25日、年間300日程度」開所という基準は現実のカレンダーの変化の実情は何ら考慮されず、しかも国の審議会で示された提案も無視した内容であり、とても容認できる内容ではない。

第2に、保育所の年間開所対象日約291日は一般企業の営業日よりも36日、官庁営業日より48日も多く、約1〜2ヶ月弱もの長い開所が強いられていることなる。このことは当然保育士等職員の処遇に影響が出てくる。

iii　1 人当たり平均年間労働日は企業の労働者 249 日、保育士等は 269 日〜251 日程度

上記の調査で労働者の 1 人平均年間休日数（有給休暇は除く）は企業規模別では約 110 日〜120 日で、平均 116 日である。平均年間休日 116 日は日曜＋土曜＋祭日の年間休日数（約 120 日程度）の約 97％程度の休日となっている。労働者 1 人当たりの平均年間労働日は 249 日（365 日—116 日）となっている。

保育所の保育士等職員は年末年始休日 5 日、お盆休み・夏休み約 4 日程度、毎月の土曜日の 1.5 日〜2 日程度休日の場合で年間休日総数は 96 日〜104 日であり、土曜休日月 3 日となっても 114 日程度であり、労働者平均 116 日には及ばない。保育士の年間労働日は 269 日〜261 日、土曜休日月 3 日でも 251 日と企業の労働者より遙かに多い傾向にある。

労働基準法では「労働時間の上限は週 40 時間」1 日 8 時間労働の規定に基づくと、1 年間週労働時間は 365 日÷7 日×40 時間＝2085.7 時間となり、1 日 8 時間の労働日は 2085.7 時間÷8 時間＝260 日となる。つまり年間最大労働日数 260 日となり、年間休日数の最低ラインは 105 日（365 日—260 日）とされる。

企業の労働者の平均年間休日（116 日）は年間休日数の最低ラインより 11 日多く、平均年間労働日（249 日）は、年間最大労働日数 260 日より 11 日少なくなっている。しかし、保育士等は年間最大労働日保育士等の年間労働日（269 から 261 日）は 260 日以上と多く、年間休日日数（96〜104 日）は最低ライン（105 日）以下と低いという状況に置かれている

③「月 25 日、年間 300 日」は撤回し、新たな年間開所日数の法規定を

i　年間約 240 日程度以上、お盆休み・夏休み、研修等自主休所日も開所日扱いに

こうした社会の状況を踏まえるなら、「月 25 日、年間 300 日程度」という規定は、日曜日と祭日を除く年間日数でもあり得ないし、さらに労働時間週 40 時間制の下では、年間最大労働日数 260 日ということであり現実を無視した内

容であり、すぐに撤回されるべきである。

そこで保育所の年間の開所日数のあり方について検討する。

まず、前述したように、土曜日保育は特別保育とするということを前提にするなら、年間の開所日は365日から土曜日約52日、日曜約52日、祝日約17日（振替休日１日）、年末年始休暇５日（元旦を除く）を差し引くと約239日程度となる。しかし年により土曜、日曜、祝日は若干異なることから、237日や241日になることもあり、約240日程度と言えよう。土曜日特別保育を実施すれば最大で290日位の開所となる。そのため、約240日程度以上という基準が望ましい。

なお、地域や園によっては、土曜保育のニーズが極端に少ないケースもあるが、土曜保育のニーズの多い地域もあり、特別保育事業としての土曜日保育を最低年間10日程度の義務づけを望む市町村もあるであろう。そうしたことを考慮すると約240日～250日以上とすることも可能である。その際、いずれの場合でも、お盆休み・夏休みや、園内研修等の園独自の休日は開所扱いとする。

お盆休み・夏休みは世間一般の水準であれば７日程度であろう。園内研修については保育所保育指針において「全職員による共通理解を持って取り組むこと」、「日常的に職員同士が主体的に学び合う姿勢と環境が重要であり、職場内での研修の充実が図られなければならない」と指摘されている。職員会議等の職場内研修の充実は保育の質の向上にとって基本的土台であり、重要であることはいうまでもない。園内研修は保育所は休業・閉所だが、保育士等職員は出勤して仕事を行うため、当然労働日となる。

保育所の場合、平均定員96人～100人程度で全職員は約26～30人程度勤務している。毎日早朝７時頃から夕方６時頃までの11時間程度の保育を支えているため、時差出勤で対応している。そのため、日常的に全職員が話し合う場は困難である。日常的にできることは、子どもの昼寝の時間帯の僅かな時間でしかない。それも睡眠チェックの対応の職員配置、職員の休憩時間の確保等もあり、何人かで30分程度の打ち合わせを行うのがやっとである。

全職員が参加できる会議を行うには、保育を行いながら進めることは困難である。せめて1ヶ月に1度園内研修・会議が持てるようにするには1ヶ月半日、年間5~6日程度の保育閉所を行い、研修・会議に充てることができるようにするなどの配慮が必要である。さらに各学期や年度のまとめや研修、新年度の準備、環境整備等のために年間5日程度の保育閉所が望ましい。このように考えると年間10日程度の保育閉所が認定されることが必要となる。

以上のことを考慮すると、年間開所日数は約240日程度以上として、約17日~20日程度（夏休み7日程度＋園内研修等10日程度等）を「自主的な休所日等」として取り扱い、「開所日数」にカウントすることが必要である。

保育士の労働日は夏休み7日程度を除く約233日程度となる。土曜保育を特別保育で実施する場合は、開所日数や保育士等の労働日はさらに増えることになり、月1回の土曜保育に従事すると、約245日程度となり、年間休日は約120日となる。年間の日曜＋土曜＋祭日の総計が約120日程度であり、完全週休2日制が保障されることになる。日本の労働者の平均的労働環境を確保できることになる。

なお幼稚園の「教育日数」については学校教育法施行規則第37条で「39週を下ってはならない」と定められている。さらに、休業日については、国民の祝日、日曜及び土曜日、教育委員会が定める「学期及び夏季、冬季、学年末等における休業日」と定められている。つまり、月4週として10ヶ月をくだらない、週5日で195日をくだらないと言うことになる。同時に公定価格では月20日×12ヶ月で240日とされていることから、夏休み等の休暇の約40日程度が開園日数に含まれることになる。

同じ240日程度でも保育所の場合は幼稚園の内容とは大きく異なり、実質の開所日数や労働日数も異なる。保育時間や保育日数の長さは、当然労働日数・労働時間の長さにつながる。保育所には保護者の就労保障という役割があり、同時に保育士等職員の研修を含む就労保障も両立させなければならない。個々の保育所の保育所開所日、夏休み、年末年始等の休日保障、園内研修等必要な休日などは国が大枠の基準を法令等で示すべきである。当然保育所により開所日数や長さが異なることは生じる。その際、基準を超える保育時間や日数については、保育の平等の原則からその長さに応じた保障が公定価格できちんとなされなければならない。さらに、保護者の就労状況と保育所の休日とのマッチングがうまくいく人と都合が合わない等の問題も生じる。こうした個々の保育ニーズにどのように対応するかといった課題について、次に検討する。

ii　市町村の保育実施責任を踏まえたシェア保育で地域の保育ニーズに対応

個々の保育所の開所日数の基本的基準は保育士等職員の週 40 時間制・完全週休２日制が確保でき、年間の日曜＋土曜社＋祝日の約 120 日程度の休暇の保障を前提として決められるべきである。

年間開所日数約 240 日程度（夏休み７日程度＋園内研修等 10 日程度等含む）の場合、保護者に休所を求めた場合に調整のつかない保護者もいる場合もあるでしょう。保育所の休日に併せて休暇を取れる人もいれば、どうしても都合のつかない方もいる。少数であっても都合のつかない方々への対応も必要になる。こうした個別の保育ニーズにどう対応するかと言うことが求められる。

希望する保育園だけを利用している人は、すべてその保育園の日程に合わせて生活が営めれば良いのだが、土曜日は休めない、研修休日のこの日は都合がつかない等のケースも生まれる。特に労働形態や生活様式が多様化する中で、個別の対応が必要なケースは一定程度生まれる。

こうした個別のケースにその保育園だけで対応すれば、財政的負担が強いられたり保育士の労働条件の悪化をもたらすことになり、無理が生じる。個別の特別保育ニーズについては、その園だけで対応することは無理なので、地域全体でどのように対応するかと言うことを考えることが必要である。

現行の保育所制度は児童福祉法 24 条１項の市町村の保育実施責任に基づき、「保育を必要とする」子どもを地域の各保育園に委託するというシステムになっている。個別の保育ニーズについても市町村の責任で対応することが求められる。そのためには市町村が公私立保育園の開園状況と保護者の保育ニーズ状況を適切に把握しておかなければならない。

個々の保育所の開所日数を明確にして、市町村がその基準に基づき地域の保育ニーズをふまえ、保育所間の連携による保育体制を築いて行くことが必要となる。例えば土曜保育をニーズに応じて各保育所が月1～2回程度分担等シェアーしあう制度、子育て支援セーターに土曜・祝祭日保育専用の保育室を設置するなどの対策などで、地域の保育ニーズに対応することが必要となる。

そのためには、各保育所が年間の休所計画を保護者に提示し、調整できる点は調整し計画を市町村に提出する。市町村は、各園から提出された計画案を、休日の重なり具合等の調整を図るなどして、どうしても園の休日と合わせることができないケースについては、保護者の希望を踏まえて開所している別の保育所に保育を委託するなどシェア保育を進めることが必要となる。地域の「保育を必要とする」子どもの保育を保障するには、地域のすべての公私立保育園の機能をどのように活用するかということが問われる。

実際、地域の医療機関においては、土曜、日曜・祝日等を当番医制で対応している。保育界でも、市町村の責任で保育の課題を共有化し、その具体的対応策も分担するというシステムを推進することが求められている。この取り組みを日常的に進めることが、感染症の拡大や災害等の対応の時に大きな力になることから、その備えでもある。

以上6つの柱にもとづく保育士等処遇改善と保育所の安定した運営が保障できるような抜本的改善案を提案した。この提案は幼稚園の基準や改善された預かり保育の基準をお手本に、長時間保育の保育所の特殊性や実情を踏まえて作成した。この提案は、保育施設の基準の一元化を念頭に置いていることから、保育所だけでなく、幼稚園、認定こども園における8時間保育、8時間以上11時間保育の場合にも共通した内容することを前提としている。幼稚園、保育所、認定こども園の子どもたちが、保育時間の長さに応じて等しい保育条件の下で保育が保障されることは至極当然なことである。

最近子ども家庭庁創設問題をめぐり幼保一元化問題が再び浮上してきている。この幼保一元化問題の基本は子どもの保育条件について、施設が異なっても、保育時間の長さに応じた基準で、安全・安心でゆきとどいた保育が等しく保障されることにある。

幼保一元化の基本は行政の管轄を一元化するということが強調されるが、最も大事なのは子どもの保育条件の基準が一元化されることにある。子ども・子育て新制度で幼稚園、保育所、認定こども園の補助金は公定価格に一元化されたが、内容は施設間での格差が歴然としている。これでは一体化の名での多様化、差別化にすぎない。こうした施策は早急に改善されなければならない。

幼稚園、保育所等の行政管轄が仮に子ども庁などに一元化されても、幼稚園、保育所、認定こども園の補助金基準（公定価格）の内容がバラバラで格差があれば、子どものための一元化とは言えないし、あってはならない。

現在の二元化・三元化制度の下でも、公定価格の基準内容を一元化の方向で進めることは可能である。実際、子ども・子育て新制度の公定価格では、保育所基準のよい点を幼稚園や預かり保育の基準に取り入れて改善された。今度は幼稚園の基準のよい点を保育所の基準に取り入れることをすれば良いので、可能といえる。幼稚園にはできて、保育所にはできないと言うことはあり得ない。相互の制度や基準の良い点を取り入れて制度の内容や基準の一元化に近づけることは国の行政や政治、社会の責任で実現できるはずだ。

子どもの安全・安心を保障できる保育基準の確立のために　一元化の視点も含めて、この提案をたたき台にして、活発な論議を行い、保育士等職員の処遇改善と保育施設の安定した保育が営める社会状況の到来を期待する。この取り組みの進展が　少子化対策の拡充策であり、「子育て後進国からの脱却」への大きな歩みとなる。

付録

保育政策・制度問題関連年表Ⅱ

（2008 年～ 2021 年、村山祐一作成）

年号（元号）	・事項
2008（平成20）年	・（福田内閣（06.9.26〜08.9.24）、麻生内閣（08.9.24〜09.24））
1月10日	・埼玉新聞「狭山市・保育所長自殺、公務災害と認定」
1月17日	・第4期中央教育審議会は「幼稚園、小学校、中学校、高等学校及び特別支援学校の学習指導要領等の改善について」答申
1月18日	・福田首相は通常国会施政方針演説で「質と量から取り組む『新待機児ゼロ作戦』の展開」を表明→.02.27「新待機児童ゼロ作戦—希望するすべての人が安心して子どもを預けて働くことができる社会を目指して—」公表
2月15日	・文科省は幼稚園教育要領改定案を公表
2月21日	・国民生活センターは「学童保育の実態と課題に関する調査研究」公表→部屋の広さが厚労省基準に達していない施設が6割、適切な契約書を交付した施設は16%にすぎない。
2月22日	・読売新聞「『子ども庁』政府検討へ、幼保一元化施設の推進ねらい」
2月23日	・東京新聞「世界の乳幼児死者が1,000万人割る、46年で半減—ユニセフ」
2月27日	・厚生労働省は「新待機児童ゼロ作戦について」発表、今後10年間で保育サービス利用児童100万人、放課後児童クラブの登録児童140万人増の目標値をかかげる。
2月28日	・朝日新聞「待機児ゼロ10年計画、財源・保育水準が課題」
3月3日	・朝日新聞社説「子ども特定財源こそ必要だ」
3月21日	・東京新聞社説「待機児童ゼロ、今度こそ効果上げよ」
3月25日	・閣議決定「規制改革推進のための3か年計画」公表、「保育分野」では「『認定こども園』の推進促進、では「直接契約・直接補助方式の導入」等による「保育制度改革」の検討などの方針を示す。
3月28日	・厚労省は児童福祉施設最低基準（厚生省令）一部改定し、保育所保育指針改定を告示（09.4.1実施）、「保育所保育指針解説書」を発表。 ・文科省は幼稚園教育要領改定を告示（09.4.1実施）
4月4日	・毎日新聞「第2子出生パパの家事影響—厚労省縦断調査」
4月11日	・朝日新聞「保育所の待機児童いつゼロに」
4月22日	・外務省は子どもの権利条約に関する第3回政府報告書を国連「子どもの権利委員会」に提出
5月5日	・東京新聞「外で遊ばない園児14%、国公立園長会調査」
5月13日	・文科省は「経済財政改革の基本方針（骨太方針）2007年の「幼児教育の将来の無償化について総合的に検討する」の方針を踏まえ「今後の幼児教育の振興方策に関する研究会」を設置、20日開催
5月16日	・社会保障審議会少子化対策特別部会は「次世代育成支援のための新たな制度体系の設計に向けた基本的考え」を公表、保育所入所の基準や公的責任による利用方式等の抜本的な見直しの方向性を示す。 ・朝日新聞「認定こども園普及へ検討会」
5月20日	・教育再生懇談会は第1次報告まとめる。認定こども園2,000園早期達成、幼児教育無償化等を提案
5月26日	・文科・厚労両省合同の「認定こども園制度の普及促進に関する検討会」開催→検討会は2008.7.29「認定こども園の普及促進について」を公表

5月28日	・地方分権改革推進委員会は第一次勧告公表、保育所入所要件の見直し、直接契約方式の導入、最低基準の廃止・見直しを提案 ・地方分権改革推進本部はこの勧告をふまえ、「地方分権改革推進要綱（第1次）」を決定
6月3日	・財務省･財政制度等審議会は平成21年度予算編成方針に対する考え方をまとめる、教育予算の抑制、社会保障費削減の維持等。
6月6日	・読売新聞「少子化対策、2.4兆円追加では不足—社会保障国民会議」
6月9日	・厚労省は児童家庭局長通知「保育対策等促進事業について」を発出。2000（平12）年度より実施してきた「保育対策等促進事業の実施について」は廃止
6月10日	・経済財政諮問会議は経済成長戦略を公表、「『こども交付金』（仮称）の導入など、認定こども園における幼稚園と保育所の一元化、補助金の一本化等の検討し、平成20年度中に制度改革についての結論を得ると指摘。
6月19日	・社会保障国民会議中間報告を公表「子育て支援の質量の抜本的拡充と新たな制度体系の構築」を指摘。
6月20日	・政府・地方分権改革推進本部は「地方分権改革推進要綱（第1次）」を決定 ・日本経済新聞「認定こども園増えない」
6月27日	・「経済財政改革の基本方針（骨太方針）2008年」を公表、「保育サービスの提供の仕組みを含む包括的な次世代育成支援の枠組みを構築」「幼児教育の将来の無償化を総合的に検討」等を指摘。
6月28日	・朝日新聞「学童保育3割未実施、自治体側と利用者側に認識の差」
7月1日	・「教育振興基本計画」（閣議決定）を公表。「今後10年間を通じて目指すべき教育の姿」において「幼児教育の無償化総合的に検討」、「認定こども園の活用、認定こども園の制度改革に取り組む」等強調。
7月2日	・規制改革会議は「中間とりまとめ—年末答申に向けての問題提起」を公表、抜本的な保育制度改革を提案。
7月25日	・文科省・厚労省幼保連携室は「認定こども園Q＆A」公表
7月29日	・政府は「社会保障の強化のための緊急対策～5つの安心プラン～」を閣議決定。新待機児童ゼロ作戦の推進、「認定こども園の制度改革に向けた検討（08年度中に結論を得る）」幼稚園、保育所の保育料の軽減など等を強調。
7月30日	・読売新聞社説「安心プラン—不安解消には財源の裏打ちを」
8月2日	・朝日新聞「子育て支援は財源のお荷物なのか、削られる保育産めない働けない」。 ・毎日新聞「一時預り実施21%、進まぬ子育て支援—毎日新聞調査」
8月4日	・全保連等「保育制度解体許すな！緊急集会」
8月22日	・読売新聞社説「子育て支援、働くママをもっと励まそう」
8月28日	・厚労省は「保育所の状況【平成20年4月1日】等について」公表、5年ぶりに待機児童数増加、前年比1万5千人増、私立保育所数が公立保育所数を抜く。
8月31日	・毎日新聞「無保険の子7,300人、20都市で親が国保滞納—毎日新聞調査」
9月1日	・福田首相突然退陣表明、24日麻生新内閣誕生
9月5日	・社会保障審議会少子化対策特別部会第10回会議で保育3団体は規制改革会議等が主張する最低基準の見直し、保育の市場家のための制度改革に反対の意見陳述を行う（「月刊保育情報」2008年10月号）
9月7日	・東京新聞「法制化から10年、学童保育の今」
9月26日	・厚労省は児童家庭局長の私的諮問機関「次世代育成支援のための新たな制度体系の設計に関する保育事業者検討会」を設置。

2008年9月30日	・社会保障審議会少子化対策特別部会第12回会合において、「保育サービス提供の新しい仕組み」の論議を開始（「月刊保育情報」2008年10月号）。
10月6日	・全国保育団体連絡会は「社会保障審議会少子化対策特別部会が提起する『保育サービスの提供の新しい仕組み』に対する私たちの見解」を公表（「月刊保育情報」2008年11月号） ・毎日新聞「遺児に教育支援を、育英会デモ」、東京新聞「貧困・使い捨て許すな、母子家庭と若者デモ」→10月20日東京新聞「反貧困ネット、都内で2,500人集会」
10月7日	・読売新聞「子どもの貧困、親から続く負の連鎖」
10月15日	・内閣府は「認定こども園制度の在り方に関する検討会」設置。「経済財政改革の基本方針（骨太方針）2008年」「5つの安心プラン」の認定こども園制度改革の検討を行うため内閣府・文科・厚労3大臣合意により開催。
10月24日	・毎日新聞「食べ物の窒息死71人、東京06～07年」
10月31日	・毎日新聞「子どもの無保険3万人、自治体に通知―厚労省」
11月1日	・毎日新聞「保育所29カ所閉鎖、通知突然憤る保護者―エムケイグループ」
11月2日	・毎日新聞社説「保険証のない子、全国一律に救済する仕組みを」
11月4日	・08年1月25日内閣総理大臣の下に設置された社会保障国民会議は最終報告公表、少子化対策に対する思い切った財源投入と新たな制度体系の構築―「一元的に提供することのできる新たな制度体系の構築等を強調。
11月5日	・東京新聞「相次ぐ給食費値上げ、食材価格の高騰影響」
11月7日	・毎日新聞「保育施設基準緩和容認の姿勢―厚労事務次官」
11月11日	・全国保育団体連絡会等は「公的保育制度拡充を求め」緊急集会開催、31日「保育制度解体許すな！」大集会開催。
11月17日	・保育三団体は社会保障審議会少子化対策特別部会の保育制度改革の論議に対して、市場原理に基づく直接契約・直接補助制度の導入は保育の質の低下になるため、現行制度の役割を評価した改善等の要望書を厚労相に提出。（「月刊保育情報」2008年12月号）
11月21日	・東京新聞「小中高の暴力5万件を突破―文科省調査」
12月3日	・家庭的保育事業制度化等のため児童福祉法一部改正案及び次世代育成支援対策推進法の一部改正案（08年3月4日提出）が可決成立。子育て支援事業（09年4月1日施行）、家庭的保育事業（10年4月1日施行）は法定化され、社会福祉法の第2種社会福祉事業に位置づけられる。
12月8日	・地方分権改革推進委員会は「第2次勧告―『地方政府』の確立に向けた地方の役割と自主性の拡大」を公表。「幼稚園設置基準の規制緩和」、「保育所と幼稚園の一元化を図るための統一した標準的制度の構築」等を指摘。→2009.10.07第3次勧告 ・日本経済新聞「保育士が足りない」
12月14日	・毎日新聞「少子化対策、児童手当、保育園拡充を」
12月16日	・社会保障審議会少子化対策特別部会は「第1次報告（案）―次世代育成支援のための新たな制度体系の設計に向けて―」をまとめる。
12月19日	・東京新聞「無保険救済法成立、一歩前進に現場は評価」
12月22日	・規制改革会議「規制改革推進のための第3次答申」、「保育分野」のトップに「抜本的な保育制度改革」を掲げている。

12 月 25 日	・全国保育団体連絡会等は厚労省前で現行保育制度解体反対抗議集会開催
12 月 24 日	・政府は「持続可能な社会保障構築とその安定財源確保に向けた『中期プログラム』」を閣議決定。少子化部会で検討中の「子育て支援サービスを一元的に提供する新たな制度体系」を 2010 年代前半に法制化を図り、2013 年度頃に新制度をスタートさせる方針を明記。
12 月 27 日	・全国保育団体連絡会は「第 1 次報告（案）」に対する見解を公表、「充分な財源措置による現行保育制度の改善で、公的保育制度解体は許さない」等。(「月刊保育情報」2009 年 3 月号)
12 月 30 日	・毎日新聞「公園に年越し派遣村、広がる労働者への支援」
註）(2008.1〜12.31) ☆拙稿「子育て環境格差の拡大と保育のあり方を考える」(保育研究所「保育の研究」第 22 号所収 3 月刊) ☆単著「『子育て支援後進国』からの脱却—子育て環境格差と幼保一元化・子育て支援のゆくえ」(新読書社 9 月刊) ☆拙稿「保育・幼児教育と保育者（教師・保育士)」(岩本俊郎・勝本勝年編著「現代日本の教師を考える」2008 年北樹出版 10 月刊) ☆シンポジスト参加「NPO 法人保育総合研究所・日本保育学会共催シンポジウム『今、私たち大人は子どもをいかにして護り・守れるか—乳幼児の公的施設における最低基準をどう捉えればよいかを巡って—』(11 月 30 日)」(報告書 2009 年 3 月 30 日刊) ☆「2008 年保育白書」第 1 章 3 節「A 保育所を支える公的制度」、「B 市町村の保育の実施責任を考える」、「C 子どもの権利保障と最低基準」「D 保育所の財政」、4 節「B 幼稚園の制度と財政」執筆（8 月刊) ☆拙稿「保育問題日誌・保育ジャーナル第 417 回（2008 年 1 月分）〜428 回（2008 年 12 月分)」(月刊誌ちいさいなかま 2008 年 5 月号〜2009 年 4 月号）及び「2007 年保育問題日誌」(「2008 年保育白書」所収)	
2009（平成 21）年	・(麻生内閣（08.9.24〜09.9.16)、鳩山内閣（2009.9.16〜10.6.8)
1 月 8 日	・2008 年度 2 次補正で安心こども基金を創設
1 月 11 日	・読売新聞「民営化保育所に死角— 26 施設突然閉鎖、行政が経営難見抜けず」
1 月 13 日	・東京新聞「障害者自立支援法 2 年—苦境に立つ小規模作業所」
1 月 20 日	・内閣府「ゼロから考える少子化プロジェクトチーム」発足
2 月 3 日	・朝日新聞「私の視点欄—保育所年 6 万人増の整備計画を」
2 月 8 日	・読売新聞「希望の保育所と直接契約—厚労省方針」
2 月 11 日	・読売新聞「構造改革路線の罪、格差拡大、社会を分断」
2 月 16 日	・第 7 回保育事業者検討会開催、少子化特別部会提案「新たな保育の仕組み」案についての意見表明がされ、全国私立保育園連盟は「積極的協力」、全国保育協議会、日本保育協会は修正意見を表明（「月刊保育情報」2009 年 3 月号)
2 月 17 日	・朝日新聞「保育所改革案のとりまとめ難航」
2 月 21 日	・毎日新聞「格差と少子化、入れる保育所がない」連載
2 月 22 日	・四国新聞「議論呼ぶ保育制度改革」
2 月 24 日	・社会保障審議会少子化対策特別部会は「第 1 次報告—次世代育成支援のための新たな制度体系の設計に向けて—」公表
3 月 2 日	・朝日新聞社説「保育制度改革—『未来への投資』を急げ」
3 月 3 日	・朝日新聞「保育制度改革、どうなる保育の質と量」

2009年3月5日	・厚労省は平成19年地域児童福祉事業等調査公表、認可外保育所入所で「認可保育所の空きなし」の理由が約3割、平成16年3倍増。 ・2009（平21）子育て支援対策臨時特例交付金（安心子ども基金）創設、文科・厚労局長連名通知「安心子ども基金管理運営要綱」を発出
3月6日	・日本経済新聞「学童保育事故1万2,800件—国民生活センター調べ」
3月7日	・東京新聞「待機児童4万人突破—厚労省調べ」
3月9日	・全国保育団体連絡会は厚労省・少子化対策特別部会「第1次報告」に対する見解を公表
3月10日	・琉球新報「朝食抜き園児2割、夜10時以降就寝3割」
3月17日	・東京新聞社説「保育制度改革、親たちは待てない」
3月23日	・政府は「次世代育成支援対策推進行動計画策定指針」を告示（「月刊保育情報」2009年6月号）
3月24～25日	・全国保育団体連絡会等は電話相談「入りたいのに入れない—保育所ホットライン」を実施（「月刊保育情報」2009年7月号）
3月31日	・内閣府「認定こども園制度の在り方に関する検討会」は報告書「今後の認定こども園制度の在り方について」を公表 ・厚労省「家庭的保育の在り方に関する検討会」は報告書公表
3月31日	・規制改革会議の「規制改革推進のための3カ年計画〔再改定〕」閣議決定。「重点計画事項」の保育分野で「抜本的な保育制度改革」を掲げ、直接契約方式·利用者への直接補助方式の導入等を主張、少子化対策特別部会「第1次報告」とほぼ同じ。（「月刊保育情報」2009年5月号）
3月	・全国社会福祉協議会は厚労省委託事業「保育所の最低基準に関する調査・研究」として取り組んだ「機能面に着目した保育所の環境・空間に係る研究」報告書を公表。
4月1日	・厚労省は保育所保育単価の定員区分を10人刻みに細分化、第3子の保育料無料化実施（同一世帯2人以上の就学前児童が保育所等同時利用の場合）。
4月2日	・日本経済新聞「認可園も詰め込み保育、常に定員超過」
4月8日	・朝日新聞「認可保育所利用世帯85万世帯が希望、厚労省調査から推計」
4月10日	・読売新聞社説「保育所改革—働く母親をどう支えるか」
4月21日	・内閣府「ゼロから考える少子化プロジェクトチーム」は緊急アピールを公表、待機児童対策では認可保育所の「定員やクラス編成の弾力化」、「認可外保育所の質の向上や受け入れ増加のために積極的支援」等明示
4月22日	・読売新聞「認可保育所足りない、不況で共働き利用希望急増」
4月30日	・毎日新聞「救えなかった命、児童虐待を考える」連載
5月11日	・東京新聞社説「子どもの貧困、無関心な大人の責任」
5月17日	・読売新聞「新型インフル初の国内感染、子どもどこに預ければ」
5月18日	・文科省・今後の幼児教育の振興に関する研究会「幼児教育の無償化について」（中間報告）を公表
5月26日	・朝日新聞「幼保一元化で児童局新設案、厚労省分割の素案判明」
5月28日	・読売新聞「幼保一元化に慎重姿勢、文科相試案」

5月28日	・教育再生懇談会「これまでの審議のまとめ―第4次報告」を公表、幼児教育無償化の早期実現、幼稚園就園奨励費の拡大など強調
6月15日	・安心社会実現会議は報告「安心と活力の日本へ」公表、「社会保障国民会議」が提起した「一元的子育て支援制度（「次世代支援新システム」）の速やかな創設」を強調。
6月16日	・毎日新聞「認可保育園、3割が待機児童―親の会調査」
6月23日	・「経済財政改革の基本方針（骨太の方針）2009」を閣議決定。「幼児教育、保育サービスの充実・効率化・総合的な提供、財源確保方策とあわせた幼児教育の無償化について総合的に検討する」など指摘。 ・内閣府「ゼロから考える少子化プロジェクトチーム」は提言「"みんなの"少子化対策」を公表、消費税1%分を〈子どもたち〉のために等
6月23日	・文科省・厚労省幼保連携推進室「認定こども園の平成21年4月1日現在の件数について」公表、全国で358件。
6月26日	・東京新聞「小中学生4,800人調査、いじめ8割が経験―国立教育政策研」
6月29日	・朝日新聞「待機児童首都圏で急増、不況で共働き影響―94市区本紙調査」
7月1日	・厚労省は少子化対策統括本部設置、任務を「厚労省の少子化対策について一元的かつ制度横断的な検討を行うとともに、あらゆる施策を少子化対策の推進という観点から捉え直す」と強調。→2010.7.30改組を行う。
7月3日	・朝日新聞「待機児童遠いゼロ、急増自治体は財政難」
7月17日	・朝日新聞社説「待機児童急増、母が安心して働ける国を」
7月28日	・毎日新聞「不況で母子家庭8割生活苦しくなった―あしなが育英会調査」
7月3日	・東京新聞「被害乳幼児8人死亡、揺さぶらり症候群―07年度厚労省調査」
8月5日	・厚労省「社会保障審議会少子化対策特別部会保育専門委員会開催要項」公表、第一次報告を踏まえ専門的見地からの議論を行う目的で保育第1、第2専門委員会を設置。
8月7日	・朝日新聞「ワクチン後進国日本、公費接種わずか」、毎日新聞「小中不登校12万6,800人3年ぶり微減―学校基本調査」
8月19日	・東京新聞「新型インフル、本格的に流行―厚労相」
8月23日	・東京新聞「日本は虐待防止の後進国」
8月31日	・毎日新聞「衆院選民主300超政権奪取、初の本格的政権交代」
9月7日	・厚労省は「保育所の状況【平成21年4月1日】等について」公表、待機児童数は約3割増25,384人、保育所数はわずか16カ所増。
9月9日	・埼玉新聞「保育士アンケート、辞めたいと思った82%」
9月13日	・読売新聞「新型インフル、保育園悩む、休園か登園自粛か」
9月16日	・民主党鳩山内閣発足
9月30日	・朝日新聞「虐待の背後社会的孤立―全国の児相調査まとめ」
10月7日	・地方分権改革推進委員会は「第3次勧告―自治立法権の拡大による『地方政府』の実現へ」を公表。「義務付け・枠付けの見直しと条例制定権の拡大」、「地方自治関係法制の見直し」等、児福法45条の保育所等「児童福祉施設最低基準」の廃止を含めた見直し等。

2009年10月9日	・全国保育協議会・全国保育士会は「子どもの育つ環境を壊さないでください―認可保育所の最低基準の堅持を！」を公表。13日全国保育団体連絡会は「緊急要請・乳幼児の成長・発達を脅かす最低基準廃止・見直し方針は撤回を」、14日保育園を考える親の会は「保育所にかかわる国基準の堅持・向上を求める緊急アピール」を公表。(「月刊保育情報」2009年11月号)
10月12日	・毎日新聞「保育所規制を緩和―政府方針」、埼玉新聞「幼保一元化を加速、子育て支援で政府方針」、北海道新聞「保育制度改革案―現場に反対、疑問の声」
10月18日	・読売新聞社説「待機児童急増、働く母親の切実な声に応えよ」
10月29日	・毎日新聞「インフル、休校・閉鎖1万3,964校」、31日朝日新聞「新型インフル本格流行」
10月30日	・厚労省は児童家庭局長通知で児福法等改正に伴い2010（平22）年度より家庭的保育事業が実施されることに伴い「家庭的保育事業ガイドライン」を公表
10月31日	・東京新聞「自立支援法、“廃止を”1万人集会」
11月1日	・朝日新聞「保育園最低基準廃止後の切り下げが心配」
11月2日	・毎日新聞「待機児童過去最高、保育所探し東奔西走」
11月3日	・全国保育団体連絡会は日比谷野音で保育守れの大集会開催
11月8日	・東京新聞「認定こども園の現状は？施設数増えず」
11月14日	・毎日新聞「地方への権限委譲反対―12団体厚労相に要望書」
11月16日	・東京新聞「首都圏・待機児童問題―母の半数超復職断念」
11月17日	・政府は「地域主権戦略会議の設置」を決める。→12月．14日地域主権戦略会議を開催
11月19日	・毎日新聞「認可保育園事故死増える―規制緩和影響か」、朝日新聞「子ども手当より待機児童対策を―OECDが政策提言」、東京新聞「子ども虐待死悼みパレードー21日日比谷」
11月25日	・読売新聞「子育て環境整備を68%―本社世論調査」
11月29日	・全国保育団体連絡会等は浦和市民間保育園で検証最低基準を実施（NHKニュース報道）。（保育問題日誌·保育ジャーナル第433回）
12月1日	・毎日新聞「小中学校生暴力行為最多6万件」
12月8日	・「明日の安心と成長のための緊急経済対策」を閣議決定。「幼保一体化を含め、新たな次世代育成支援のための包括的・一元的制度の構築をすすめる」「新たな制度について平成22年前半を目途に基本的方向を固め、平成23年度通常国会までに所要の法案を提出する」等主張
12月8日	・朝日新聞「保育所で園児52人死亡（内認可19人、無認可32人）、04年以降―厚労省公表」、赤ちゃんの急死を考える会は認可の死亡事故は00年までの40年間に15件だったが、規制緩和政策を進めた01年以降8年間で22件と急増と指摘（保育問題日誌・保育ジャーナル第434回）。
12月11日	・毎日新聞「私立保育所運営費全額地方負担、業界6団体が反対」
12月13日	・東京新聞「認可保育所の死亡事故急増、規制緩和それでも実行？」
12月15日	・政府は「地方分権改革推進計画」を閣議決定、「第3次勧告を尊重し必要な法政上その他の措置を講ずる」と主張。

12月15日	・全国私立保育園連盟、日本保育協会、全国保育協議会、全国保育団体連絡会等保育関係団体等は一般財源化反対で院内緊急集会開催、「『保育所運営費の一般財源化』についての緊急アピール」を公表（「月刊保育情報」2010年1月号）
12月25日	・厚労省は「社会保障審議会少子化対策特別部会におけるこれまでの論議のポイント（事務局整理）」を公表。政権移行で次の体制への引き継ぎのため。
12月30日	・「新成長戦略〈基本方針〉～輝きのある日本へ～」を閣議決定。「幼保一体化を含む各種制度・規制の見直しによる多様な事業主体の参入促進」を主張。
註）☆拙稿「保育所年6万人増の整備計画を」掲載（朝日新聞2月3日私の視点欄） ☆拙稿「厚労省・社保審少子化対策特別部会の『新たな保育の仕組み』の危険性」（「月刊保育情報」2009年2月号） ☆拙稿「保育とは何か—その在り方・到達水準と改善課題を考える」（共著編「保育の理論と実践講座第1巻『保育とは何か—その理論と実践』新日本出版社7月刊） ☆拙稿「現行保育制度拡充のための緊急提案—私たちの待機児童対策」（保育研究所編「徹底検証！保育制度『改革』」ひとなる書房8月刊） ☆拙稿「待機児童解消と公的保育制度—厚労省『新制度案』の危険性」（「経済」2009年12月号　新日本出版社刊） ☆「2009年保育白書」第1章3節「A保育所を支える公的制度」、「B市町村の保育の実施責任を考える」、「C子どもの権利保障と最低基準」「D保育所の財政」、4節「B幼稚園の制度と財政」執筆（2010年8月刊） ☆拙稿「保育問題日誌・保育ジャーナル第428回（1月分）～439回（12月分）」（月刊誌ちいさいなかま2009年5月号～2010年4月号）及び「2008年保育問題日誌」（「2009年保育白書」所収）	
2010（平成22）年	・（鳩山内閣（2009.9.16～10.6.8）、菅内閣（2010.6.8～11.9.2））
1月9日	・読売新聞「議論迷走全体像なし、鳩山政権の子ども政策」
1月11日	・毎日新聞「病児保育施設赤字8割に増加」
1月17日	・東京新聞「障害者自立支援法廃止へ」
1月27日	・全国保育協議会等は保育所給食の外部搬入反対の意見書提出
1月28日	・読売新聞「子ども家庭省設置軸、厚労省分割構想も」
1月29日	・朝日新聞「保育所定員27万人増、政府が5カ年計画」 ・政府は「子ども・子育てビジョン～子どもの笑顔があふれる社会のために」を閣議決定。「幼保一体化を含む新たな次世代育成のための包括的・一元的な制度の構築」について、「平成23年度通常国会までに所要の法案を提出」、「子ども・子育て新システム検討会議」（以下新システム検討会議）の設置を決めた。 ・構造改革特別区推進本部は政府の対応方針を示し、保育所最低基準で義務付けられている自園給食を外部搬入容認に規制緩和方針を提起。
1月30日	・読売新聞「幼保一体化検討着手」
2月1日	・毎日新聞「保育はいま、待機児童数が減らない」連載
2月4日	・毎日新聞社説「子育てビジョン、幼保一体化に踏み込め」
2月17日	・厚労省保育課長通知「保育所への入所の円滑化について」改正、2010年度から年度当初より定員超過制限を撤廃（定員の弾力化の拡大）実施
2月19日	・朝日新聞「認可保育所定員、超過制限を撤廃—厚労省」

2010年3月4日	・東京新聞「待機児解消めど立たず」
3月8日	・毎日新聞「子どもは見ていた、東京大空襲65年」、日本経済新聞「一時預り事業民間保育所の1割撤退」
3月9日	・朝日新聞「全保連・12・13日電話相談」
3月11日	・内閣府は子ども・子育て新システム検討会議開催。「明日の安心と成長のための緊急経済対策」に基づき、幼保一体化を含む新たな次世代育成支援のための包括的・一元的なシステムの構築の検討を行うため。
3月13日	・朝日新聞社説「子ども手当—保育所も財源考えて」
3月24日	・朝日新聞「障害者働ける新制度を、自立支援法訴訟きょう和解成立へ」
3月25日	・子ども手当法成立
3月29日	・毎日新聞社説「子ども手当法成立、理念忘れず持続可能に」
4月7日	・地域主権改革一括法案の参院審議開始→6.16通常国会閉会で衆院で継続審議、2011.4.28法案成立
4月10日	・毎日新聞「虐待なぜやまない」、13日日本経済新聞「やまぬ乳幼児虐待」、15日毎日新聞「この現実—虐待」連載
4月15日	・東京新聞「子どもの貧困解決へ全国ネット25日設立記念シンポ」
4月21日	・朝日新聞「認定こども園全国532カ所」
4月24日	・東京新聞「子ども転落5年で311人—都内住宅」、朝日新聞「新型インフル手探り1年」
4月27日	・子ども・子育て新システム検討会議は「子ども・子育て新システムの基本的方向」を決定。
4月28日	・朝日新聞「子育て施策一元化へ—政府検討会議が指針」
4月30日	・全国私立保育園連盟と全日本私立幼稚園連合会は共同緊急声明を公表
5月8日	・朝日新聞「子育て施策、問われる厚労省の存在」、埼玉新聞「幼稚園と保育所を一元化認定こども園、普及に二重行政の壁」。
5月15日	・読売新聞「生活保護100人に1人、半世紀ぶり高水準」
5月11日	・朝日新聞「新型インフル感染者確認から1年、小児科ネットワーク進化」
5月16日	・全国保育団体連絡会は待機児童解消と「子ども・子育て新システムに」に関する緊急アピールを公表
5月21日	・毎日新聞「幼保一元化は長期的課題、まずは保育所を増やして」
5月28日	・読売新聞社説「子ども手当、全面的な見直しが必要だ」
6月1日	・経済産業省産業構造審議会産業競争力部会報告書「産業構造ビジョン2010」を公表。「子育てサービスの産業化」を「成長産業」として位置づけ、その推進には「幼保一体化」による市場の構築等主張。 ・朝日新聞「子どもの事故」連載 ・毎日新聞「殺さないで—児童虐待防止法10年」
6月2日	・鳩山首相は退陣、6月8日管内閣発足
6月10日	・埼玉新聞「自立支援法改正法案の廃止を求め2千人超す大集会」
6月11日	・毎日新聞「幼保一元化、進まぬ認定こども園」
6月17日	・埼玉新聞「障害者自立支援法改正案が廃案」

6月18日	・「新成長戦略～『元気な日本』復活のシナリオ～」を閣議決定。「幼保一体化の推進、利用者本位の保育制度に向けた抜本的な改革、各種制度・規制の見直しによる多様な事業主体の参入」を促進、こども園（仮称）に一体化、利用者補助方式への転換、指定制度の導入、「子ども家庭省（仮称）」の創設等を2013年度までに実施と主張。
6月22日	・「地域主権戦略大綱」、「財政運営戦略」を閣議決定。「地域主権戦略大綱」では、「国から地方への『ひも付き補助金』を廃止」し、「一括交付金」に改革などの方針示す。
6月29日	・少子化社会対策会議は「子ども・子育て新システムの基本制度案要綱」を決定
7月4日	・東京新聞「子ども手当、でも保育園はない」
7月16日	・毎日新聞「保育制度どう変わる、13年度実施目指し基本案」
7月28日	・毎日新聞「幼保一体化これからが正念場」
7月30日	・厚労省は「少子化対策統括本部設置要綱」（大臣伺い定め）を決定、本部長を審議官から厚労大臣が指名する大臣政務官にするなど統括本部の改組を行う。事務局に、関係部局課長級で構成する子ども・子育て新システムの制度設計検討チームを設置。
8月3日	・読売新聞社説「児童虐待多発―立ち入り調査権を機能させよ」
8月11日	・毎日新聞「新型インフル終息宣言―WHO」
8月23日	・東京特別区議会議長会は23年度国に一般財源化された公立保育所運営費、建設費への国庫負担の復活を要望。
8月31日	・毎日新聞「救え幼い命、児童虐待の現場から」
9月6日	・厚労省は「保育所関連状況取りまとめ【平成22年4月1日】」公表、待機児童数2万6,275人、3年連続増加。
9月9日	・内閣官房国家戦略室は「新成長戦略実行計画（工程表）」で示された各施策に関する「7つの戦略分野の主な施策と担当府省庁」を公表。「．幼保一体化」では、①新たに「こども指針（仮称）」の策定、②「保育に欠けるの要件」の撤廃、「こども園（仮称）」への一体化と利用者補助方式への転換、③「子ども家庭省（仮称）」の創設等の検討を提起。さらに「多様な事業主体の参入促進」を強調 ・厚労省は少子化対策統括本部拡大会議を開き、厚労省は「少子化対策統括本部設置要綱」（平成22年7月30日大臣伺い定め）に基づき少子化対策統括本部を改組し、子育て新システムを検討する3チームを設置。
9月10日	・「新成長戦略実現に向けた3段構えの経済対策」を閣議決定。「幼保一体化を含む法案を平成23年通常国会に提出するための準備を進めるとともに、安心こども基金の補助要件の緩和を行う」、特に「認定こども園の補助要件の緩和」を強調。
9月11日	・読売新聞「待機児童解消策知恵比べ」
9月14日	・埼玉新聞「保育園給食、質への懸念」、23日朝日新聞「国有地宿舎跡地保育所に活用―世田谷区」
9月16日	・子ども子育て新システム検討会議は作業グループの下に3つのワーキングチーム（基本制度WT、幼保一体化WT、こども指針（仮称）WT）の設置を決定、開催へ。
9月21日	・毎日新聞「所在不明乳幼児延べ355人―毎日新聞調査」
9月27日	・埼玉新聞「埼玉県保育協議会、保育制度改革に反対」
10月1日	・読売新聞「こども園13年度にもスタート」
10月14日	・埼玉新聞「保育所入所待ち電話相談を開設―明日から」
10月21日	・政府は「待機児童ゼロ特命チーム」の設置を決定。主査内閣府特命担当大臣（少子化対策担当）、事務局長は内閣府政策統括官

2010年10月23日	・朝日新聞「学童保育事故半年間で105人―厚労省集計」
10月28日	・政府・与党は社会保障改革検討本部を設置、その下に同年11月9日社会保障改革に関する有識者検討会（座長宮本太郎）設置
11月2日	・朝日新聞「幼保一体化に異論―政府検討会議」
11月7日	・毎日新聞社説「こども園、10年も待てというのか」
11月10日	・朝日新聞社説「幼保一体化、まず拡充に次に抜本策を」
11月13日	・朝日新聞「幼保一体化、幼稚園存続案提示へ―内閣府」
11月20日	・読売新聞「幼稚園、保育所を存続を―政府検討会議」
11月22日	・読売新聞「こども園導入、幼保一斉反発―財源も中身も不明」
11月11日	・文科省調査研究協力者会議は「幼児期の教育と小学校教育の円滑な接続の在り方について（報告）」を公表
11月12日	・日本保育協会は「子ども子育て新システムに対する決議書」を確認、15日の基本制度WTに提出、現行制度の廃止に反対表明
11月29日	・待機児童ゼロ特命チームは「国と自治体が一体的に取り組む待機児童解消『先取り』プロジェクト（案）」を公表。
12月3日	・読売新聞社説「こども園幼保と併存、13年度導入目指す」、毎日新聞「幼保一体化拙速は禁物」
12月6日	・全国保育団体連絡会は新システム反対で内閣府前で抗議集会
12月7日	・朝日新聞社説「子ども手当、ドタバタ劇は今年限りに」
12月8日	・社会保障改革に関する有識者検討会「社会保障に関する有識者検討会報告～安心と活力への社会保障ビジョン」をまとめ、「社会保障改革を支える税制の在り方」において「消費税の使途明確化」、「社会保障改革と消費税を含む税制の一体的改革の具体案を作成すべき」の方針を示し、「当面の優先課題」として「『子ども・子育て新システム』の実現への着手」を示した。
12月14日	・「社会保障改革の推進について」閣議決定し、検討会報告「安心と活力への社会保障ビジョン」を基本方針にすることを明記。 ・東京新聞社説「子ども手当、社会で育てるを貫け」、日本経済新聞「待機児童解消へ、自治体が保育所増設急ぐ」
12月15日	・研究者らは10月に「新システムに反対するアピール運動」を呼びかけ、12月15日現在呼びかけ人153名、賛同者2,700名。（「月刊保育情報」2011年1月号）
12月27日	・読売新聞「小1のみ35人学級現場困惑」

註）☆出演・解説放送フジテレビ「知りたがりニュース解説―どうなる待機児童問題、待機児童数3年連続増、なぜ解消されないの？」（9月7日）
☆誌上座談会「特集座談会―『子ども・子育てビジョン』の実現に向けて」に出席（独立行政法人福祉医療機構月刊誌「WAM」10月号）
☆拙稿「保育制度『改革』と民主党政権の1年―危険な『地域主権改革』と子育て新システム制度案」（「経済」10月号新日本出版社刊）
☆拙稿「地域主権改革法案は子どもの福祉・保育のナショナルミニマム解体？―公約『チルドレン・ファスト』はどこへゆく」（「消費者法ニュースNo85」消費者法ニュース発行会議10月31日刊）
☆「2010年保育白書」第1章3節「A保育所を支える公的制度」、「B市町村の保育の実施責任を考える」、「C子どもの権利保障と最低基準」「D保育所の財政―運営費制度の概要と課題」、4節「B幼稚園の制度と財政」執筆
☆拙稿「保育問題日誌・保育ジャーナル第439回（1月分）～450回（12月分）」（月刊誌ちいさいなかま2010年5月号～2011年4月号）及び「2009年保育問題日誌」（「2010年保育白書」所収）

2011（平成23）年	・菅内閣（2010.6.8～11.9.2)）、野田内閣（2011.9.2～12.12.26）、
1月1日	・東京新聞「子どもの貧困」連載
1月8日	・埼玉新聞「新待機児童ゼロ作戦、保育所に公共用地」日本経済新聞「幼保一体化先送り、政府最終案」
1月21日	・「新成長戦略実現2011」を閣議決定。
1月25日	・「雇用・人材」分野で「幼保一体化等の促進」として「こども園（仮称）への一体化、「保育に欠ける要件」の撤廃等を内容とする所要の法案を国会に提出、待機児童解消「先取り」プロジェクトを推進、多様な主体の参入を促進などを明記。
1月25日	・朝日新聞「こども園幼保も併存」
2月5日	・政府・与党社会保障改革検討本部の下に「社会保障改革に関する集中検討会議」を設置、その後、震災での中断を挟み、10回の検討会議、非公式な準備作業会合4回開催。
2月10日	・東京新聞社説「遊園地の事故、安全のたがを締め直せ」
2月15日	・読売新聞「子ども手当、65自治体が負担拒否―読売調査」
2月24日	・東京新聞「児童虐待の摘発最多―警察庁まとめ」
3月11日	・東北地方太平洋沖地震（東日本大震災）発生 ・厚労省児童家庭局総務課等4課連名通知「東北地方太平洋沖地震により被災した要援護者への対応及びこれに伴う特例措置等について」発出（0311号通知）。
3月12日	・読売新聞「東日本巨大震災 M8.8 死者不明多数 10㌔大津波と火災」
3月14日	・毎日新聞「放射性物質他県に、3号機も爆発可能性」
3月16日	・朝日新聞「震災孤児ケア保育士派遣」
3月17日	・厚労省は保育課長通知で「保育所におけるアレルギー対応ガイドライン」を公表
3月23日	・朝日新聞「せんせいおはよう！避難所で保育所再開」、毎日新聞「東日本大震災、被害総額最大25兆円」
3月24日	・東京新聞「都の水道水放射性物質、乳児摂取控えて―23区5市」
3月25日	・厚労省保育課事務連絡「保育所における『東北地方太平洋沖地震』Q ＆ A」0311号通知に関する補足として発出、3月31日、4月7日に追加。
3月25日	・厚労省は「平成20年地域児童福祉事業等調査結果の概況」公表、保育所定員弾力化認めている市町村は約8割、短時間保育士の導入認めている市町村約7割等。 ・厚労省は「平成21年度認可外保育施設の現況取りまとめ」公表、認可外施設数は前年度比116カ所増の7,400カ所。
3月26日	・毎日新聞「増え続ける震災孤児」
3月29日	・毎日新聞社説「被災地の行政支援、市町村職員積極派遣を」
4月1日	・文科省・厚労省課長連名通知「東北地方太平洋沖地震により被災した子ども達への支援について」発出
4月3日	・東京新聞「園児背負い30人救う、保育士ら急斜面駆け―岩手大槌町」
4月4日	・毎日新聞「青空保育スタート―陸前高田」、読売新聞「震災の現場から―安心できる育児の場を」
4月9日	・朝日新聞「3・11地震時都内にいた人300万人当日帰れず―東大助教授ら推計」
4月11日	・毎日新聞「大震災1ヶ月不明なお1万4,608人、被害全容見通せず」

2011年4月15日	・朝日新聞「35人学級、法改正成立」
4月18日	・読売新聞「検証東日本大震災、子どものケア人手不足」
4月19日	・厚労省局長通知「福島県内の保育所等の園舎・園庭等の利用判断における暫定的考え方について」発出
4月19日	・毎日新聞社説「原発事故と学校、安全基準を1日も早く」
4月21日	・朝日新聞「被災地苦難の学校再開」
4月25日	・朝日新聞「脱原発を訴え渋谷に5,000人」、朝日新聞「危険住宅阪神の1.5倍—建築防災協会」 ・日本保育学会は震災復興再建に関する緊急要望書を提出
4月27日	・全国保育団体連絡会は被災地の状況把握、積極的支援等14項目の要望書を厚労省に要請。
4月28日	・地域主権改革一括法案が成立。児童福祉施設最低基準は都道府県政令市中核市が条例で定めることになる。←2010.04.07参院審議開始
5月1日	・文科省・厚労省幼保連携推進室は「認定こども園の平成23年4月1日の認定件数について」公表、認定件数は前年より230件増の762件。
5月1日	・毎日新聞「学校の屋外活動制限、20ミリシーベルト広がる不安」
5月11日	・震災後2ヶ月ぶりに子育て新システム検討会議幼保一体化WT議論再開、基本制度WTは18日、こども指針WTは26日再開。 ・読売新聞「東日本大震災2ヶ月、避難者なお10万人超」
5月13日	・厚労省児童家庭局は「岩手県、宮城県福島県の児童福祉施設の被害状況（東日本大震災）」発出、保育所全壊27件、半壊・一部損壊215件等（13日15時現在）。
5月14日	・読売新聞「保育中の園児死亡ゼロ、3県315カ所被災」
5月17日	・毎日新聞「原発事故で子供の屋外活動制限、不安解消へ国が具体策実行を」
5月21日	・読売新聞「小中プール使用中止—福島市」
5月26日	・・東京新聞「ゼロ歳児急増、変わる保育園」、朝日新聞「社会福祉施設875カ所が被災—岩手・宮城・福島」
5月28日	・朝日新聞「震災孤児184人—被災3県」
6月1日	・毎日新聞「被災で転校2万1,769人」
6月2日	・「社会保障改革に関する集中検討会議」は「社会保障改革案」をまとめ、「社会保障改革の具体策、工程及び費用試算」等公表。
6月2日	・東京新聞「放射線保護者の不安受け給食食材も測定—横浜市」
6月8日	・読売新聞「自治体で放射線測定」
6月11日	・朝日新聞「6割生活再建めどなし—震災3ヶ月被災42市町村」
6月12日	・朝日新聞「脱原発デモ、日本でも世界でも—全国121カ所、仏等11か国」
6月17日	・厚労省保育課事務連絡「電力需給対策に対応する休日保育特別事業等の実施方法Q＆A」発出
6月18日	・毎日新聞「夏の節電で土日出勤—保育サービス強化」、20日東京新聞「節電の夏対策—土日勤務、保育所足りない」
6月24日	・東日本大震災復興対策本部設置（2012年2月10日復興庁設置で廃止）
6月30日	・政府・与党社会保障改革検討本部は「社会保障・税一体改革成案」「社会保障・税番号大綱」を決定、7月1日の閣議で了解。
7月3日	・東京新聞「子どものため脱原発を—広がるママのデモ参加」

7月5日	・毎日新聞「親やらが土壌調査―避難区域以外4カ所―福島市」
7月6日	・朝日新聞朝日社説「休日と保育―柔軟で公平な支援を」、毎日新聞「幼保一体化で総合施設、補助金一本化―政府中間報告」
7月10日	・読売新聞「大震災4ヶ月―避難所なお2万4千人、がれき6割手つかず」
7月21日	・毎日新聞「保育所の面積基準緩和―待機児童対策でも禁じ手だ」
7月27日	・厚労省は局長連名通知「社会福祉法人会計基準の制定について」発出し、2012（平24）年4月1日から新基準を適用。
7月29日	・東日本大震災復興対策本部は「東日本大震災からの復興の基本方針」決定。「幼保一体化をはじめ…先駆的な取組みに対する支援」、「被害の大きい幼稚園や保育所の再建を支援するとともに、関係者の意向をふまえ、幼保一体化施設（認定こども園）としての再開を支援する」等指摘。 ・少子化社会対策会議は子ども・子育て新システム検討会議基本制度WTの「子ども・子育て新システムに関する中間取りまとめ」を決定
7月	・「子ども・子育て新システム」に懸念や反対を表明する県議会意見書採択が2010年3月～2011年7月の間に33府県（保育研究所調べ）（「月刊保育情報」10月号）
8月3日	・朝日新聞「保育所の面積基準緩和―来春から35市で3年間」、読売新聞「園児2,000人退園・県外へ―福島の私立幼稚園、放射線不安で」
8月5日	・東京新聞「保育士の待遇改善急げ―低賃金で不足に拍車」
8月6日	・新システムに反対し保育をよくする会は読売新聞全国版に「新システムはNO!」意見広告を掲載。
8月12日	・内閣官房は「社会保障・税一体改革の当面の作業スケジュールについて」公表、子ども・子育て新システム制度案2011年中に取りまとめ、2012年1～3月税制抜本改革とともに法案提出と明記
8月18日	・毎日新聞社説「住所不明の子供―どこまでも守る姿勢を」
8月19日	・東京新聞「被災の子ども苦境―就学困難4万4千人、文科省調査」
8月26日	・厚労省局長通知「福島県内の保育所等の園舎・園庭等の線量低減について」発出
8月30日	・管首相退陣、野田首相誕生 ・毎日新聞「放射線量・広がる砂場の入れ替え―都内の保育園、小中学校」
9月7日	・毎日新聞「児童引き渡し基準設定を―文科省学校災害対策で提言」
9月21日	・朝日新聞「企業節電の余波、7千人が休日保育7～9月」
9月22日	・毎日新聞「さようなら原発集会6万人デモ、子供守ろう母の声届け」
10月4日	・厚労省は「保育所関連状況取りまとめ【平成23年4月1日】」公表、待機児童数は25,556人で4年ぶりに前年から719人減少。
10月6日	・毎日新聞「東日本大震災―給食の安全性」連載
10月7日	・地域主権一括法による児福法改正により省令「児童福祉施設最低基準」を「児童福祉施設の設備及び運営に関する基準」に改正。28日省令改正に伴う厚労省雇用均等・児童家庭局長通知を発出（2020（平24）年4月1日施行）
10月10日	・朝日新聞「子ども甲状腺検査開始―福島36万人生涯継続」
10月14日	・毎日新聞「震災で転校2万5,751万人7割福島―文科省調」
10月21日	・東京新聞「待機児童行政追いつかず―質の低下懸念高まる」

2011年10月23日	・東京新聞「待機児童対策保育面積引き下げ―都内自治体否定的」
10月27日	・朝日新聞「日本人の人口初の減少」
10月28日	・厚労省児童家庭局長通知「地域の自主性及び自立性を高めるための改革の推進を図るための関係法令の整備に関する法律の一部の施行に伴う厚生労働省関係省令の整備に関する省令の施行について」発出、最低基準の地方条例化にかかる改正省令等の概要、最低基準の新旧対照表などを明示。
10月30日	・新システムに反対し保育をよくする会は読売新聞全国版に「新システムはNO!」の意見広告を掲載。
10月	・子ども・子育て新システム」に懸念や反対を表明する市議会意見書採択が2010年3月～2011年10月の間に156市議会で採択、19政令市議会のうち10議会で採択（保育研究所調べ）（「月刊保育情報」11月号）
11月1日	・朝日新聞「福島の幼稚園悲鳴、出願者大幅減退園止まらず」
11月3日	・全国保育団体連絡会等は「新システムNO！国は保育に責任を！すべての子供によりよい保育を！11・3大集会」開催、5,000人参加。
11月7日	・東京新聞「父母と子どもの脱原発デモ」
11月9日	・朝日新聞「保育園の最低面積ばらつく解釈、2歳未満児11自治体が下回る―本社調べ」
11月14日	・保育を守る全国連合会主催九州保育三団体協議会等五団体共催「子どもの育ちと保育制度を守る全国研修会」開催、2,100人超の参加。
11月16日	・東京新聞「私立保育所補助の廃止検討、政府地方税増収分で代替」
11月28日	・朝日新聞社説「子ども手当―政府の財源案は乱暴だ」
12月9日	・東京新聞「RSウイルス感染症、乳幼児重症化に注意」
12月11日	・毎日新聞「脱原発を求めて1,000万人署名集会―日比谷」
12月14日	・政府は「社会保障改革の推進について」閣議決定
12月17日	・朝日新聞「首相が原発事故収束を宣言」
12月26日	・読売新聞「子ども家庭省実現明記、幼保一体化政府最終案」、朝日新聞「被災25校統廃合検討―岩手・宮城の小中再編に拍車」
12月31日	・東京「福島県転校。転園1万9,386人、戻った子わずか7%」

註）☆出演・解説放送フジテレビ「知りたがりニュース解説―幼保一体化を見送り。「こども園」の何が問題？」（1月26日）
☆誌上対談「子ども・子育て新システム案に異議あり」（「エデュカーレ」5月号）
☆対談解説「どうなる待機児童問題―その①待機児童数3年連続増！なぜ解消されないの、その②幼保一体化を見送り、『こども園』の何が問題？」（フジテレビジョン「知りたがりニュース解説」扶桑社6月刊）
☆拙稿「保育新システム改革（案）と保育の危機―現行保育制度の拡充改革こそ必要」（月刊誌「教育と医学」8月号慶應義塾大学出版会刊）
☆拙稿「新システム批判と現行保育制度の拡充改革提案」（「保育情報」12月号）
☆「2011年保育白書」第1章2節「C保育所・幼稚園の普及状況と制度の概要」、「D子どもの権利保障と保育所最低基準幼稚園設置基準」、「E保育所幼稚園の財政」、3節「A保育所保育の公的責任」執筆
☆拙稿「保育問題日誌・保育ジャーナル第450回（1月分）～461回（12月分）」（月刊誌ちいさいなかま2011年5月号～2012年4月号）及び「2010年保育問題日誌」（「2011年保育白書」所収）

2012（平成 24）年	・野田内閣（2011.9.2～12.12.26）、第 2 次安倍内閣（2012.12.26～2020.9.16）
1 月 10 日	・東京新聞「被災 3 県の小中、55 校が統合・移転」
1 月 15 日	・東京新聞「脱原発世界会議、横浜に 30 カ国― 4,500 人デモ行進」
1 月 19 日	・埼玉新聞「携帯ゲーム毎日やる 4 割―埼玉県青少年意識調査」
1 月 21 日	・毎日新聞「幼保一体化 15 年度にもこども園、待機児童解消は不透明」
1 月	・新システムについて反対ないし懸念を表明する自治体議会の意見書は 1 月現在 32 道府県議会、173 市区議会に達する（保育研究所調べ）（「月刊保育情報」2012 年 3 月号、4 月号）
2 月 7 日	・読売新聞「どう変わる幼保一体化」連載
2 月 9 日	・東京新聞「こども園制度複雑―幼保一体化のはずが…種類増加」
2 月 11 日	・東京新聞「インフル猛威、05 年に次ぐ―推計 211 万人」
2 月 10 日	・復興庁設置（2011 年 12 月 9 日成立の復興庁設置法に基づき 2021 年度末までの 10 年間）、東日本大震災復興対策本部は廃止。
2 月 13 日	・子育て新システム検討会議基本制度 WT は「子ども・子育て新システムに関する基本制度のとりまとめ」公表
2 月 14 日	・社会保障・税番号制度法案（マイナンバー法案及び整備法案）を閣議決定し国会に上程→衆院解散で廃案。自民党政権となり 2013 年 3 月新たに番号法案として国会に上程
2 月 15 日	・全私学連合は意見書「『総合こども園（仮称）』への株式会社の参入について―我が国の学校教育の公共性を守るために」を文科大臣に提出 ・日本経済新聞「『幼保一体』へ幼稚園支援―保育サービス大手」
2 月 17 日	・東京新聞「インフル『発症後 5 日、解熱後 2 日』出席停止に新基準―文科省」
2 月 24 日	・朝日新聞「待機児童対策、共感と本気度が足りない」
3 月 2 日	・少子化社会対策会議は「子ども・子育て新システムに関する基本制度｝等決定
3 月 3 日	・毎日新聞「待機児童解消見通せず―こども法案骨子決定」、朝日新聞「こども園創設が柱―政府子育て支援策決定」、東京新聞社説「幼保一体化―『子育てしたい』に応えよ」
3 月 7 日	・読売新聞「外遊び今も 8 割制限―福島の幼稚園・保育所」
3 月 11 日	・毎日新聞「災害時の連絡悩む保育園」
3 月 14 日	・読売新聞社説「待機児童の解消につながるか」、毎日新聞「原発いらない 3・11 福島県民大集会、一緒に歩き聞いた」
3 月 22 日	・東京新聞「保育義務緩和許せぬ―子育て新システム民間園長ら反発」
3 月 30 日	・厚労省は保育課長通知で「保育所における食事の提供ガイドライン」を公表 ・政府は消費税増税法案とともに子ども・子育て新システム関連法案（子ども・子育て支援法案、総合こども園法案等）を閣議決定し、国会に上程
3 月 31 日	・読売新聞意見広告「問題だらけの子ども・子育て新システムはいりません」新システムに反対し保育をよくする会
3 月	・「新システム」に反対や撤回、現行制度維持等の意見書、全国の 302 地方議会で可決、道府県 26 議会、政令市 9 議会（保育研究所調べ）（「月刊保育情報」2012 年 7 月号）
4 月 4 日	・日本弁護士連合会は「子どもの成長発達権を侵害する保育所面積基準の緩和を行わないよう求める会長声明」を公表

2012年4月8日	・読売新聞「保育所基準大阪市のみ緩和」
4月12日	・日本弁護士連合会は「子ども・子育て新システムの関連法案に関する意見書」公表
4月13日	・東京新聞「子育て新システムの落とし穴」
4月26日	・内閣府・文科省・厚労省は自治体関係者を対照に「新システム法案説明会」を開催。
4月27日	・東京新聞「夜間働く親の命綱―24時間保育所ルポ」
月5日	・読売新聞「増える保育所、保育士足りず」
5月5日	・日本保育学会保育政策研究委員会は「子ども・子育て新システム関連法案に関する私たちの見解―政策研究委員会としての8つの疑問」公表。
5月9日	・朝日新聞「赤ちゃんポスト5年」
5月11日	・朝日新聞「子育て法案厳しい船出、総合こども園に批判集中」、東京新聞社説「子育て法案―将来に恥じない議論を」
5月13日	・全国保育団体連絡会等は「いりません！保育を産業化する子ども・子育てシステム513みんなの保育フェスティバル」開催。
5月17日	・日本保育推進連盟は中央研修会を開催、子ども・子育て新システム関連3法案の廃案を求める決議を行う。
5月21日	・埼玉県私立保育連盟、九州保育三団体協議会等11団体共催「『子ども・子育て新システム』を考える1,000人研修会」開催。
5月26日	・毎日新聞「幼保一体不安残す民営、政府答弁あいまい、衆院特別委」
5月29日	・東京新聞「幼保一体化反対46%、進めるべき26%―民間調査」
6月7日	・読売新聞社説「人口減少本格化―次世代支援にもっと知恵を」、朝日新聞「脱原発へ772万人署名、東京・日比谷で集会」
6月8日	・朝日新聞私の視点欄「子育て新システム―現行との比較材料示せ」
6月9日	・朝日新聞「子どもの貧困率ワースト9位―日本悪化止まらず」
6月12日	・日本経済新聞「民主、総合こども園撤回―法案修正協議」
6月15日	・民主党・自民党・公明党は新システム法案の修正協議を行い、「社会保障・税一体改革に関する確認書」を公表。児福法24条市町村の保育実施義務の復活、総合こども園法を撤回し認定こども園法一部修正など。
6月16日	・朝日新聞社説「修正協議で3党合意――体改革は道半ばだ」
6月23日	・東京新聞「官邸前、再稼働反対デモ」
6月26日	・新システム修正関連3法案は消費税増税法案とともに衆院を通過。6項目の付帯決議。消費税は2014年8月に8%に、新制度施行の2015年に10%に引上げ等
6月30日	・朝日新聞「脱原発、官邸埋める」
7月6日	・読売新聞「生活苦しい61.5%、国民生活基礎調査開始以来最高」、毎日新聞「原発事故明らかに人災、国会事故報告書」
7月7日	・全国保育団体連絡会は新システム法案採決強行を批判、廃案にと見解公表
7月8日	・読売新聞「待機児童大都市8%減、地方は増加傾向―225自治体調査」
7月14日	・読売新聞「待機児童対策なお課題―認定こども園拡充」
7月17日	・東京新聞「子育て関連法案に思う―誰のためか、誰のための改革」
7月25日	・東京新聞「児童虐待相談6万件迫る―過去最多」

7月31日	・厚労省は「平成21年地域児童福祉事業等調査結果の概況」公表、保育所利用世帯の状況、保育時間、保育料及び認可外保育施設の状況等。
8月4日	・東京新聞「学童保育を84万人利用、最多更新」
8月6日	・読売新聞「一体改革法案に暗雲、3党合意崩壊直前」
8月9日	・毎日新聞社説「党首会談合意―自民の譲歩を歓迎する」
8月10日	・新システム修正関連3法案は消費税増税法案とともに参院を通過、成立。19項目の付帯決議。参院・社会保障と税の一体改革に関する特別委員会の子ども・子育て支援3法に関する付帯決議で「幼児教育保育の無償化についての検討」を明示。「新制度により待機児る付帯決議で「幼児教育保育の無償化についての検討」を明示。「新制度により待機児童を解消し、すべての子どもの質の高い学校教育・保育を提供できる体制を確保しつつ、幼児教育・保育の無償化について検討を加え、その結果に基づいて所要の施策を講ずるものとすること。当面、幼児教育に係る利用者負担について、その軽減に努めること。」 ・社会保障制度改革推進法成立、22日公布。
8月22日	・子ども・子育て支援法公布、2015（平27）年4月1日施行 ・就学前の子どもにに関する教育、保育等の総合的な提供の推進に関する法律の一部を改正する法律を公布。新たな「幼保連携型認定こども園」を創設。子ども・子育て支援法施行の日から施行
8月29日	・読売新聞「福島の子体力低下、外遊び制限環境じわり」
8月30日	・沖縄タイムス「育ちを支える―保育制度の分岐点」6回連載
8月31日	・内閣府統括官・文科省初等中等教育局長・厚労省雇用均等児童家庭局長は子ども・子育て関連3法に関する公布について通知
9月2日	・沖縄タイムス「保育料17億円補填、県内21市町村認可園」
9月6日	・東京新聞「乳幼児の窒息事故―発達に応じた食べさせ方を」、朝日新聞「児童虐待事件62%増、過去最多―警察庁」
9月14日	・読売新聞「子ども家庭省検討会議―政府19日発足、2年後めどに結論」
9月18日	・内閣府・文科省・厚労省は子ども・子育て関連3法自治体向け説明会開催
9月19日	・全国保育団体連絡会は「子ども。子育て（新システム）関連法では子どもの権利は守れない」公表、新システムの問題点と改善課題等を指摘。
9月20日	・朝日新聞「児童虐待、宮城で増加―震災ストレス影響か」
9月21日	・読売新聞「RSウイルス感染症拡大―乳児、未熟児重症化おそれ」
9月28日	・東京新聞「こどもの城閉館へ―15年3月末厚労省」 ・厚労省は「保育所関連状況取りまとめ【平成24年4月1日】」公表、保育所利用児童数は前年から53,851人増、待機児童数は前年の731人減の24,825人で2年連続減少。
9月29日	・毎日新聞「待機児童以前2万人超」
10月1日	・東京「就学援助受給者最多156万人に、16年連続増」
10月14日	・毎日「国立総合児童センター・こどもの城存続願う声、15年閉館」
10月15日	・アエラ「青山『こどもの城』閉館―『子育て小国の証しか』」
10月16日	・朝日新聞「学童保育の待機児童5年ぶり増加―厚労省調べ」

2012年10月26日	・読売新聞「子育て新法準備に不安―市町村時間足りない」
10月26日	・厚労省は「平成22年地域児童福祉事業等調査結果の概況」公表、認可外保育施設利用世帯の状況の調査。
11月3日	・読売新聞「RSウイルス患者急増、9割は2歳以下」
11月3日	・全国保育団体連絡会等は「新システムNO―保育の充実を」大集会開催
11月5日	・厚労省保育課長通知「『保育所運営費の経理等について』の運用等についての一部改正について」発出
11月8日	・東京新聞「保育所の待機児童微減のの真相―現状と統計数字に開き」
11月9日	・毎日新聞「保育所86%非正規雇用―全国保育協調査、財政難公立で顕著」
11月26日	・九都県市首脳会議は「新たな子ども子育て支援制度について」要望書を文科大臣、厚労大臣、内閣府特命担当大臣に提出
11月17日	・朝日新聞「子どもの歓声すら苦情、増えるご近所トラブル」
11月28日	・朝日新聞「保育所は満杯、働けず」
11月29日	・東京新聞「保育所の最低面積60年以上改訂なし、一部の自治体独自に基準」
11月30日	・社会保障制度改革国民会議設置。社会保障制度改革推進法にもとづき福田・麻生政権時代の社会保障国民会議以来の社会保障制度改革の流れを踏まえつつ、改革推進法の基本的考え方等を踏まえて制度改革を検討。 ・厚労省は保育課長通知で改訂「保育所における感染症ガイドライン」を公表
12月6日	・毎日新聞「発達障害者小中生61万人、4割支援受けず―文科省調査・集計」
12月8日	・毎日新聞「ノロウイルス06年に次ぐ流行、変異型猛威」
12月14日	・読売新聞「出産で退職2人に1人」
12月16日	・毎日新聞「妻は家庭に5割超える、15年ぶりに―内閣府調査」
12月17日	・毎日新聞「衆院選、民主党破滅的な敗北―自民圧勝」
12月22日	・東京新聞「インフル流行宣言―国立感染研」
12月25日	・毎日新聞「手当より保育所安く―子育て世論調査」
12月26日	・第2次安倍内閣誕生 ・東京新聞「福島の子肥満傾向、屋外活動制限で運動不足―文科省調査」
註）☆拙稿「子育て新システム―現行との比較資料示せ」（2012年6月8日朝日新聞・私の視点欄） ☆拙稿「修正された子ども・子育て関連3法の隠された重大な問題点」（保育研究所編「月刊保育情報」2012年11月号） ☆「2012年保育白書」第1章2節「C保育所・幼稚園の普及状況と制度の概要」、「D子どもの権利保障と保育所・幼稚園の基準」、「F保育所・幼稚園の財政」、「J子ども・子育て新システムの提起―その概要と問題点」、3節「A保育所保育の公的責任」、第2章「1新制度導入論議と関係者の課題」執筆 ☆拙稿「保育問題日誌・保育ジャーナル第461回（2012年1月分）～472回（2012年12月分）」（月刊誌ちいさいなかま2012年5月号～2013年4月号）「2011年保育問題日誌」（「2012年保育白書」所収）	
2013（平成25）年	・第2次安倍内閣（2012.12.26～2020.9.16）
1月1日	・読売新聞「人口減21万人過去最大、出生減少103万人」
1月6日	・読売新聞「病児・病後児保育74%赤字、2011年度全国の施設本格調査」
1月7日	・東京新聞「増設で首都圏人材不足」

1月11日	・政府は「日本経済再生に向けた緊急経済対策」を閣議決定。「Ⅲ．暮らしの安心・地域活性化」の「1暮らしの安心の確保」において、「待機児童解消に向け保育士の人材確保や地域における子育て支援等を行う『安心こども基金』の積み増し・延長を行うなど子どもを育てやすい国づくり、女性が働きやすい環境の整備を推進する」
1月15日	・読売新聞「幼児教育無償化検討—政府」
1月18日	・厚労省は「保育施設における事故報告集計」公表、事故件数は145件（認可保育所116件、認可外29件）、このうち死亡事例は18件（認可保育所6件、認可外12件）
1月18日	・厚労省保育課事務連絡「保育所及び認可外保育施設における事故防止の徹底について」発出
1月19日	・西日本新聞「保育士不足待遇改善が鍵—補正予算効果どこまで」
1月24日	・読売新聞「待機児童、現場目線で激減—横浜市」
1月26日	・東京新聞「1,000カ所の安全対策未定、危険な通学路7万5,000カ所—3省庁点検」
2月15日	・内閣府は自治体向けに「子ども・子育て支援新制度説明会」開催 ・朝日新聞「東北大調査、震災が影響で小中学生14%心のケア必要」
2月18日	・読売新聞「幼児教育無償化へ協議会、政府与党来月設置6月めど制度概要」
2月19日	・東京新聞「認可保育所に入れない—母ら異議申し立てへ杉並区」、同紙社説「待機児童解消—小さな命守る覚悟を」
3月1日	・政府は社会保障・税番号制度法案（番号制度）等閣議決定し法案提出→2013年5月24日成立 ・朝日新聞社説「保育所不足—切実な声を受け止めよ」
3月7日	・毎日新聞「児童虐待の検挙最多、児相通告4割増—昨年」
3月8日	・厚労省雇用均等・児童家庭局保育課長通知「保育所及び認可外保育施設における事故防止について」発出
3月8日	・毎日新聞社説「待機児童対策—多様なニーズに応えよ」
3月14日	・日本弁護士連合会は「子どもの保育を受ける権利を実質的に保障する観点から子ども・子育て関連三法（子ども・子育て新システム）が施行されることを求める意見書」を公表。
3月20日	・朝日新聞「保育所入れて団結—集団異議申し立て続々」
3月21日	・規制改革会議は保育チームを設置、「保育に関する検討事項」の検討を開始。
3月25日	・幼児教育無償化に関する関係閣僚・与党実務者連絡会議設置 ・内閣府は少子化危機突破タスクフォース開催（→5.28「少子化危機突破のための提案」まとめる）
3月27日	・厚労省は「平成23年度認可外保育施設の現況取りまとめ」公表、認可外施設は前年度比160カ所増の7,739カ所。 ・厚労省は「平成23年地域児童福祉事業等の調査結果」公表、市町村での定員の弾力化、短時間勤務保育士等の取組状況等。
3月28日	・厚労省・保育士養成課程等検討会は報告「幼稚園教諭免許状を有する者の保育士資格取得特例について」を公表
3月29日	・文科省・幼稚園教諭所要資格特例検討会議は報告「幼稚園教諭の普通免許状に係る所要資格の期限付き特例について」を公表
3月30日	・読売新聞「認可保育所狭すぎる門—親連帯、首都圏・大阪異議相次ぐ」、東京新聞社説「待機児童対策—もっと声を上げよう」
4月3日	・東京新聞「保育士確保に苦労—待機児童ゼロへ課題」、朝日新聞「待機児童数え方変だよね—育休延長も認可外利用も含まず」
4月18日	・東京新聞「保育の質下げないで—保護者5団体、国に意見書」

2013年4月19日	・東京新聞社説「保育事故—徹底検証を、教訓生かせ」 ・政府は「待機児童解消加速化プラン」公表、2013年度から2017年度末までに約40万人分の「保育の受け皿」確保を目標に、新制度施行の2年間（2013年度、2014年度）を緊急集中取組期間、2015年度～2017年度末を「新制度で弾みをつける取組加速期間」と位置づける。
4月19日	・内閣府事務連絡「子ども子育て支援新制度にかかるシステム化する業務の流れと内容について」発出
4月24日	・読売新聞社説「待機児童解消—横浜方式をどう生かすか」
4月26日	・東京新聞「待機児童定義ばらつき」 ・内閣府は新制度施行に向けて子ども・子育て会議第1回開催
4月27日	・朝日新聞「待機児童ゼロへ議論、子ども・子育て会議初会合」
4月28日	・全国保育団体連絡会は杉並区保育園で「現場検証・保育の基準／規制緩和による域児童解消策でよいのか？」を実施。当日NHKニュースで放映。
4月29日	・東京新聞「詰め込み保育、目届かず—面積基準緩和を検証」
5月2日	・朝日新聞「保活深刻化、増える隠れ待機」
5月3日	・朝日新聞「株式会社の保育所参入促進—撤退リスク自治体は懸念」
5月8日	・子ども子育て会議基準検討部会第1回開催
5月10日	・社会保障・税番号制度法案（番号制度・マイナンバー制度）成立→2016年1月より利用開始の予定
5月12日	・朝日新聞社説「待機児童—やるなら今でしょう」、毎日新聞「駅ナカ保育次々に、鉄道各社」
5月15日	・厚労省保育課事務連絡「待機児童解消加速化プランについて」発出。
5月18日	・朝日新聞私の視点欄「待機児童対策—必要なのは認可保育所」
5月21日	・東京新聞「横浜待機児童ゼロ—保育の質懸念の声」
5月31日	・厚労省児童家庭局長通知「新制度を見据えた保育所の設置認可等について」発出、「保育需要が充足されていない場合には、設置主体を問わず審査基準に適合している者から…認可する」と規制緩和の方針に転換。
6月2日	・東京新聞「事業所保育施設助成緩和、利用1人でも対象に—厚労省方針」
6月3日	・東京新聞「原発反対6万人国会囲む」
6月4日	・朝日新聞「待機児童問題、親ら交流会」
6月5日	・厚労省局長連名通知「社会福祉法人の運営に関する情報開示について」発出
6月6日	・東京新聞「保育所基準緩和含めず—規制改革会議答申、保護者の反発受け」
6月7日	・規制改革会議は「規制改革に関する答申～経済再生への突破口～」公表、株式会社・NPO法人の参入拡大など提案。少子化社会対策会議（第13回）は少子化危機突破タスクフォースのまとめた「少子化危機突破のための緊急対策」を決定。「緊急対策の柱」の「1.『子育て支援』の強化」において（1）「子ども・子育て支援新制度」の円滑な施行、（2）「待機児童解消加速化プラン」の推進などを強調
6月10日	・内閣府は自治体担当者向け「子ども・子育て支援新制度説明会」開催
6月11日	・全国保育団体連絡会等は待機児童解消・子どものための保育制度の確立求める院内集会開催。

6月14日	・政府は「経済財政運営と改革の基本方針～脱デフレ・経済再生～」を閣議決定。「子ども・子育て支援新制度」の着実な実施への取組を進めるとともに、「待機児童解消加速化プラン」を展開し、平成29年度末までに、保育の質を確保しつつ、「待機児童ゼロ」を目指す等。
6月18日	・全国保育団体連絡会は「待機児童解消実現に向けて『横浜方式』に対する見解と私たちの提言」を公表 ・毎日新聞「待機児童対策—保育所緩和に賛否」
6月21日	・中教審認定こども園専門部会と社保審認定こども園保育専門委員会合同の「幼保連携型認定こども園保育要領（仮称）の策定に関する合同の検討会」第1回開催
6月26日	・朝日新聞「日本の教育予算最下位、2010年OECD30カ国—4年連続」
7月6日	・朝日新聞「こどもの城閉館—生き生き遊べる場守って」
7月10日	・東京新聞「学童保育—増える利用者、運営基準策定急務」
7月26日	・日本経済新聞「パチンコ中の保護者子供車内放置221件、06～12年度」 ・子ども・子育て会議第5回開催、「基本指針」論議は終了。
7月29日	・読売新聞「待機児童ゼロへ加速—深刻10自治体名乗り」
7月31日	・朝日新聞「職場内の保育施設、助成後に81休廃止—検査院審査改善求める」
8月2日	・東京新聞「仕事と育児、苦戦する母たち—長時間労働が障壁に」
8月6日	・社会保障制度改革国民会議は報告書「確かな社会保障を将来世代に伝えるための道筋」を公表。「子ども・子育て支援新制度等に基づいた施策の着実な実施と更なる課題」を強調、働き方の多様化を踏まえて、幼保連携型認定こども園など認定こども園の普及推進、新制度のスタートを待つことなく「待機児童解消加速化プラン」を推進など。国民会議は推進法施行から1年間設置期限をむかえ8月21日廃止
8月6日	・内閣府は子ども・子育て支援新制度に関する自治体向け説明会開催、子ども・子育て会議等における検討状況等について。
8月8日	・厚労省は「『待機児童解消加速化プラン』第一次集計の結果」公表、8月8日付で計画の提出は351市町村。
8月18日	・東京新聞「子ども・子育て会議設置、小規模自治体で難航」
8月21日	・東京新聞「保育士なり手不足深刻化、低賃金の改善急務」
8月22日	・内閣府は「基本指針（案）Q＆A（第2版）」を公表
8月28日	・東京新聞「小規模保育、質低下の懸念—無資格者半数で認可も」
8月29日	・子ども・子育て会議基準部会第4回会議開催、小規模保育の認可基準の論議は終了、小規模保育B型に資格者1/2と基準緩和。
9月7日	・朝日新聞「放課後の居場所足りない—学童保育6,900人待機」、同紙社説「幼子の虐待—生まれる前から支えを」
9月12日	・厚労省は「保育所関連状況取りまとめ（平成25年4月1日）」を公表、保育所児童数は42,779人増の2,219,581人、待機児童数は22,741人で3年連続の減少（2,084人減）等。
9月16日	・東京新聞「保育事故検証制度を—東京でシンポ」
9月20日	・子ども・子育て会議基準部会第5回会議開催、新設の幼保連携型認定こども園の認可基準を検討。 ・朝日新聞「保育士が欲しい」、埼玉新聞「待機児童数正確な把握を—さいたま市長」
9月27日	・厚労省「社会福祉法人の在り方等検討会」開催

2013年10月3日	・朝日新聞「待機児童対策に3,000億円、来年度厚労省方針」
10月5日	・東京新聞「学童保育も待機増—潜在児童40万人超」
10月18日	・厚労省は小規模保育運営支援事業等の要綱を公表 ・子ども・子育て会議基準部会第6回会議開催、新制度における公定価格の本格的検討を開始
10月19日	・読売新聞「ミニ保育所開設しやすく—国が認可基準通知」
10月25日	・毎日新聞「男女平等日本105位—先進国で最低水準」
10月31日	・朝日新聞社説「保育での急死—防げるのに防げていない」
11月4日	・全国保育団体連絡会等東京で保育の公的保障拡充求めて大集会、3,500人参加
11月10日	・毎日新聞「待機児童見えぬ実数—安倍政権加速化プラン」
11月18日	・厚労省保育課事務連絡「保育所を主たる事業とする社会福祉法人の運営に関する情報開示について（依頼）」発出
11月21日	・日本弁護士連合会「子どもの安心、安全に成長発達する権利を保障するため、保育施設・事業での死亡事故への対策を求める意見書」公表
11月25日	・子ども・子育て会議第8回開催、「保育の必要性の認定について」検討。
11月26日	・読売新聞「潜在保育士は即戦力、人材確保へ賃金改善」
11月	・九州保育三団体は「新しい保育制度に向けての課題と展望」を公表。
12月5日	・政府は「好循環実現のための経済対策」を閣議決定。「第2章具体的施策」の「Ⅱ女性・若者・高齢者・障害者向け施策」の「1女性の活躍促進、子育て支援・少子化対策—（2）子育て支援・少子化対策」において、『待機児童解消加速化プラン』の推進や認定こども園の設置促進」など強調。
12月10日	・朝日新聞「待機児童横浜ゼロならず—10月現在231人」
12月11日	・厚労省は「保育施設における死亡事故の追加公表」で、平成16年4月から24年12月末までの31件（認可保育所9件、認可外22件）を追加報告。同日保育課事務連絡「保育所及び認可外保育施設において発生した死亡事故等に係る範囲について」公表
12月12日	・東京新聞「学童保育で運営基準—厚労省報告書」
12月13日	・毎日新聞「居所不明児把握ずさん、自治体協議会半数超集約せず—本紙調査」
12月16日	・首都圏各地で待機児童問題に取り組む保護者の9グループは「小規模保育においても全員資格者とする基準を求める要望書」を子ども・子育て会議に提出。
12月17日	・東京新聞「全保育士有資格者に—保護者ら小規模保育で要望書」
12月20日	・保育研究所は「政令指定都市の『保育に係る単独補助事業』調査について」公表（「月刊保育情報」2013年12月号）
12月24日	・朝日新聞「アプリで子守大丈夫？発達に影響する可能性—小児科医会が継承」
12月25日	・社会保障審議会児童部会は「放課後児童クラブの基準に関する専門委員会報告書—放課後児童健全育成事業の質の確保と事業内容の向上をめざして—」を公表 ・内閣府・文科省・厚労省各課連名事務連絡「平成26年度予算編成における子育て支援関連予算の取扱いについて」発出

12月28日	・内閣府子ども・子育て支援新制度施行準備室事務連絡「幼稚園及び保育所が認定こども園に移行する場合における需給調整に係る特例措置の再通知について」発出、認定こども園への移行の促進を促す。
12月	・埼玉県私立保育園連盟は「子ども・子育て支援制度における『公定価格設定』等に関するアピール」を公表
11月、12月	・保育研究所「新制度へ保育団体から要望相次ぐ」（保育情報2014年1月号）
註）☆拙稿「子育て支援—児童館推進で持続可能に」（2013年2月11朝日新聞・私の視点欄） ☆村山・逆井共著「児童福祉法24条1項の復活の意義と課題」（「月刊保育情報」2013年6月号） ☆拙稿「こどもの城の閉館、民間児童館補助金廃止問題と子ども・子育て支援制度—なぜ児童館行政を後退させるのか？」（保育研究所『保育の研究』No25・2013（2013年11月刊）） ☆拙稿「新制度の公定価格はどうあるべきか—児福法24条1項の復活の意義を踏まえた改善のあり方と課題」（「月刊保育情報」2013年12月号） ☆「2013年保育白書」第1章2節「C保育所・幼稚園の普及状況と制度の概要」、「D子ども の権利保障と保育所・幼稚園の基準」、「F保育所・幼稚園の財政」、3節「A保育所保育の公的責任」、第2章「1新制度導入論議と関係者の課題」執筆 ☆拙稿「保育問題日誌・保育ジャーナル第472回（2013年1月分）～483回（2013年12月分）」（月刊誌ちいさいなかま2013年5月号～2014年4月号）及び拙稿「2013年保育問題日誌」（「2014年保育白書」）	
2014（平成26）年	・第2次安倍内閣（2012.12.26～2020.9.16）
1月4日	・読売新聞「新生こども園広がるか」
1月5日	・読売新聞「エレベータ、大型遊具事故、国に強制調査権—建築基準法改正へ」
1月6日	・東京新聞「潜在保育士、賃金に不満—厚労省調査」
1月8日	・読売新聞「乳幼児の所在不明確認状況を調査へ—厚労省」
2014年1月16日	・幼保連携型認定こども園保育要領（仮称）の策定に関する合同の検討会は「幼保連携型認定こども園保育要領（仮称）の策定について」（報告）をまとめる。
1月19日	・朝日新聞「455議会、脱原発可決—福島事故後国会に意見書提出」
1月20日	・保育研究所は「中核市の『保育所に係る単独補助事業』（2013年度）」公表（「月刊保育情報」2014年1月号）
1月20日	・内閣府新制度施行準備室事務連絡「市町村子ども・子育て支援事業計画に定める教育・育及び地域子ども・子育て支援事業の見込みを算出するための手引き」発出 ・読売新聞「待機児童数基準バラバラ」
1月24日	・内閣府は自治体向け「子ども・子育て支援新制度説明会」開催。 ・読売新聞「なくそう保育死亡事故」
1月29日	・厚労省保育課は「保育施設における事故報告書」（2013年）を公表、事故件数は前年より17件増の162件（認可保育所139件、認可外23件）、このうち死亡事故19件（認可保育所4件、認可外15件）
1月31日	・朝日新聞「好きだけどもう限界—保育」
2月2日	・朝日新聞「子どもの事故死原因検証—神奈川県、行政で初」
2月3日	・読売新聞「子育てしにくい64%—本社世論調査」 ・保育研究所第35回研究集会「徹底討論—新制度の主要論点をめぐって」開催

2014年2月8日	・子ども・子育て会議基準検討部会第16回開催、「子ども・子育て支援新制度における『量的拡充』と『質の改善』について」検討を開始。
2月12日	・東京新聞「新しくなる保育所利用—就労基準の緩和、待機児童解消？」
2月21日	・毎日新聞社説「子育て新制度—質の向上に財源確保を」
2月28日	・東京新聞「認可保育所不足さらに悪化、2万1,000人入れず—都内23区、今年4月」
3月3日	・朝日新聞「学習塾が保育ビジネス—手厚い幼児教育売り」
3月4日	・東京新聞「認可保育所整備追い付かず—多摩では7,100人不足」
3月6日	・毎日新聞「児童虐待最多2万1,600人、31％増—昨年通告」
3月11日	・毎日新聞社説「東日本大震災—まだほど遠い復興への道」
3月12日	・子ども・子育て会議（第14回）・同基準検討部会（第18回）合同会議開催、「公定価格の骨格案について」など検討
3月13日	・東京新聞「子育て新制度質の改善大幅後退—追加財源7,000億円」
3月19日	・毎日新聞社説「2歳児死亡、放置できぬネット託児」
3月21日	・東京新聞「認可保育所不承諾不服、母親ら審査請求—さいたま市」
3月30日	・朝日新聞「保育園入れて、悲痛な春—異議申し立て相次ぐ」
4月3日	・朝日新聞「福岡市、待機児童ゼロ—希望の園待ち1,122人」
4月4日	・西日本新聞「待機児童、実態は5倍！？—福岡、北九州など九州8市」
4月9日	・内閣府・厚労省は子育て支援新制度に関わる府省令6件についてパブリックコメントを提起。
4月9日	・東京新聞「準保育士新設撤回を—保護者ら反対の意見」
4月11日	・省庁の幹部人事を一元化管理する「内閣人事局」新設を柱とする国家公務員制度改革関連法が参院本会議可決、成立。5月に内閣人事局設置。対象者は審議官級以上の600人、官房長官の下で内閣人事局が適格性を審査、幹部広報者の名簿を作成、各閣僚はこの名簿に沿って人事案を作成､首相や官房長官を交えた「任命協議」を経て最終決定。閣僚を補佐する「大臣補佐官」新設。
4月15日	・朝日新聞「こどもの城閉館—育んだ劇場文化を絶やすな」
4月17日	・子ども・子育て支援新制度に関する自治体向け説明会開催、今後の施行スケジュール、公定価格の骨格等について
4月23日	・子ども・子育て会議基準検討部会（第19回）開催、公定価格の仮単価イメージを明示。
4月27日	・朝日新聞「子ども・子育て支援新制度—親への周知・財源が課題」
4月30日	・内閣府は府令「特定教育・保育施設及び特定地域型保育事業の運営に関する基準」公表☆厚労省は「家庭的保育事業等の設備運営に関する基準」公表（7月6日誤り訂正公表）、☆内閣府・文科省・厚労省令「幼保連携型認定こども園の学級編成、職員、設備及び運営に関する基準」公表☆内閣府•文科省・厚労省告示「幼保連携型認定こども園教育・保育要領」公表、 ・厚労省は「放課後児童健全育成事業の設備及び運営に関する基準」を公表 ・読売新聞社説「小1の壁—解消へ学童保育拡充が急務」
5月2日	・朝日新聞「子どもの事故5月は要注意、幼稚園・保育園で増加」
5月6日	・東京新聞「ベビーシッター幼児死亡事故—命預かる職、資格必要」
5月8日	・東京新聞「こども園1,359カ所に、目標届かず」

5月10日	・日本経済新聞「保育士2割が退職検討—都初調査、給与・仕事量に不満」
5月19日	・朝日新聞「社福法人売買が横行—理事長ポスト数億円」
5月26日	・子ども・子育て会議（第15回）、子ども・子育て会議基準検討部会（第20回）合同会議において、公定価格の仮単価を公表
5月28日	・首相官邸・産業競争力会議課題別会合で厚労省は「『女性が輝く日本』の実現に向けて」を提案、「子育て支援員（仮称）」を2015年度創設等を提起。
5月29日	・読売新聞社説「子育て新制度—保育士の処遇改善になお課題」
6月3日	・朝日新聞「隣に保育所迷惑ですか…各地で建設難航、お互いさまの意識必要」
6月4日	・政令「就学前の子どもに関する教育、保育等の総合的な提供の推進に関する法律施行令」公布。2015（平27）年4月1日施行 ・子ども・子育て支援新制度に関する自治体向け説明会開催、今後の施行スケジュール及び事務準備、公定価格の仮単価等説明
6月9日	・内閣府は「子ども・子育て支援法施行規則」を公布、13日に「子ども・子育て支援法施行令」を公布
6月11日	・朝日新聞「3〜5歳教育無償化案、教育再生会議段階的に推進」
6月15日	・毎日新聞「身元不明保護57人—12都道府県で判明」
6月17日	・朝日新聞社説「所在不明児見守りの網を、細かく」
6月23日	・東京新聞「保育所断られ統計にも出ず、隠れ待機児童深刻—20政令市公表の6.8倍」
6月27日	・毎日新聞「保育事故検討会設置、厚労省」
7月2日	・内閣府は子ども・子育て支援法第60条の「基本的な指針」を告示
7月3日	・教育再生実行会議「今後の学制の在り方について」（第五次提言）公表、幼児教育の充実、無償教育、義務教育の延長など。
7月9日	・内閣府は内閣府は自治体向け、事業者向け「公定価格に関するFAQ」を公表
7月10日	・東京新聞「学童保育の質確保優先を、子供教室との一体型政策」
7月12日	・埼玉新聞「認定こども園に独自基準—埼玉県、調乳室や沐浴室」
7月15日	・東京新聞「把握に自治体苦慮—都内で不明の子378人」
7月16日	・毎日新聞「少子化非常事態を宣言—全国知事会」
7月20日	・東京新聞「子の置き去り395人—共同通信調査」
7月25日	・九州保育三団体研究大会は大会宣言を公表、公定価格設定で認定こども園、幼稚園の1号認定等と保育所との格差は修正されなければならないと強調。
7月29日	・読売新聞「学童保育利用93万人—最高更新」
7月30日	・読売新聞「待機児童の定義統一、育休延長も対象—厚労省方針」
7月31日	・文科省・厚労省は「放課後子ども総合プラン」を策定、2019（平31）年度末までに放課後児童クラブ約30万人分を新たに整備、放課後児童クラブ・放課後子供教室の一体型を1万カ所以上で実施を目指すとした。
8月1日	・朝日新聞「こども園の一部、認定返上検討、補助金削減の場合」
8月4日	・厚労省は「平成24年度認可外保育施設の現況とりまとめ」公表、施設数は前年比95カ所増の7,834カ所、入所児童数は前年比15,762増の00,721人。
8月5日	・毎日新聞「認可外保育施設過去最多7,834カ所—厚労省調査」

2014年8月8日	・読売新聞「所在不明の小中生397人―文科省調査」
8月13日	・内閣府は「子ども・子育て支援新制度FAQ―公定
8月14日	・価格に関するFAQ（Ver. 3)」公表内閣府は「子ども・子育て支援新制度FAQ―自治体向けFAQ【第2版】」公表
8月25日	・朝日新聞「酷使される保育士―保育園の現実反響編」
8月26日	・東京新聞「拠点作り過疎対策、中心集落に診療所、保育所、図書館―国交省経費支援」
8月29日	・内閣府は「子ども・子育て支援新制度FAQ―事業者向けFAQ【第4版】」公表
9月4日	・子ども・子育て支援新制度に関する自治体向け説明会開催、認定こども園、私立幼稚園に係る公定価格等について
9月5日	・厚労省は厚労省児童家庭局長通知「児童福祉施設の設備及び運営に関する基準の一部改正の取扱いについて」公表。「最低基準」を「設備及び運営に関する基準」に変更など。
9月7日	・東京新聞「保険会社が保育所運営―金融庁、少子化対策で解禁へ」
9月10日	・読売新聞「保育事故データベース化―政府方針再発防止へ指針作り」
9月11日	・内閣府・文科省・厚労省局長連名通知「子ども・子育て支援法に基づく支給認定並びに特定教育・保育施設及び特定地域型保育事業者の確認に係る留意事項等について」発出
9月11日	・子ども・子育て支援新制度に関する自治体向け説明会開催、本格施行までのスケジュール、関係政省令に基づく運用等について。「子ども・子育て支援新制度FAQ―自治体向けFAQ【第3版】」発出
9月12日	・厚労省は「保育所関連状況取りまとめ【平成26年4月1日】」公表、保育所利用児童数は前年より47,232人増の2,266,813人、待機児童数は前年より1,370人減の21,371人。
9月12日	・厚労省は「待機児童解消加速化プラン」集計結果を公表―約19.1万人の保育受け皿拡大を予定と。
9月17日	・朝日新聞「増える庭ない保育園―代わりの公園大混雑」
9月18日	・毎日新聞「子育て支援新制度―移行検討2割どまり、幼稚園不確定事項多く」
9月24日	・毎日新聞社説「認定こども園―安心できる制度設計を」
9月28日	・朝日新聞社説「待機児童問題―まず全体像の把握を」
9月29日	・内閣府は「公定価格に関するFAQ（Ver4)」（平成26年9月29日時点版）公表 ・内閣府は「私立幼稚園（認定こども園を含む）の子ども・子育て支援新制度への移行に関する意向調査の結果」公表、平成27年度に新制度移行は約22%。
9月30日	・読売新聞「新制度、保育所はどうする」
10月1日	・毎日新聞「ベビーシッター届け出を義務化―厚労省方針」
10月3日	・日本経済新聞「保育士確保へ待遇改善―待機児童解消に7万人超不足」
10月10日	・国家戦略特別区域諮問会議第9回開催、「国家戦略特区における追加の規制改革事項等」として「『地域限定保育士』（仮称）の創設」が示される。
10月12日	・南日本新聞「保育士確保に苦慮―鹿児島」
11月14日	・内閣府は「子ども・子育て支援新制度FAQ―公定価格に関するFAQ（Ver. 5)」公表
10月15日	・文科省は教育再生会議において「我が国の教育行財政について」を提出、就学前教育への公財政投資はOECDで最低（保育情報2015年8月号） ・読売新聞「4階以上の保育所449か所、原則1,2階にと専門家が警鐘」

10月23日	・朝日新聞社説「認定こども園減収の不安をなくせ」
10月31日	・徳島新聞「保育士27%辞めたい、県内調査—低賃金・厳しい労働条件」
11月2日	・読売新聞「夫は外、妻は家庭、反対49%賛成上回る」
11月3日	・全国保育団体連絡会は「子どもたちによりよい保育を11・3大集会」開催、参加者3千人。
11月5日	・東京新聞社説「保育所の新設—子どもの声は騒音か」
11月13日	・毎日新聞「所在不明の子全国141人、虐待の恐れも厚労省調査」
11月16日	・山梨日日新聞「保育士首都圏と争奪、県内囲い込み躍起」
11月18日	・安部首相は消費税率10%引上げは、2015（平27）年10月予定を2017（平29）年4月に先送りと表明
11月19日	・厚労省は「子どもの預かりサービスの在り方に関する専門委員会・議論のとりまとめ」公表、ベビーシッター問題等の対策
11月20日	・文科省は中教審に「初等中等教育における教育課程の基準等の在り方について」諮問
11月21日	・産経新聞「消費税率10%先送りで、暮らしどうなる、子育て支援に影響か」
11月26日	・朝日新聞「隠れ待機児童3.8倍—本社調査、自治体異なる認定基準」
11月28日	・子ども・子育て会議（第20回）、同基準検討部会（第24回）合同会議開催、「市町村子ども・子育て支援事業計画の策定作業の進捗状況について」等検討。
11月30日	・朝日新聞「全国体力調査—幼児期の体験が重要」
11月.	・内閣府は「子ども・子育て支援新制度FAQ—自治体向けFAQ【第4版】」公表
12月5日	・内閣府は「子ども・子育て支援新制度における公立施設の予算等の取り扱いについて」公表 ・朝日新聞「衆院選各党の公約点検—各党待機児童解消掲げる」
12月11日	・毎日新聞「新制度の財源確保に暗雲」
12月18日	・読売新聞「幼児教育無償化推進に壁—拡大案の財源確保困難に」
12月23日	・朝日新聞「子どもの声騒音除外、乳幼児対象、都が条例見直し案」
12月26日	・厚労省は「2012年地域児童福祉事業等調査の結果」公表、認可保育所利用世帯、認可外保育施設の状況（2012年10月実施）
12月28日	・読売新聞「認定こども園21園が返上」
12月	・内閣府は「子ども子育て支援新制度FAQ—自治体向けFAQ【第5版】」公表

註）☆取材・監修「ストレスをためないための保育の見直し3カ条」（「0.1.2歳」2014年1月号所収）
☆拙稿「乳児保育の政策の変遷と課題」（監修宍戸建夫「テキスト乳児保育・改訂新版」フォーラムA　2014年8月刊所収）
☆インタビュー論稿「災害時の保育と保育者を支える制度の確立を」（「現代と保育」第88号ひとなる書房刊所収）
☆拙稿「新制度公定価格の仮単価を読み解く—保育充実の道筋見えず」（保育研究所編「保育情報」7月号）
☆拙稿「保育所からの認定こども園への移行を考える」（「保育情報」9月号）
☆連載拙稿「公定価格の特徴と保育者の処遇を考える」（保育情報2015年7月号～2016年3月号）
☆インタビュー「村山祐一—保育園長と大学教授の二足のわらじ—」（三階泰子・寺脇陽子編「外濠の青春」桐書房2014年11月刊）
☆「2014年保育白書」第1章2節「C保育所・幼稚園・認定こども園の概要と新制度」、「D保育所・幼稚園・認定こども園の基準と新制度」、「F保育所・幼稚園の財政と新制度」、3節「E新制度の概要—給付と事業、その財源」「F新制度の公定価格」執筆
☆拙稿「保育問題日誌・保育ジャーナル第483回（2014年1月分）～494回（2014年12月分）」（月刊誌ちいさいなかま2014年5月号～2015年4月号）及び拙稿「2014年保育問題日誌」（「2015年保育白書」

2015（平成 27）年	・第 2 次安倍内閣（2012.12.26～2020.9.16）
1 月 14 日	・厚労省は「保育士確保プラン」公表、2017（平 29）年度末までに全国で 6.9 万人の保育士確保のための施策、保育士試験の年 2 回実施の推進、保育士の処遇改善の実施など ・厚労省保育課長通知「保育所等利用待機児童数調査について」公表、待機児童の定義を示す。
1 月 15 日	・内閣府等事務連絡「『平成 27 年度予算編成における子ども・子育て支援新制度関連予算について』添付資料」発出
1 月 17 日	・朝日新聞「父母から虐待 6 割、養護施設の子ども―厚労省調査」
1 月 19 日	・毎日新聞「1 学年 1 学級は統合検討、小中学校―文科省が新基準」
1 月 23 日	・内閣府は子ども・子育て支援新制度に関する自治体向け説明会開催、2015 年度予算案、公定価格・利用者負担、地域子ども・子育て支援事業などについて
1 月 23 日	・朝日新聞「さようならこどもの城」2 回連載
1 月 28 日	・東京新聞「公園内の保育所特区で解禁検討―政府待機児童の解消狙う」
1 月	・内閣府は「子ども・子育て支援新制度 FAQ ―自治体向け FAQ【第 6 版】」公表
2 月 3 日	・厚労省保育課「保育施設における事故報告集計」（2014 年）公表
2 月 5 日	・子ども・子育て会議（第 22 回）、同基準検討部会（第 26 回）合同会議開催、「平成 27 年度における施設型給付等の公定価格」等について検討。
2 月 6 日	・朝日新聞「保育の公定価格決定―子育て支援制度保育士配置手厚く」
2 月 12 日	・社会保障審議会福祉部会は報告書「社会福祉法人制度改革について」を公表
2 月 13 日	・読売新聞「社会福祉法人余剰金活用へ―厚労省改革」
2 月 18 日	・東京新聞「非正規労働、家計支えながら低年収にあえぐ―半数以上が年収 200 万円未満」
2 月 20 日	・東京新聞「こどもの城 3 月閉館」
3 月 10 日	・内閣府は「子ども・子育て支援新制度における公立施設の予算等の取扱いについて」公表 ・内閣府は子ども・子育て支援新制度に関する自治体向け説明会開催、2015（平 27）年度公定価格単価、地域子ども・子育て支援事業、放課後児童クラブなどについて ・東京新聞「保育士不足が復興の妨げに―被災 3 県応募ゼロも」
3 月 16 日	・読売新聞「新制度 4 月スタート、何が変わる子育て支援」、読売新聞社説「保育士不足―賃金と勤務時間の改善を図れ」
3 月 18 日	・東京新聞「学童保育で重傷昨年は 254 件発生、骨折が 8 割―厚労省」
3 月 20 日	・「少子化社会対策大綱」閣議決定（2003（平 15）年、2010（平 22）年に続き 3 回目）、2020 年を目標に「子ども・子育て支援制度の円滑な実施」、「待機児童解消加速化プラン」及び「保育士確保プラン」の推進、「放課後子ども総合プラン」の実施、幼稚園・保育所の第 3 子以降の保育料無償化の対象拡大の検討等重点課題を策定。
3 月 24 日	・朝日新聞「施設増えても足りない保育士―待機児童問題解消の壁にも」
3 月 27 日	・東京新聞「待機児童新定義―基準そろわず埋もれるニーズ」
3 月 27 日	・内閣府は「子ども・子育て支援新制度 FAQ ―公定価格に関する FAQ（Ver. 8）」公表
3 月 27 日	・内閣府は「子ども・子育て支援新制度 FAQ ―自治体向け FAQ【第 8 版】」公表

3月31日	・内閣府・文科省・厚労省局長連名通知「特定教育・保育等に要する費用の額の算定に関する基準等の実施上の留意事項について」発出。公定価格単価額の算定基準等について明示、公定価格改正の際に発出。 ・内閣府・文科省・厚労省局長連名通知「施設型給付費等に係る処遇改善等加算について」発出、 ・厚労省児童家庭局長・保健福祉部長連名通知「児童福祉施設における食事の提供に関する援助及び指導について」発出（保育情報2015年6月号） ・厚労省児童家庭局長通知「保育所等における准看護師の配置に係る特例について」（保育情報2015年6月号） ・厚労省児童家庭局長通知「『放課後児童クラブ運営指針』の策定について」発出（保育情報2015年7月号）
4月1日	・子ども・子育て支援新制度が施行。地域型保育事業（小規模保育、家庭的保育、居宅訪問型保育、事業所内保育所）を町村認可事業として創設。
4月1日	・厚労省児童家庭局長通知「『認可外保育施設に対する指導監督の実施について』の一部改正について」（保育情報2015年6月号） ・読売新聞「子育て本部設置—政府内閣府に」、朝日新聞「新制度スタート—保育園まだ入れない」
4月9日	・内閣府事務連絡「施設型給付等の支払いについて」公表、子育て支援法施行規則第18条において毎月支給されるものとされているが後払いは認められないと指摘。
4月11日	・毎日新聞「介護・保育士資格を統合—厚労省検討人材確保狙い」
4月14日	・朝日新聞「都心公園に保育園、政府特区で容認へ」
4月20日	・内閣府は子ども・子育て支援新制度に関する自治体向け説明会開催、子ども・子育て新制度の概要などについて
5月3日	・毎日新聞「さまよう保育難民—認可保育所入所点数が壁」
5月6日	・埼玉新聞「保育中の死亡163人、04～14年、認可外が7割—厚労省」
5月21日	・内閣府・文科省・厚労省局長連名通知「子ども・子育て支援交付金実施要綱」公表（保育情報2015年10～12月号） ・厚労省児童家庭局長通知「子育て支援員研修事業の実施について」発出、「子育て支援員研修事業実施要綱」を明示。
5月26日	・自民党文部科学部幼児教育小委員会／幼児教育議員連盟新制度検討会チーム合同会議は「幼児教育の振興について」公表—幼児教育の段階的無償化の推進を強調、「幼稚園・保育所・認定こども園等を通じて、質の高い幼児教育を誰もが安心して受けることができるよう、幼児教育の無償化を推進」（保育情報2015年7月号） ・埼玉新聞「育休退園撤回を—所沢集会に母親ら300人」
6月6日	・毎日新聞「出生率9年ぶり低下、出生数減少加速」
6月17日	・内閣府は内閣府は「子ども・子育て支援新制度FAQ—公定価格に関するFAQ（Ver. 9）」公表（保育情報2015年8月号） ・内閣府は「子ども子育て支援新制度FAQ—自治体向けFAQ【第9版】」公表 ・読売新聞「小1家庭貧困調査へ—足立区」
6月19日	・日本経済新聞「児童館—都内で廃止・転換相次ぐ」
6月30日	・「経済財政運営と改革の基本方針2015」（骨太の方針2015）閣議、「幼児教育の無償化に向けた取り組みを段階的に進める」等を示す。
7月3日	・毎日新聞「深刻化する保育士不足」、5日読売新聞「保育士不足悩む自治体」

2015年7月8日	・教育再生実行会議第は第8次提言「教育立国実現のための教育投資・教育財源の在り方について」公表。「幼児教育の段階的無償化及び子ども・子育て支援新制度に基づく教育等の質の向上」等指摘。
7月9日	・毎日新聞「児童虐待通告7,028件―9年連続で過去最多更新」
7月12日	・東京新聞「隠れ待機児童1万3,000人、98市区町村・共同通信調査」
8月3日	・朝日新聞「待機児童減ったと言われても―指定都市23区本社調査、隠れ待機3万人」
8月8日	・朝日新聞「学童保育の利用初の100万人超え―協議会発表」
8月22日	・朝日新聞社説「育休退園―自治体の知恵を生かせ」
9月3日	・内閣府・厚労省局長連名通知「子ども・子育て支援法付則第6条の規定による私立保育所に対する委託費の経理等について」発出、2000（平12）年3月30日厚生省局長通知「保育所運営費の経理等について」は2015（平27）年3月31日限りで廃止
9月3日	・内閣府・厚労省課長連名通知「私立保育所の運営に要する費用について」発出。子ども・子育て支援法で保育所については児福法24条1項の市町村の実施義務が堅持され、市町村からの委託費として運営に要する費用が支弁されるため、公定価格の基本分単価等の内訳が明示される。
9月4日	・東京新聞社説「子どもの貧困―ひとり親手当の拡充を」
9月15日	・東京新聞「保育所充実の県働く女性増―労働白書分析」
9月18日	・内閣府は内閣府は「子ども・子育て支援新制度FAQ―公定価格に関するFAQ（Ver. 10)」公表（保育情報2015年11月号）
9月18日	・内閣府は「子ども・子育て支援新制度FAQ―自治体向けFAQ【第10版】」公表
9月25日	・朝日新聞「保育園児の声は騒音35%が同感―厚労省調査」
9月29日	・厚労省保育課「待機児童解消加速化プラン」集計結果を公表、2年間で約21.9万人分の保育受け入れ枠拡大達成など。
9月30日	・毎日新聞「待機児童5年ぶり増加、定員拡大追いつかず」
10月10日	・東京新聞社説「児童虐待最多―出生率向上を言う前に」
10月29日	・読売新聞「保育園遊び場確保に苦戦―園庭なし増」
11月3日	・読売新聞「保育料軽減求め保護者ら要望」
11月4日	・毎日新聞社説「虐待9万件―児童相談所の充実急げ」、東京新聞「子どもに広がるロコモ」
11月6日	・安倍首相は一億総活躍の関係会合で4月時点での待機児童が5年ぶりに増加に転じた「待機児童解消加速化プラン」の目標を10万人上積みし、50万人分とする方針を表明
11月9日	・厚労省は「保育士等確保対策検討会」を設置初会合開催
11月11日	・内閣府「子ども・子育て支援新制度FAQ（よくある質問）自治体向けFAQ」【第11版】公表
11月21日	・教育・保育施設等における重大事故の再発防止策に関する検討会最終とりまとめを公表
11月26日	・一億総活躍国民会議は「一億総活躍社会の実現に向けて緊急に実施すべき対策―成長と分配の好循環の形成に向けて」公表、「待機児童解消加速化プラン」の「平成29年度末までの整備拡大量を40万人から50万人に拡大、前倒し」。「子育て支援への事業主拠出金制度の拡充により事業所内保育所など企業主導型の保育所の整備・運営等の推進、平成28年度予算編成過程で検討」。保育士の人材確保では「朝夕の保育士配置要件の弾力化など多様な担い手の確保を年内を目途に検討」等を指摘。
11月27日	・東京新聞「総活躍会議介護・保育施設100万人分整備、人材・財源確保策なく」

12 月 4 日	・厚労省「保育士等確保対策検討会」第 3 回会合で「保育の担い手確保に向けた緊急的な取りまとめ」公表。「1. 朝夕の保育士配置の要件弾力化、2. 幼稚園教諭及び小学校教諭等の活用、3. 研修代替要員等の加配人員における保育士以外の人員配置の弾力化」と更なる規制緩和策の推進。
12 月 5 日	・読売新聞「保育士不足各地で悲鳴—質の確保重要、待遇改善がカギ」、 ・東京新聞「職員不足影響園児けが増大も、すくすく保育守れ」
12 月 21 日	・厚労省「2014（平成 26）年地域児童福祉事業等調査の結果」公表、保育所定員弾力化、短時間勤務保育士状況等（保育情報 2016 年 2 月号）
12 月 25 日	・読売新聞「回顧 2015 —子育て、待機児童対策追いつかず」
註）☆連載拙稿「公定価格（保育費用）の特徴と保育者の処遇を考える（1）～（5）」（保育研究所編「保育情報」2015 年 7 月号～11 月号掲載） ☆「2015 年保育白書」第 1 章 2 節「C 保育所・幼稚園・認定こども園の概要と新制度」、「D 保育所・幼稚園・認定こども園の基準と新制度」、「F 保育所・幼稚園の財政と新制度」、3 節「E 新制度の概要—給付と事業、その財源」「F 新制度の公定価格」執筆 ☆拙稿「保育問題日誌・保育ジャーナル第 495 回（2015 年 1 月分）～506 回（2015 年 12 月分）」（月刊誌ちいさいなかま 2015 年 5 月号～2016 年 4 月号）及び拙稿「2015 年保育問題日誌」（「2016 年保育白書」	
2016（平成 28）年	・第 2 次安倍内閣（2012.12.26～2020.9.16）
1 月 12 日	・毎日新聞「3 歳児 7%が寝不足、共働き 22 時以降就寝 3 割、環境省 10 万人調査」
1 月 27 日	・埼玉新聞「乳幼児の肥満世界で増加、食生活変化で 4,100 万人— WHO 対策強化促す」
1 月 29 日	・内閣府「子ども・子育て支援新制度 FAQ（よくある質問）自治体向け FAQ」【第 11 版】公表
2 月 18 日	・厚労省局長通知「保育所等における保育士配置に係る特例について」発出、2016 年 4 月 1 日以降、子育て支援員を一定の条件で保育士の代替可能とした。朝夕等児童が少数となる時間帯に保育士 2 名のうち 1 名、8 時間を超えた保育時間帯で、最低基準以上の保育士配置について等の場合。
2 月 20 日	・朝日新聞「認可外保育施設 37%基準達成せず -14 年度厚労省公表」
2 月 22 日	・毎日新聞「義務教育無償広がる動き— 122 自治体が給食費補助、修学旅行含む全額肩代わりも」
2 月 26 日	・東京新聞「国勢調査人口初の人口減、1 億 2,711 人東京集中進む—総務省 15 年速報」
3 月 4 日、5 日	・「＃保育園落ちたの私だ」国会前で抗議集会、9 日母親らは国会に出向きネット署名およそ 27,700 筆を厚労大臣等に提出（月刊誌「ちいさいなかま」2016 年 7 月号）
3 月 6 日	・毎日新聞「保育園落ちたの私だ—ブログ共感国会前で抗議」
3 月 12 日	・毎日新聞社説「保育園落ちた—親の怒り政治を動かす」
3 月 24 日	・東京新聞「首都圏の親たち国会で訴え—安全確保へ保育士待遇改善求める」
3 月 24 日	・野党 4 党による保育士処遇改善法案「保育等従業者の人材確保に関する特別措置法案」公表
3 月 27 日	・毎日新聞社説「待機児童—子供本位の抜本的改善を」、30 日朝日新聞社説「待機児童対策—財源確保して充実を」
3 月 28 日	・厚労省「待機児童解消に向けて緊急的に対応する施策について」公表、緊急対策体制の強化、規制の弾力化（「国の最低基準を上回る基準を設定している市町村に対して、1 人でも多くの児童の受け入れを要請」等）、企業主導型保育事業の積極的展開などを提起。

2016年3月29日	・全保連は見解「保育士の処遇改善は保育問題解決のための最優先課題—保育士確保と待機児童解消の実現のために—」公表 ・児童福祉法一部改正法案衆議院に上程、児福法総則（1～3条）改正、10月1日施行
3月31日	・厚労省社会・援護局長通知「社会福祉法等の一部を改正する法律の公布について」公表、全法人で2017年度より評議員会設置が義務づけられる。 ・内閣府・文科省・厚労省連名通知「教育・保育施設等における事故防止及び事故発生時の対応のためのガイドラインについて」発出し、ガイドライン作成を通知。 ・子ども・子育て支援法改正により、企業主導型保育事業、企業主導型ベビーシッター利用者支援事業を仕事・子育て両立支援事業として創設、2016年4月1日施行。
3月	・保育士等の確保、処遇改善を求める自治体の意見書、京都府議会、福岡県議会、鳥取県議会、大阪市会、京都市会など（保育情報2018年5月号）.
4月1日	・国立教育政策研究所に「幼児教育研究センター」設置
4月5日	・毎日新聞「社説を読み解く—保育園落ちた」
4月14日	・熊本地震で保育所等休園
4月17日	・厚労省保育課事務連絡「災害により被災した保育所等への対応について」（保育情報2016年6月号） ・朝日新聞「熊本・大分強震続発—死者41人9万2,000人超避難」
4月22日	・文科省・厚労省・内閣府連名事務連絡「幼稚園における待機児童の受け入れについて」発出、一時預り事業（幼稚園型、一般型等）の補助基準額の引上げ等を示す。
4月24日	・毎日新聞「住民反対保育所断念11件—124自治体調査、開設遅れ15件、12年度以降」
5月5日	・毎日新聞「22保育所再開まだ—熊本地震、2,150人通園できず」
5月8日	・朝日新聞「子どもと貧困—頼れない」3回連載
5月13日	・内閣府「子ども・子育て支援新制度FAQ（よくある質問）自治体向けFAQ」【第13版】公表
5月20日	・教育再生実行会議第9次提言「全ての子供たちの能力を伸ばし可能性を開花させる教育へ」を公表、「幼児教育無償化の段階的推進」等。
5月25日	・東京新聞「もう限界、保育現場のいま」3回連載
6月1日	・安倍総理は17年4月消費税10%引上げを19年10月に再延期を表明 ・読売新聞「保育所の安心—耐えぬ事故行き届かぬ目」連載
6月2日	・「ニッポン一億総活躍プラン」閣議決定、待機児童の解消策の推進、幼児教育無償化拡大で所得の低い世帯の第2子半減、第3子以降の無償化、保育士・幼稚園教諭の処遇改善等を示す。
6月16日	・読売新聞「保育所増設未来への投資—保育士の処遇改善も不可決」
6月28日	・東京新聞「給料基準額改善を、認可保育所園長ら国に要望」
6月20日	・厚労省社会・援護局福祉基盤課「『社会福祉法人制度改革の施行に向けた留意事項について』に関するFAQ」公表
7月5日	・朝日新聞「低賃金悩む保育士、資格者が敬遠、潜在80万人」
7月12日	・内閣府「子ども・子育て支援新制度FAQ（よくある質問）公定価格に関するFAQ」【第11版】公表

7月19日	・中教審教育課程部会「幼児教育部会におけるとりまとめ（案）」公表
7月22日	・毎日新聞「隠れ待機児童5万人、公表の3倍-152市町村調査」、30日同紙社説「隠れ待機児童―切実な声を反映しよう」
8月2日	・内閣府・厚労省課長連名通知「平成28年度における私立保育所の運営に要する費用について」発出（2017年3月2日一部改正通知）
8月2日	・社会保障審議会児童部会保育専門委員会「保育所保育指針の改定に関する中間とりまとめ」公表
8月4日	・厚労省は全国の児童相談所が2015年度児童虐待相談件数は前年度比16.1％増で10万件超と公表。
8月18日	・特別区長会「待機児童対策の更なる推進に係る緊急要望」厚労大臣に提出（保育情報2016年10月号） ・毎日新聞社説「子供への虐待、心の傷はあまりに深い」
8月23日	・内閣府・文科省・厚労省局長連名通知「特定教育・保育等に要する費用の額の算定に関する基準等の改正に伴う実施上の留意事項について」発出（2017年10月27日改正）。
8月27日	・朝日新聞「待機児童の定義厚労省見直しへ―年度内に基準」
9月2日	・厚労省保育課「待機児童及び待機児童解消加速化プランの状況について」公表―「平成28年度から実施している企業主導型保育事業による受け皿拡大見込約5万人分と合わせると平成25年度～29年度までの5年間の5年間の合計は、約50万人分から約53万人分に拡大する見込み」など指摘。
9月6日	・内閣府子ども・子育て本部「平成28年度企業主導型保育事業の助成決定について（第1回）」公表、150カ所施設整備助成総額約76億円。
9月7日	・東京新聞「認可外実態調査2割―都の安全確認不十分」
9月23日	・朝日新聞社説「待機児童解消―多様な施策の総動員で」
9月27日	・厚労省は待機児童対策会議開催、出席自治体仙台市、市川市、東京都中央区等6区4市、豊中市、明石市、浦添市
9月28日	・東京新聞「保育の質安全確保を、規制緩和特区構想に懸念―都内首長ら厚労相と意見交換」
10月19日	・内閣府「子ども・子育て支援新制度FAQ（よくある質問）自治体向けFAQ」【第14版】公表
10月22日	・毎日新聞「就寝中窒息死の乳児5年で160人、大人用寝具での事故多く―消費者庁調査」。毎日新聞社説「保育所への助成―現場の人件費が最優先」
10月25日	・東京新聞「男女格差日本111位に後退、先進国最下位」
10月30日	・朝日新聞「出産後も仕事継続初の5割超―内閣府調査」
11月4日	・東京新聞「保育士や保護者、銀座をデモ行進―子どもの未来にもっと税金使って」、21日東京新聞「保育園もっと増やして―母親ら20人署名呼びかけ」
11月16日	・読売新聞「保育士が足りない」3回連載
11月23日	・東京新聞「保育人材確保―都が主導的に首長集め緊急対策会議」
11月11日	・厚労省援護局長「社会福祉法等の一部を改正する法律の施行に伴う関係政令の整備及び経過措置に関する政令等の公布について」発出（保育情報2017年1月号）
12月6日	・東京新聞「保育園落ちた日本死ね、流行語大賞トップ10―待機児童問題に一石」
12月12日	・中教審は「幼稚園、小学校、中学校、高等学校及び特別支援学校の学習指導要領等の改善及び必要な方策等について」答申

2016年12月9日	・総務省行政評価局「子育て支援に関する行政評価・監視―子どもの預り施設を中心として〈結果に基づく勧告〉」を公表 ・朝日新聞「待機児童の数え方ばらつき改善を―総務省厚労省に勧告」
12月18日	・東京新聞「子どものあした―保育士の役割」3回連載
12月19日	・厚労省・保育士のキャリアパスに係る研修体系等の構築に関する調査研究協力者会議は最終とりまとめ「保育士のキャリアパスに係る研修体系等の構築について」公表（保育情報 2017年2月号）
12月21日	厚労省社会保障審議会児童部会保育専門委員会は「保育所保育指針の・改定に関する議論のとりまとめ」を公表
12月30日	・毎日新聞社説「少子化と保育―まだ危機感足りない」
12月	・内閣府・幼保連携認定こども園教育・保育要領の改訂に関する検討会は審議のまとめ公表。
註）☆拙稿「公定価格（保育費用）の特徴と保育者の処遇を考える（6）～（8）」（保育研究所編「保育情報」2016年1月号～3月号掲載） ☆テレビ出演：フジテレビ「直撃 LIVE グッデイ／保育園建設断念の波紋」☆拙稿「待機児問題の背景と解決の道―保育新制度は親の願いにこたえているか」（「経済」6月号新日本出版社） ☆拙稿「戦後の『一元化論』・『一元化・一体化政策』の動向と課題」（日本保育学会編「保育学講座2―保育を支えるしくみ　制度と行政」2016年7月31日東京大学出版会刊） ☆テレビ出演 3016年12月9日 NHK 福岡放送局「非常事態！いま保育園で何が～福岡市人口増加の影で」 ☆「2015年保育白書」第1章2節「C 複雑になった制度―保育所・幼稚園・認定こども園と新制度」、「D 保育所・幼稚園・認定こども園の基準と新制度」、「E 保育を支える財政」、3節「E 新制度の公定価格」、「F 公定価格の単価比較」執筆 ☆座談会「新制度で認定こども園、保育所、幼稚園はどうなる？」（「2015年保育白書」所収） ☆拙稿「保育問題日誌・保育ジャーナル第507回（2016年1月分）～518回（2016年12月分）」（月刊誌ちいさいなかま 2016年5月号～2017年4月号）及び拙稿「2016年保育問題日誌」（「2017年保育白書」	
2017（平成29）年	第2次安倍内閣（2012.12.26～2020.9.16）
1月5日	・毎日新聞「保育施設を巡回指導―厚労省方針、重大事故防止策」、東京新聞「放課後ディサービス障害児預り運営を厳格化」
1月8日	・読売新聞「子どもの声うるさい―保育所苦情自治体75%、開園中止・延期も」
1月9日	・読売新聞「待機児童、17年度解消49%、保育士不足足かせ137自治体―本紙調査」
1月10日	・東京新聞「保育所定員増4割未達成、待機児童多い33市区―本紙調査」
1月13日	・読売新聞「児童館、地域で新たな役割―つながり希薄化、学習・育児支援等」
1月17日	・東京新聞「学童待機児童1万7,000人超す―共働き増加で最多」、朝日新聞「認可外保育、自治体が抜き打ち調査―死亡事故防止導入広がる」、東京新聞「育休も待機児童―厚労省検討、復職意思あれば計上」
1月27日	・内閣府事務連絡「市町村子ども・子育て支援事業計画等に関する中間年の見直しのための考え方（作業の手引きの送付）」発出 ・内閣府事務連絡「企業主導型保育と保育認定との関係について」発出
2月3日	・毎日新聞「遊具と絡まる事故続発―滑り台で4歳児死亡、江戸川区公園、09年以降重大事案397件」
2月4日	・毎日新聞「2040年に幼稚園半減―保育所は横ばい、日本総研ニーズ調査」
2月6日	・毎日新聞「4月入所落選ラッシュに悲鳴　保育園落ちた日本死ねまた今年も―SNSで怒り共有」
2月10日	・東京新聞「公園に保育所可能に、改正案閣議決定全国で解禁へ」

2月23日	・読売新聞「子どもの声は騒音ですか」
2月26日	・朝日新聞「隠れ待機児童の参入延期、自治体混乱と判断― 18年度から」
3月1日	・読売新聞「森友学園問題―国有地売却異例ずくめ」
3月5日	・東京新聞「待機児童ゼロ6月に新計画―目標断念で首相表明」
3月7日	・厚労省保育課はキャリアアップ関連資料「保育士のキャリアアップの仕組みの構築と処遇改善について」公表、新たな処遇改善策について説明。（保育情報 2017年4月号）
3月8日	・内閣府「子ども・子育て支援新制度FAQ（よくある質問）自治体向けFAQ」【第15版】公表（保育情報 2017年4月号）
3月10日	・毎日新聞「待機児童全国ワースト20自治体、保育所施設整備進まず―本紙調査」
3月24日	・朝日新聞社説「待機児童ゼローもう先送りできない」
3月25日	・毎日新聞社説「姫路・こども園―保育のずさんさに驚く」
3月27日	・東京新聞「保育士不足解消7割が否定的、4月賃上げ84自治体」
3月31日	・厚労省告示「保育所保育指針改定」（2018年4.1適用）、文科省告示「幼稚園教育要領」（2018年4.1施行）、内閣府・文科省・厚労省告示「幼保連携型認定こども園教育・保育要領」 ・厚労省「2015年度認可外保育施設の現況取りまとめ」公表 ・厚労省保育課長通知「保育所等利用待機児童数調査について」発出、待機児童の定義など。 ・毎日新聞「待機児童育休延長も、厚労省新定義、自治体集計に課題」
4月1日	・厚労省保育課長通知「保育士等キャリアアップ研修ガイドライン」発出、キャリアアップ研修開始。
4月1日	・朝日新聞「認可外保育施設4割が基準違反」
4月3日	・内閣府・文科省・厚労省局長連名通知「地域子ども・子育て支援事業交付金実施要綱」改正（「保育情報」2017年8月、9月号）
4月5日	・読売新聞「保育所落選5万3,000人本社調査」
4月9日	・毎日新聞「待機児童解消道険し―厚労省実態把握へ定義見直し、保育サービス充実は不透明」
4月21日	・読売新聞「森友保育園に改善勧告へ―大阪市保育士の数不足で」
4月27日	・内閣府・文科省・厚労省局長連名通知「施設型給付費等に係る処遇改善加算について」改正を発出、処遇改善等加算Ⅱを新たに位置づけ、処遇改善等加算Ⅰ及びⅡに係る取扱いを明記。
5月1日	・東京新聞社説「子どもの自殺― SOSに気づきたい」
5月6日	・毎日新聞「待機児童の新定義は？復職意向あれば認定―来年度から完全実施」
5月9日	・中核市市長会「国の施策及び予算に関する提言」福祉関連分野保育関係（「保育情報」2017年8月号） ・東京新聞「赤ちゃんポスト10年―託された命125人」
5月10日	・内閣府・厚労省課長連名通知「平成29年度における私立保育所の運営に要する費用について」発出（2018年3月1日一部改正通知）
5月12日	・内閣府子ども・子育て本部「『平成28年教育・保育施設等における事故報告集計』の公表及び事故防止について」、平成28年から事故報告の規定を統一 ・埼玉新聞「待機児童対策など論議、市町村長会議」

2017年5月13日	・朝日新聞「保育施設事故死13人、昨年報告数1.5倍の587件」
5月15日	・東京新聞「保育士サービス残業常態化―予算や制度、幼稚園手本に」
5月29日	・内閣府「処遇改善等加算Ⅱに関するよくある質問への回答」発出
5月31日	・読売新聞「保育士処遇不十分8割、144自治体―本社調査、国の改善策実施でも」、毎日新聞「論点　問われる保育の質」
6月1日	・教育再生実行会議は第十次提言「自己肯定感を高め、自らの手で未来を切り拓く子供を育む教育の実現に向けた、学校、家庭、地域の教育力向上」を公表、幼児教育の段階的無償化と質の向上、幼児教育の充実等。 ・毎日新聞「待機児童ゼロ3年先送り―危うい財源・保育士確保」
6月2日	・政府は「子育て安心プラン」公表、2020（平32）年度末までの3年間で待機児童ゼロ、幼稚園の2歳児の受け入れや預かり保育の推進、「処遇改善を踏まえたキャリアアップの仕組みの構築（2017年度予算）」等を指摘（保育情報2017年7月号）。 ・読売新聞社説「待機児童ゼロ―先送りの繰り返しは許されない」
6月3日	・朝日新聞「待機児童新定義3割見送り、全面適用は来年度から」、毎日新聞社説「初の出生数100万人割れ、子育てできる政策転換を」
6月5日	・東京新聞社説「待機児童―甘い予測で解消できぬ」
6月8日	・読売新聞「足りぬ保育士争奪戦―東京に対抗待遇改善、受入増計画難航、潜在保育士80万人」
6月9日	・閣議決定「経済財政運営と改革の基本方針2017」において、「幼児教育・保育の早期無償化や待機児童解消に向け…安定的な財源確保の進め方を検討し、年内に結論を得」て進めるとした。
6月9日	・朝日新聞「保育士不足25%の施設、うち2割で児童受入制限―1,615保育施設回答」
6月11日	・朝日新聞社説「子育て支援―待機児童解消が先だ」
6月15日	・毎日新聞「子供の貧困日本下位、『不平等削減』41カ国中32位」
6月21日	・毎日新聞「保育園落ちた日本死ね―今も共感7割」
6月26日	・東京新聞「学童保育指導員遅れる処遇改善―雇い止め頻発」
6月28日	・内閣府・文科省・厚労省課長連名通知「『子育て安心プラン』に基づく幼稚園における2歳児等の受け入れ推進について（既存制度・事業の運用の柔軟化）」発出（「保育情報」2018年8月号） ・毎日新聞「森友系列保育園に停止命令―大阪市6ヶ月保育士不足」
6月29日	・内閣府事務連絡「市町村子ども・子育て支援事業計画等に関する中間年の見直しのための考え方（作業の手引きの送付）」改訂版を発出（保育情報2017年10月号）
7月1日	・毎日新聞社説「日本の子どもの貧困率―深刻な状況は変わらない」
7月11日	・厚労省組織再編を行い子ども家庭局新設、保育課で待機児童対策、学童保育等を担当（保育情報2017年8月号）
7月13日	・読売新聞「政府新プラン―待機児童解消、幼稚園に活路」
7月16日	・読売新聞「児童虐待死5割検証せず、自治体情報不足で―本紙調査」
7月17日	・東京新聞「子育て支援なのになぜペナルティー、子どもの医療費窓口払い軽減→国は補助金削減」
7月23日	・朝日新聞「認可外保育も事故報告義務、再発防止へ今秋にも」
7月31日	・東京新聞「低所得層の子、栄養格差給食頼み、タンパク質や鉄分不足」

8月1日	・東京新聞「保育士足りない 25%—全国調査、入所、受け入れ制限も」
8月4日	・厚労省保育課、障害児・発達支援室連名事務連絡「保育所等における障害のある子どもに対する支援策について」発出
8月5日	・朝日新聞埼玉版「全国から保育の課題論議、きょうから研究集会」
8月15日	・松山少子化担当相は「企業主導型保育事業について、その定員を当初計画の5万人より2万人増やす」と発表（保育情報 2017年9月号）
8月17日	・内閣府・文科省・厚労省課長連名事務連絡「平成29年度私立幼稚園の子ども・子育て支援新制度への円滑な移行に係るフォローアップ調査の結果及び調査結果を踏まえた運用上の留意事項について」発出（保育情報 2017年10月号） ・朝日新聞「児童虐待最多 12.2万件— 26年連続、16年度の児相対応」
8月24日	・毎日新聞社説「増え続ける児童虐待、市町村の役割大きく」
8月28日	・朝日新聞「戦争孤児の声伝えたい」
9月1日	・厚労省保育課「保育所等関連状況取りまとめ（2017.4.1）」公表、待機児童数2万6,081人で前年比 2,528人の増加、3年連続の増加（保育情報 2017年10月号）☆厚労省保育課「〔概要〕待機児童及び待機児童解消加速化プランの状況について」公表（保育情報 2017年11月号）
9月2日	・東京新聞「待機児童増潜在的6万 9,000人」、毎日新聞「学童保育の待機 1.6万人—過去最多」
9月5日	・東京新聞社説「待機児童—解消は財源の確保から」
9月7日	・厚労省保育課長通知「保育士の労働環境確保に係る取扱いについて」発出、指導監査の際、保育士等職員に対して労働契約や労働時間に応じて適切な賃金が支払われているか、巡回支援指導員の配置等について適切な指導監査の実施を指示。
9月8日	・内閣府子ども・子育て本部「認定こども園に関する状況について（2017年4月1日現在）」
9月9日	・朝日新聞「認定こども園 5,081施設に増加、認可保育所の移行多く、待機児童の減少には効果限定的か」
9月11日	・内閣府・文科省・厚労省課長連名事務連絡「教育・保育施設等における重大事故の再発防止のための事後的な検証の徹底について」発出（保育情報 2017年11月号）
9月14日	・毎日新聞埼玉版「保育士確保へあの手この手、自治体間で争奪戦の様相」
9月16日	・毎日新聞社説「感染広がる O157 —食中毒対策の基本徹底」
9月18日	・東京新聞「待機児童対策2歳児一時預り新設、来年度から幼稚園受入へ」
9月22日	・毎日新聞「虐待通告3万人超—警察庁まとめ」
9月30日	・毎日新聞「幼児教育無償化に 1.2兆円、政府試算」
10月2日	・内閣府「処遇改善等加算Ⅱに関するよくある質問への回答」一部改訂発出
10月4日	・朝日新聞「保育士の子最優先保育所入所—厚労省来年度から」
10月5日	・・読売新聞「待機児童、認可保育所の設置優先」
10月12日	・内閣府・文科省幼児教育課「平成30年度における私立幼稚園の子ども・子育て支援新制度への移行状況について」公表 ・朝日新聞「待機児童足りぬ保育士、平均月給 22万円相次ぐ離職」
10月13日	・毎日新聞「無償化で待機児童増」
10月14日	・東京新聞「園庭なし認可保育所増、都心 2〜3割環境悪化—市民団体 100市区調査今年4月」

2017年10月15日	・読売新聞「保育園まず建てて—母親ら無償化もいいが…」
10月19日	・東京新聞「大規模マンションは保育所備えて—待機児童対策で厚労省等要請」
10月21日	・東京新聞「保育所希望でも諦め4割、利用待ち推計35万人」
10月26日	・毎日新聞「森友・加計学園問題終わっていない—新聞27社が社説でクギ刺す」
10月27日	・内閣府・文科省・厚労省局長連名通知「特定教育・保育等に要する費用の額の算定に関する基準等の実施上の留意事項について」発出（2018年4月16日改正）。
11月2日	・毎日新聞社説「教育無償化の論議始まる—場当たりでは無理を生む」
11月3日	・東京新聞「3〜5歳幼児教育無償化—教育格差助長を懸念」、全国保育団体連絡会等は「子どもたちによりよい保育を！ 11・3大集会」開催3,300人参加。
11月10日	・児福法施行規則一部改正により認可外保育施設等の事故報告義務が課せられ、内閣府・文科省・厚労省課長連名通知「特定教育・保育施設等における事故の報告等について」発出
11月12日	・朝日新聞社説「子育て支援—『すべて無償化』の前に」
11月14日	・内閣府「平成29年度幼稚園・保育所・認定こども園等の経営実態調査集計結果について」公表
11月19日	・読売新聞「こども園移行に地域差—全国で5,000か所に増加」
11月25日	・朝日新聞「教育無償化線引き混迷—設計・検証不十分、一部結論先送り」
11月28日	・読売新聞「幼保無償化で有識者会議、首相が設置方針、対象来夏まで」
11月29日	・規制改革推進会議は「規制改革に関する第2次答申」を公表、都道府県主導による協議会の設置、自治体の上乗せ基準や自治体の独自基準の見直しなどを提案。（保育情報2018年1月号）
12月2日	・毎日新聞「横浜市待機児童1,877人に—13年はゼロ、新定義で大幅増」
12月4日	・東京新聞「政府方針の幼児教育無償化、待機児童解消を優先68%—共同通信調査」
12月6日	・朝日新聞「保育基準国並み促進—手厚い自治体対象、質低下の懸念も」、東京新聞「無償化より待機児童対策を—政府に意見書提出、保育園を考える親の会」
12月8日	・閣議決定「新しい経済政策パッケージ」、3歳から5歳までの全ての子供たちの幼稚園、保育所、認定こども園等の「幼児教育の無償化を一気に加速する」、「2020年4月から全面的に実施する」。「子育て安心プラン」は「2018年度から早急に実施」、「放課後子ども総合プラン」は「来年度末までに前倒しする」等。（「保育情報」2018年1月号）
12月9日	・毎日新聞社説「子育て2兆円パッケージ—肝心なところが後回し」
12月10日	・朝日新聞社説「幼保無償化、待機児の解消を優先せよ」
12月14日	・朝日新聞「検証2兆円パッケージ—待機児童対策後回し？幼児教育無償化に手厚く8,000億円」
12月17日	・東京新聞「進まぬ幼保一元化—所管官庁違い障壁か」
12月18日	・内閣府・文科省・厚労省課長連名事務連絡「『教育・保育施設等における重大事故防止を考える有識者会議』からの注意喚起について」発出
12月21日	・厚労省保育課通知「『子育て安心プラン』の実施方針について」発出
12月22日	・東京新聞「視点—待機児童問題、無償化より不安解消を」。朝日新聞「『園児うるさい』と提訴、原告男性の敗訴が確定」

12 月 24 日	・朝日新聞「放課後デイサービス急増、5 年で 4 倍に―甘かった基準、厚労省が改定」
12 月 28 日	・内閣府・厚労省課長連名事務連絡「多様な働き方に応じた保育所等の利用調整等に係る取扱いについて」
註）☆「2017 年保育白書」第 1 章 2 節「B 保育所・幼稚園・認定こども園と新制度」、「C 保育所・幼稚園・認定こども園の基準」「D 保育を支える財政」、3 節「E 保育にかける費用＝公定価格」執筆 ☆拙稿「なぜ給与・賞与が低いのか」、拙稿「保育士として責任の持てる仕事を安心して続けるために」（「2017 年保育白書」第 2 章所収） ☆拙稿「2017 年度の公定価格をどう見るか」（保育研究所編「保育情報」2017 年 8 月号） ☆拙稿「保育問題日誌・保育ジャーナル第 519 回（2017 年 1 月分）～530 回（2017 年 12 月分）」（月刊誌ちいさいなかま 2017 年 5 月号～2018 年 4 月号）及び拙稿「2017 年保育問題日誌」（「2018 年保育白書」所収）	
2018（平成 30）年	・第 2 次安倍内閣（2012.12.26～2020.9.16）
1 月 6 日	・毎日新聞「ゲーム依存は病気― WHO 新たに定義」
1 月 8 日	・読売新聞「保育施設立ち入り 65%、自治体安全点検不十分、足らぬ人手不足―本紙調査」
1 月 12 日	・読売新聞「教育無償化一律慎重に、待機児童解消こそ先決」
1 月 17 日	・朝日新聞「認可保育園移行促進へ補助増額―厚労省新年度から」
1 月 21 日	・東京新聞「23 日から保育無償化の有識者会議、待機児童後回し懸念―子育て会議の委員ら」
1 月 22 日	・内閣府は「少子化克服戦略会議」開催（2018 年 6 月 4 日提言公表）
1 月 23 日	・閣議決定「新しい経済政策パッケージ」に基づき内閣官房の下に「幼稚園、保育所、認定こども園以外の無償化措置の対象範囲等に関する検討会」設置開催。5 月 31 日報告書公表。
1 月 25 日	・総務省自治財政局財政課事務連絡「平成 30 年度の地方財政の見通し・予算編成上の留意事項等について」発出、保育所における障害児保育に要する経費について、実態を踏まえて 400 億円程度増額して 800 億程度に増額（「保育情報」2018 年 5 月号）
1 月 28 日	・読売新聞「保育士昇給研修進まず、現場人手割けない―具体性欠く」
2 月 3 日	・東京新聞「保活大変―第 7 希望まで落選、ポイント加算でも倍率 29 倍、国会議員へ体験談配布」
2 月 7 日	・毎日新聞「放課後デイ事故急増、障害児 16 年度全国で 965 件、利益優先質置き去り懸念も―本紙調査」
2 月 14 日	・東京新聞「空の安全どこに助けを、相次ぐ部品落下―沖縄の保育園保護者訴え」
2 月 20 日	・保育研究所「私立保育所がある市区町村の 57%で処遇改善単独補助― 16 都道府県下市町村調査結果」（「保育情報」2018 年 2 月号）
2 月 22 日	・東京新聞「母子手帳 40 ヶ国・地域に―日本初声明の国際貢献」
2 月 23 日	・東京新聞「保育の質担保を―保護者グループ与野党に要望書
2 月 25 日	・埼玉新聞「認可保育所 3.5 万人落選、66 自治体 9 割で枠不足―待機児童ゼロ遠く」
2 月 28 日	・毎日新聞「記者の目欄―幼児教育無償化を改めて問う、保育の質後回しにするな」
3 月 7 日	・内閣府・文科省・厚労省課長連名事務連絡「処遇改善等加算Ⅱの運用の見直しについて」発出、処遇改善等加算Ⅱの 2018 年度以降の取扱いについて運用の見直し（配分方法の見直し、研修要件必須化は 2022 年度から等）（「保育情報」2018 年 4 月号）
3 月 9 日	・朝日新聞「企業保育所 300 カ所に指導―保育士の人数足りず、公益法人立ち入り」
3 月 17 日	・読売新聞「認可外でも助成厚く、企業主導型保育所広がる」
3 月 18 日	・東京新聞「認可保育施設 29%入れず― 1 都 3 県 35 市区、都心なお厳しく」

2018年3月28日	・毎日新聞「認可保育所3.5万人落選、66自治体共同通信調査」
3月29日	・東京新聞「認可外保育所指導強化を―乳児死亡事故で都が提言」
3月30日	・厚労省課長通知「保育所保育指針の適用に際しての留意事項について」発出
3月30日	・経済産業省「保育現場のICT化・自治体手続等標準化検討会」は報告書を公表。
3月31日	・毎日新聞「改正子育て支援法成立、待機児童解消『越境入園』促進」
4月1日	・子ども・子育て支援法一部改正施行、①拠出金率0.25%から0.45%に引上②事業主拠出金の充当対象を拡大し保育所運営費の0～2歳児相当分に当てる。平成30年度は保育所運営費（0～2歳児相当分）のうち5.75%、③都道府県での待機児童対策協議会を創設、同年10月末時点10都道府県で設置（秋田、宮城、福島、埼玉、千葉県、東京都、神奈川、滋賀県、大阪府、岡山県）、④認可化移行運営費支援事業、認定こども園への移行する私立幼稚園の長時間の預かり保育運営費補助等を保育充実事業と位置づける等（「保育情報」2018年3月号、6月号）
4月2日	・内閣府子育て本部統括官通知「子ども・子育て支援法の一部を改正すめ法律の公布について」通知、一部改正の法律関係、政令関係、内閣府令関係について改正の趣旨と概要を指摘。（「保育情報」2018年6月号） ・朝日新聞「保育園落選4人に1人―57市区調査6万人超す」・読売新聞「保育所には入れない」連載
4月4日	・毎日新聞「子ども食堂2,286ヵ所に急増―運営団体調査」
4月9日	・内閣府・文科省・厚労省課長連名通知「子ども・子育て支援法に基づく保育充実事業及び協議会の実施について」発出。→4月16日「質疑応答集（Q & A）について」発出。（「保育情報」2018年6月号）
4月15日	・埼玉新聞「赤ちゃんポスト国際会議が開幕、熊本できょうまで」
4月16日	・内閣府・文科省・厚労省局長連名通知「特定教育・保育等に要する費用の額の算定に関する基準等の実施上の留意事項について」一部改正発出。
4月16日	・厚労省局長連名通知「特定教育・内閣府・文科省・保育等に要する費用の額の算定に関する基準等の実施上の留意事項について」発出（2019年4月25日改正）
4月21日	・東京新聞「子どもの事故注意！磁石誤飲124件過去7年間」
4月24日	・消費者庁・消費者安全調査委員会は「幼稚園、保育所等のプールや水遊び実態調査」公表、2014年～16年園児溺れ全治1日以上事故22園で37件、ヒヤリハット事例は173園で522件、発生率6.4%。
5月8日	・毎日新聞「これで人が育つ？生活保護3年で1,600億円カット、安倍政権で続く減額」
5月9日	・朝日新聞「保育士の給料なぜ低い―私立認可園への委託費仕組みに課題」
5月10日	・読売新聞「保育園で紙おむつ処分―持ち帰りは不衛生の声に次々」
5月16日	・朝日新聞「企業主導保育所目標に届かず」
5月18日	・厚労省は「保育所等における保育の質の確保・向上に関する検討会」開催（2020年6月26日議論の取りまとめ公表）
5月21日	・東京新聞「子ども虐待死で連携は？児相と警察」
5月23日	・朝日新聞埼玉版「保育士給与補助、知事おおじぬ意向―『増加につながらぬ』」
5月28日	・内閣府は「『平成29年教育・保育施設等における事故報告集計』の公加につながらぬ』」
5月29日	・毎日新聞「保育施設死亡7割が睡眠中―15～17年内閣府分析、通い始め多く」

5月30日	・内閣府「技能・経験に応じた追加的な処遇改善（処遇改善等加算Ⅱ）に関するご質問への回答」一部改定発出
5月31日	・内閣官房「幼稚園、保育所、認定こども園以外の無償化措置の対象範囲等に関する検討会」は報告書を公表、無償化対象に認可外施設も含め、実施期間を閣議決定の2020年度全面実施を2019年9月実施に早める方針を示す。 ・東京新聞「幼保無償化全容固まる」。毎日新聞社説「幼児教育・保育の無償化—質量とも受け皿の拡充を」
6月4日	・文科省は「幼児教育の実践の質向上に関する検討会」開催（2020年5月26日中間報告とりまとめ） ・少子化克服戦略会議は提言「少子化—静かなる有事—へのさらなる挑戦」公表 ・東京新聞社説「保育の無償化—新たな格差生まないか」、7日朝日新聞社説「子育て支援—無償化ありきではなく」、8日読売新聞社説「保育無償化—待機児童解消を遅らせるな」
6月8日	・内閣府・文科省・厚労省課長連名通知「教育・保育施設等においてプール活動・水遊びを行う場合の事故の防止について」発出、プール活動・水遊びに関するチェックリスト等明示。
6月13日	・首相官邸・人生100年時代構想会議は「人づくり革命基本構想」とりまとめる。幼児教育の無償化、高等教育の無償化、大学改革、リカレント教育、高齢者雇用の促進など提案。
6月14日	・国家戦略特別区域諮問会議（第35回）において、厚労省は「地方裁量型認可化以降施設」の創設の制度案を提案、保育士配置国基準の6割以上で認可保育所運営基準にならい運営費補助を受けられ、認可園からの移行も可能、計画期間は5年間、自治体の判断で延長可能等。（保育情報2018年7月号） ・東京新聞「幼保無償化で負担軽減額試算、高所得世帯の恩恵低所得の5倍に—少子化対策の効果薄く」
6月15日	・「経済財政運営と改革の基本方針2018～少子高齢化の克服による持続的な成長経路の実現～」閣議決定、幼児教育の無償化の対象、実施期間等5月31日検討会報告書を踏まえた内容。
6月15日	・毎日新聞「保育無償安全に懸念—認可外基準未満も対象」
6月20日	・毎日新聞社説「小中学校のブロック塀対策—通学路の安全を最優先に」
6月22日	・毎日新聞「待機児童3割減、ゼロ目標には遠く—本紙調査、無償化で需要見通せず」
6月28日	・毎日新聞「倒壊の恐れ全国700超、ブロック塀公立学校調査」
6月29日	・内閣府・厚労省課長連名通知「平成30年度における私立保育所の運営に要する費用について」発出 ・朝日新聞「子の誤飲対策取る父は6割以下—消費者庁調査」
7月2日	・朝日新聞「保育士不足204園定員減、人手近隣と奪い合い、本紙87自治体調査」
7月8日	・朝日新聞「西日本豪雨51人死亡56人不明、土砂崩れや氾濫多発、23府県863万人避難指示」、16日読売新聞「学校再開8割未定」、16日福祉新聞「11府県214施設に被害」。
7月11日	・全国市長会は「子どもたちのための無償化実現に向けた緊急決議」を採択、財政措置への要望、実施時期は2020年度当初に、
7月16日	・毎日新聞「保育利用断念35万人—野村総研就労状況など推計」
7月20日	・東京新聞「認可外保育1万9千人減—17年3月末、4割で監督基準未満」
7月21日	・朝日新聞「園でのプール事故どう防ぐ、ながら監視危険」・東京新聞「働く母親初の7割超—国民生活調査」
7月26日	・読売新聞「家族と一緒でもスマホ、日本の小中生最多6割—日米中韓調査」
7月27日	・東京新聞「公立小中給食費、教委の4%無償化—文科省調査」

2018年7月30日	・内閣府・子ども・子育て会議（第36回）は「子ども・子育て支援新制度施行後5年の見直しに係る検討」開始。
7月31日	・毎日新聞「『睡眠時には定期確認』内閣府保育事故防止へ報告書」
7月	・内閣府子ども・子育て本部「平成29年度処遇改善等加算Ⅱの実施状況について（速報値）」公表、保育所は8割、幼稚園（新制度）は5割など（「月刊保育情報」2018年9月号）。
8月1日	・毎日新聞「幼児教育・保育無償化決定—安全性や質が課題」
8月3日	・読売新聞「教員不足11道府県で500人、公立小中授業行えぬ例も」
8月8日	・朝日新聞「熱中症予防夏休み延長検討を—文科省通知」
8月15日	・「保育無償化『賛成』自治体の半数未満—共同通信調査」
8月16日	・中核市長会は「幼稚園、保育所、認定こども園以外の無償化措置等に関する緊急提言」公表（保育情報2018年11月号）
8月18日	・朝日新聞「戦争孤児秘めた地獄—戦後12万人超偏見恐れ沈黙」
8月20日	・東京新聞社説「教室にエアコン、子どもを猛暑から守れ」、毎日新聞社説「貧困が生む健康格差—深刻さが知られていない」
8月28日	・東京新聞「熱中症搬送5,800人死者2人、20〜26日」
9月1日	・朝日新聞「中高生ネット依存7人に1人、5年前より40万人増進む低年齢化、17年度93万人—厚労省研究班推計」
9月7日	・厚労省「保育所等関連状況とりまとめ（平成30年4月1日）及び『待機児童解消加速化プラン』と『子育て安心プラン』」集計結果公表— 2017年度（平成29年度）末までの5年間で約53.5万人分の保育の受け皿を拡大し、政府目標の50万人分を達成。「子育て安心プラン」に基づく現時点の市町村等の見込みでは、2020年度末までに約29.3万人分の受け皿拡大と報告
9月8日	・朝日新聞「待機児童減2万人下回る—『隠れ』は7.1万人」
9月13日	・東京新聞「安全確認置き去り、保育所実地検査半数満たず、首都圏37市区、本紙調査」
9月14日	・内閣府子ども・子育て本部「認定こども園に関する状況について（2018年4月1日現在）」公表、認定こども園総数昨年同時期より1,079カ所増の6,160カ所 ・読売新聞社説「待機児童減少—ゼロの目標達成を着実に」
9月18日	・朝日新聞社説「子の無戸籍—制度を見直して解消を」
9月21日	・東京新聞「熱中症で搬送最多3万人超8月、全国で死亡20人、重症485人」。朝日新聞「学校の猛暑対策要望、全国市長会財政措置を」
9月23日	・毎日新聞「企業保育所定員半数空き—共同通信調査、助成金厚く乱立、自治体指導及ばず」
9月26日	・厚労省・保育所等における保育の質の確保・向上に関する検討会（第6回）は「中間的な論点の整理（案）」を公表 ・児童育成協会はHPで「2017年度企業主導型保育事業の立入調査の結果」公表、76%で「職員配置」、「保育内容」等に不備（保育情報2019年1月号）→ 28日東京新聞「企業型保育所76%に不備—児童育成協調査、計画が不適切」
9月27日	・内閣府は「子ども・子育て支援制度FAQ（よくある質問）Ver12」公表厚労省は「平成27年地域児童福祉事業等調査結果の概況」公表、
9月28日	・保育所等の利用状況、認可外保育施設の状況等。
10月4日	・朝日新聞「学童保育の待機1万6,957人利用児童も最多更新121万人—民間団体発表」
10月6日	・朝日新聞「公立の教室にはエアコン、危険なブロック塀改修—政府補正予算案に1,000億円超」

10月7日	・東京新聞「待機児童2万人割れというが、『潜在』6万人超、特定園希望で除外4万人」
10月9日	・財務省財政制度等審議会財政制度分科会で公定価格の基本額、算定方式を「包括方式」への移行、無償化の対象から食材料費等除外など「公定価格の適正化・見直し」を提案（保育情報2018年11月号）。
10月10日	・朝日新聞「保育所給食費、幼保無償化の対象？—内閣府で賛否、年内方針」
10月14日	・埼玉新聞「企業型保育所閉鎖や撤退、ずさん経営、不正で逮捕も—子どもや保護者しわ寄せ」
10月19日	・東京新聞「子育て2.4万円足りない、保育園・幼稚園時代負担最多61％」
10月28日	・東京新聞「私立幼稚園4割で値上げ、消費増税時の保育無償化見越し—全国100園調査、便乗の可能性」
10月30日	・朝日新聞「給食無償化、議論中『隠れた保育料』様々」
11月3日	・朝日新聞「企業主導型保育所トラブル続発、世田谷保育士が一斉退職休園」
11月4日	・朝日新聞「用水路の危険、年100人以上死亡」
11月10日	・埼玉新聞「幼保無償化半年間は全額国費、政府事務費も補助」。毎日新聞「うつぶせ寝1割末対策—総務省保育施設調査、厚労省に改善勧告」
11月15日	・全国市長会「『子供たちのための幼児教育・保育の無償化』を求める緊急アピール」を決議「これまでの経過をふまえ、…国の責任において全額を国費で負担すること」「認可外の保育施設等の無償化について、…『5年間の経過措置』をもうけることについては、再検討すること」等→同日朝日新聞「幼保無償化負担に市長会激しく反発、認可外施設も対象危機感」
11月18日	・朝日新聞社説「幼保無償化—現場の声聞き考え直せ」
11月19日	・全国保育団体連絡会等「給食費実費徴収化、自治体に負担を強いる無償化ではなく私たちの願う無償化を求める緊急院内集会」開催 ・保阪典人世田谷区長は「企業主導型保育事業に関する要望」を記者会見で表明、企業主導型保育の制度の見直し等を要望。→20日毎日「保育園休園対応、世田谷区が内閣府に要望」、
11月21日	・朝日新聞「企業主導型保育の質や継続性検証へ有識者会議を設置」
11月22日	・毎日新聞「無償化財源で対立、国と地方、協議平行線」
11月23日	・毎日新聞「3〜5歳児給食費は対象外—内閣府幼保無償化で表明。
11月30日	・子ども・子育て会議（第40回）幼児教育無償化に伴う食材料費の実費徴収の提案がされたが、全国保育協議会の代表は反対意見を表明、座長が取扱いを事務局に一任。 ・東京新聞「幼保無償化首都圏主要市区・政令市、自治体の8割反対や異議」
12月1日	・全国保育団体連絡会常任幹事会は「幼児教育・保育の『無償化』に対する要望」を公表、給食食材料費の実費徴収化反対、0〜2歳児も無償化の対象に等要望（保育情報2019年1月号））
12月4日	・東京新聞「全国保育団体連絡会『給食費も無償化に』内閣府に署名9,000筆提出」
12月3日	・「教育の無償化に関する国と地方の協議」を11月21に続き開催。幼児教育の経費についてはすべて国1/2、都道府県1/4、市町村1/4、2年目の事務費全額国庫負担、内閣府・文科省・厚労省と地方自治体による「幼児教育の無償化に関する協議の場」設置等を決める。
12月9日	・東京新聞「保育の現場で進む規制緩和—企業主導型の推進、学童職員の配置基準変更『子ども目線』置き去り？」

2018年12月11日	・毎日新聞「保育無償化負担市長会受け入れ、国譲歩1,000億円軽減」 ・全国学童保育連絡協議会は「学童保育の『従うべき基準』の参酌化に対する声明」を公表、「従うべき基準」の堅持を要望。
12月14日	・東京新聞「学童保育の質守れるか―指導員の基準緩和に不安の声」
12月17日	・内閣府は「企業主導型保育事業の円滑な実施に向けた検討委員会」開催
12月18日	・東京新聞「企業主導型保育検証で少子化対策相『質の確保意識十分でなかった』」
12月24日	・東京新聞「幼保無償化6割超『反対』保育士等『利用増え質低下』、民間アンケート」
12月25日	・第1回幼児教育の無償化に関する協議の場・幹事会開催 ・毎日新聞「幼児教育・保育の無償化、高所得者に恩恵」
12月26日	・東京新聞「学童保育職員1人でも、地方分権改革方針閣議決定」
12月28日	・関係閣僚会議は「幼児教育・高等教育無償化の制度の具体化に向けた方針」を決定。19年2月無償化にかかわる子育て支援法改正案を国会に提出、5月10日法案成立。
12月	・「学童保育の職員配置基準堅持・質の確保等求める動き―地方議員が意見書採決、日弁連が意見書提出」（「月刊保育情報」2019年1月号、2月号）
註）☆「2018年保育白書」第1章2節「B 保育所・幼稚園・認定こども園と新制度」、「C 保育所・幼稚園・認定こども園の基準」「D 保育を支える財政」、3節「E 保育にかける費用＝公定価格」執筆 ☆拙稿「保育問題日誌・保育ジャーナル第531回（2018年1月分）～542回（2018年12月分）」（月刊誌ちいさいなかま2018年5月号～2019年4月号）及び拙稿「2018年保育問題日誌」（「2019年保育白書」所収）	
2019（平31、令和1）年	第2次安倍内閣（2012.12.26～2020.9.16）
1月7日	・毎日新聞「外国籍の子就学不明1.6万人、100自治体義務教育対象外」
1月8日	・読売新聞「保育改善指導公表1割―121自治体本紙調査、施設名と内容、立入り検査3割未実施」
1月13日	・朝日新聞「自分の孤独死『心配』50%、『子ども産み育てにくい』72%―本社世論調査」
1月21日	・内閣府は企業主導型保育事業の有識者会議で1,420施設の調査結果公表、平均充足率6割等。
1月22日	・東京新聞「企業型保育所定員40%空き、待機児童対策需要とミスマッチ―内閣府1,420施設調査」
1月25日	・毎日新聞「『企業主導型』見直し急務」
1月29日	・東京新聞「給食費平均5,400円、保育無償化後も実費」
2月1日	・朝日新聞「インフル患者過去最多、全国で警戒レベル」
2月4日	・福祉新聞「土曜保育利用者平日の3割」
2月7日	・毎日新聞「児童虐待通告8万人超昨年過去最多、『心理的』7割―警察庁まとめ」 ・厚労省保育課事務連絡「育児休業・給付の適正な運用・支給及び公平な利用調整の実現等に向けた運用上の工夫等について」発出。育児休業・給付は原則1歳に達するまでだが、保育所等に入所できない場合最長2歳に達するまで延長可能。だが市町村の事務手続きに混乱があり、その是正に向けての対応について。
2月8日	・東京新聞「国連、虐待で対日勧告―子ども権利委」
2月12日	・幼児教育・保育の無償化に関わる子ども・子育て支援法の一部改正案は閣議決定され、国会に上程。

2月13日	・内閣府は「子ども・子育て支援新制度FAQ（よくある質問）—自治体向けFAQ【第17版】」発出
2月14日	・幼児教育の無償化に関する協議の場・幹事会第2回開催（第3回は2019年8月2日）
2月15日	・毎日新聞「保育士8人園児虐待—福岡市13件改善勧告」
2月18日	・内閣府は「子ども・子育て支援新制度説明会」開催、幼児教育・保育の無償化に関する子ども・子育て支援法の一部改正法案等説明、資料「幼児教育の無償化に関するFAQ（2019月18日版）」を提出。（「月刊保育情報」2019年5月号）
2月23日	・毎日新聞「職員配置基準を緩和、学童保育問われる安全」
2月28日	・読売新聞社説「企業型保育所—安心して預けられる仕組みに」
3月1日	・厚労省は「平成30年度全国児童福祉主幹課長会議」開催、幼児教育・保育の無償化について、子ども・子育て支援法の一部改正法案など説明
3月6日	・東京新聞「保育の質向上優先を—弁護士ら無償化問題を考える集会」
3月7日	・東京新聞「学童保育質向上を—保護者団体自民に署名提出」
3月11日	・朝日新聞「東日本大震災8年—避難なお5万人超、廃炉難題」
3月15日	・内閣府・文科省・厚労省課長連名事務連絡「幼児教育・保育の無償化に関する子ども・子育て支援新制度都道府県等説明会資料の周知及びいわゆる幼児教育類似施設への対応について」
3月18日	・内閣府・「企業主導型保育事業の円滑な実施に向けた検討委員会」は報告を公表。 ・朝日新聞「保育園落選今春も4人に1人—本社72自治体6.5万人超」
3月24日	・朝日新聞社説「幼保無償化—政策の優先度見極めを」
3月29日	・厚労省子ども家庭局長通知「国家戦略特別地域における地方裁量型認可化移行施設の設置について」発出（「月刊保育情報」2019年6月号） ・朝日新聞「幼保無償化消えぬ懸念—野党追及公費使途や保育の質
4月4日	・東京新聞「幼保無償化衆院委で可決—質より量、子どもの安全積み残し、野放図な対象拡大に批判」
4月5日	・厚労省子ども家庭局長通知「児童福祉法施行規則の一部を改正する省令の公布について」発出、全ての事業所内保育施設を届出の対処とするなど。
4月10日	・朝日新聞「『幼保無償化』衆院を通過、質の確保なお課題」
4月16日	・毎日新聞「3～4歳児未就園低所得層2倍、高所得層に比べて」
4月23日	・会計検査院は「企業主導型保育施設の整備における利用定員の設定等について」公表
4月24日	・朝日新聞「企業保育所定員割れ次々、213施設調、検査院、国に改善指導」
4月25日	・内閣府・文科省・厚労省局長連名通知「特定教育・保育等に要する費用の額の算定に関する基準等の実施上の留意事項について」一部改正発出。 ・東京新聞「幼児のTVは1時間未満に、WHO座らず運動を」
4月26日	・東京新聞「252企業主導型保育所中止に—国が助成決定の1割」
5月5日	・東京新聞「大図鑑シリーズ—国連採決から30年子どもの権利条約」
5月8日	・大津市交差点で散歩中の園児13人、保育士3人の列に乗用車が突っ込み園児2人死亡、14人重軽傷。

2019年5月9日	・東京新聞社説「保育の無償化―子どもたちが置き去りだ」
5月10日	・幼児教育・保育無償化のための「子ども・子育て支援法の一部を改正する法律案」は参院で可決・成立、2019年9月施行
5月11日	・東京新聞「園庭ない保育園増える首都圏、外遊び必要だけど安全どう確保―大津死亡事故受け散歩コース変更など対策」
5月17日	・読売新聞社説「保育無償化―待機児童解消と質向上を急げ」。
5月30日	・内閣府は幼児教育・保育の無償化に関する都道府県等説明会開催、「幼児教育・保育の無償化に関する自治体向けFAQ【2019年5月30日版】」公表。（「月刊保育情報」2019年7月号）
5月31日	・読売新聞「子どものゲーム依存警戒、WHO病気認定、予防乳幼児期から」
6月7日	・厚労省は平成30年出生数公表、出生数91.8万人で統計開始以来最低、合計特殊出生率も1.42と3年連続減
6月12日	・朝日新聞「企業型4保育施設を助成金返還を求め提訴」
6月13日	・東京新聞「企業型保育所の予算執行率、16年度24%、17年度62%なのに内閣府100%と報告」
6月14日	・内閣府・文科省・厚労省課長連名通知「教育・保育施設等においてプール活動・水遊びを行う場合の事故の防止について」発出
6月21日	・厚労省総務課少子化対策室・保育課連名事務連絡「保育所等における園外活動時の留意事項について」発出、滋賀県大津市の園外散歩中の事故を受けて、安全管理の徹底を通知。（「月刊保育情報」2019年8月号）
6月24日	・内閣府・文科省・厚労省課長連名通知「施設型給付費等に係る研修受講要件について」発出、加算の研修要件は2022年度を目途に必須化を目指す等。
6月25日	・朝日新聞社説「続く少子化―政策のズレ見直しを」 ・毎日新聞「待機児童29%減―なお半数自治体で100人超、保育士不足に壁、本紙自治体調査」
6月26日	・内閣府・厚労省課長連名通知「令和元年度における私立保育所の運営に要する費用について」発出 ・厚労省「平成29年度認可外保育施設の現況取りまとめ」公表、
6月27日	・朝日新聞「認可外保育基準違反4割超2017年度調査」。 ・内閣府・厚労省課長連名通知「幼児教育・保育の無償化に伴う食材料費の取扱いの変更について」発出、無償化に伴う食材料費の実費徴収の取扱いについて。
7月4日	・毎日新聞「企業保育所開設資金詐欺東京地検3容疑者逮捕―審査甘く悪質な事例も」
7月5日	・読売新聞「産後パパも不安感、1割うつ状態―獨協医大など分析」
7月9日	・朝日新聞「待機児童は3割減っても7,894人―75市区調査」
7月10日	・社会保障審議会児童部会子どもの預りサービスの在り方に関する専門委員会は「認可外の居宅訪問型保育事業の資格・研修受講等に関する基準の創設等につて（議論のとりまとめ）」公表（「月刊保育情報」2019年10月号）
7月23日	・東京新聞「企業型保育助成金、詐欺容疑で再逮捕へ、ずさん審査不正の温床」
7月27日	・読売新聞社説「企業型保育所―審査の厳格化で不正許すな」
7月31日	・内閣府「幼児教育・保育の無償化に関する自治体向けFAQ【2019年7月31日版】」公表、5月30日版を修正・追加。（「月刊保育情報」2019年9月号）

8月6日	・内閣府は「『平成30年教育・保育施設における事故報告集計』の公表及び事故防止対策について」公表、死亡事故9件、事故は1,641件で前年比で約1.3倍。
8月7日	・朝日新聞「保育施設事故死9人、けが報告1,212件1.4倍、昨年」
8月12日	・毎日新聞社説「語り始めた戦争孤児―悲惨な体験記録し後生へ」
8月14日	・朝日新聞「企業保育の助成金計12億円返還命令―社長追起訴」
8月16日	・朝日新聞社説「企業型保育所、質の改善へ改善急げ」
8月19日	・毎日新聞社説「企業型保育所の不正―ずさんな審査放置したツケ」
8月31日	・朝日新聞「待機児童過去最少、今年4月『20年末ゼロ』は不透明」
9月4日	・内閣府・厚労省課長連名事務連絡「令和元年10月以降の2号認定子どもの公定価格における副食費の取扱いについて」発出、副食費実費徴収・化で副食費＋物価調整分の5,181円を公定価格から減額等。 ・内閣府「公定価格に関するFAQ（よくある質問）〈追加〉Ver13（令和元年9月4日時点版）」公表。
9月5日	・朝日新聞「幼保無償化巡り内閣府令に誤り―43カ所」
9月6日	・厚労省保育課は「保育所等関連状況とりまとめ（平成31年4月1日）」公表、待機児童数は16,772人で前年比3,123人の減少等。また「『子育て安心プラン』集計結果」公表、2020年度末までの3年間で約29.7万人分の保育受け皿拡大見込み等。
9月7日	・東京新聞「潜在待機児童7.3万人最多、待機は1.6万人―厚労省が発表」
9月13日	・内閣府「幼児教育・保育の無償化に関する自治体向けFAQ〈新規・修正分〉【2019年9月13日版】」公表、【2019年7月31日版】の内容に追加及び一部修正。 ・内閣府・文科省・厚労省局長連名通知「子ども・子育て支援法の一部を改正する法律等の施行に伴う留意事項等について」発出、幼児教育・保育の無償化施行に関する留意事項。
9月18日	・内閣府・厚労省局長連名通知「令和元年10月以降の公定価格の単価案の見直し」発出、保育所関係や全国市長会等の抗議を受けて、公定価格の減額について、副食費物価調整分681円減額を撤回、9月4日付け事務連絡の廃止等（「月刊保育情報」2019年10月号）。
9月24日	・赤ちゃんの急死を考える会は「保育の重大事故防止についての要請書」を内閣府少子化対策担当大臣、厚労大臣などに提出（「月刊保育情報」2020年9月号）。
9月27日	・内閣府子ども・子育て本部「認定こども園に関する状況について」公表、こども園総数は前年同期より1,048園増の7,208園等。 ・内閣府・厚労省連名事務連絡「認可外保育施設における理由のない保育料等の引上げへの対応について」発出
9月28日	・毎日新聞「企業主導型保育審査体制が脆弱―内閣府調査」
9月30日	内閣府・文科省・厚労省局長連名通知「特定教育・保育等に要する費用の額の算定に関する基準等の実施上の留意事項について」一部改正発出。
10月1日	・「子ども・子育て支援法の一部を改正する法律」を施行、幼児教育・保育の無償化を実施。 ・読売新聞「認可外保育所で幼保無償化『便乗値上げ』―厚労省が注意促す」
10月2日	・文科省・内閣府局長連名通知「幼稚園、認定こども園、特別支援学校幼稚園部における預かり保育の質の向上について」発出、預かり保育の実施体制等について。

2019年10月3日	・内閣府・文科省課長連名事務連絡「幼稚園等における質の向上を伴わない理由のない保育料等の引上げへの対応について」発出。
10月7日	・毎日新聞「幼稚園も便乗値上げ？都内600園保育料急上昇」。東京新聞「幼保無償化根強い懸念―待機児童増？保育の質低下」。毎日新聞社説「幼保無償化スタート、人材の確保で質の向上を」
10月9日	・東京新聞「私立の幼保経営悪化、2年前に比べ人件費が高騰―内閣府調査」
10月18日	・内閣府「幼児教育・保育の無償化に関する自治体向けFAQ〈新規・修正分〉【2019年10月18日版】」公表、【2019年9月13日版】の内容に追加及び一部修正。 ・読売新聞「台風19号、園児の預り他施設に要請―厚労省」。朝日新聞「いじめ最多の54万件、18年度不登校も最多」
10月25日	・東京新聞「日本の保育士『社会から低評価』OECD調査、8カ国中最低」
10月26日	・読売新聞「希望の認可保育5万3,975人入れず―都市部、民間調査」
11月5日	・東京新聞「幼保無償化しわ寄せ―園の事務職員『仕事追いつかない』」
11月6日	・内閣府·厚労省課長連名通知「『令和元年度における私立保育所の運営に要する費用について』の一部改正について」発出､2019年10月幼児教育・保育の無償化実施に伴う副食費実費徴収等による改正。
11月8日	・東京新聞「全国33施設便乗値上げ、厚労・文科調査、幼保無償化不備浮き彫り」
11月14日	・全国市長会「子ども・子育てに関する重点提言」公表、国に対して待機児童解消策に十分な財源、公定価格に十分な財政措置、保育士配置基準の適切な見直しなどを要望
11月15日	・東京新聞「保育士大量退職全容見えず、年度替わりに5人以上17園、保育の質低下の恐れ、23区本紙調査」
11月22日	・朝日新聞「人手不足、低賃金が背景に― OECD調査、日本の保育者低い『評価実感』」
11月26日	・全国市長会「令和2年度以降の副食費の公定価格の取扱いについて」公表、令和2年度以降も副食費4,500円からの増額となることのないように要望など。
11月27日	・内閣府・文科省・厚労省局長連名通知「特定子ども・子育て支援施設等の指導監督について」発出、幼稚園、特別支援学校、認可外保育施設等の指導監査や立ち入り調査に関連して「指導指針」及び「監査指針」の作成について通知。 ・厚労省研究班はゲームと生活習慣の実態調査初めて公表、ゲーム1日4時間以上1割等。
11月29日	・毎日新聞社説「子どものゲーム障害―防ぐ手だてを社会全体で」
12月3日	・朝日新聞「保育士足りない、でも認可園の入園希望増加―保育園ギリギリの現場」
12月4日	・朝日新聞「世田谷保育施設突然閉鎖、保育士無給で自主運営」
12月6日	・保育推進連盟は公定価格5年経過の見直し時期を迎え「公定価格見直し議論に関する要望書」を自民党全国保育関係議員連盟に提出。 ・読売新聞「幼保無償化なのに負担増、13自治体給食費減免廃止」
12月10日	・内閣府子ども・子育て会議（第50回）開催、「子ども・子育て支援新制度施行後5年の見直しに係る対応方針について」まとめる。
12月13日	・毎日新聞社説「出生90万人割れへ―少子化対策の総点検必要」
12月18日	・朝日新聞「男女格差縮まらず―日本過去最低の153国中121位」

12月20日	・会計検査院「待機児童解消、子どもの貧困対策等子ども・子育て支援施策に関する会計検査院の結果について」国会に提出・公表。処遇改善等加算Ⅰ及びⅡの執行状況、空き定員状況は設備・運営基準の保育士数は確保されていても、安定的な運営を実施する保育士確保が困難なため、企業主導型保育事業の数々の問題点等指摘。(「月刊保育情報」2020年2月号) ・毎日新聞「児童1,500人、保育士不足で受け入れられず検査院が抽出調査」、
12月21日	・東京新聞「待機児童対策の222施設、保育士不足で定員に空き―会計検査院25都道府県を調査」
12月23日	・第4次少子化社会対策大綱策定のための検討会開催
12月24日	・厚労省は2019年人口動態統計年間推計を公表、過去最少の86万4千人、17年時点の将来推計より2年早い等。
12月27日	・朝日新聞社説「出生数86万人―重層的な少子化対策を」
12月30日	・毎日新聞「保育施設騒音指針策定へ―建築学会、高架下、幹線道沿い増え騒音二の次、保育園整備」
註）☆拙稿「幼児教育・保育『無償化』の問題と改善課題」(月刊「経済」2019年12月号新日本出版社刊) ☆「2019年保育白書」第1章2節「B保育所・幼稚園・認定こども園と新制度」、「C保育所・幼稚園・認定こども園の基準」「D保育を支える財政」、3節「E保育にかける費用＝公定価格」執筆 ☆座談会「『無償化』をどう見るか―その問題点と私たちの課題」参加（「2019年保育白書」所収） ☆拙稿「保育問題日誌・保育ジャーナル第543回（2019年1月分）～554回（2019年12月分）」（月刊誌ちいさいなかま2019年5月号～2020年4月号）及び拙稿「2019年保育問題日誌」（「2020年保育白書」所収）	
2020（令和2）年	・第2次安倍内閣（2012.12.26～2020.9.16）菅内閣（2020.9.16～2021.）
1月8日	・読売新聞「学校の防災見直し、大川小訴訟受け、複数の避難経路―文科省通知」
1月12日	・東京新聞「政府少子化対策8割近く未達成―内閣府調査」
1月17日	・内閣府「幼児教育・保育の無償化に関する自治体向けFAQ〈新規・修正分〉【2020年1月17日版】」公表」、【2019年10月18日版】に内容の追加及び一部修正。
1月18日	・朝日新聞「子どもの全死亡事例検証へ―厚労省　20年度から5カ所でモデル事業」
1月27日	・読売新聞社説「子供の死因究明―事故の再発防止に生かしたい」
1月31日	・朝日新聞「新型肺炎WHO『緊急事態』宣言」 ・内閣府は子ども・子育て会議（第51回）において、令和2年度公定価格の改定等、保育所の土曜閉所減算の拡大、チーム保育推進加算の要件緩和、認定こども園に限定しチーム保育加配加算を2号認定児も対象、処遇改善等加算Ⅱの要件緩和など説明。 ・厚労省保育課等連名事務連絡「保育所等における新型コロナウイルスへの対応について」発出
2月1日	・政府は新型コロナウイルス感染を指定感染症に指定の政令施行
2月3日	・第4回幼児教育の無償化に関する協議の場・幹事会開催、内閣府等は「幼児教育・保育の無償化の施行状況について（令和元年10月1日現在）」を公表（「月刊保育情報」2020年2月号）
2月4日	・毎日新聞「揺さぶり死立証の壁―相次ぐ無罪・不起訴」
2月6日	・厚労省は「保育の現場・職場の魅力向上検討会」開催
2月7日	・毎日新聞「論点―幼保無償化問題を問う」。朝日新聞「人材難の介護・保育業紹介料高騰に悲鳴、自民議連対策作り」

2020年2月16日	・政府は新型コロナウイルス感染状況と医療体制等検討の専門家会議設置開催。
2月18日	・厚労省保育課等連名事務連絡「保育所等において子ども等に新型コロナウイルス感染症が発生した場合の対応について」発出
2月19日	・朝日新聞「親の体罰禁止へ指針、厚労省決定」
2月21日	・内閣府は子ども・子育て支援新制度都道府県等説明会開催、令和2年度当初予算等について説明
2月25日	・厚労省保育課等連名事務連絡「保育所等において子ども等に新型コロナウイルス感染症が発生した場合の対応について（第二報）」発出 ・厚労省保育課事務連絡「新型コロナウイルス感染症の発生に伴う保育所等の人員基準の取扱いについて」
2月26日	・東京新聞「保育所の臨時休も可―厚労省」
2月27日	・安倍首相は突如新型コロナ感染拡大予防のため3月2日から春休みまで小中高等臨時休業を要請。 ・厚労省保育課・子育て支援課連名事務連絡「新型コロナウイルス感染症防止のたるの学校の臨時休業に関連しての保育所等の対応について」発出 ・厚労省保育課等連名事務連絡「新型コロナウイルス感染症により保育所等が臨時休園等した場合の『利用者負担』及び『子育てのための施設等利用給付』等の取扱いについて」発出
2月29日	・毎日新聞「肺炎休校首相独断、文科省反対押し切り」、同紙社説「『全国休校』を通知―説明不足が混乱を広げる」、東京新聞社説「一斉休校要請―混乱収拾は国の責任で」
3月4日	・内閣府・文科省・厚労省連名事務連絡「新型コロナウイルス感染症により保育所等が臨時休園等した場合の『利用者負担』及び『子育てのための施設等利用給付』等の取扱いについて」にかかるFAQについて」発出、その後3月6日、3月12日、4月7日、4月14日、4月28日に一部追加。(「月刊保育情報」6月号) ・東京新聞「国内感染者1,000人新型コロナ、27都道府県に」
3月5日	・厚労省保育課事務連絡「保育所等における新型コロナウイルスへの対応にかかるQ＆Aについて（令和2年3月5日現在)」発出
3月10日	・厚労省保育課等連名事務連絡「新型コロナウイルス感染症に関する緊急対応策―第2弾―について（周知)」発出
3月13日	・毎日新聞「WHOパンディミック表明、新型コロナ感染12万人超え」、朝日新聞「保育所登園自粛『協力を』―厚労大臣」
3月14日	・政府は新型コロナ改正特措法成立・施行、緊急事態宣言可能に。
3月18日	・東京新聞「新型コロナ保育の現場崩壊危機―休校、年度末退職、…人手不足深刻、保育士悲鳴」
3月20日	・朝日新聞「保育園落選4人に1人―本社調査59自治体約6万人」、読売新聞「爆発的感染を警戒―専門家会議、密閉、密集、近距離会話避けて」
3月24日	・文科省は「学校再開指針」を公表、同時に「急増なら再度休校要請の可能性あり」と示唆 ・東京五輪の延期決定
3月27日	・内閣府・文科省・厚労省課連名事務連絡「新型コロナウイルス感染症により保育所等が臨時休園等した場合の『利用者負担』の取扱いについて」発出
3月29日	・読売新聞社説「新型コロナ―医療崩壊を招かぬ対策急げ」

3月31日	・内閣府・厚労省課長連名通知「令和2年度における私立保育所の運営に要する費用について」発出（2021年1月29日一部改正通知、公定価格の保育士等職員人件費（年額）は1万円減額等。
4月1日	・厚労省保育課・子育て支援課連名事務連絡「新型コロナウイルス感染症防止のたるの学校の臨時休業に関連しての保育所等の対応について（第二報）」発出
4月7日	・厚労省保育課等連名事務連絡「緊急事態宣言後の保育所等の対応について」発出
4月8日	・国連子どもの権利委員会は新型コロナウイルス感染症の子どもへの影響などについて声明を公表（「月刊保育情報」9月号） ・東京新聞「緊急事態宣言首相が宣言、7都府県5月6日まで」
4月9日	・厚労省保育課事務連絡「保育所等における新型コロナウイルスへの対応にかかるQ＆Aについて（第二報）（令和2年4月9日現在）」発出 ・全国保育団体連絡会は「保育所等における新型コロナウイルス感染症対策に関わる要請書」を内閣総理大臣・厚労大臣に提出。
4月10日	・毎日新聞「新型コロナ緊急事態―親の職業で受け入れ判断、保育現場線引き苦慮」
4月11日	・読売新聞「都内保育園16区市『休園』―本社調査33区市は登園自粛」
4月14日	・読売新聞「全国の公立校再開36%―緊急事態宣言7都府県0%」
4月16日	・政府は緊急事態宣言の対象地域を全国に拡大、13都道府県は「特定警戒」に指定。 ・東京新聞「認可保育所3割原則休園決定―緊急事態宣言の52市区」 ・読売新聞「保育士助けて―新型コロナ『3密』職場支援不足」。
4月17日	・厚労省保育課等連名事務連絡「医療従事者等の子どもに対する保育所等における新型コロナウイルスへの対応について」発出 ・内閣府・文科省・厚労省課連名事務連絡「新型コロナウイルス感染症拡大に伴う子ども・子育て支援交付金の取扱いについて」発出
4月19日	・朝日新聞「緊急事態列島閑散、国内感染者1万人超す」
4月20日	・朝日新聞「保育園自治体対応に差、登園自粛過半数、休園25%」
4月24日	・厚労省保育課事務連絡「保育所における差別・偏見の禁止に関する政府広報について」発出 ・厚労省保育課等連名事務連絡「新型コロナウイルス感染症対策のために保育所等において登園自粛や臨時休園を行う場合の配慮が必要な子どもへの対応について」発出
4月25日	・朝日新聞「休校決定94%に、緊急事態拡大で急増―文科省調べ」
4月30日	・全国知事会は「新型コロナウイルス感染症対策に係る緊急提言」発表。
4月30日	・埼玉新聞「政府9月入学制検討―休校長期化で急浮上」
5月1日	・厚労省保育課等連名事務連絡「緊急事態宣言が継続された場合の保育所等の対応について」発出 ・厚労省保育課事務連絡「保育所等における新型コロナウイルスへの対応にかかるQ＆Aについて（第三報）」発出、第四法5月14日発出
5月2日	・埼玉新聞「認可保育所自粛要請72%，原則休所10市」
5月6日	・読売新聞「子ども感染急増、10歳未満200人超す、外出の親からか」
5月7日	・政府は緊急事態宣言の延長を発令

2020年5月11日	・日本教育学会は「『9月入学・始業』の拙速な決定を避け、慎重な社会的議論を求める―拙速な導入はかえって問題を深刻化する」
5月12日	・読売新聞「子の予防接種延期しないで―小児科医会」
5月14日	・厚労省保育課等連名事務連絡「緊急事態措置を実施すべき区域の指定の解除に伴う保育所等の対応について」発出 ・厚労省保育課等連名事務連絡「保育所等における感染拡大防止のための留意点について」発出
5月15日	・毎日新聞「39県緊急事態解除」
5月20日	・日本小児学会予防接種・感染症対策委員会は「小児の新型コロナウイルス感染症に関する医学的知見の現状」を公表。(「月刊保育情報」2020年7月号)
5月22日	・日本教育学会「9月入学・始業制」問題特別委員会は「提言　9月入学よりも、いま本当に必要な取り組みを」公表（「月刊保育情報」2020年7月号）
5月23日	・朝日新聞「学校再開へ3段階の目安―文科省が通知」
5月25日	・政府は4月7日から続いた緊急事態宣言を7週間ぶりに全面解除。 ・朝日新聞「長引く『登園自粛』行き詰まる親―密室育児で不安保育園にSOS」
5月26日	・文科省・幼児教育の実践の質向上に関する検討会は「幼児教育の質の向上について（中間報告）」公表、「幼児教育の振興の意義及び今後の方向性」及び「質向上のための具体的方策」などまとめる。 ・日本小児学会は「新型コロナウイルス感染症に対する保育所・幼稚園・学校再開後の留意点について」公表。(「月刊保育情報」2020年7月号) ・読売新聞「学校正常化段階的に、5都道府県来月1日から分散投稿」
5月28日	・毎日新聞「来年度、9月入学見送りへ『現場混乱』政府・与党」
5月29日	・内閣府・文科省・厚労省連名事務連絡「新型コロナウイルス感染症により保育所等が臨時休園等した場合の『利用者負担』及び『子育てのための施設等利用給付』等の取扱いについて」にかかるFAQについて（最終改訂）」発出。 ・厚労省保育課等連名事務連絡「保育所等における保育の提供の縮小等の実施に当たっての職員の賃金及び年次有給休暇等の取扱いについて」発出 ・厚労省保育課事務連絡「保育所等における新型コロナウイルスへの対応にかかるQ＆Aについて（第五報）（令和2年5月29日現在）」発出
6月1日	・全社協は「新型コロナウイルス禍に対応している保育所・児童福祉施設の全職員へ『慰労金』支給を求める緊急要望」を厚労大臣に提出
6月3日	・毎日新聞社説「コロナ会議録の不在―歴史の検証に耐えられぬ」
6月4日	・読売新聞「学校、幼稚園ほぼ再開―文科省調査、公立校4割短縮・分散」
6月5日	・復興庁設置法等の一部改正成立、復興庁設置は更に10年延長、2031年（令13）3月31日までとなる。 ・朝日新聞「授業不足自宅で補完、文科省通知へ、家庭負担増の恐れ」
6月14日	・読売新聞「妊婦の母親学級9割閉鎖、立ち会い出産禁止も8割―日産婦調査
6月15日	・子どもの権利条約市民・NGOの会共同代表者会議は「新型コロナウイルス感染症と子どもの権利に関する声明」を公表。

6月16日	・厚労省保育課事務連絡「保育所等における新型コロナウイルスへの対応にかかるＱ＆Ａについて（第六報）」発出。 ・毎日新聞「『人との接触が子どもの心育む』保育園苦渋の３密対策」
6月17日	・内閣府・文科省・厚労省課長連名通知「新型コロナウイルス感染症により保育所等が臨時休園等を行う場合の公定価格の取扱いについて」発出
6月19日	・厚労省子ども家庭局長通知「新型コロナウイルス感染症緊急包括支援事業（児童福祉施設等分）の実施について」発出、実施要綱を明示。 ・東京新聞「保育園騒音賠償認めず―練馬、東京地裁『我慢の範囲内』」
6月24日	・読売新聞「新型コロナ小中高再開―学校生活『復帰』に配慮必要、分散登校や短縮授業」。埼玉新聞「母の半数、育児時間増、休園で育児負担重く」。
6月26日	・厚労省は「保育所等における保育の質の確保・向上に関する検討会」議論の取りまとめ公表 ・内閣府子ども・子育て本部は「『令和元年教育・保育施設等における事故報告集計』の公表及び事故防止について」公表、死亡は６件、事故件数は前年比103件増の1,744件等。
6月27日	・朝日新聞「待機児童70市区３割減、本紙調査、今春数え方変えた自治体も、実態反映には疑問、『隠れ待機児童』５万5,941人」
6月28日	・朝日新聞「児童館の８割超コロナ禍で休館」
6月29日	・内閣府・厚労省保育課長連名通知「新型コロナウイルス感染症に伴う子ども・子育て支援法等に基づく『求職活動』の事由に係る教育・保育給付認定等の有効期間の取扱いについて」発出。
7月4日	・毎日新聞「ベビーシッターの性犯罪に衝撃」
7月8日	・朝日新聞「豪雨被害九州全域に―死者56人、142万人に避難指示」 ・朝日新聞「大雨影響休校や休園10県の582校―文科省調査
7月10日	・内閣府・厚労省保育課連名事務連絡「新型コロナウイルス感染拡大に伴う子ども・子育て支援交付金における病児保育事業の取扱いについて」 ・朝日新聞「新型コロナ都224人の衝撃、困惑の首都―学校・保育園感染じわり」
7月17日	・厚労省保育課事務連絡「保育所における災害発生時等における臨時休園の対応等に関する調査研究（周知）」発出、臨時休園に関する課題や考え方を整理し、市町村において臨時休園等の基準策定のお願いなど。
7月17日	・厚労省は2019年国民生活基礎調査公表、子どもの貧困率13.5%、母子家庭等大人１人の世帯で子どもを育てる世帯の貧困率は48.1%。
7月25日	・読売新聞社説「コロナ感染急増―全国的な広がりを憂慮する」
7月26日	・朝日新聞「乳幼児揺さぶり実態調査へ―厚労省児相対応見直し検討」
7月30日	・内閣府・文科省・厚労省局長連名通知「施設型給付費等に係る処遇改善等加算Ⅰ及び処遇改善等加算Ⅱについて」発出、加算Ⅱの配分条件の緩和、使途の明確化、基準年度の見直しなど明示、令和２年４月１日より適用。
7月31日	・毎日「東京止まらぬ感染拡大、警戒レベル『最高』　全国1,296人、東京367人感染、各地で最多更新」・読売新聞社説「コロナと虐待―子供の見守り機能を高めたい」
8月1日	・毎日新聞「新型コロナ全国1,563人感染連日最多」

2020年8月5日	・読売新聞「コロナで学校閉鎖100ヶ国で続く、国連報告書『史上最大教育の混乱』」
8月7日	・朝日新聞「児童生徒の感染半数以上家庭内、新型コロナ6～7月確認242人中―文科省」
8月6日	・毎日新聞「保育園悩む感染対策―消毒、換気徹底…でも休園法に規定なく」
8月5日	・読売新聞社説「新型コロナ対策―感染抑止へ国は責務を果たせ」
8月13日	・埼玉新聞「『3密避けられず』9割―感染防止で業務量増、保育士らのストレス要因」
8月24日	・東京新聞「マスク5歳以下は不要―WHO、ユニセフが指針」
8月29日	・安倍首相辞任表明
8月31日	・東京新聞「『不適切保育』初調査へ―厚生労働省園児への虐待防止策、保育の場労働環境改善も急務」
9月1日	・東京新聞「子ども7割ストレス訴え、新型コロナ意識調査・国立成育医療研究センター」
9月2日	・朝日新聞「新型コロナ8月感染7月の1.8倍、最多3万2千人、死者7.4倍」
9月3日	・毎日新聞「日本の子ども幸福度幸福度37位―ユニセフ38か国調査、身体的健康は1位」
9月4日	・厚労省保育課「保育所等関連状況取りまとめ【令和2年4月1日】」を公表、待機児童数は前年比4,333人の減少の12,439人、だが「隠れ待機児童」は過去最高の8～9万人程度（「月刊保育情報」2020年10月号） ・厚労省は「『子育て安心プラン』集計結果」を公表―2020年度末までの3年間で保育の受け皿確保の見込みが約31.2万人分に拡大と指摘、目標の2020年度末待機児童ゼロはほぼ困難。
9月8日	・安倍新聞社説「待機児童―保育の受け皿がまだ足りない」
9月15日	・厚労省保育課事務連絡「保育所等における新型コロナウイルスへの対応にかかるQ＆Aについて（第七報）（令和2年9月15日現在）」発出
9月17日	・毎日新聞「原則休園『線引き』に悩み―新型コロナ保育園自治体調査」
9月25日	・日本学術会議は「我が国の子どもの成育環境の改善に向けて―成育空間の課題と提言2020―」公表、「子どもを中心にした投資と政策」等4つの課題を提言。（「月刊保育情報」2020年12月号）
9月30日	・厚労省の「保育の現場・職場の魅力向上検討会」は報告書を公表 ・朝日新聞「コロナ世界死者100万人、たった9ヶ月―結核の年150万人に迫る」
10月1日	・内閣府「技能・経験に応じた追加的な処遇改善（処遇改善等加算Ⅱ）に関するご質問への回答」一部改定発出
10月1日	・内閣府「公定価格に関するFAQ（よくある質問）」発出 ・埼玉新聞「児童虐待死死家庭7割孤立―厚労省委初調査母のDV被害19％」
10月5日	・内閣府は子ども・子育て会議（第53回）開催、資料「第二期市町村子ども・子育て支援事業計画における『量の見込み』及び『確保方策』について」を提出、令和2年度～令和6年度までの第二期事業計画の作成の在り方について等。
10月7日	・毎日新聞「心の不調年収低いほど多く―新型コロナ2,4月調査」
10月10日	・朝日新聞「保育士の配置手厚くしてみたら、先生1人に1歳児6人→3人、新潟の16園で影響を比較」
10月11日	・朝日新聞「コロナ禍で『教育格差の拡大に拍車』、年収400万円未満の場合3割パソコン・タブレットなく」
10月13日	・朝日新聞「子どもののどに食べ物が―6歳以下の窒息脂肪事故5年で87件消費者庁調査」
10月15日	・毎日新聞「小児感染8割家庭内、新型コロナ父親経由最多」

10月21日	・東京新聞「新型コロナ保健所なお苦闘—残業50～80時間、昼休み5分」。朝日新聞「『弧育て』を救え」3回連載
10月30日	・厚労省保育課長通知「指定都市、中核市及び児童相談所設置市が設置する保育所に対する指導監督の実施主体について」発出 ・毎日新聞「国内感染10万人超—新型コロナ地方で増加顕著」
11月1日	・東京新聞「子の感染家庭8割、休校効果は限定的—小児科学会調査」
11月4日	・全国保育団体等は保育制度改善予算増額要請行動実施
11月6日	・読売新聞「コロナ国内1,048人感染、2ヶ月半ぶり4ケタ、北海道初の100人台」
11月11日	・読売新聞「女性の自殺8割増、10月前年比」
11月12日	・朝日新聞「日本医師会長感染拡大『第3波』指摘、全国の感染1,543人、6府県過去最多」。毎日新聞社説「コロナ感染の『第3波』、原因分析し対策に万全を」
11月19日	・毎日新聞「昨年度虐待相談最多19万件児相調査、警察経由が半数、休校、外出自粛潜在化懸念」
11月19日	・毎日新聞社説「第3波への政府対応—首相の危機感が足りない」
11月30日	・朝日新聞「記者解説—待機児童問題の現在地—現場軽視のゼロ目標、親らにしわ寄せ」
12月1日	・内閣府子ども･子育て本部は「認定こども園に関する状況について2020年4月1日現在)」公表、こども園総数は昨年比808園増の8,016園。 ・内閣府は子ども･子育て会議（54回）開催、「公定価格に関する検討事項について」で令和2年国家公務員給与改定に伴い公定価格の減額等、「今後の保育の受け皿整備について」等報告。
12月6日	・読売新聞「都内感染最多584人、国内重症者3日連続最多」
12月10日	・厚労省保育課事務連絡「医療従事者等の子どもに対する保育所等における新型コロナウイルスへの対応に関する取扱いの徹底について」発出
12月15日	・「全世代型社会保障改革の方針」閣議決定
12月16日	・朝日新聞「20自治体虐待調査せず、児童養護施設監査厚労省に改善勧告—総務省」
12月17日	・文科省と財務省は2021年度予算編成で小学校に限って35人学級編成で合意、40年ぶりの改正。 ・朝日新聞社説「少子化対策—予算を増やしてこそ」
12月18日	・東京新聞「東京感染急増最多800人超、警戒度最高レベルに、通常医療と両立困難」
12月21日	・厚労省は「新子育て安心プラン」を公表。待機児童ゼロは消え、4年間で約14万人の保育の受け皿整備と支援の3つのポイントを提示。保育士の処遇改善の言葉は消え「②魅力向上を通じた保育士の確保」で保育補助者の活躍推進、短時間勤務の保育士の活躍推進など規制緩和策を前面に打ち出す。 ・内閣府は「自治体向けFAQ【第18版】（令和2年12月21日）」公表
12月22日	・読売新聞「『医療立ち行かなくなる』日本医師会等医療9団体緊急事態宣言」
12月23日	・朝日新聞「『心の病』休職の教員最多、公立学校で5,478人—文科省昨年度」
12月25日	・内閣府は子ども・子育て会議（第55回）開催、資料「令和3年度における子ども・子育て支援新制度に関する予算案の状況について」、資料「児童手当に関する見直し」等を説明。
12月26日	・東京新聞「『生活保護は権利です』厚労省異例の呼びかけ」

2020年12月27日	・東京新聞「新型コロナ世界が一変した1年」。毎日新聞「『コロナで不安』63%、感染や収入面―厚労省1.1万人調査、4～5月」
註）☆「2020年保育白書」第1章4節「保育の公定価格」執筆 ☆座談会「コロナ禍が明らかにした保育の課題」参加（「2020年保育白書」所収） ☆拙稿「保育問題日誌・保育ジャーナル第555回（2020年1月分）～566回（2020年12月分）」（月刊誌ちいさいなかま2020年5月号～2021年4月号）及び拙稿「2020年保育問題日誌」（「2021年保育白書」所収）	
2021（令和3）年	・管内閣（2020.9.16～2021.10.4）岸田内閣（2021.10.4～）
1月7日	・厚労省は「保育所等における新型コロナウイルスによる休園等の状況（令和3年1月7日14:00時点）」公表、全面休園保育所等の数は58園、これまで感染者が発生した保育所等は903カ所、感染者数は職員929名、利用乳幼児731名。 ・厚労省保育課等連名事務連絡「緊急事態宣言が発出された地域における保育所等の対応について（周知）」発出
1月14日	・朝日新聞「緊急事態7府県追加、計11都道府県来月7日まで」
1月20日	・東京新聞「都内自治体『感染抑えるために』保育所登園独自に自粛要請、国は『原則開所』保護者困惑」
1月23日	・朝日新聞「自殺11年ぶり増、女性大幅増、小中高過去最多―昨年速報」
1月25日	・東京新聞「保育所災害区域に43%、震災後『移転なし』1,000自治体共同通信調査」
1月26日	・毎日新聞「臨時教員12年で24%増、非正規は十数万人―文科省調査」
1月29日	・首相官邸ニッポン一億総活躍プランフォロアップ会合・働き方改革フォロアップ会合・人生100年時代構想会議合同会合（持ち回り開催）、各会合の「フォロアップ（概要）」まとめる
1月31日	・読売新聞「『こども家庭庁』創設へ勉強会―自民有志」
2月2日	・内閣府は「新型コロナウイルス感染症対策支援事業、ICT化推進事業に関するFAQ一部改正について（令和3年2月2日時点版）」発出
2月3日	・埼玉新聞「35人学級法案閣議決定―25年度まで小学校全学年」
2月4日	・厚労省は「保育所等における新型コロナウイルスによる休園等の状況（令和3年2月4日14:00時点）」公表、全面休園保育所等の数は46園、これまで感染者が発生した保育所等は1,594カ所、感染者数は職員1,574名、利用乳幼児1,266名。 ・厚労省は「保育所等におけるマスク購入等の感染拡大防止対策に係る支援（令和2年度3次補正予算分）に関するFAQ（令和3年2月4日時点版）」公表。3月14日に更新版公表
2月4日	・厚労省子ども家庭局長通知「認可保育所設置支援事業の実施について」第八次改正発出。
2月5日	・読売新聞「放課後デイ報酬引き下げ、最大9%―厚労省・有識者検討会」
2月8日	・朝日新聞「緊急事態10都府県今日から延長、あと1ヶ月」☆東京新聞「常勤1人→短時間勤務2人でも可、保育士規制緩和『質』の低下懸念」
2月16日	・内閣府・文科省・厚労省課長連名事務連絡「令和2年度第3次補正予算による公定価格の対応及び新型コロナウイルス感染症対策に係る支援について」発出、令和2年国家公務員給与改定（期末手当0.05月分減）に伴う公定価格の人件費の引き下げで2月、3月分の減額等。
2月25日	・朝日社説「生活保護判決―政治的削減への警告だ」

2月26日	・内閣府は「子ども・子育て支援新制度説明会」開催、令和3年度子育て支援新制度に関する予算案の状況、保育所・幼稚園の新型コロナウイルス感染症への対応などを説明。
3月1日	・毎日新聞「新型コロナ6府県緊急事態解除」
3月5日	・厚労省は児童福祉主管課長会議開催、「新子育て安心プラン」、令和2年度第3次補正予算及び令和3年度予算案の主な内容、待機児童対策協議会の設置・運営状況など。
3月6日	・毎日新聞「6都県緊急事態21日まで再延長」
3月13日	・毎日新聞「幼稚園連前会長ら捜査へ、警視庁告訴状受理-4億円使途不明」
3月19日	・厚労省子ども家庭局長通知「保育所等における短時間勤務の保育士の取扱いについて」発出
3月25日	・朝日新聞「幼児の交通事故死亡・重傷が1,428人6割超が歩行中、16~20年調査」
3月31日	・内閣府・厚労省課長連名通知「令和3年度における私立保育所の運営に要する費用について」発出、新たに地域8区分別の職員本俸基準額等が示された ・読売新聞「男女平等日本120位、G7で最下位」
4月2日	・毎日新聞「首相『こども庁』意欲、自民提案準備組織設置指示」
4月13日	・東京新聞「暴言や罰、虐待も『不適切な保育』345件―19年度厚労省初の実態調査」
4月15日	・読売新聞社説「こども庁創設―将来見据え多角的に論議せよ」 ・毎日新聞「パート保育士の学級運営に懸念」
4月23日	・厚労省保育課等連名事務連絡「緊急事態宣言が発出された地域における保育所等の対応について（周知）」発出、「新型コロナウイルス感染症対策に関する保育所等に関するQ＆A（第十報）」などの改定を明示。
4月24日	・朝日新聞「緊急事態3度目宣言、4都府県明日から来月11日」
5月5日	・読売新聞「子供の人口1,500万人割れ、40年連続減過去最多」
5月7日	・朝日新聞「緊急事態31日まで延長―政府方針愛知・福岡も追加」
5月13日	・厚労省は「保育所等における新型コロナウイルスによる休園等の状況（令和3年5月13日14:00時点）」公表、全面休園の保育所数45園、これまでの感染者発生の保育所数は2,340園、感染者数は職員2,401名、利用乳幼児数2,128名。 ・埼玉新聞「日本『育てにくい』6割―内閣府国際調査、欧州各国に比べ突出」
5月18日	・毎日新聞「子供の7割家庭内感染―厚労省」
5月26日	・厚労省は「地域における保育所・保育士等の在り方に関する検討会開催、「子どもの数や生産年齢人口の減少、地域のつながりの希薄化等をふまえ」、保育所等の在り方について検討。
5月29日	・東京新聞「五輪ありき緊急事態宣言延長、9都道府県来月20日まで」
6月4日	・厚労省新型コロナウイルス感染症対策推進本部事務連絡「感染拡大地域の積極的疫学調査における濃厚接触者の特定について」発出、事業所における濃厚接触者等の候補となる範囲の例を明示。
6月9日	・毎日新聞「こども庁準備室設置、7月にも政府トップに官房長官」
6月10日	・厚労省は「保育所等における新型コロナウイルスによる休園等の状況（令和3年6月10日14:00時点）」公表、全面休園の保育所数42園、これまでの感染者発生の保育所数は2,905園、感染者数は職員2,976名、利用乳幼児数2,778名。

2021年6月17日	・朝日新聞「緊急事態沖縄除き20日で解除、7都道府県まん延防止へ―リバウンド懸念専門家組織」
6月18日	・「経済財政運営と改革の基本方針2021」（骨太の方針2021）を閣議決定。
6月18日	・内閣府は子ども・子育て会議（第57回）開催、「処遇改善等加算Ⅱの研修修了要件の必須化時期の取扱いについて」、「『放課後児童健全育成事業の設備及び運営に関する基準』の参酌化に伴う条例改正等の状況について〈調査結果のポイント〉」、第一期市町村子ども・子育て支援事業計画の状況、面積基準等の規制緩和等の「地方からの提案」等報告。 ・内閣府・文科省・厚労省「『子ども・子育て支援新制度施行後5年の見直しに係る対応方針について』」の対応状況」をまとめる。
6月19日	・朝日新聞「保育施設事故最多1,586件、昨年287件増」
6月20日	・東京新聞「子育て支援欧州上位、日本総合21位」
6月27日	・毎日新聞「五輪学校観戦6割中止―首都圏3県、感染や猛暑懸念」
6月28日	・内閣府・文科省・厚労省連名事務連絡「新型コロナウイルス感染症により保育所等が臨時休園等した場合の『利用者負担』及び『子育てのための施設等利用給付』等の取扱いについて」にかかるFAQについて（最終改訂）」発出、
7月1日	・読売新聞「首都圏コロナ再拡大鮮明、新規感染東京714人『ステージ』4水準」 ・朝日新聞「待機児童3分の1に減少、本社調査」
7月3日	・東京新聞「五輪開催は歴史的暴挙、中止求め作家らネット署名開始」
7月6日	・朝日新聞「非正規公務員ら9割超『不安』、過半数は年収200万円未満
7月8日	・毎日新聞「東京緊急事態宣言へ4回目、来月22日までまん延防止4府県延長」
7月20日	・文科省は中教審初等中等教育分科会幼児教育と小学校教育の架け橋　特別委員会開催
7月24日	・毎日新聞「東京五輪開幕コロナ下無観客、世論二分、幕は開いた」
7月29日	・福岡県中間市の認可保育所で園児がバスに閉じ込められ熱中症で死亡→8月31日福岡県及び中間市は改善勧告を行う（「月刊保育情報」2021年11月号）
8月1日	・朝日新聞「東京感染最多4,058人、全国1万2,342人、10府県で更新」
8月4日	・厚労省は「児童福祉施設等の感染防止対策・指導監査の在り方に関する研究会」を開催。（「月刊保育情報」2021年11月号）
8月5日	・厚労省は「保育所等における新型コロナウイルスによる休園等の状況（令和3年8月5日14:00時点）」公表、全面休園の保育所数108園と急増、これまでの感染者発生の保育所数は3,516園、感染者数は職員3,692名、利用乳幼児数3,616名。 ・朝日新聞「出生者84万3千人79年度以降で最少、人口は12年連続減少」
8月10日	・人事院は国家公務員給与勧告を公表、給与は据え置き、賞与は0.15ヶ月減。
8月14日	・東京新聞「東京の感染最多更新、全国2万人超1都3県1万人超」
8月20日	・厚労省新型コロナウイルス感染症対策推進本部事務連絡「保育所等へ配布した抗原簡易キットの取扱いについて」発出
8月23日	・東京新聞「保育士不足感染拡大で拍車」
8月25日	・毎日新聞「相次ぐ保育園クラスター、子どもの感染も急増、臨時休園前月の4倍」
8月26日	・読売新聞「緊急事態21都府県に、あすから8道県追加決定」

8月27日	・厚労省保育課「保育所等関連状況取りまとめ【令和3年4月1日】」を公表、待機児童数は前年比6,805人の減少の5,634人、だが「隠れ待機児童」は6~8万人程度と依然高水準（「月刊保育情報」2021年10月号） ・文科省健康教育・食育課事務連絡「学校で児童生徒等や教職員の新型コロナウイルスの感染が確認された場合の対応ガイドラインの送付について」発出 ・厚労省保育課「令和2年10月時点の保育所等の待機児童数の状況について」公表
9月2日	・内閣府・文科省・厚労省連名課長通知「『処遇改善等加算Ⅱに係る研修実施体制の確保等について』の一部改正について」発出、2022年度目途に研修要件必須化の文言削除など。
9月4日	・東京新聞「コロナ全面休園185ヵ所15都道府県過去最多」
9月6日	・読売新聞社説「待機児童―受け皿整備の手を緩めずに」
9月13日	・内閣府は「処遇改善等加算Ⅱ研修要件に係るFAQVer3（令和3年9月13日時点）」、「技能・経験に応じた追加的な処遇改善（処遇改善等加算Ⅱ）に関するご質問への回答」一部改定を発出
9月16日	・全国保育団体連絡会は「コロナ感染急拡大に対処するための緊急要望書」を総理大臣、厚労大臣に提出。 ・厚労省は「保育所等における新型コロナウイルスによる休園等の状況（令和3年9月16日14:00時点）」公表、全面休園の保育所数66園、これまでの感染者発生の保育所数は6,288園、感染者数は職員6,144名、利用乳幼児数8,133名。
9月17日	・読売新聞「車内放置福岡園児死亡、送迎バス運行施設任せ、国の基準なし、重大事故5年で4倍」
9月26日	・東京新聞「保育園休園急増、働けぬ保護者悲鳴、一時預け先なければ休める制度を」
9月29日	・厚労省保育課等連名事務連絡「保育所、放課後児童クラブ等における感染対策の徹底について（周知）」発出、「新型コロナウイルス感染症に関する今後の取組」（令和3年9月28日新型コロナウイルス感染対策本部決定）等を踏まえて感染対策の徹底を指示。
10月1日	・読売新聞「緊急解除きょう解除19都道府県」
10月3日	・東京新聞「知事会『第6波対策徹底を』国に緊急提言」
10月4日	・朝日新聞「第5波悩んだ保育現場、10歳未満の感染増、保育士不足、優先接種対象外」
10月8日	・岸田新首相所信表明で「保育等の現場で働いている方々の収入を増やす」ために「公的価格評価検討委員会を設置し、公的価格の在り方を抜本的に見直します」と明言。
10月11日	・内閣府は「認定こども園に関する状況について（2021年4月1日）」公表。厚労省は「保育所等待機児童数調査（2021年4月1日）に係る資料の修正について」公表。
10月14日	・朝日新聞「コロナ禍不登校最多、小中学生19万人生活の変化一因」
10月15日	・岸田首相は「新しい資本主義実現本部の設置」を閣議決定、26日「新しい資本主義実現会議」を開催
10月18日	・朝日新聞社説「保育園バス―悲劇繰り返さぬために」
10月20日	・朝日新聞「放課後デイ給付費5,800万円過大払い―検査院指摘」
10月21日	・読売新聞「学童保育交付金過大受給―検査院調べ18市町村で1億円」
11月2日	・読売新聞「働く女性自殺3割増、コロナ失業・減収影響か―過去5年比、昨年自殺白書」
11月5日	・読売新聞「危険なバス停対策本格化1年、移設・廃止検討1割全国1,400ヵ所」

2021 年 11 月 8 日	・新しい資本主義実現会議は「緊急提言―未来を開く『新しい資本主義』とその起動に向けて」公表、「全世代型社会保障構築会議の下に公的価格評価検討委員会を設置し、公定価格のあり方の抜本的見直しを検討する」との方針示す。
11 月 9 日	・岸田内閣は全世代型社会保障構築会議と公的価格評価検討委員会の合同会議を開催。
11 月 22 日	・読売新聞「介護職・保育士 3% 賃上げ、待遇改善へ効果は未知数」
11 月 24 日	・「公務員の給与改定に関する取扱いについて」閣議決定、人事院勧告通り実施だが、賞与減額は令和 4 年 6 月からの期末手当から実施を決定。
11 月 28 日	・読売新聞社説「保育介護賃上げ―確実に現場に届く工夫が要る」
11 月 29 日	・内閣官房が子どもの視点に立ってのこども政策の方向性について検討を行うため 2021 年 9 月 7 日設置した「こども政策の推進に係る有識者会議」は報告書を公表
12 月 1 日	・朝日新聞「待遇改善『朗報』でも『不十分』―低い配置基準が問題」
12 月 2 日	・内閣官房「こども政策の推進に係る作業部会」は「こども政策の新たな推進体制に関する基本方針（原案）」公表、2023 年度中に「こども庁」創設の方針を示す。
12 月 6 日	・東京新聞「障害児『放課後デイ』塾型は公費対象外、通所 2 タイプに再編―厚労省」
12 月 15 日	・中教審初中等教育分科会特別委員会は「幼保小の架け橋プログラムについて」公表
12 月 20 日	・厚労省「地域における保育所保育士等の在り方に関する検討会」は「とりまとめ」を公表
12 月 21 日	・閣議決定「こども政策の新たな推進体制に関する基本方針―ごどもまんなか社会を目指すこども家庭庁の創設」 ・内閣官房「公定価格評価検討委員会」中間整理を公表 ・東京都武蔵野市議会は意見書「保育士など保育職員の全産業平均並み賃金改善を求める意見書」可決（「月刊保育情報」2022 年 2 月号所収
12 月 22 日	・朝日新聞「こども家庭庁 23 年度新設、閣議決定　政策実現の財源見えず」
12 月 23 日	・内閣府通知「保育士・幼稚園教諭等処遇改善臨時特例事業実施要綱」及び「放課後児童支援員等処遇改善臨時特例事業実施要綱」発出
2021 年 12 月 24 日	・総務省通知「公的部門（保育所等）における処遇改善事業の実施について」発出。
12 月 25 日	・東京新聞「小中学生の体力低下鮮明に―コロナ禍肥満も過去最多」

註）☆「2021 年保育白書」第 1 章 4 節「保育の公定価格」執筆
☆拙稿「保育問題日誌・保育ジャーナル第 567 回（2021 年 1 月分）～578 回（2021 年 12 月分）」（月刊誌ちいさいなかま 2021 年 5 月号～2022 年 4 月号）及び及び拙稿「2021 年保育問題日誌」（「2022 年保育白書」所収）

参考文献―保育研究所編「月刊保育情報」各号、保育研究所編「保育白書」（各年版・全国保育団体連絡会）、保育法令研究会「保育所運営ハンドブック」（各年版・中央法規）、文科省幼児教育課編集「初等教育資料・幼稚園教育年鑑」（各年版・東洋館出版社）参考、下川編「近代子ども史年表」（河出書房新社）、村山祐一「保育問題日誌」（月刊誌「ちいさいなかま」1974 年 2 月号より毎月連載中・ちいさいなかま社）。

村山祐一
（むらやま　ゆういち）

1942年生まれ。
1969年法政大学大学院社会科学研究科修士課程修了、
社会福祉法人加須福祉会三俣保育園園長、保育研究所所員などを経て、1998年10月から鳥取大学教育学部教授に就任。2006年4月から帝京大学文学部（現在教育学部）教授、2008年4月同大学教職大学院教授兼務、2013年3月定年退職。
現在　保育学研究者・保育問題アナリスト、保育研究所所長、社会福祉法人加須福祉会理事長、同福祉会みつまたエコ・エデュケアーセンター代表

「子育て支援後進国」からの脱却 II
幼児教育・保育の真の「無償化」と「公定価格」改善課題
〜安全な保育、増える重大事故根絶を目指して〜

2023年1月15日　初版第1刷発行

著　者　村山祐一
発行者　伊集院郁夫
発行所　㈱新読書社
〒113-0033　東京都文京区本郷5-30-20
電話　03-3814-6791
印刷所　日本ハイコム㈱
組　版　追川恵子／藤家　敬

お問い合わせ

落丁・乱丁本はお取替えします。
ISBN978-4-7880-2183-9